†

미국 남북전쟁 시대 남부의 특권계급 여성들의 이야기

시련에 맞선 여성들

미국 남북전쟁 시대 남부의 특권계급 여성들의 이야기

시련에 맞선 여성들

드루 길핀 파우스트

Mothers of Invention

Drew Gilin Faust

솔과학
SOLKWAHAK

※ 목차

책을 시작하며

내가 버지니아에서 자라던 1950년과 1960년대에, 어머니는 내게 '여자_woman_남자로부터 나왔다는 의미-옮긴이' 라는 말은 모욕까지는 아니더라도 무례한 표현이라고 하셨다. 성인 여성은_최소한 백인 여성만이라도 '숙녀(ladies)' 로 불리고 대접받아야 한다고 하셨다. 그 가르침에 내가 보인 반응은 드레스 입기를 거부하고, 4-H 클럽_미국 농무부가 후원하는 청소년 단체로 농업과 가정학 교육을 제공한다-옮긴이에 가입하고, 다른 여자아이 모두가 하는 바느질 대신 남자아이들과 함께 양과 소를 키우는 것이었다. 물론 어머니는 계속해서 가끔은 드레스를 입어야 한다고 주장하셨지만, 믿는 바가 있어서인지 축산업을 향한 나의 열정에 대해서는 부정적인 말을 단 한마디도 하지 않으셨다.

이제와 되돌아보니, 이 책의 발단은 이러한 청소년기의 경험과 어머니가 돌아가시기 바로 전날, 내가 열아홉 살 때까지 어머니가 '여성스러움' 이라고 부르던 것을 갖추기를 나에게 요구하면서 계속된 나와 어머니와의 대립 그 어딘가에 놓여있음이 분명하다.

어머니는 이런 말로 나에게 주의를 주셨다. "얘야, 세상은 남자들의 것이란다. 네가 그 사실을 빨리 깨달을수록 너는 더 행복해질 거야." 그러나 나는 그런 주장이 잘못 되었음을 입증할 수 있는 그런 사회와 문화적 분위기에서 살고 있다는 점에서 어머니보다 더 운이 좋다고 하겠다.

남부 역사에 대한 나의 직업적인 역사적 관심 또한 그 유년시절에서 기인한 것으로, 나는 브라운 판결과 학교 인종차별폐지에 반대하는 '대규모 저항운동' 의 시기동안 해리 버드_Harry Byrd, 버지니아의 주지사로 공립학교의 인종분리폐지를 반대했다-옮긴이 주지사의 고향에서 살고 있었다. 그 당시에는 아무리 어린아이라고 할지라도 어른들의 이야기를 눈치채지 않을 수 없었고, 장차 벌어질 사회적 변화를 걱정하지 않을 수 없었다. 나는 브라운 판결 소식을 라디오에서 듣고 나서야 내가 다니던 초등학교의 학생들이 모두 백인이라는 것을 깨달았고 그것이 우연이 아님을 눈치 챘다. 그러나 내가 한 일은 재빨리 아이젠하워 대통령에게 편지를 써서 초등학교 2학년 때 평등에 대해 배운 나에게 이러한 상황이 얼마나 불합리하게 보이는지를 말하는 것이었다. 나는 이미 어린 나이에 남부인이면서, 동시에 미국인으로서 겪게 되는 모순과 마주친 것이다. _브라운 대 토피카 교육위원회 Brown v. Board of Education of Topeka. 흔히 브라운 판결로 알려져 있으며, 이 재판으로 공립학교의 인종분리제도가 위헌이라는 판결이 내려짐. 켄사스주 내의 토피카(Topeka) 시 교육위원회는 모든 조건이 동일하다는 전제하에 공립학교에서 흑인학생과 백인학생에 대해 각각 분리된 교육시설을 설치할 수 있도록 규정하고 있었다.(1896년 플래시 대 퍼거슨 판결로 분리하되 평등하다는 원칙하에 인종 분리 시설이 합법화 됨) 그러나 올리버 브라운 목사는 딸인 린다 브라운이 인근 백인 전용 학교의 입학을 거부당해 위험한 철길을 건너 흑인전용학교로 등교하는 상황을 불합리하다고 생각하였고, 토피카 교육 위원회에 소송을 제기. '브라운 대 토피카 교육위원회' 사건은 3년을 끌었고 1954년 5월 17일, 미 연방대법원은 '공립학교의 인종 분리는 위헌' 이라는 역사적 판결을 내렸다. 얼 워렌(Earl Warren) 대법원장은 남부의 주 정부들에게 빠른 시일 내에 인종별 학교를 통합하라는 명령을 내림-옮긴이

내가 역사학자가 되고, 남부와 남북전쟁을 나의 학문적 연구의 중심으로 삼고, 남부 연합의 백인 여성에 관련된 책을 쓰게 된 것은 거의 운명처럼 보인다. 내가 '숙녀' 이자 가족들 중에서 가장 영력이 있었던 나의 어머니와 할머니 두 분께 이 책을 바치는 일은 더할 나위 없이 적절한 행동인 것 같다. 비록 그분들이 살고 있던 후방은 다른 남부 연합 여성의 지역처럼 전쟁 지역은 아니었지

만, 사실 그 세 분 모두 전쟁의 영향을 깊게 받았다. 할머니 두 분은 모두 제 1차 세계대전 당시 남편을 유럽으로 보냈고, 그 중 한 분은 하나뿐인 오빠가 영불해협을 넘는 비행임무에 자원하는 바람에 잃게 되었다. 1942년, 어머니는 입영날짜가 일주일도 채 남지 않았던 아버지와 결혼식을 올렸고, 그 후 얼마 안 있어 아버지의 해외복무로 부모님은 18개월을 떨어져 지냈다. 내 유년시절 아버지와 삼촌들, 할아버지들이 격식을 갖춰 찍은 사진은 선반과 탁자를 장식했고, 사진 속의 그 분들은 군복을 입은 모습이었다. 그래서 나는 자라면서 모든 남자가 군인이라고 생각했다.

나는 이 책을 마치 우리 어머니와 할머니들이 읽을 것 같은 마음가짐으로 집필을 하였다. 대학의 역사학자로서 20년이라는 세월을 보낸 지금, 나는 이따금씩 더 이상 일반 독자들의 마음을 끄는 방식으로 이야기를 전달하지 못할 거라는 두려움에 사로잡힌다. 하지만 이 전쟁 이야기의 거부할 수 없는 매력과 인간 드라마가 나로 하여금 일반 독자를 위한 책을 써보도록 하는 마음을 갖게 하였다. 이러한 이유로 학구적인 독자는 이론적인 문제와 사학사적 논쟁에 참고가 될 자료를 본문에서보다는 대부분 말미의 주(註)에서 찾을 수 있을 것이다. 나는 남부 연합 여성들의 목소리가 내 목소리에 묻히는 일이 없도록 노력했다.

사실 이 주제에 대해 상당부분 내가 흥미를 갖게 된 것은 남부 상류층 여성들이 역사적 유산으로 남긴 방대한 글에 나타난 언어와 표현의 풍성함때문이었다. 그녀들은 교육을 받았고, 자신을 돌아볼 수 있는 여가시간을 자주 가질 수 있었기에, 자기회의와 자기반성뿐만 아니라 자신을 정당화하는 광범한 기록을 남길 수 있었다. 상류층의 역사는 요즘 그리 인기 있는 주제는 아니지만 내가 이 주제에 끌리게 된 이유는 새로운 사실을 알려주는 그 엄청난 양의 자료를 이용하여 군대와 사회의 위기가 상류계층의 본질을 규정하는 권력과 특권에 얼마나 도전적이 되는지를 탐구할 수 있는 기회가 되기 때문이다. 남북전쟁은 남부 상류계급 남자들만이 아니라 상류층 여자들에게 있어서도 진실을 대면하게 되는 순간이었다. 물론 이 사실을 인식한 사람은 내가 처음은 아니다.

남부 연합의 상류층 여성들의 강한 자의식과 유려한 화법이 담겨진 일기와 편지, 수필, 회고록 그리고 소설과 시는 이 연구에 가치를 더해주고, 놀랄 만큼 다양한 증거자료가 되었다. 물론 자기 자신을 위해 쓴 일기와 자녀들을 위해 쓴 일기, 후세를 위해 쓴 일기는 특정 개인에게 보낸 편지나 당대 유행하던 장르의 제약 속에서 쓰인 소설, 혹은 희미한 기억과 변화된 상황에서 되살린 정확하지 못한 추억과는 분명히 달리 해석되어야 할 것이다. 그러나 다양한 형태의 여러 자료와 자료에 나타난 상호보완적인 관점은 궁극적으로 나의 이해를 깊어지게 할 것이다.

남북전쟁 시대부터 출판된 여성들의 글은 해를 거듭하면서 그 수가 늘어났으며 나의 작업에도 크게 도움이 되었다. 하지만 나의 자료 조사에 가장 큰 도움이 된 것은 남부 11개 주와 콜롬비아 특별구에 집중되어 있는 24개 이상의 필사본 보관소를 방문한 것과 여러 개의 북부에 있는 기관을 방문한 일이었다. 이들 도서관과 문서보관소에서 근무하시는 분들에게 받은 도움은 말로 다 할 수 없을 정도이다.

그 동안 500명이 넘는 남부 연합 여성들의 목소리에 귀를 기울였다. 그러나 나의 연구가 여성들만의 저술에 국한되는 것은 아니다. 왜냐하면 전시의 남부에서 변화하고 있는 정체성의 본질과 사회적 성별관계에 대해 걱정한 사람들은 여성들만이 아니었기 때문이다. 백인여성들은 자기 성찰 과정에서 자신들이 속해있던 더 넓은 사회와 계속적으로 대화를 하게 되었고, 그 과정에서 급격한 사회 변동의 상황에서 여성성이란 어떠해야 하는가에 관해 숙고하였다.

그 결과, 나는 성별에 관한, 그리고 새로운 남부국가에서 여성의 지위에 관한 공적인 담론에 상당한 관심을 기울이게 되었다. 이들 논의 중 일부는 연극, 소설, 노래, 그림과 같은 남부 연합의 대중문화에서 발견한 것이었다. 그러나 나는 이것이 제퍼슨 데이비스_Jefferson Davis, 미시시피 주 상원의원으로, 후에 남부 연합 대통령으로 선출되어 전쟁을 지도했다-옮긴이와 같은 남부 거물급 정치가의 말과 신문사설, 심지어는 공적 정책결정과 같이 남부사회의 정치적인 영역과도 긴밀하게 연결되어 있었다는 것을 알게 되었다.

남부 연합의 정책과 대중적인 생활에 관한 기존 연구들은 여성의 지위에 대해 거의 아무런 관심을 쏟지 않았다. 즉 정책의 대상으로나 그들에게 미칠 영향은 고려되지 않았다. 나는 이 책에서 남부 연합의 지도자들과 정부는 새로운 국가에서 뿐만 아니라 독립을 달성하기 위한 전쟁에서 여성이 있어야 할 적절한 자리에 대해 이야기를 나누었을 뿐만 아니라, 여성들의 삶에 직접적인 영향을 미치는 계획이 실행되고 법안이 통과되었다는 사실도 알려주고 싶다. 남부 연합의 지도자들이 여기에 내포된 의미를 인식했는지는 모르겠지만, 남부 연합의 여성들은 그 의미를 분명히 이해했다. 전쟁과 침략에 자리를 내어 준 국가에서 개인적인 삶이란 존재하지 않았다. 강제징집, 구제활동, 후방 방위, 경제생산, 노예제도 등 남부 정부의 정책에 관한 여성들의 평가가 전쟁을 계속하느냐에 대한 여성들의 지지에 영향을 미쳤으며, 전쟁 지속에 대한 여성들의 지지도가 낮아지게 된 원인이라는 것이 내 생각이다.

공개 토론과 정부의 행동은 전쟁으로 사회가 한창 변화하고 있을 때, 여성이 자신의 정체성을 변화시키고 자기 개혁을 이루었던 방법에도 영향을 미쳤다. 나는 유년시절 우세한 공공가치가 붕괴될 때 개인의 삶에서 가장 사적으로 보이는 영역에서조차 새로운 선택의 기회가 만들어질 수 있다는 것을 목격했고, 이것을 절대 잊지 못할 것이다. 그러나 전통주의에 대한 고집스런 집착은 이러한 자유를 결국에는 제한할 수 있다는 것을 앞으로 함께 보게 될 것이다. 이 책은 구 남부의 사회체제의 수혜자인 동시에 피해자였던, 한 집단의 삶에 공존하는 낡은 것과 새로운 것의 충돌을 다룬 책이다. 이 책은 한때 특권을 가진 존재였다가 종속된 존재가 되는 모순된 상황에 관한 책이다. 이 책은 사람들이 어떻게 변하려고 하면서 동시에 변하지 않으려고 하는지, 그러한 개인적인 변화가 사회와 정치라는 더 큰 세상과 어떠한 관계를 맺는지를 다룬 책이기도 하다. 이 책은 남부 연합 상류계급의 절반을 차지했던 여성의 이야기이다.

웰플리트에서 1994년 8월.

Drew Gilin Faus

드루 길핀 파우스트

감사의 말

오랫동안 이 연구 과제를 진행하면서 내가 아는 거의 모든 사람에게서 이런 저런 방법으로 도움을 받았다. 나를 만난 적이 없는 사람들조차 19세기 의복 스타일에 관해 내가 물었을 때 친절하게 답해주었는가 하면, 출간되지 않은 1차 자료를 제공해주었으며, 사진 찾는 일을 도와주고, 특정 부분이나 개념에 대한 그들의 의견을 제시하기도 했다. 나는 친구들이나 낯선 이들의 관대함에 큰 신세를 졌다. 린 헌트_Lynn Hunt, 린다 커버_Linda Kerber, 스테파니 맥커리_Stephanie McCurry, 레이드 미첼_Reid Mitchell, 스티븐 스토_Steven Stowe는 원고 전체를 꼼꼼하게 읽고 의견을 들려주었다. 노스캐롤라이나 대학 출판부의 논평자로서 낸시 휴잇_Nancy Hewitt과 수잔 렙소크_Suzanne Lebsock는 적절하게 균형 잡힌 비평과 지원을 아끼지 않았다. 편집자 케이트 토레이_Kate Torrey는 이 책을 끝까지 쓸 수 있을지 나조차 전혀 확신을 가질 수 없을 때에도 책에 대한 믿음을 버리지 않았다. 론 마너_Ron Maner, 스테파니 벤젤_Stephanie Wenzel은 교정하고 인쇄되는 과정에서 전문가다운 신중한 태도를 보여주었다. 버논 버튼_Vernon Burton, 스테파니 코리_Stephanie Colee, 캐시 풀러_Kathy Fuller, 그레이스 엘리자벳 헤일_Grace Elizabeth Hale, 존 인스코_John Inscoe, 스테파니 맥커리_Stephanie McCurry, 에이미 머렐_Amy Murrell, 수전 오도노반_Susan O' Donovan, 조엘 펄만_Joel Perlman, 필립 라신느_Philip Racine, 레슬리 롤랜드_Leslie Rowland, 조안 세버라_Joan Severa, 제인 슐츠_Jane Schultz, 스티븐 휘트먼_Stephen Whitman은 진행과정에서 맡은 바 일을 하며 큰 힘이 되어주었다. 대학원생 토드 바넷_Todd Barnett, 데이나 바론_Dana Barron, 낸시 버코_Nancy Bercaw, 브라이언 크레인_Brian Crane, 래리 골드스미스_Larry

Goldsmith, 맥스 그랜트_Max Grant가 조사를 도와주는 한편, 그들 자신의 관점에서 평을 해주기도 했다. 거의 비슷한 주제를 다룬 낸시_Nancy의 논문 덕분에 내가 제기하고자 하는 보다 큰 문제들을 잘 짜인 지역적 맥락에서 볼 수 있었다. 레베카 브리텐햄_Rebecca Brittenham, 존 챔버스_John W. Chambers, 엘리자벳 폭스 제노베즈_Elizabeth Fox-Genovese, 유진 제노베즈_Eugene Genovese, 로리 긴스버그_Lori Ginzberg, 앤 존스_Anne Jones, 윈스롭 조단_Winthrop Jordan, 제인 피스_Jane Pease, 조지 레이블_George Rable, 제니스 래드웨이_Janice Radway, 캐시 러디_Kathy Rudy, 찰스 레이건 윌슨_Charles Reagan Wilson, 버트램 와이엇 브라운_Bertram Wyatt-Brown은 각 장에 대해서 꼼꼼하게 논평을 해 주었다. 필라델피아 도서관_Library Company of Philadelphia의 필립 래판스키_Philip Lapsansky, 코린 허진스_Corinne Hudgins, 가이 스완슨_Guy Swanson, 남부 연합 박물관_Museum of the Confederacy의 터커 힐_Tucker Hill, 워싱턴D.C의 킴 라이스_Kym Rice, 라이스대학에서 기획한 《제퍼슨 데이비스의 문서_Papers of Jefferson Davis 프로젝트》의 린다 크리트스_Lynda Crist와 메리 딕스_Mary Dix, 텍사스 대학 미국역사센터_Center for American History의 랄프 엘더_Ralph Elder, 남부 역사 문서 보관소_Southern Historical Collection의 데이비드 몰트케 한센_David Moltke-Hansen, 버지니아역사학회_Virginia Historical Society의 프랜시스 폴라드_Frances Pollard, 앨라배마역사기록보관소_Alabama Department of Archives and History의 에드윈 브리짓_Edwin Bridges, 사우스캐롤라이나 도서관의 앨런 스토크스_Allen Stokes, 이들 모두가 나를 귀중한 자료로 이끈 사람들이다. 펜실베니아 대학의 대학 간 도서대출부의 리 퍼그_Lee Pugh는 한결같은 도움을 주신 유능한 분이고, 인문학 서지학자인 스티븐 레만_Stephen Lehmann은 귀중한 마이크로필름을 입수하는 기적을 보여주었다.

펜실베이니아 대학에서는 오늘날까지 20년이라는 시간동안 나의 학문적 연구를 위해 물심양면으로 지원해주었다. 이 책이 나올 수 있도록 도움을 주신 대학 관계자들과 전 · 현직 학부 학과장들에게 감사의 말을 전한다. 내가 큰 신세를 진 셀던 해크니_Sheldon Hackney, 마이클 에이컨_Michael Aiken, 휴고 존넨샤인_Hugo Sonnenschein, 로즈마리 스티븐스_Rosemary Stevens와 역사학부 학과장 리처드 비먼_Richard Beeman, 마이클 캐츠_Michael Katz, 이 분들께 진심으로 감사한다.

이 책 말미의 참고문헌을 보면 이 책을 위해 얼마나 많은 여행을 해야 했는지 짐작할 수 있을 것이다. 제시카 로젠버그_Jessica Rosenberg와 찰스 로젠버그_Charles Rosenberg는 그렇게 많은 여행이 필요한 이 작업에 변함없이 순수한 열정을 보여주었고, 늘 즐거운 마음으로 이 모든 것을 참아주었다. 찰스는 늘 그렇듯이 개념상의 문제점과 편집상의 문제에 대해 핵심을 찌르는 의문을 제기하였고, 각 단어를 최소한 두 번씩 읽었다. 이 책이 나의 연구실을 떠나 넓은 세상에 발을 내딛는 순간, 나는 장담하건데, 더 이상 수많은 여성들에 의해 둘러싸여 있지 않아도 된다는 사실에 안도의 한숨을 내쉴 것이다.

3장의 일부분은 『젠더와 역사_*Gender and History*』지에 "남자들의 일을 시도하다"라는 제목으로 약간 다른 형태로 실었었고, 7장의 일부분은 『마카리아_*Macaria*』_바튼 루즈: 루이지애나 주립 대학출판사, 1992의 서문에 약간 다른 형태로 실었었다. 이 부분을 이 책에 다시 싣도록 허락해주셔서 감사드린다.

가능한 한 원본을 충실히 살리고자하는 의도에서 19세기 자료에서 인용한 부분에 대해 철자나 문장부호를 바로 잡거나, 잘못된 철자에 대해 원문 그대로 표기했다는 지적도 하지 않았다.

시련에 맞서 싸운 여성들

필요와 전쟁은 발명의 어머니이다.

- 클라라 솔로몬_Clara Solomon, 1862년 5월 18일

사랑하는 남편을 집에서 다시 한 번 볼 수 있을까, 아니면 나는 이 고독한 세상을 홀로 헤쳐 나가며 싸워야 하는 운명이란 말인가. 신이시여, 지금의 나와 다른 여성이 될 수 있다고 생각하지도 않지만, 불가피한 경우가 아니라면 지금의 나와 다른 여성이 되지 않도록 도와주소서.

-줄리아 데이비슨_Julia Davison, 1862년 9월 8일

▩ 들어가는 글

인생의 모든 관계
All the Relations of Life

포트 섬터_Fort Sumter에서 총성이 울리고 남북 간의 교전이 발발한 지 일 년 남짓한 시간이 흐른 후, 버지니아 주 프론트로얄_Front Royal에 사는 루시 벅_Lucy Buck은 일기에 이렇게 적었다. "우리 중 어느 누구도 이전의 모습으로는 결코 돌아갈 수 없을 것이다." 남북전쟁은 옛 남부를 새로운 남부로, 노예제도를 자유로, 부유함을 빈곤함으로 대체시켰다. 정부와 경제, 사회에 밀려드는 변화의 소용돌이 속에서 개인 정체성의 뿌리 또한 전쟁으로 흔들릴 수밖에 없었다.[1]

남북전쟁 전 남부의 백인 남성과 여성들은 수많은 범주 안에서 자신을 규정지었으며, 또 그 안에서 자신을 이해했다. 인종은 구속과 자유 그리고 우수함과 열등함의 차이를 보여주는 특징이었고, 성별은 의존적인 존재와 독립적인 존재를 구분하고, 주인과 속인을 구분 지었다. 사회적 계급은 이보다 더욱 미묘하여 민주화가 진행되는 미국 사회에 그 모습을 교묘히 숨기고 있었지만, 그럼에도 부와 권력, 교육, 교양 정도에 따라 상류계급으로 인정을 받으며 존경받는 이들이 분명 존재했다. 물론, 남부백인들이 인정하던 다른 정체성도 있었다. 그들은 아마도 장로교 신자이거나 침례교 신자, 아니면 감리교 신자였을 테고, 루이지애나 사람이거나 버지니아 혹은 사우스캐롤라이나 사람으로, 휘그당원 아니면 민주 당원이었을 것이다. 그러나 이러한 것 중 어느 하나도 옛 남부의 인종, 성별, 사회적 계급에 의한 위계질서만큼 쉽게 식별되거나 사회적으로나 개인적으로 근본적인 특성을 나타내 주는 것은 아니었다. 남부사람들은 우선 흑인이냐 백인이냐, 여성이냐 남성이냐의 관점에서 자신을 생각할 수 밖에 없었다. 정체성의 확립뿐만 아니라 인생에서의 선택과 목표 또한 이러한 특성에 따라 결정되었기때문이다. 남부백인들에게는 눈에 보이는 이런 생물학적인 특징보다는 사회적 계급이 덜 고정적인 것으로 생각되었다. 따라서 계급적 특성이 지닌 이런 유동성은 사람들의 관심을 사회적 지위와 그것의 이동에 더 집중하게 되는 결과를 낳았으며, 이런 상황에서 자신이 속한 계급의 정체성을 끊임없이 알리고 그 권리를 주장해야 되었다. 피부색, 의상, 머리모양, 언어, 일정한 형식을 갖춘 행동, 인종, 계급, 성별은 권력의 소유 여부를 결정하는 주요 결정요인이자 그 상징이고, 또한 자신을 규정하는 것들이었다.

남북전쟁이 남부사회를 뒤흔들고 노예제도를 전복하고, 상류층 농장주들의 부와 정치적 힘에 타격을 가하자, 상호 연관된 이들 지배 권력 모두가 위협을 받게 되고, 변화에 직면했다. 또한 이는 당시 한 신문이 '가부장적 관계의 붕괴' 라고 묘사하게 된 계기가 되었는데, 가부장적 관계는 백인 남자를 사회적 피라미드의 정점에 자리 잡게 한 것이었다. 그러나 사회 권력의 명백한 변화 못지않게 의미심장한 것은 그 지배세력을 규정하고 구체적인 형태를 부여한, 바로 그 범주에 대한 도전이었을 것이다. 흰색이 그저 자유를 상징하는 색 외에는 아무것도 아니게 되었을 때, 그것이 의미하는 바는 무엇이었을까? 남성이 가족을 부양하고 보호하는 일에 실패하고 만신창이가 된 상황에서 남자다움이 의미하는 바는 무엇이었을까? 의존과 무력함이라는 개념이 배부른 소리가 된 이후에, 여성성이란 어떤 의미였는가? 다음은 1864년 7월, 지역 신문인 『몽고메리 데일리 어드버타이저_*Montgomery Daily Advertiser*』지에 실린 어떤 기고자의 글이다. "우리는 거대한 혁명을 지나고 있다.", "사회의 표면은 광대한 바다처럼 솟아오르며, 인생과 관련된 모든 것이 어지럽혀지고, 어긋나고 있다." 그러나 인생과 관련된 모든 것은 단지 어긋난 정도가 아니라 아예 우리의 이해를 넘어선 것이었다. 전쟁의 파동은 개념적, 감정적, 사회적인 혼란을 낳았고, 남부사람들은 그들의 정체성에 관한 가장 근본적인 전제조건과 세상에서 그들이 처한 상황을 다시 생각해야만 했다.[2]

미국인으로서 우리는 자유의 의미 그리고 흑인과 백인의 관계에 대해 남북전쟁이 초래한 토론과 논쟁을 오랜 기간 주의 깊게 지켜봤다. 이를테면, 이는 우리 국가의 역사와 의식에서 중요한 자리를 차지한 전쟁의 원인과 더불어 미국헌법의 발전과정에서 중심이 된 주제였다. 최근 들어 역사학자들이 이런 변화를 좀 더 개인적인 차원에서 살피기 시작하면서, 남부의 흑인들이 자유를 어떻게 정의 내리고, 요구했는지, 그들 자신의 해방을 성취하기 위해 어떻게 행동했는지 그 방법을 면밀히 검토하고 있다. 그러나 남북전쟁을 다룬 방대한 학술적 저서와 문학작품 중에서 전쟁이 성별에 관한 기존 관념에 어떤 혼란을 가져왔으며, 어떻게 그러한 혼란으로 초래된 유산이 오랫동안 생명력을 유지하게 되었는지에 관해 연구한 책은 매우 적다. 이 책이 의도하는 바는 자신의 생각을 표현하고, 자기 성찰적이었던 여성 집단에게 남북전쟁이 의미하는 바가 무엇인지 검토하여 그 불균형을 바로잡고자 하는 것이다. 그녀들은 교육을 받고 노예를 소유했던 남부 연합의 특권계층으로, 자신들의 경험과 의식을 엿볼 수 있는 특별한 창이 되는 일기와 편지, 회고록을 남겨놓았다.[3]

흔히들 전쟁이 세상을 바꾼다고 생각한다. 그러나 남북 전쟁의 목적과 그것을 둘러싼 상황, 이 두 가지는 그 유래를 찾을 수 없을 정도로 미국인들에게 강한 충격을 남겼다. 남북전쟁은 이전에는 상상조차 할 수 없던 엄청난 규모의 군대와 사망자수로 전쟁 역사에서 새로운 시대의 막을 연 것이다. 미국독립혁명 당시 무장한 사람들은 3만 명 정도에 불과했으나, 남북전쟁 때 군대의 수는 100만에 달했고, 사망자의 수는 60만 명을 웃돌았다. 거의 모든 전투가 벌어지고 파괴된 곳은 남부지역이었다. 남부 전체가 전쟁터로 변하고, 엄청난 수의 남자들과 물자가 동원된 것, 남부 전선의 후방이 주는 중대한 의미, 빈번히 바뀌는 전선 등은 남북전쟁의 경험을 남부 연합의 여성들에게 직접적이고 의미심장하게 와 닿게 하였다. 북부여성들은 연합군과 인접한 몇몇 지역을 제외하고는 대다수가 전쟁의 피해를 입지 않았을 뿐 아니라 전쟁을 지원하는 의무에서도 자유로웠고, 취약한 남부 연합의 경제 상태로 남부사람들이 겪었던 물자 부족의 고통에서도 비껴서 있었다.

게다가 북부에서는 여성의 권리를 보장해야 한다는 주장이 남녀의 역할에 대한 전통적 관념을 약화시키면서 성별에 대한 기존 관념을 다시금 고찰하려는 움직임이 이미 한 세대 전에 시작되었다. 남부에서는 이와 대조적으로 19세기에 나타난 페미니즘이 1861년까지 거의 아무런 영향을 끼치지 못했으며, 여성성이란 생물학적 특성이기에 당연한 것이며, 불변하는 것이라는 믿음이 여전했다. 남부의 수호자들은 이런 차이가 남부 사회의 우월성과 북부사람들의 삶의 방식에 내재된 위험한 성향을 보여주는 증거라고 보았다. 지역 사회이론가이자 노예제도를 지지하는 조지 피츠휴_George Fitzhugh는 1854년에 "자유사회에서 여성의 지위는 뭔가 잘못되었으며, 그러한 지위는 나날이 나빠지고 있다."고 경고하였다. 북부의 민주화와 노예제도폐지, 페미니즘은 모두 위계질서에 대한 도전을 상징하는 듯했고, 피츠휴는 이것이 필연적으로 결혼제도의 붕괴로 이어질 거라고 우려했다. 그는 "우리 북부주의 사람들 중 가사 노예제를 부당하고 비열한 짓이라고 말하는 이들은 끊임없이 결혼관계를 변형시키거나 폐지하려고 시도하고 있다."라고 했다. 북부에서 여성의 권리를 위한 투쟁이 진행되고 있는 동안 피츠휴는 자신의 지역을 대표해서 이렇게 말한다. "…… 여성에게는 오직 한 가지 권리만이 있는데, 그것은 보호받을 권리이다. 보호받을 권리는 복종의 의무도 수반한다. 남편과 군주, 주인…… 창조주가 모든 여성을 위해 만든 것이다." 그는 아마 창조주가 모든 노예를 위해 주인을 만든 거라고 덧붙였을지도 모르겠다.[4]

남부의 고유한 인종적 위계질서에 도전한 전쟁은 여성성에 대한 전통적인 개념을 다시 생각해보게끔 했다. 전쟁이 시작되면서 남부의 백인들은 전에 없이 성별에 내포된 의미를 찾기 시작했고, 가족과 국가의 생존을 위해서 여성들에게 익숙하지 않은 책임을 부여할 수밖에 없었기 때문에 『밀리지빌 컨페더러트 유니온 _Milledgeville Confederate Union_』지에서는 이런 변화가 '성적 정체성이 사라진 여성'을 만들어내지 않을까 걱정했다. 전쟁이 남자들만의 영광스럽고 독점적인 범주에 속한다는 전제하에, 처음에는 전쟁으로 인해 남자다움과 여자다움 사이의 전통적인 구분이 재확인되고 오히려 한층 확고하게 굳어진 것 같았다. 그러나 얼마 지나지 않아 성별의 범주와 정체성에 대한 불확실성이 확산되기 시작했다. 여성들은 집안을 다스리고, 가족을 부양하며, 노예를 다루는 등 어떤 텍사스 여성의 말대로 점점 더 "남자들의 일을 하려고 하는" 자신의 모습을 발견하게 되었다고 하였다. 전면전쟁에서 비롯된 요구사항과 예기치 않은 공포에 직면해 있는 동안, 오랫동안 신봉되고 이해되어 온 여성성에 대한 견해는 다시 정의될 수밖에 없었다. 남부인 들에게 전쟁으로 야기된 여성의 정체성에 대한 혼란은『몽고메리 데일리 어드버타이저_*Montmery Daily Advertiser*』지의 기자가 말했듯이 "지진과 소용돌이와 태풍"과 같은 기세로 갑작스럽게 다가왔다.[5]

그러나 이렇게 포괄적이고 공개적인 논의가 계속되는 와중에도 남부 연합의 여성들은 한층 개인적이고 개별적으로 자신들의 지위를 평가하고 있었다. 남부 연합에서 노예를 소유한 집안에 속해 있던 50만 명이 넘는 백인여성에게 정체성의 위기는 더욱 심각한 것이다. 남부의 최상류층 여성들은 그들 특권의 기반이 되는 노예 제도와의 관계에서 자기 자신과 자신의 지위를 설명할 수 있는 사람들이었고, 그들이 경험한 전쟁의 파괴란 극적인 사회적 대혼란과 그에 따른 개인적인 혼란이었다. 노예소유 집안의 여성들은 남부의 계급과 인종 제도에서 가장 많은 혜택을 누렸기에 전쟁이 가져온 변동으로 가장 많은 것을 잃기도 했다. 사회 권력의 기반이 급격하게 흔들림에 따라 이 여성들은 자기 자신과 관련된 모든 것에 의문을 품게 되었다. 남자들이 전쟁터로 떠나고, 노예제도는 붕괴되고, 전쟁 전에 누렸던 번영이 사라지면서 성별과 계급, 인종에 따른 특권도 점차 설 자리를 잃어갔다. "인생과 관련된 모든 것' 이 불안정하고 불확실해졌다. 남부 특권계급 여성들은 자신들이 생각하는 여성성의 개념이 천한 노동을 하는 노예가 존재하고, 그들을 지키고 부양하는 백인 남자가 존재하는 것을 전제로 한 것이었음을 깨달았다. 숙녀, 이들 여성들의 자아상에서 핵심이 되는 이 표현은 흰 피부와 특권을 의미하며 동시에 성별의 조건을 규정한다. 상류층 숙녀의 지위는 노예제도라는 억압에 토대를 둔 것이며, 상류층 숙녀가 생각하는 품위 있는 여성성이란 그들이 비춰지는 계급과 인종의 프리즘과 밀접한 관련이 있었다.[6]

남부 연합의 특권계급 여성들은 전쟁에 의해 만들어진 새로운 세상을 직면했을 때, 그들은 백인이기 때문에 특권을 부여받았으며 동시에 여성이기 때문에 종속된 지위에 있었던 사회가 붕괴되는 것을 막기 위해 애썼다. 그들은 백인이라는 점, 부유함, 고상함, 의존적이라는 점이 지닌 버팀목이 사라질 위험에 놓이자, 자신을 규정하고 자신의 가치를 세우기 위한 새로운 기반을 만들어내고자 했다. 새로운 자아를 만들고자 하는 그들의 능력의 범위와 한계는 그들이 얼마만큼 잃어야 하는지 깊이 깨달은 정도에 의해 정해진다.[7]

남부 연합의 여성은 "우리 중 어느 누구도 이전의 모습으로는 결코 돌아갈 수 없을 것이다."라고 한 루시 벅_Lucy Buck의 말에 공감할 것이다. 그러나 그들이 어떤 형태로 달라질 것인지, 얼마나 달라질지는 아직 결정되지 않았고, 전쟁으로 인해 짊어져야 했던 다른 짐과 마찬가지로 그들에게 지워진 변화의 과정 역시 예정된 것이 아니었다. 남부의 명석하고 교양 있는 상류층 백인여성들은 그들이 마주친 어려움과 빈곤에 대응하면서 이런 변화가 의미하는 바와 타협하였다. 그들은 전쟁 전의 세계에서 근본이 되는 가치와 가정(이론)을 철저하게 유지하고자 하였기 때문에 궁극적으로 전쟁이 초래한 변화 중 많은 부분을 수용할 수 있었다. 불가항력적으로 그들이 경험한 혁명에 의해 세상이 바뀌었음에도 불구하고 그들은 혁명의 완전한 수용을 거부하면서 자신들의 꿈과 이익을 변화된 세상에서 실현시키고자 노력하였다. 남부 연합의 여성들이 되풀이했던 말이 있다. "필요는 발명의 어머니이다." 여성들은 무력 충돌이라는 가혹한 현실과 사회적 격변으로 인해 자신을 새롭게 이해하게 되고, 남부 연합이 소멸된 후에도 계속해서 존속할 수 있는 남부 여성성의 의미를 재정립하게 되었다. 그러나 다음에 이어질 내용은 전시의 남부 여성들 중 많은 이들이 패배한 남부 연합이 살아야 할 세상 즉 지역적 빈곤과 흑인들의 자유가 펼쳐질 변화된 전후 세상을 보여줄 것이다. 그 세상에서 생존할 수 있도록 옛 방식에서 차용한 그러나 새로운 방식을 따르도록 하는 새로운 자아 즉 변화에 저항할 수 있는 새로운 자아를 창조하였다는 사실을 보여줄 것이다.

CHAPTER ONE

What Shall We Do?

WOMEN CONFRONT THE CRISIS

제1장

우리는 무엇을 해야 하는가?

여성은 위기에 직면하였다.

1860-61년, 온 국민이 불안함 속에서 불투명하고 기나 긴 '연방탈퇴의 겨울_secession winter'을 나는 동안, 루시 우드_Lucy Wood는 버지니아 주 샬롯스빌_Charlottesville에 있는 자신의 집에서 약혼자 왜디 버틀러_Waddy Butler에게 편지를 썼다. 버틀러의 고향인 사우스캐롤라이나는 크리스마스 직전에 연방에서 탈퇴하여 자치권과 독립을 선언했지만, 버지니아는 아직 행동에 옮기지 않고 있었다. 루시 우드가 1월 21일자 편지를 쓰기 일주일 전, 루시가 살고 있는 주의 의회는 연방탈퇴를 결정하기 위해 의회 소집을 위한 투표를 실시했는데 루시는 "분열이 순식간에 유행이 되었다."고 생각했다. 그러나 루시의 인생은 이 중요한 사건들로 이미 변화를 맞고 있었다. 왜디 버틀러는 루시가 비아냥거리며 '당신네 나라'라고 부르는 곳에서 새로운 군사의무를 열심히 하고 있었기

때문에 그녀가 기대하는 만큼 자주 편지를 쓰지 않고 미래의 신부를 소홀히 대하고 있었다. 그들은 여전히 약혼한 사이였지만 루시는 그들이 서로 다른 국가의 국민이 되었으며, 공식적으로는 '현재 서로에게 외국인' 이라고 명시하였다.[1]

1861년 1월, 루시 우드는 정부의 중대한 문제로 인해 자신의 사생활이 침해받게 된 점을 진실로 염려하기 보다는 곤혹스럽게 생각하였고, 버지니아가 한시라도 빨리 연방에서 탈퇴하여 그녀와 버틀러가 '공통의 대의' 아래 재회할 수 있기만을 손꼽아 기다렸다. 그러나 그녀가 편지에서 장난스럽게 한 말 이면에는 그녀의 날카로운 직관이 숨겨져 있었다. 군인으로 복무하게 된 왜디 버틀러의 새로운 인생은 결국 미래의 부인으로부터 "그렇지 않았다면 당신으로부터 자주 소식을 접했을" 기회를 빼앗아 갔고, 그를 전쟁터로 떠나게 해서 이 젊은 한 쌍을 갈라놓을 것이며, 그녀는 여성의 세계인 가정에 남아있게 될 것이다. 연방탈퇴 뒤를 이어 일어난 전쟁은 남자들을 전쟁으로 내몰아 남부의 남녀를 서로 외국인으로 만들고, 전쟁 중 서로 완전히 다른 인생을 살도록 할 우려가 있었다. 1861년 초 위기감이 고조되고 정치적 갈등이 전면전으로 변하자 남부 숙녀들은 남부 연합을 남자들과 그들 사이의 공통의 목적으로 만들고자 했으며 동시에 정치와 전쟁 같은 전형적인 남자들의 관심사에 점차 관여하게 되는 분위기에 자신들도 참여하였다. 남부 연합의 여성들은 남부의 위기가 '남자들만의 위기' 가 아닌 '분명한 우리의 위기' 가 되어야 한다고 결의했다.[2]

정치적 일에 관심을 갖다

자신과 같은 계층의 대다수 남부 여성과 마찬가지로 루시 우드는 정치 사정에 밝았다. 그녀의 편지는 그녀가 연방탈퇴의 의미에 대해 신중하게 생각했음을 보여준다. 왜디 버틀러에게 설명했던, 분리에 반대하는 그녀의 입장은 독립한 남부 국가들이 그녀가 '매우 역겹다' 고 생각했던 아프리카 노예무역 정책을 재개할지도 모른다는 두려움에서 비롯되었다. 그녀는 왜디 버틀러에게 자신이 분리를 반대했던 이유는 독립한 남부 국가가 그녀가 '매우 역겹다' 고 생각했던 아프리카 노예무역 정책을 재개할지도 모른다는 두려움에서 비롯되었다고 설명했다. 하지만 루시는 자신의 약혼자와 의견일치를 보지 못하는 부분을 상세히 설명하면서 자신의 입장을 정리하는 도중에 갑작스럽고 거침없이 자신의 주장을 중단하면서 다음과 같이 말하였다. "하지만 나는 아무런 정치적 의견도 갖고 있지 않고, 그런 문제를 의논하는 여성들 모두가 마음에 들지 않아요."[3]

남부의 숙녀들이 앞으로 전개될 드라마를 얼마나 흥미진진하게 받아들일지 모르겠지만, 그들은 19세기 미국에서 정치란 남자들의 특권이요, 책임이라는 것을 잘 알고 있었다. 사우스캐롤라이나의 한 숙녀는 "여자들은 그런 문제와는 관계가 없다"고 말했다. 남자들이 투표를 했고, 대중 앞에서 이야기를 하는 것도 남자들이었다. 여자는 적절하게 가정과 가족의 범주 안에 머물러 있었다. 그러나 연방탈퇴의 위기를 계기로 오래된 관습을 따르는 것만큼 인습을 타파하는 것도 존중되어야 한다고 생각했다. 이 국가적 변혁의 순간에, 정치에의 유혹은 저항하기 힘들었을 것이다. 아만다 심스_Amanda Sims는 "내 생각은 온통 정치에 쏠려있다"고 그녀의 친구인 해리엇 팔머_Harriet Palmet에게 고백했다. "우리의 관심사는 온통 공적인 문제에 쏠려있다."는 노스캐롤라이나의 캐서린 에드먼드스턴_Catherine Edmondston의 말은 그 사실을 뒷받침한다. 리치몬드에서 루시 백비_Lucy Bagby는 다른 여성의 무리와 함께 숙녀용 관람석으로 몰려가서 버지니아 의회가 벌이는 연방탈퇴에 관한 불꽃튀는 논쟁을 들었으며, 여성들은 좋은 자리를 차지하기 위해 규칙적으로 매일 아침 토론이 시작되기 한 시간 전에 도착했다. 사우스캐롤라이나의 나이 지긋한 과부인 케지아 브레버드_Keziah Brevard는 이렇게 고백했다. "나는 사회적 파장을 일으킨 그 사건에 완전히 사로잡혀있었기에 한 밤중에 깨어났을 때 내가 가장 먼저 생각하는 것은 '우리 주는 미연방에서 떨어져 나왔다.' 는 것이었다."[4]

그러나 많은 여성은 루시 우드와 마찬가지로, 아무리 흥미롭더라도 그 정도로 열광적인 행동은 적절치 못하다고 생각했다. 몇몇 여성들은 점점 커져가는 여성의 정치적 관심과 적극성에 단호하게 반대하는 입장이었다. 루이지애나 사람인 사라 모건_Sarah Morgan의 경우는 '여성이 하는 정치 이야기를 절대로 들을 일이 없는 곳' 을 간절히 원했고 "나는 여성이 정치적인 주제에 대해 이야기하는 것은 듣기 싫다."라고 노골적으로 말하기도 했다. 그러나 숙녀들은 자신들이 강하게 끌리는 문제에 대해, 그저 소극적으로 당연한 자신들의 관심사라고 주장할 수밖에 없는 상황에 대해 곤혹스러워했다. 과부인 에이다 바콧_Ada Bacot은 "내가 열광적인 연방탈퇴론자인 것을 사람들이 이상하게 생각하는지 가끔씩 궁금해질 때가 있다."고 썼다. 그녀는 더욱 자신 있는 어조로 계속하였다. "하지만 어째서 모든 여성이 그러한 주제를 두고 자신의 의견을 표현해서는 안 된다는 것인가? 공식적인 자리도 아니고 비공식적인 자리인데도 말이다." 플로리다의 "브로워드 넥의 숙녀들_Ladies of Browards Neck"이 연합해서 『잭슨빌 스탠다드_*Jacksonville Standard*』지에 플로리다 주의 '정치가' 들에게 의견을 표명하는 편지를 보냈는데, 그 편지에서 그들은 적극적인 참여와 자기회의가 뒤섞인 모습을 보여주었다. 그들은 연방탈퇴에 찬성한다는 자신들의 견해는 경솔하게 내려진 것이거나 빈약한 근거에 의거한 것이 아니며, 사실과 논의에 의해 뒷받침 된 것이었음을 독자들에게 확신시켰다. "그리고 혹시 누구라도 우리가 언급한 정보들을 어떻게 얻을 수 있었는지 알고 싶어 하는 사람들이 있다면, 우리는 먼저 이렇게 말하겠다. 지난 십년 동안 신문과 대중잡지를 읽었으며, 여성 특유의 탐구정신을 가지고 그것들을 읽었다고 말이다." 이 플로리다 숙녀들은 정치적 참여를 금지하거나 그들의 정치적 견해의 정당성을 깍아내리는 여성성_womanhood을 받아들이는 대신 여성으로서의 정체성이 지닌 특별할 이점을 강조하면서 정치가 특이할 정도로 여성의 영역에 적합하다고 대담하고 혁신적으로 주장하였다.[5]

캐서린 에드먼드스턴은 연방탈퇴에 대한 자신의 적극적인 지지가 가족 간 분란의 원인이 되고 있는 점을 걱정하였다. 1861년 4월 링컨 대통령이 군대를 소집하기 전, 결혼 15년이 된 캐서린과 그녀의 남편은 새로운 남부 정부를 강력히 지지했지만, 그녀의 부모님과 여동생은 남북의 분리를 반대하는 충실한 연방주의자였다. 에드먼드스턴(캐서린)은 그에 따른 갈등이 매우 '고통스러웠고', 특히 그녀의 아버지와 의견을 달리해야만 한다는 사실에 마음 아파했다. "내 생애에서 어떤 판단을 내리거나 감정적으로 아버지를 따르지 않은 경우는 이번이 처음이다." 그녀는 정치가 사생활을 침범할 정도로 열기를 띠게 된 것이 '유감스러운 일'이라고 평했다. 그녀가 공적인 영역으로 생각한 것과 사적인 영역으로 생각한 것의 경계뿐만 아니라 이전에는 의심의 여지가 없었던, 그 경계 안에서 규정된 여성의 위치 역시 무너진 상태였다. 전쟁이 남부를 황폐화시키는 동안, 에드먼드스턴(캐서린)은 그녀가 '사생활' 이라 불렀던 것을 위한 자리가 거의 남지 않았다는 사실을 깨달았다. 사생활과 가정은 후방의 일부가 되었지만, 1865년경 전면전쟁을 치르게 되자 또 다른 전쟁터가 되었다.[6]

그러나 1861년, 남부여성 대부분은 여전히 사적인 것과 공적인 것, 가정일과 정치, 여성의 영역과 남성의 영역은 분리되는 것이 당연하다고 여기고 있었다. 그러나 그럼에도 불구하고 그들은 그들을 둘러싸고 있는 정치적 갈등, 전에 없이 열기를 띠고, 전에 없이 관심을 끄는 정치적 갈등에서 자신들을 배제시키는 것에 반발하였다. 연방탈퇴의 위기 상황에서 여성들의 정치관은 양면성을 띨 수밖에 없었다. 남자들처럼, 여성들도 연방탈퇴를 지지할 것인지 반대할 것인지에 대한 결정을 놓고 갈팡질팡하는 일이 많았다. 소수의 남부 백인남자와 여자들은 미국의 위대한 시도를 지지하며 일말의 후회도 없이 미연방을 떠났고, 비슷한 수의 사람들은 최근에 독립한 남부를 거부하는 데 그 어떤 상실감도 느끼지 않았다. "미연방에 대한 애정을 유지하는 것이 우리 자신과 우리지역에 대한 배신행위가 된다는 생각은 마치 우리의 성스러운 믿음 중 그 일부가 뿌리째 뽑히는 것 같다."고 조지아의 수전 콘월_Susan Conrnwall이 말했다.

캐서린 에드먼드스턴의 설명처럼, 남부 연합의 사람이 '잃어버린 친구' 로서 미합중국을 위해 '슬퍼하는 일' 은 충분히 수긍할 만한 행동으로 보였다.[7]

그러나 연방탈퇴에 대해 여성들이 양면적인 정치적 태도를 보이는 데에는 더욱 근본적인 원인이 있었다. 그들이 정치와 자신들과의 관계에 대해 전혀 확신을 갖지 못하기 때문이다. 여성으로서 그들은 공적영역_가정 밖의 영역을 공적 영역으로 표현-옮긴이에서 아무런 지위가 없다는 점을 인정하면서도 그 안에서 자신들의 권리를 주장했다. 그들 주위에서 역사가 전개되는 동안, 그들은 상당히 회의적이면서 마지못해 행동하였으며, 변명을 하였고, 여전히 숙녀답게 처신하기를 원했지만 그럼에도 비껴서 있기를 거부하였다. 전쟁은 아직 시작되지 않았다. 그러나 국가적 위기 상황에서 남부 여성들은 자신들의 지위와 권리를 주장하려는 노력을 이미 시작하였다.

당신의 조국이 부른다

앨라배마의 어느 숙녀가 남북전쟁에서 '예기치 못한 부분'이라고 칭한 것이 바로 대다수의 미국 남북부 사람들을 놀라게 한 것이었다. 남부인 대다수는 미연방이 남부의 연방탈퇴에 이의를 제기하지 않으리라 예상했으며 사우스캐롤라이나의 전임 상원의원 제임스 체스넛_James Chesnut은 독립 때문에 피를 흘려야 한다면 그가 그 모든 피에 대한 책임을 지겠다고 자신 있게 약속했다. 그러나 그들의 주가 연방에서 탈퇴함과 동시에 남부 남자들은 무장을 하고 군사훈련을 시작했으며, 무력충돌이 예상되자 그 지역의 여성들은 두려움에 몸을 떨었다. 버지니아의 한 숙녀는 그 당시를 회상하며 전쟁이 처음에는 '화려한 행진과 대회'처럼 보였다고 말했다. 반면에 다른 이들은 '미래에 대한 불길한 예감' 또는 곧 그들에게 닥칠 '소름끼치는 공포'로 전쟁을 표현했다. 줄리아 데이비슨_Julia Davison은 정치적 분열과는 전혀 다른 이유에서 연방탈퇴에 대해 걱정했다. 그녀는 남편 존_John에게 보내는 편지에 이렇게 썼다. "저는 때로 이 일에 대해 생각을 해보지만 너무 암울해서 어찌할 바를 모르겠습니다. 하느님, 어느 누구도 피를 흘리는 일이 없이 모든 일이 평화롭게 해결되게 하소서." 대규모 농장에서 홀로 생활하던 초로의 과부인 케지아 브레버드는 군사적인 유혈 사태뿐만 아니라 그녀가 '우리 내부의 적'이라 부르던 것, 즉 노예폭동에 대한 남부의 무방비 상태를 걱정했다.[8]

남부백인여성들은 남자들보다 훨씬 자유롭게 두려움을 인정할 수 있었으며, 이들은 확실히 두려움을 느꼈는데, 남부가 위험한 상황에 처하게 되자, 남자답지 못하다고 치부되던 그 두려움도 전적으로 정당화되었다. 여자들은 전쟁에 대한 우려와 사랑하는 사람을 잃게 될지도 모른다는 불안감과 두려움을 나타냈는데, 두려움은 명예와 용기를 중시하는 남자들의 관습에서는 드러내지 못하도록 한 것이었다. 이러한 현실주의적 태도는 처음부터 여성들의 정치관과 애국심에 영향을 미쳤다. 사회적으로 정당하게 받아들여지는 여성들의 사사로운 감정과 일상적인 의무는 전쟁이 가진 낭만적인 남성적 이데올로기와 대비되었다. 연방탈퇴 법령이 통과되고 얼마 지나지 않아 사우스캐롤라이나의 한 숙녀는, 개인적인 것이 정치적인 것보다 우선하고, 국가에 대한 의무보다 가족에 대한 충성이 명백하게 우선시되는 의무들 사이의 이런 불일치에 대해서, 여자다운 해답을 제시한다. 그녀는 단호히 이렇게 말했다. "나는 이러한 것이 마음에 들지 않는다. 내가 애국심에 신경쓸 이유가 뭐란 말인가? 내 남편이 나의 국가이다. 만일 남편이 죽는다면 국가가 나에게 무슨 의미가 있는가?" 조지아의 케이트 롤랜드_Kate Rowland는 "남편 찰리_Charlie가 전투에 참전 중일 때 그녀의 애국심이 거의 바닥을 드러냈다"는 사실을 인정했다. 그녀는 남편이 군대에 있는 동안 그가 명성과 명예를 얻는 것에 대해서는 아무런 야심도 없었다. 그 대신 그녀는 그가 전투에서 가능한 한 먼 곳에서 복무하기를 바랐다. "찰리는 내게 국가보다 소중한 사람이다. 나는 그리 쉽게 그를 포기할 수 없다."고 그녀는 고백했

전쟁의 발발을 지켜보는 여자들. '섬터 폭격 당시 찰스턴의 지붕_The House-Tops of Charleston during the Bombardment of Sumter' 『하퍼스 위클리_*Harper's Weekly*』지 1861, 5월 4일

다.[9]

남자들이 전쟁을 준비하는 동안, 여자들은 점증하는 애국심과 가족의 삶과 행복을 위해 헌신해야 된다는 생각 사이에서 더욱 갈등하게 되었다. 전쟁 중 남자들의 행동에 대한 기대감이 바로 남부 연합에 대한 여자들의 열의를 고조시켰다. 군대에 대한 낭만적 생각, 그리고 명예, 용기, 영광과 밀접하게 관련된 '남자다움'이

사랑하는 사람을 포기하지 못하는 여성들의 마음을 압도하였다.

왜냐하면 남성들이 존중하는 이런 가치가 바로 그들이 전투에서 자신의 목숨을 기꺼이 바치고자 하는 마음가짐과 떼어 놓고 생각할 수 없다는 것을 알았기 때문이다. "조국을 위해 싸우지 않는 남자는 남자라고 할 수 없다." 케이트 커밍_Kate Cumming이 내린 결론이다. 셰넌도어_Senandoah 계곡의 한 숙녀는 아들을 군 캠프로 떠나보내며 『윈체스터 버지니안_*Winchester Virginian*』지의 기고란에도 긍지에 찬 선언문을 보냈다. "너의 조국이 부른다…… 나는 조국의 권리와 명예를 보호하기 위해 너를 보낼 준비가 됐다. 나는 수염도 나지 않는 17세 소년인 너를 지금 보낸다. 슬픔은 없다. 단지 나에게 아들이 있음을 신께 감사할 뿐." 조지아의 사라 로턴_Sarah Lawton은 전쟁을 환영했다. 전쟁이 남자들을 더욱 남자답게 만들고, 남자들이 그녀가 기대하는 대로 살지 못한다는 자신의 편견을 깰 수 있는 기회라 생각했기 때문이다. "나는 그들의 남자답지 못한 습관으로부터 그들을 깨어나게 하려면 무엇인가 필요했다고 생각한다. 그런 이유에서 전쟁을 환영한다." 메리 보트_Mary Vaught는 입대를 하지 않은 남자친구들에게는 말을 걸지 않았고, 텍사스의 젊은 여성들 일부는 이웃 중에서 군에 자원하지 않은 남자들에게 모두 여성용 스커트와 모자를 선물했다.[10]

그러나 다른 많은 여자들은 남편과 아들이 전쟁터에서 영광을 맛보기보다는 죽음을 맞이할지도 모른다는 생각에 군대 소집 소식을 듣고 깊은 근심에 빠졌다. 앨라배마의 과부인 사라 에스피_Sarah Espy는 아들의 입대 결정 소식을 접하고는 괴로워했다. 그녀는 이렇게 썼다. "이 상황이 싫다. 하지만 받아들여야만 한다." 조지아의 리지 오즈번_Lizzie Ozburn은 몇 주 동안 남편 지미_Jimmie의 군복무를 참은 후, 직접 남편의 군복무를 대신할 사람을 구했다._남부에서는 1862년 4월에 제정된 징병법에 따라 18세에서 35세사이의 모든 백인 남성이 의무적으로 군에 복무해야 했는데, 군복무를 대신할 사람을 구한다면 의무를 피할 수 있었다-옮긴이 그녀는 남편에게 경고하기 위해 다음과 같은 편지를 썼다. "만약 당신이 제때 돌아오지 않는다면, 막상 당신이 왔을 때 당신을 마중 나갈 숙녀는 아무도 없을 거예요."[11]

의무에 따른 애국심과 보호해 주어야 한다는 생각간의 갈등이 군대의 출발을 위한 의식을 거행하는 자리에서 한 편의 연극처럼 펼쳐졌다. 지역 사람들 모두가 한 마음으로 군인들에게 작별을 고하고 그 지역의 아가씨들은 바느질한 군복과 깃발을 증정했다. 애국적인 인사말은 당시 풍조였고, 워싱턴 정예 포병대의 일원이 묘사한 것처럼 군인들은 거리를 가득 메운 아가씨들이 던진 과일과 꽃과 카드와 쪽지에 둘러싸여 행군했다. 색색의 유니폼과 휘날리는 깃발, 애국적인 연설, 군대 음악이 연주되는 의식은 개인의 용맹과 영광스러운 승리를 한없이 기대하는 동시에 전쟁의 모든 로맨스를 보여주는 것이었다.[12]

군중의 열렬한 지지는 사사로운 감정을 억누른 결과 나온 것이었다. 게르트루드 토마스_Gertrude Thomas는 남편에게 고하는 작별이 '형언할 수 없는 고통'이었다고 말했다. 에밀리 해리스_Emily Harris는 "슬픔을 내 가슴 속에만 담아두어야만 하는 것은 언제나 나의 운명이었다."며 거의 분개한 듯이 말하였다. 한 여자가 어린 군인 두 명 앞에서 울음을 터트리자 군인들의 어머니들이 그녀를 몹시 비난했다. "어떻게 그 애들에게 우는 모습을 보일 수가 있죠? 그 아이들이 나약해진다고요." 남자들은 아무래도 여성이 많이 도와주어야만 남자가 될 수 있었던 것 같다.[13]

하지만 꽤 많은 여자들, 특히 나이가 어린 여자들이 감정을 이기지 못했다. 16세 소녀 루이지애나 버지_Louisiana Burge는 그녀의

버지니아주 랭카스터 여성이 만든 D보병중대 소속 버지니아 제9보병대의 깃발. 버지니아 리치몬드의 '남부 연합 박물관_the Museum of the Confederacy' 소장. 캐서린 웨즐 사진촬영

고향 조지아에서 연대가 출발할 때 기숙학교 친구들이 보인 반응을 묘사했다. "엠 벨라미_Em Bellamy는 거의 매일 저녁 내 방에서 전쟁과 오늘밤 출발하는 존 버_John T. Burr 때문에 눈물을 흘렸다…… 엠과 에드 그윈_Ed Gwinn을 위해 우는 사촌 엠마 워드_Emma Ward 사이에서 애를 먹었다.……지니 고시_Ginnie Gothey의 감정 표현에 수지 클레이튼은 질렸다. 그녀는 그 애가 자기에게 조금도 관심이 없는 부시 럼스덴_Bush Lumsden 때문에 침대에서 맥없이 우는데 질렸다며, 자러 갔다. 바보 같으니라고! 수지 클레이턴_Susie Clayton이 자기 방에서 소리 지르는 게 들린다."14

어느 17세의 신부가 사랑이 넘치는 가정을 꾸리려는 여성의 이상을 위해서 전쟁이 요구하는 남성적 풍조에 목소리 높여 반대했다. "댄! 오, 댄! 저는 당신을 자랑스러워하고 싶지 않아요. 저는 그저 당신이 다치지만 않았으면 좋겠어요! …… 제가 원하는 건 명예나 명성이 아니라 바로 당신이라고요!" 그녀가 흐느끼며 말했다. 이에 반해 캐서린 에드먼드스턴의 행동은 이 젊은 신부 같은 사람들과는 대조되었다. 그녀는 자신의 정치적 정체성에 대한 새로운 요구와 공적 책임감에 상당히 몰두에 있었을 뿐만 아니라 좀 더 성숙한 모습을 보여주었다. 남편 패트릭_Patrick이 다른 남자들과 함께 떠나갈 때 그녀가 보인 행동은 이랬다. "이 여자들, 이들 중 많은 이가 눈물을 흘리고 흐느껴 울고, 큰 소리로 울부짖기도 했으나 나는 눈물을 흘리지 않았다. 차분하고, 단호하고, 결연한 마음으로 그들이 떠나는 것을 지켜보았다. 나의 심장을 가득 메운 고양된 애국심은 비탄에 아무런 반향을 일으키지 않았으며, 눈물은 나오지 않았다. 그는 떠나갔다. 가장 영광되고 지고한 남자의 의무를 다하기 위해 그는 떠나갔다! ……나는 그를 여기에 있게 하지도, 그의 마음이 흔들려 그의 의무를 저버리게 하지도 않을 것이다."[15]

캐서린 에드먼드스턴의 태도는 전쟁 중 나타난 여성성의 이데올로기가 어떠해야 하는지를 구체적으로 보여주고 있다. 남부 연합의 여성들은 개인적 욕망을 국가의 명령보다 우위에 둘 권한이 없었다. 위기의 순간에는 남편이나 아들보다 국가가 우선이어야 했다. 남부가 살아남으려면 여성들이 애국자가 되어야 했고, 남성의 정치적 권리 중 일부를 떠맡아야 했으며, 대의를 위해 여성적인 감정과 기대는 억제해야 했다. 레일라_Leila W는 『서던 먼슬리_*Southern Monthly*』에 기고한 "여성, 애국자"라는 표제의 글에서 "여성은 '독립적인' 정신을 키워야 하고, '극기심'을 길러야 한다."고 썼다. 그러나 그녀는 "여성이 남성적이 되어야한다는 뜻은 아니다."라고 조심스레 덧붙였다.[16]

1861년 여름, 남부의 대중 언론에서는 남부 연합의 새로운 여성상을 제시하려는 노력이 한창 진행 중이었다. 군 인력 충원을 위해서는 여성의 희생이 필요하다는 것을 합리적으로 설명하고, 그들의 남편과 아들을 보호하려는 그들의 직접적인 이해를 잠재울 필요가 있었다. 19세기 가정생활의 신조는 오랜 기간 동안 여성의 주요 사명이 극기와 다른 이에게 봉사하는 것이라고 강조하고 있었으나, 행동과 정체성의 이데올로기는 전쟁으로 인해 상당부분 바뀌거나 심지어는 왜곡될 수밖에 없었다. 남편, 남자형제, 아들 또는 가족과 같이 개인적으로 중요한 사람들을 위한 여성들의 희생은 추상적이며 눈에 보이지 않은 목적을 위해 이들을 희생시키는 것으로 변질되었다.[17]

이런 방식으로 다시 정의된 여성의 희생은 대규모 공개토론에서 이런 모순을 알리고 해결하려고 노력한 남부 사람들에게는 논리적으로나, 감정적으로 받아들이기 힘든 것이었다. 따라서 젠더(성별)가 대규모 논쟁의 주제로 떠올랐다. 노래, 연극, 시, 그리고 공식적인 대통령 성명에 이르기까지 모든 것이 군 병력을 늘리기 위한 목적으로 모든 계층의 여성들에게 협조를 구하기 위해 동원되었다. 단일한 대중적 주제는 젊은 여성들에게 군복을 입은 남자들에게만 호의를 베풀라는 것이었다. 여러 차례 인쇄되었던 한 노래에서 남자 작사가는 여성의 목소리를 차용하여 다음과 같이 선언한다. "성을 바꾸고 싶어요._I Would Like to Change My Name" 이 시의 여주인공은 남편감을 구하고 있다.

하지만 그는 군인으로
전쟁의 베테랑이어야 한다네,
성조기 아래에서
'남부의 권리' 를 위해 싸운 사람이어야 하지.

1861년 8월, '여러 숙녀들_Many Ladies'이 『찰스톤 데일리 쿠리어_*Charleston Daily Courier*』지에 보낸 편지는 "용감한 자만이 미인을 차지한다"며 겁쟁이와 병역기피자들에게 경각심을 일깨우고 있다. 제퍼슨 데이비스 대통령조차 적합한 결혼 상대를 어떻게 선택해야 하느냐는 여성들의 질문에, 집에 머물며 살이 찐 남자의 '억센 팔'보다는 심한 부상을 입은 전쟁 베테랑의 텅 빈 소매가 낫다고 단언했다.18

전쟁 초기에 출판된 어떤 시에서는 여성의 전통적인 역할과 전쟁이 요구하는 새로운 역할 사이의 갈등을 시인했다. '위풍당당한 저택'에서부터 '평범한 시골집'에 이르기까지, 부유하고 가난한 모든 여성들이 그들 내부에서 거세어지고 있는 '격렬한 전투'와 마주하고 있었던 것이다.

거기 사랑하는 이여, 진실 되고, 용감하고,
아름답고, 강한 사람들이여,
적막하고 가혹한 의무와 싸워라
오래도록 싸우고 투쟁하라 19

이 같은 주제로 글을 썼던 남성 시인들과 마찬가지로, 서정시를 썼던 '군인의 아내들'은 군인들처럼 여자들 자신도 그들의 감정을 극복하여 '마음의 승리'를 얻고 '득의양양하게' 남자들을 전쟁터로 떠나보낼 것이라고 확신했다. 감동적인 행군은 이별의 장면을 기념하는 것이었다. 남자들이 발걸음도 당당하게 지평선 너머로 사라지는 동안 캐서린 에드먼드스턴과 같은 여자들 역시 당당히 손수건을 흔들며 그들의 출정을 응원했다. "나가서 우리를 위해 싸워주세요. 우리 이전에 우리의 어머니들이 그러셨듯이 우리는 당신들을 위해 기도하겠어요." 대중적인 노래와 시는 에드먼드스턴이 못마땅하게 여겼던 바로 그런 행동을 비난하며, 군인들의 결의가 약해지지 않도록 여자들이 그들의 슬픔을 억누를 것을 촉구했다. 『리치몬드 레코드_*Richmond Record*』에 실린 어느 시에는 "용사의 장식 끈을 매어주며/ 고통을 감추고 미소를 짓는 아가씨" 혹은 "슬픔을 숨기는 어머니"는 가장 가치 있는 여성의 의무를 다한 것이라고 확신에 찬 어조로 쓰여 있다. '명예로운 특권'을 부여받은 여자들이 그들의 남자를 전장으로 보냄으로써 대의를 위해 헌신할 기회를 얻었다고 주장하는 신문도 있었다. 그러나 일반적인 글에 표현된 바로는 여자들이 의혹을 품는 일이 자주 있었다는 것이다. 어떤 신문에 실린 시 『나는 그에게 입 맞추고…_I've Kissed Him and Let Him Go』는 그러한 감정을 가장 솔직하게 다룬 시 가운데 하나이다.[20]

기묘한 자부심을 느끼는 사람들이 있다는 걸 나는 알고 있다네.
그들의 나라에 모든 것을 바치며,
그들 주위의 소년들이 싸움에서 쓰러질 준비가 된 것이
영광이라 하는,
그러나 여기에 앉아있는 나의 마음에 긍지란 없네
(주님, 이럴 수밖에 없는 저를 용서하소서!)
내가 사랑한 소년을 위해 눈물은 흘러내리네.
그러나 나는 그에게 입 맞추고 그를 떠나보내네.

가장 좋은 방법은 대의를 위해 헌신하여 개인적인 흥미가 모두 사라지는 것이 정당하다고 느끼는 것이었다. 그 다음은 남아있는 개인적인 느낌을 억누르는 것이었다. 그러나 그러기 위해 필요한

전쟁을 위해 남자를 준비시키는 여자. '준비Equipment' 1861년, 윌리엄 루드웰 셰퍼드(William Ludwell Sheppar)가 그린 수채화. 셰퍼드는 전쟁 중에 밑그림을 그렸지만 다음 세기로 넘어갈 때까지 채색은 완성하지 못했다. 버지니아 주 리치몬드의 '남부 연합 박물관' 소장.

최소한의 요건은, 설령 정당하다고 느껴지지 않더라도, 의혹을 잠재우고, 올바로 행동하는 것이다. 일기에 “나는 정말 당신을 포기하고 싶지 않다. 하지만 이 전쟁 중에는 순교자가 되어야만 한다.”라고 쓴 루이지애나의 어느 여성처럼 캐서린 에드먼드스턴과 게르트루드 토마스 둘 모두 자신들이 어떻게 행동해야 하는지 알고 있었다.[21]

여성에게 어울리는 일

전투가 시작되고 몇 달 지나지 않아, 여성의 행동과 정체성은 이미 공개적인 토론과 개인적인 성찰의 대상이 되었다. 이 논쟁의 상당부분은 여성을 방어에 참여하게 하려는 문화적 시도와 당시 정황상 필요하다는 점때문에 시작되었고, 이후 4년 동안 군사 투쟁이 격렬해짐에 따라 이런 시도가 절박하다는 것은 한층 힘을 더해갔다. 그러나 여성들은 새로 떠맡은 그들의 역할을 관찰하는 일과 전쟁이라는 새로운 세상에서 얻게 된 기회에 매우 강하게 동기유발이 되었다.[22]

전쟁은 시작부터 남성에게 속해 있는 듯 보였다. 줄리아 르 그그랭_Julia Le Grand은 설명하기를 ‘더 많은 특권을 지닌’ 그들이 밖으로 나가, 법석대며, 명성을 얻고, 재산을 일구고, 국가를 설립하는 것을 도왔다는 것이다. 집에 남아있는 여자들은 쓸모없는 듯이 보였고, 당시 떠들썩한 사건에서 주변적인 존재인 듯 보였다. 르그랭은 이렇게 불평했다. “나는 억눌린 화산과 같다. 내가 가진 에너지를 쓸 곳이 있다면 좋겠다. 나는 여성에게 지워진 것처럼 보이는 인생, 사람들을 방문하고 옷을 챙겨 입고 수다나 떠는 평범한 인생은 싫다. 지금은 그보다 나은 일이 있고, 진정한 비극과 진짜 로맨스와 매일 새롭게 만들어지는 역사가 있다. 고통스럽다. 지금과 같은 인생을 계속 살아야 한다는 것이 고통스럽다." 한 어린 소녀는 친구에게 "위대한 전투에서 나는 마치 숫자 '0'인 것만 같아. 그 생각을 할 때마다 비참한 기분이 들어"라며 절망스럽다고 말했다. 그녀는 "고통 받는 우리나라를 위해 내가 조금이라도 도움이 될 수 있으면 좋으련만"이라고 말하면서 애통해했다.[23] 쓸모없다는 이런 고통스러운 느낌이 전쟁 기간 동안 여성이 변하게 된 원인이 되었다. 이러한 변화는 여성 개개인과 여성이라는 성별에 대한 자기혐오에서 비롯된 자기비하적 감정을 토대로 한 것이었다. "전쟁하는 동안 이런 쓸모없는 여자들이 무슨 소용이 있을까?" 새라 모건_Sarah Morgan이 경멸하는 어조로 반문했다.[24]

많은 여성들은 이 모욕감이 남자가 되는 상상 그리고 성별이 부여하는 정체성, 평화 시에는 아무런 문제도 없어 보이는 이 정체성에서 벗어나고자 하는 바람에서 드는 것으로 해석하였다. 새라 모건은 "내 인생에서 처음으로" 싸울 수 없다는 이유로 여자임이 유감스럽다고 했다. 젊은 테네시 여성, 앨리스 레디_Alice Ready는 일기장에서 이렇게 고백했다. "남자이기를 바란 적은 내 인생에서 단 한 번도 없었다. 나는 지금 나의 나약함과 무능력함을 뼈 속 깊이 느끼고 있다. 나는 무엇을 할 수도, 그 어떠한 말을 할 수도 없다. 왜냐하면 그것은 젊은 숙녀에게는 어울리지 않는 일이 될 것이기에. 어떻게 내가 나라를 위해 싸우고 목숨을 버릴 수 있겠는가. 그것은 내가 얼마나 높이 평가하는 특권인가. 그러나 나는 여자이기 때문에 가당치도 않은 일이다." 레디는 "내가 지금 너무나 화가 나 있고, 거친 표현을 많이 쓴다"는 점에 놀랐다고 하였다. 그녀는 돌아온 고참병들이 자신이 사용하는 말투로 인해 자신을 여성스럽지 못한 여자로 볼까봐 두려워하였다. 전에 레디는 여자다움이 단순히 다르다는 의미라고 생각했다. 그러나 다른 많은 남부 여자들이 경험한 바와 같이 이제 여자다움은 레디의 분노를 자아내는 상황, 즉 박탈과 배제를 초래하는 상황을 의미하였다.[25]

사실상 분노는 전쟁 시기 남부 여성들의 감정을 형성하는 주요 요소였다. 대부분의 여성들은 그것을 정당한 애국심의 부산물이라고 보았고, 그들은 분노를 의식적으로 양키_남북 전쟁 당시 남부 사람이 북부 사람에게 붙인 경멸 또는 적의의 호칭-옮긴이 침략자와 압제자에게 향하도록 하였다. 그러나 전시에 여자들이 격분했던 이유, 미처 깨닫지 못했던 진짜 이유는 그 보다 훨씬 복잡하고 광범위했다. 전쟁 초기에 레디가 보였던 분노는 좌절감과 적개심에서 비롯된 것이었는데, 전쟁에서는 남자들과 남자다움의 미덕이 찬미됨으로써 여성은 열등하다는 논리가 당연하게 정립되었기 때문이다. 남부의 다른 많은 여성들은 쓸모없는 여성이라고 여기는 자신들에 대해 분노와 무용함을 새롭게 느꼈다. 새라 모건은 전쟁의 결과를 우려하는 이유를 설명하면서 그런 씁쓸한 자기혐오를 표현했다. "나름대로 가치가 있는… 남자들은 인생의 절정기에 죽어갈 것이다. 그 동안 우리 자신이나 세상의 다른 사람들에게 아무 가치도 없고, 중요하지도 않고, 보잘 것 없는 우리 여성은 우주의 쓸모없는 쓰레기로 계속 존재할 것이다."[26]

전쟁에 참여하지 못하는 데서 비롯된 하찮다는 느낌이 점차 희미해지고는 있었으나, 여성들은 대부분 어찌할 바를 몰랐다. "어떻게 하면 도움이 될 수 있을지 모르겠다." 버지니아의 캐롤라인 데이비스_Caroline Davis가 한 말이다. 케이트 스톤_Kate Stone은 "아! 그 모든 것을 눈으로 보고 경험할 수 있다면 좋으련만"이라며 열망하였다. "나는 아무것도 하지 않는 따분한 나날에 진절머리가 난다. 그렇지만 기다리고 고통 받는 것 외에 여자들이 할 수 있는 일이 무엇이란 말인가?" 스톤의 남자형제들이 전방으로 떠난 뒤에 그녀는 분명히 깨달았다. "어쩌면 뒤에 남아있는 사람들이 앞으로 나아간 사람들 보다 더 힘들지도 모른다." 불안을 극복하는데 행동만큼 적절한 방법이 없다는 인식이 확산되자, 행동은 이제 자존심 문제, 그 이상이 되었다. 캐서린 에드먼스톤은 말하였다. "지독한 현실을 정면에서 바라보는 것 말고는 달리 아무런 할 일도 없는 상황에서 슬픔을 참는 것이, 움직이고 노력하고 다른 생각을 해야만 하는 상황보다 얼마나 더 힘든 것일까?" 루이지애나의 한 어머니가 한 말은 이와 표현은 다르지만, 그 저변에는 똑같은 감정이 흐르고 있다. 일하는 것이 최고의 치료법이다._Les occupations sont··· un grand remède."27

1861년 초 에이다 바콧은 하찮다고 느껴지는 자신의 감정을 치유하기 위해 여자들이 전통적으로 이용했던 에너지 배출 방식을 쓰기로 했다. "또 하루가 지났는데 내가 이룬 것은(?)···나는 너무나 무가치하다··· 내게 남은 것은 오직 기도뿐." 이것이 그녀의 결심이었다. 바콧은 자신이 종교적으로 헌신하는 것은 그 자체가 목적이 아니라 보다 더 유용해지기 위한 수단이었다는 것을 깨달았다.

20대에 과부가 된 그녀는 하나뿐인 아들도 잃은 터라 1861년 즈음에는 인생을 살아가야할 목적이 전혀 없는 상태였다. 그러나 그녀는 국가적 위기에 직면하자 자신이 특이하게 위기에 대처할 만큼 준비가 되어 있다고 믿었다. 바콧은 자신이 겪은 아픈 경험을 통해서 감정적인 고통과 상실감에 단련될 수가 있었다고 생각하였다. 그럼에도 불구하고 그녀는 물질적인 어려움은 경험한 적이 없었다고 하였다. 그녀는 전쟁과 격변을 신이 내린 기회로 받아들였다. "지금 나는 국가에 나 자신을 받칠 수 있고, 그 생각은 나를 의기양양하게 만든다. 이 긴 세월 동안 나는 뭔가 할 일을 내려 달라고 기도해왔다. 아마 내 기도가 이제야 응답을 받았나보다."[28]

'뭔가 할 일', '에너지를 쓸 수 있는 곳', '어떤 목적을 위해 사는 것', '모든 혼란이 최고조에 달한 장소에 있는 것' – 여성들은 위기 시에 한 가지 역할을 맡아 하기를 갈망했다. 1861년 5월, 루이지애나 주의 버논_Vernon에서 『뉴올리언스데일리_*New Orleans Daily*』지로 편지 한 통이 도착했다. 이 편지는 남부 전역의 모든 여성이 일기장에 털어놓은 생각을 공공 토론장에서 표명한 것이다. 자신의 성별에 어울리지 않는 대중적인 관심을 끌지 않도록, 신중하게도 익명으로 글을 쓴 필자는 이렇게 설명하고 있다. "모든 사람이 외치고 있다. '우리는 무엇을 해야 하는가?' 우리가 원하는 것은 단지 우리 애국심을 발휘하고, 현실적이고 실질적인 도움을 줄 수 있는…" 그녀는 독자들을 안심시키며 말을 이어나간다. "여성의 영역에서 벗어나지 않으면서 일하고 행동할 수 있는, 여성에게 어울리는 일을 원한다"고 그녀는 간청했다. "어느 '창의적인 천재가 '전쟁 중에 남부 여성들을 위해 적절한 역할을 규정할 수는 없는 것인가?" 라고.[29]

이 역할을 수행할 사람은 창의적인 천재가 아닌 수천 명의 남녀 남부 사람들이며 이들이 '남부의 딸'이 제기한 의문에 말과 행동으로 반응을 보일 터였다. 신문과 정기간행물에서는 '여성의 영역'의 경계에 관해 쓴 편지의 필자가 보여준 관심에 공감을 표하며, 관습적인 여성의 도덕적, 정신적인 역할과 전시와의 관련성을 강조했다. 『서던필드앤파이어사이드_*Southern Field and Fireside*』지의 편집자는 "여성의 영향력이 미치지 않은 채 6개월이 지난 남부 연합 군인들의 도덕 상태가 어떻게 될지 상상이나 할 수 있겠습니까?"라고 물었다. 1861년 7월, 『어거스타위클리컨스티튜셔널리스트_*The Augusta Weekly Constitutionalist*』지에서는 "진실로 위대한 것은 여성들에게 맡겨진 일이다." 라며 이를 뒷받침해 주었다. 이 신문은 날카롭게, 그렇지만 약간 방어적인 자세로 논평했다. "그들은 법을 만들고, 군대를 이끌고, 제국을 통치하는 것은 아니지만; 남자들로 하여금 법을 만들게 하고, 군대를 이끌게 하고, …강경함을 자비심으로 누그러지게 하고, 명예를 지키도록 한다." 존 마이너_John B. Minor는 1861년 4월에 사촌 메리 블랙포드_Mary Blackford에게 보내는 편지에서 이런 공개적인 진술을 되풀이하였다. "지금과 같은 시기에 우리에게 엄청나게 영향을 미치는 것은 나약함과 두려움 속에 있는 여성의 영역입니다." 그가 단언했다. "여성 여러분은 매우 관대하고, 이기적이지 않기 때문에 숭고한 정신과 헌신적인 애국심을 고취시킬 수 있으며, 그 덕분에 사회 전체에 미덕의 향기가 널리 퍼질 수 있습니다.[30]

이런 언질들이 여성들에게서 부분적으로나마 소외감과 무관하다는 느낌을 덜어주었지만, 활동과 일에 대한 필요성은 전혀 언급되지 않았다. 아부를 한다고 여자들에게 할 일이 제공되는 것은 아니었다. 남편의 출정으로 가정과 농장에서 엄청나게 많은 육체노동의 부담을 지게 되는 낮은 계층의 백인 여자들과 달리 좀 더 부유한, 노예소유 가정의 여성들은 당장 생계를 잇는 일에 몰두할 필요가 없었다. 대부분의 육체적인 노동을 책임질 노예의 존재뿐만 아니라 그들 가정의 막강한 재정적 자원과 복원능력으로 인해 수많은 상류계급의 백인 여자들은 절박한 의무에서 자유로웠다. 존 마이너가 미덕의 향기라 불렀던 것이 널리 퍼져도 쓸쓸한 낮과 불안함 밤은 채워지지 않았다. 그러나 버지니아의 새라 프라이어_Sarah Pryor가 후에 저술한 『회상_*Reminiscences*』에서 기억하듯이 "전쟁 중 게으름을 피우는 것은 고문이다." 옛 일을 돌아보며 면도기 케이스 수놓기나 군인들의 바느질 도구 세트 장식하기 같은 일이 쓸데없이 바쁘기만 한 어리석은 일에 가까웠다고 말하면서도 동시에 그녀는 그 일이 가진 더 큰 효과를 인정했다. "근심에 잠긴 여자들이 운명을 견디고, 자신이 맡은 바 역할을 제대로 해내고 있다는 거짓 희망을 주는 일이라면 아무것도 어리석지 않다." 1861년 봄과 가을, 남부 중산층과 상류층 여성들은 점차 치열해지는 전쟁에 참여할 기회 즉 남부 연합 대의에 헌신하고자 한다는 것을 표현할 수 있는 적극적인 방법을 찾기 시작했다. 여성들 모두가 애타게 찾고 있는 여성의 역할을 명확하게 밝히기 위해 단합하기 시작하였다. 대체적으로 그들은 자신들의 영역에 남아있으라는 충고에 주의 깊게 귀를 기울였다. 하지만 또한 행동을 하는 과정에서 그들 자신에 대한 정의를 새롭게 내리려고 했다.[31]

다양한 활동을 시작하다

여성으로서 한데 뭉친 바로 그 행동은 남부 숙녀들 대부분에게 새로운 출발을 뜻했다. 남부에서는 북부에서처럼 여성 연합과 단체가 발전하지 못했다. 이런 차이는 대부분 지리적, 인구 통계적 요인에서 비롯되었다. 북부에 비해 남부 사람들은 훨씬 더 사방으로 흩어져 살았으며 도시화되는 속도도 더디었기 때문에 여자들이 자주 만나기가 쉽지 않았으며, 교통수단의 취약함으로 함께 모일 수 있는 기회도 드물었다. 사실 전쟁 전에 존재했던 이러한 여성 모임들은 보통 남부 도시에 위치했으며, 이곳은 다양한 전시 활동을 지원하는 든든한 기지 역할을 했다.[32]

그러나 전쟁 전 남부 여성 조직이 상대적으로 부족했던 이유를 단순히 시골의 특성으로만 돌려서는 안 된다. 사회적 요인 또한 이러한 지역적 차이에 일정부분 작용하였다. 노예를 소유한 집안의 남부 여성들은 우선 자신을 가부장적인 가족과 집안의 한 부분으로 생각했고, 그들에게 가장 소중한 관계는 다른 백인 여성들과의 관계보다는 남편과 아이들, 노예에 대한 지배와 종속의 관계였다. 전쟁은 남부 가정의 붕괴와 함께 이런 관계에도 깊은 영향을 끼쳤으며, 여성의 정체성을 다시 형성하게 된 요인이 되었다. 전쟁이라는 상황에 대처하고자 남부에 처음으로 모습을 드러낸 수천 개의 자발적인 여성 조직들은 여성의 자의식의 구심점이 되었다. 이곳에서 여성들은 집단에 속한 자기 자신을 보았고, 예전에는 엄두도 못 냈을 방식으로 성별의 의미를 탐구했기 때문이다. 남부 연합의 여성단체들은 전통적인 여성의 역할을 대표하고 확인하는 보수적인 단체를 지향했다. 〈찰스턴군인구호연합_Charleston Soldiers Relief Association〉의 말을 빌리면 그들의 목적은 "여성의 영역에 가장 적합한 방법으로 남부 연합의 위대한 목적을 지원하는 일"에 헌신하는 것이었다.[33]

자발적인 여성단체들은 다양한 활동에 착수했고, 남부 연합 안에서 바뀌어가는 요구에 맞추기 위해 노력했다. 1,000개가 넘는 그룹이 남부 전역에 나타났다. 예컨대 1861년 말 앨라배마에서는 그 주 안에서만 무려 91개나 되는 여성 원조 단체가 주지사 사무실 명부에 이름이 올랐고, 주지사는 이들 단체에 텐트와 화약통, 군복을 만들도록 원료를 나누어주었다. 사실 바느질은 연방탈퇴 후 일주일 동안 여성이 집중한 첫 번째 활동이었다. 루시 우드는 1861년 5월, 왜디 버틀러에게 쓴 편지에서 지난 3주 동안 너무 열심히 바느질을 한 탓에 "피로에 지쳤다"고 썼다. 샬롯스빌_Charlottesville의 숙녀들은 단체기도 할 때를 제외하고는 천과 재봉

틀을 가지고 매일 아침 마을 회관에 모여 온종일 일을 했다. 루시는 기진맥진했으나 자신 역시 대의를 위해 헌신하고 있다며 자랑스럽게 보고했다. 루시는 “지금은 바늘이 우리의 무기에요. 그리고 우리 역시 다른 나머지 사람들처럼 해야 될 일이 있답니다… 맞아요, 바로 그거에요. 우리 여자들도 우리가 책임져야할 중대한 일을 하고 있어요.”라고 썼다. ‘외국인’으로 몇 달을 보낸 루시는 왜디와 함께 다시금 ‘공통의 목적’에 참여하게 된 것이 기뻤다. _1861년 2월 초 연방에서 탈퇴한 7개 주 대표자들이 남부 연합이라는 새로운 국가를 건립하였고, 버지니아 주는 몇 달 후에 연방에서 탈퇴하여 남부 연합에 가입하였기 때문에 그 기간 동안 연방과 남부 연합이라는 별개의 국가 국민으로 살았음을 의미하며 외국인이라는 표현을 쓴 것–옮긴이 그러나 자랑을 하는 동안에도 루시는 남자들이 이룬 성과와 비교하여, 자신이 이룬 성과를 낮추며 지각없이 자부심을 드러내지 않도록 조심했다. “이 땅에는 우리를 위해 준비된 영광이나 명성이 없다.” 여자는 남자의 조력자이자 협력자로 봉사해야 되는 운명이라고 그녀는 단정했다.[34]

특정 부대의 어머니들과 부인들이 출정을 준비하며 바느질 운동을 선동하는 경우가 자주 있었다. 캐서린 에드먼드스턴은 대위의 아내로서 이웃의 남자들을 소집하였으며, 특권계급이라는 책임감을 갖고 여성을 조직하여 텐트와 군복을 제공했다. 1861년 5월, 그녀는 “이제껏 한 번도 일해본 적이 없는 숙녀 수천 명이 전국에서 거친 천으로 바느질을 열심히 하고 있다.”고 말했다. 에드먼드스턴은 자신의 집에서 피자를 만들던 여자노예 일곱 명에게 텐트 만드는 고된 업무를 할당하고 자신은 그 지역 백인 숙녀들과 근처 농장에 합류해 함께 군복을 꿰맸다. “모든 계층에서 일치단결된 행동을 한 적은 이번이 처음이다.”라고 에드먼드스턴은 말하였다.[35]

이윽고 그러한 모임 중 많은 수가 규약과 회비와 여성 관리자가 있는 공식적인 단체가 되었다. 그러나 에드먼드스턴이 묘사한 모든 계급이 일치단결하여 참여한 것은 아니었고, 이들 단체는 특권계급의 영역이자 그들의 사회적 통로로 남아있었다. 조지아의 메리 앤 코브_Mary Ann Cobb가 이웃들에게 군인들을 위한 후원을 해달라고 부탁하며 다녔을 때 그녀는 수많은 거절을 경험했고, 이들 대부분은 특권계층이라 할 수 없는 아테네 주민들이었다. 한 여자는 코브에게 퉁명스럽게 말했다. "남부 연합 전체가 골무를 피로 적실만한 가치가 있는 건 아니죠." 후에 코브는 아테네 사회에서 자신의 무능력과 의견충돌을 확인하고는 그 일을 그만두었다.[36]

한여름에 많은 단체들은 바느질에서 뜨개질로 방향을 바꾸어 다가오는 겨울에 대비해 가장 먼저 양말을 만들었다. 케이트 스톤_Kate Stone은 뜨개질을 해본 적이 없어서 털실로 목도리를 짜는 것부터 시작했지만 머지않아 '양말과 장갑' 을 뜰 수 있을 정도로 나아질 거라며 자신만만해 했다. 또한 여성들은 깃발과 군복만이 아니라 성경부터 시작해서 붕대용 천, 가위, 속옷에 이르기까지 매우 다양한 군인 필수품을 제공하기 위해 기부금을 모으기 시작했다. 1862년이 시작될 무렵, 사우스캐롤라이나의 그린빌_Greenville에서 여성 구호 연합_Ladies' Aid Association이 군인들의 복지를 위해 박스 20개와 포대 3개를 기증했다. 조지아 주 플로이드 카운티_Floyd County에서는 같은 해 8월, 가가호호 방문을 해서 300명으로부터 후원 약속을 받았고, 이들이 각각 1달러씩을 기부하여 열차 다섯 대 분량의 식료품을 전방으로 보냈다.[37]

필수품은 만들기보다는 구입해야 하는 것들이 많았고 바느질과 뜨개질을 하려면 옷감과 실이 필요했다. 그 결과, 여성단체들은 콘서트와 바자회, 연극공연을 통해 모금운동을 하기로 방향을 바꾸었다. 리지 오즈번_Lizzie Ozburn은 이런 운동들의 본래 목적이 여자들의 사회활동 기회를 만드는 것이라고 의심하며 남부 연합의 대의를 위해 시민들이 직접 기부해야 된다고 생각했다. 조지아의 여성단체 바자회에서 판매할 소 혀 요리와 집에서 만든 와인을 기부한 그녀는 남편에게 이런 편지를 보냈다. "저는 이런 종류의 일이 달갑지 않아요. 만약 그 사람들이 정말로 그렇게 정의롭다면, 이렇게 여러 가지 방법을 동원해서 기부금을 요청할 필요도 없이 그냥 자신들이 가진 돈을 전쟁이 끝나기를 바라며 전부 내놓았을 거라고 생각해요." 그러나 그녀와 같이 예리한 견해를 가진 사람은 거의 없었기에 기금모금은 남부 전역에 걸쳐 급속히 증가했다. 1861년 9월 23일, 스파턴버그_Spartanburg의 여성구호연합이 21개의 곡으로 이루어진 '아마추어 콘서트'를 무대에 올렸다. 찰스턴에서 열린, 오후의 음악과 낭송회는 그 도시의 한 숙녀가 쓴 창작시 「대지 위 담요에 싸인 병사의 꿈_The Soldier's Dream in His Blanket on The Ground」로 마지막을 장식했다. 『머큐리_*Mercury*』지는 그 시의 주제가 "지금 이 순간 우리 공동체의 최대 관심사"라고 확신했다. 실수로, 시를 지은 사람이 남자라고 밝힌 신문은 그 후 실수를 사과하고 11연으로 된 시의 전문을 실었다. 시의 마지막 줄은 여성구호단체들이 모금운동만 하는 것이 아니라 애국심을 표현하고 국가의 결속을 위한 기회를 제공하는 데 얼마나 이바지했는지를 말해준다.

그때 하느님은 그를 축복하시고, 병사들을 축복하시네
그리고 하느님은 그에게 전쟁에 나갈 용기를 주시네,
신은 그의 팔에 놀라운 힘을 주셔서
정의를 위해 싸우게 하소서

그가 잠든 밤이나
잠 못 이루는 밤에도 알게 하소서
우리의 기도를 - 주여 그를 살피소서
대지 위 담요에 싸인 그를.

이 한낮의 연회에서 찰스턴의 여성들은 그들에게 익숙한 정신적인 영향력과 군인들에게 필요한 물질적인 목표를 결합시켰다. 그 행사는 또한 여성 시인이 자기 목소리를 낼 수 있는 흔치않은 기회를 제공하기도 했다.[38]

그러나 남부 전 지역을 통틀어 가장 있기 있는 자선공연은 콘서트도 낭송회도 아닌 활인화_Tableaux vivants였다. 이는 분장한 여성들이 뮤지컬 막간극에서 명화나 역사적 장면 등 친숙한 주제를 정지된 동작으로 표현하는 것이었다. '크게 유행했던' 활인화는 시사문제 못지않게 문학과 역사에 대한 영감을 고취시켰다. 에이다 바콧은 특히 『로미오와 줄리엣_*Romeo and Juliet*』에 나오는 죽음 장면과 그녀가 속해 있는 여성단체가 연출한『터키노예시장_*Turkish Slave Market*』을 좋아했다. 메리 레그_Mary Lagg는 친구에게 자신이 직접적으로 관여한 공연에 대해 편지를 썼다. "네가 좋아할 것 같은 활인화가 하나 있어. 『남부 연합_*Southern Confederacy*』이라는 건데 흰 옷을 입고 각 주의 깃발과 같은 색깔의 스카프를 두른 소녀들이 각각 하나의 주를 나타내는 거야. 그리고 모든 주가 화환 주위에서 하나가 되는데 그 동안 켄터키_Kentucky는 팔짱을 끼고 서서 남부 연합에서 눈을 돌려 미합중국 깃발 쪽을 바라보고 있지. 가엾은 메릴랜드_Maryland는 검정색 옷을 입고 마치 쇠사슬에 묶여 애원하듯이 무릎을 꿇고 있어."_북부와 남부의 경계에 위치한 켄터키는, 남부의 주나 마찬가지였지만 다른 남부 주들과는 달리 남부 연합을 따르지 않았다. 메릴랜드 역시 미연방에 남았지만 이곳 주민 대부분은 남부 연합 지지자들로 연방탈퇴를 주장했다. 이들의 주장은 결국 폭동으로 이어졌고 사태를 걷잡을 수 없게 되자 연방 군대가 들어가 주를 통제했다. 결국 켄터키는 자유의지로 연방에 남았지만, 메릴랜드는 연방정부에 의해 강압적으로 남게 되었다.- 옮긴이 처음에 메리는 관중 앞에 나서는 일이 내키지 않았으나 친구들은 그녀를 설득하며 그렇게 숭고한 목적을 위해 참여하는 일이 흉하게 보일 리 없다고 주장했다. "그 사람들에게는 내가 말한 활인화를 할 만큼 충분한 인원이 없었어. 그래서 나는 플로리다가 되기로 했지. 클레미_Clemie는 텍사스였어." 버지니아의 마리아 허바드_Maria Hubard는 난처해하기 보다는 연극에서 이룩한 성과를 자랑스럽게 생각했다. 1861년 12월 16일에 그녀가 쓴 글이다. "나는 오늘을 내 인생에서 가장 눈부신 날, 대중 앞에서 첫 선을 보인 날로 오랫동안 기억할 것이다… 오늘은 내가 내 인생에서 처음으로 무대에 선 날이다." 사우스캐롤라이나 주 콜롬비아의 클라라 맥린_Clara MacLean은 처음으로 연기를 한 것에 대해 자부심을 느끼는 자신에 대해 깜짝 놀랐다. 그녀는 "내가 꽤 대단한 사람이라고 느껴진다."고 일기장에 고백했다. 전시의 극장에서 남부 연합의 여성들은 정말 문자 그대로 자신이 할 수 있는 역할을 발견한 것이다.[39]

자선 연극과 활인화 참여는 여성이 관습적인 지위에서 벗어났다는 것을 상징하였다. 사람들 앞에서 말하거나, 종이에 서명을 하거나, 심지어는 대중 매체에 이름이 언급되는 것을 허락하는 경우조차 숙녀들은 섬세하고 예의바르게 행동할 것이 요구되었다. 활인화의 공연자는 움직이지도 말을 하지도 않았지만, 그래도 무대에 선다는 것은 그들에 대한 이러한 기대에 도전하는 것을 의미하였다. 불안한 마음으로 플로리다가 되기를 승낙했던 메리 레그는 자신이 여성의 영역이라는 기존 경계를 넘어간다고 느꼈다. 반면에 클라라 맥린은 자선연극공연 참여에 아무런 거리낌이 없었으며, 익숙하지 않은 행동을 함으로써 이전에는 몰랐던 또 다른 자신의 모습을 발견하였다.

이런 새로운 행동은 많은 주목을 끌었다. 남부 연합이 이 까다로운 딜레마에 직면하고 있다는 사실은 레그나 맥린과 같은 여성의 편지와 개인적인 일기를 통해서만 알 수 있는 것은 아니었다. 『찰스턴 머큐리_*Charleston Mercury*』지의 한 기고자는 분개하며 최근 파인빌_Pinevill에서 있었던 활인화 관련 신문 기사에 여성들의 이름이 오르는 것을 반대했다. 그는 여배우들은 침묵해야 하고, 움직이지 않아야 하며, 이름을 드러내서는 안 된다고 생각했다. 자신의 이름을 '희망_Hope' 이라고 밝힌 조지아 주 밀리지빌의 한 군인은 『컨페더러트 유니온_*Confederate Union*』지에 보낸 글에서 독자들에게 이렇게 묻는다. "젊은 숙녀들이 공개적인 장소에서 무대에 오르는 것이 옳은 일입니까?" 그는 그러한 행동이 훌륭한 목적을 지니고 시작된 것이라는 변명도 행동을 정당화시키기에 충분하지 않다고 생각했다. 그는 대중 앞에 모습을 드러내는 것이 '우리 여성 안에 있는 때 묻지 않은 정숙함과 섬세한 감수성' 을 훼손한다고 믿었기 때문이다. 같은 날 신문사설과 그 다음 날 신문에 빗발친 편지에서 밀쥐빌 주민들은 논쟁을 벌이기 시작했다. 한편 다른 군인은 겉으로 보이는 관습의 일탈이 실제로는 전혀 일탈이라 할 수 없다며, 그 이유로 숙녀들은 학기말에 토론과 시험 때문에 오랫동안 무대 위에 올랐었다는 사실을 지적했다. 어느 신문사설은 문제는 여자들에게 있는 것이 아니라 조롱하고 빈정대는 남자들에게 있다고 주장했다. 그 편집자는 '희망' 씨는 다른 경우, 예를 들면 응접실을 장소로 한 자선공연에서 노래를 부르거나 대형 부스에서 기금마련 바자회를 진행하는 것처럼, 무대 위가 아닌 곳에서 공개적으로 모습을 드러내는 일은 어떻게 생각하느냐고 되물었다. 대다수의 기고자들은 "지역사회 전체가 허락한 일을 젊은 숙녀가 한다고 정숙하지 않다는 것은 말이 안 된다."라고 주장한 어느 익명의 작가와 의견을 같이 했다. '희망' 은 시대에 뒤떨어진 사람으로 퇴출되었고 사람들은 그의 주장이 보편화되려면 '사회에 혁명이 일어나야만 할 것' 이라고 말했다.[40]

엠마 크러처_Emma Crutcher는 1861년 12월, 미시시피_Mississippi 주 빅스버그_Vicksburg에서 관람한 활인화가 마음에 들지 않았다. 그녀가 생각하기에 그 공연은 "저녁 내내 지적인 관객들에게는 너무나 형편없는 오락이었다… 무대 위의 아마추어들은 자신들이 열등하다는 것만 보여줬을 뿐이다." 아마도 공연에 참가하지 않은 그녀의 입장에서 레그와 허바드와 같은 흥분을 느낄 수는 없었을 것이고, – 그게 아니라면 그들의 재능 부족으로 지루했기 때문일 것이다.[41] 예술적 가치가 어떻든 간에, 활인화는 관객을 끌어 모으는데 성공했다. 허바드가 참여한 공연 두 편의 순수익이 1,700달러에 달했고, 터스컬루사_Tuscaloosa의 리즈 미첼_Lise Mitchell은 "관객 수백 명이 무대를 향해 앉아 있었다."고 기록했다. 앨라배마의 숙녀들은 저녁 연극에서 생긴 수익금 68달러를 주지사에게 보냈으며, 유타_Eutaw의 한 모임은 82달러를 어려운 군인 가족들을 위해 써달라고 부탁했다. 노스캐롤라이나_North Carolina 주 쉘비_Shelby의 젊은 숙녀들이 출연한 활인화는 200달러의 수익을 올렸고, 그녀들은 이 돈을 병원이나 군대에 있는 군인들을 위로 하는데 쓰도록 밴스_Vance 주지사에게 보냈다.[42]

여성들은 대체로 그들의 기부금이 어떠한 용도로 사용되기를 원하는지 매우 분명하게 밝혔으며, 최소한 어떤 경우에는 자선의 목표를 설정하는 것이 실제로 정치적, 군사적 정책에 개입하는 것이기도 했다. 1862년 초에 해안 도시에 사는 숙녀들은 남부 연합의 해군의 취약함과 그로 인해 항구들은 양키의 공격을 받기 쉽다는 점에 대해 걱정을 하였다. 버지니아에서 점점 더 많은 남자들이 군대로 소집되자, 뒤에 남은 여성들 사이에서는 '본토 방어' 문제에 점점 더 관심을 갖게 되었다. 3월 초, 햄프턴 로즈_Hampton Roads에서 있었던 모니터_Monitor호와 메리맥_Merrimac호_혹은 버지니아 호 사이의 역사적인 접전은 철갑선이 보여주는 기술적인 경이로움에 관심이 집중된 계기가 되었다. 해안수비의 위기를 해결할 방책으로 찰스턴_Charleston, 모바일_Mobile, 노포크_Norfolk, 사바나_Savannah와 미시시피 강 주변 서너 개 내륙 항구들의 여성들은 단체를 조직해서 그들의 도시를 지키기 위한 함선구입을 위해 기금 모금을 하였다. 철갑선 단체, 철갑선 음악회, 철갑선 복권, 철갑선 바자회는 『찰스턴 머큐리_*Charleston Mercury*』지에 나온 말처럼 '대유행'이 되었다. 이때, 여성들의 기부금이 국가정책이 되었고, 정부는 여성단체의 요구에 따라 국방비를 사용했다. 이때 거의 처음으로 여성들이 자신들의 안전을 보장하는 데 적절하게 대응하지 못한 남부연합에 대해 은연중에 불쾌감을 드러냈다. 여성들은 아들과 남편, 남자형제들의 안위만이 아니라 그들 자신의 안위를 도모하기 위해 함께 행동했다. 러브_C. Love 부인은 『머큐리』지에 만족감을 드러내며 이렇게 썼다. "우리 모두가, 특히 여성들이 마침내 일어나서, 용감한 군인과 나약한 포병을 위해서가 아니라 우리의 해안을 방어하기 위해 실질적으로 의사 표명을 한 것에 만족한다. 확신하건데, 우리가 너무 낙천적으로 승리를 기대해서 생긴 손실을 메우기에는 지금도 늦지 않았다."[43]

가을에는 버지니아호가 물에 잠겼고, 3만 달러 이상의 기부금으로 만들어진 팔메토 스테이트_Palmetto State호는 기념비적 세례식을 할 준비가 되어 있었다. 당대의 탁월한 연설가였던 리처드 이든_Richard Yeadon대령은 정식으로 군복을 갖추어 입고 사우스캐롤라이나의 '기혼여성들과 미혼여성들' 에게 경의를 표했다. 다음은 『머큐리』지에 실린 글이다. "그는 해군방어시설구축에 보여준 정부의 게으름을 넌지시 언급하며, 애국적인 한 여성의 제안과 모범적인 행동이 어떻게 사우스캐롤라이나 딸들의 가슴에 바로 이 함선주조계획의 불을 지폈는지를 보여주었다.… 우리 여성들의 용기 있는 행동이 정부와 우리 주, 남부 연합을 무기력상태에서 일으켜 세웠다." 자선행위는 정치와 정책으로 변해갔다. 그리고 최소한 여성들은 자신들의 행동을 정당화하면서 충분한 해안수비를 마련하지 못한 남부 연합을 은근히 비난하기도 했다. 찰스턴 사람들은 좀 더 빨리 행동했더라면 포트 로얄(Port Royal)이 양키에게 함락되는 것을 막고, '침략자들의 손에서' 캐롤라이나 연안을 지켜낼 수 있었을지도 모른다는 말을 했다.[44]

미시시피 주 콜럼버스_Columbus의 여성들은 1862년 초에 있었던 헨리 요새_Fort Henry와 도넬슨 요새_Fort Donelson에서의 그랜트의 승리_율리시스 그랜드_Ulysses S. Grant, 북부 총사령관으로 남북전쟁을 북부의 승리로 이끄는데 결정적 기여를 한 인물이다-옮긴이도 같은 맥락에서 생각했다. 그리고 만약 "수많은 철갑함선을 만들어서 지난 여름동안 컴버랜드_Cumberland 강과 테네시_Tennesse 강의 경계를 늦추지 않았더라면 막대한 재난을 피할 수 있지 않았을까?" 하는 생각을 했다. 그러나 여성들은 주제넘게 방어 임무를 감독하는 '의회나 군 지휘관의 적법한 행동에 간섭하려는 의도' 가 아니라는 것을 그들의 동료인 남부 군인들에게 심어주려고 조심했다.[45]

남부 연합 숙녀들은 국가적 위기가 시작될 즈음에 자신들의 위기에 직면했다. 새로운 국가를 위해 '실질적이고 진정한 도움' 을 제공하고 역사적 사건에서 맡은 바 본분을 다하기로 마음먹은 그들은, 또한 '여성의 영역을 벗어나지 않은 채' 국가에 공헌할 수 있기를 바랐다. 관습을 존중하겠다는 이런 서약은 말할 것도 없이 남자들 못지않게 여성들 자신에게도 환영받고 위안이 되는 것이었다. 그러나 여성들은 곧 자신들이 새로운 여성단체 안에서 서로 단결하고 공공장소에서 일을 하며 심지어 정부의 국방정책을 결정하기도 하는 등 관습적이지 않은 방식으로 행동하고 있다는 것을 깨달았다. 이렇게 전쟁에 따른 탐구와 타협의 과정이 시작되었다. 여자들은 남자들에게, 서로에게, 그들 자신에게 이렇게 물었다. "우리는 무엇을 해야 하는가?" 남부의 군인들이 스스로 남자임을 증명하기 위해 전장으로 나아가는 동안 여성들은 전쟁이라는 새로운 세상 속에서 여성이란 어떠한 존재여야 하는지를 규정해야 되는 그 실체가 분명히 보이지 않는 과제에 착수했다.

CHAPTER TWO

A World of Femininity

CHANGED HOUSEHOLDS AND CHANGING LIVE

제2장

여성의 세상 ; 변화된 가정과 변화하는 삶

사라진 남자들

1862년 4월, 남부 연합은 군대 징병에 적합한 18세에서 35세 사이의 모든 백인 남자를 대상으로 한 징병법을 통과시켰다. 1865년에 개정된 법률에서는 그 기준을 17세에서 50세까지로 확대했다. 비록 전쟁 중 징집면제와 관련된 다양한 법이 통과되기는 했으나 남부 연합은 유례가 없을 정도로 많은 군사를 동원하는 데 성공했다. 노예제도 때문에 비군사적인 노동은 거의 대부분 흑인들에게 할당되었고, 군복무가 가능한 엄청나게 높은 비율의 백인들은 집을 떠났다. 그 결과, 징병연령대의 백인남자 네 명 가운데 세 명이 남부 연합 군대에서 복무하게 되었다.

그렇게 많은 남자가 전쟁터로 떠나자, 남부 연합의 후방은 백인여성과 노예의 세상이 되었다. 루이자 월턴_Louisa Walton은 친구

이사벨라 우드러프_Isabella Woodruff에게 1862년 무렵 체스터와 사우스캐롤라이나에는 '남자가 드물다' 고 말했다. 마거릿 전킨 프레스톤_Margaret Junkin Preston은 1862년 중반의 버지니아 주 렉싱턴_Lexington에는 "남자라고는 한 명도 남지 않았다."고 기록했다. 그녀가 속해있던 세상은 그녀의 표현에 따르면 "여자들과 간간히 보이는 소년들, 팔십대 노인들의 세상이었다." 네티 폰드렌_Nettie Fondren은 같은 해 12월에 예정된 친구의 결혼식 계획을 이야기하며 신랑 들러리는 없을 거라고 했다. "주변에 들러리를 해줄만한… 젊은 남자가 거의 없다." 그러나 대변화가 일어난 것은 비단 결혼식 파티에 국한된 것이 아니었다. 윈체스터_Winchester의 메리 그린하우 리_Mary Greenhow Lee는 남부 연합과 양키 남자들이 번갈아 여자들로 가득한 마을을 지배하고, 그 후 1862년 6월에는 양쪽 모두 완전히 포기하는 것을 지켜봤다. 그녀는 비아냥거리며 일기장에 썼다. "나는 우리 스스로가 개별적이고 독립적인 통치권을 갖고 있음을 선언하고, 우리를 통치할 여왕을 선출할 것을 제안한다."1

여러 주에서 남자들의 출정이 너무나 극적이어서 이곳 주민들은 주지사에게 지역사회가 어떻게 변하고 있는지 상황을 자세히 보고하는 우려 섞인 편지를 쓰지 않을 수 없었다

일례로, 노스캐롤라이나 주 뉴 번_New Bern 근처에 살고 있던 여성들은 제뷸런 밴스_Zebulon Vance 주지사에게 마을에 백인남자 250명 가운데 20명만이 남아있다고 알려주었다. 이들 중 11명은 노인들이고, 3명은 조만간 징병될 것 같기에 여자들은 신체 건강한 남자가 마을 인구의 5퍼센트에도 못 미치는 것으로 보고 있다고 했다. 앨라배마에서도 남자들의 수가 감소했다는 비슷한 시민들의 보고가 잇따랐다. 랜돌프 카운티_Randolph County에서는 유권자

3000명 가운데 2,016명이, 쉘비 카운티_Shelby County에서는 1,800명 가운데 1,600명이 군대에 갔다. 앨라배마 주 캐롤턴_Carrollton의 주민들은 주지사 존 쇼터_John Shorter에게 편지를 써서 1862년의 민병대 소집이 "말 그대로 거의 모든 남자 주민을 사라지게 했다"고 말했다.[2]

이들 근심에 가득 찬 시민들이 인식했던 것처럼, 이 정도 규모의 동원이 미치는 영향은 상당했고 아마도 전쟁 중 남부백인여성들이 경험한 바 중 가장 결정적인 요인이 되었을 것이다. 사랑하는 사람들의 출정은 전 지역에 걸쳐 수천, 수백 번 되풀이되었는데 이는 개인적으로나 감정적으로 쓸쓸함과 불안함을 불러일으켰다. 리지 하딘_Lizzie Hardin은 "집집마다 비어있는 의자가 하나씩 있다."라고 쓰기도 했다. 그러나 또한 이런 대규모의 출정은 여성들에게 정치적 경제적으로 큰 의미가 되었다.[3]

지극히 농업중심적이었던 남부에서 가정은, 학자들이 '생산과 재생산'이라고 부르던 기본단위였으며, 이는 가장 중요한 경제활동뿐만 아니라 문명사회의 사회적, 문화적 활동이 일어나는 곳이기도 했다. 노예를 소유하지 않고 독립과 자급자족을 중시했던 작은 단위의 농장이나, 수많은 노예인력을 소유하며 면화, 쌀, 설탕, 담배 등의 상업적 상품을 생산하는 대농장 모두 옛 남부 경제제도의 중심이자 생산 활동의 장소였다. 그러나 작은 농장이나 대농장은 사회적, 정치적 질서의 바탕이 되는 주요 장소이기도 했다. 대농장은 남부 가부장제도의 위계구조를 구체적으로 보여준다. 이것은 인종 간의 지배를 위한 가장 중요한 수단으로 사용되었으며 이와 유사하게 백인여성들의 복종을 제도화시키는 역할도 했다. 주인은 그가 자주 '흑과 백의 가족'이라고 부르던 집단의 우두머리로 임명된 사람이었기 때문이다. 남자와 여자, 소년과 소녀, 노예와 자유인들은 이 사회적 서열 안에서 자신의 연령과 성별, 인종에 걸맞은 역할을 배웠다. 노예를 소유하지 않은 가정에서는 비슷한 남성지배제도가 오직 백인 식구들 내에서만 나타났다. 남성의 특권과 남성의 책임은 이와 같이 남부 가정과 남부 사회의 행동규범을 체계화하는 역할을 하였다. 백인남성들은 가정 내의 힘과 의무의 피라미드에서 정점에 서 있었으며, 그 피라미드는 남부 사회질서의 축소판을 상징하는 것이었다. 전쟁 전 남부에서 가장 영향력 있는 남부정치가 존 칼훈_John C. Calhoun의 설명과 같이 "남부의 주들은 개인이 아닌 공동체들의 집합체이다. 모든 대농장은 주인이 그 지배자로 있는 작은 사회이다. 이렇게 모인 작은 사회들이 국가를 이룬다. 그럼으로써 조화와 연방과 그 지역의 안정성이 유지된다."[4]

전 지역의 가정에서 백인남자가 사라지자, 남부 사회와 경제의 근간은 엄청난 타격을 받았다. 노예를 소유하지 않은 가정에서는 생계를 책임지던 사람들이 출정함에 따라 즉각적으로 어려움이 초래되었고, 백인여성들은 생애 처음으로 육체노동이 필요한 논밭으로 향했다. 남부 연합 의회는 1862년 4월, 가장 많은 인력이 필요한 시기인 봄 파종기에 징병법을 통과시켰기 때문에 농장을 운영하는 많은 가정들이 곧바로 타격을 입었다. 이 시기동안 앨라배마 주의 어떤 '불쌍한 마을'에서는 누군가 주지사 존 길 쇼터_John Gill Shorter에게 편지를 써서 처음으로 수백 명의 여성이 쟁기 손잡이 사이에 있는 모습을 보게 될 거라고 하였다.[5]

그러나 좀 더 생활에 여유가 있던 여성들, 특히 노예소유가정의 여성들은 대규모 징집의 영향을 더디게 받거나 덜 직접적으로 받았다. 중산층과 상류층 가정들은 자본과 투자금 뿐만아니라 쟁기로 일을 할 노예도 소유하고 있었으며 파종과 수확이라는 계절적인 주기에 직접적으로 매여 있지도 않았다. 노예 자산은 토지와는 달리 유동적이었기에 많은 주인들이 재정착이 가능하거나 현금을 받고 고용시킬 수 있는 보다 안전한 지역으로 노예들을 수송하기도 했다. 전투 지역에서 동떨어진 텍사스는 가장 인기 있는 지역이었으며, 남부의 한 장군은 전쟁이 있었던 시기에 텍사스로 수송된 남자노예의 수가 대략 15만 명이라고 추정했다. 그러나 재산을 지키기 위해 선택한 방법이 무엇이었든지 간에 전쟁이 끝날 무렵에는 대부분의 집안은 재물과 물자를 다 써버린 상태였다. 남부에서 최상류층에 속하는 여러 집안의 여성들조차 집과 재산이 사라지고 경제적으로 비참한 궁핍 상태에 빠지게 되었다. 이런 변화는 점진적으로 진행되었고, 가정구조의 변화와 함께 시작되는 경우가 많았다.[6]

재정적인 자원과 광범위하게 전 지역에 펼쳐져 있는 가족과 친척들 간의 네트워크, 그리고 정보와 교통수단을 이용할 권리를 지니고 있던 특권계급 여성들은 가난한 여성들은 엄두도 못내는 새로운 가정의 형태를 시도해볼 기회가 있었다. 남부 지배계급의 여성들은 남자들의 부재에 적응하려고 분투하는 과정에서 다양한 형태의 새로운 가정과 가정 제도에 편입되었다. 많은 여성들이 그들의 부모님이나 시부모님과 함께 살기 위해 혹은 친구들과 지인들과 살기 위해, 때로는 먼 거리도 마다하지 않고 이동했다. 자신과 아이들의 짐을 꾸려 장교인 남편을 따라 이 캠프에서 저 캠프로 옮겨 다니며 가까운 마을에서 적당한 숙박시설을 찾거나 아니면 가끔은 들판에 세운 텐트에서 지내는 사람들도 있었다. 어떤 이들은 여전히 여러 도시를 전전하며 숙소와 보수가 좋은 일자리를 찾기도 했다. 시대의 불확실함에 직면한 일부 여성들은 짐마차에 귀중한 재산을 가득 실은 채 분명한 목적지도 없이 집을 떠났는데, 어딘가 다른 곳에서는 아이들 그리고 그들의 인적 · 물적 자산이 안전할 거라고 확신했다. 전쟁이 계속되는 동안, 이 가족들은 세 번, 네 번, 심지어 여섯 번까지도 이동을 하였는데, 연방군_Union이나 Yankee 모두 북부군을 의미하지만 Union은 연방군으로 Yankee는 북부군을 비하하는 표현이므로 양키로 번역함-옮긴이이 진군하기 전에 퇴각하는 남부 연합의 군대처럼 퇴각하였고, 남부 연합의 후방에 있는 이들의 생필품은 계속해서 줄어들고 있었다. 다른 여성들은 현재 있는 곳에서 기회를 잡거나. 재정착을 통해 해결책을 찾기보다는 현행 제도 안에서 필요한 변화를 꾀하기로 결심했다. 많은 여성들은 감독관들이나 귀찮게 졸라대는 이웃 남자들을 고용해서 여성이 주인이 된 새로운 대농장을 운영하고 유지하는 데 도움이 되도록 했다. 그들 중 몇 명은 집안일에 동참하게 하고, 외로움을 달래고 공동출자를 하게 하기 위해 여자조카나 여자형제들, 시누이들을 초대하였다. 아들과 남편을 전방으로 내보낸 여성들은 군사적 충돌에서 안전하다고 여겨지는 먼 곳의 기숙학교나 친척들이 있는 정반대 방향으로 딸을 보내는 일도 종종 있었다. 그러나 이동을 하건 집에 남아 있건, 아이들과 함께 있건 아이들을 기숙학교나 친척에게 보내버리건 간에, 대부분의 남부 연합 여성들은 가정환경의 급격한 변화에 맞닥뜨렸다.

만약 남부 연합이 헌법에 명시된 바가 있어 한 번이라도 인구조사를 했더라면, 그 결과에 깜짝 놀랐을 것이다. 옛 남부와 연관된 가부장제 구조의 가정을 볼 것으로 기대하는 사람들은 인구조사 결과 드러날 가정의 모습에 당황하게 될 것이다. 전쟁이 시작된 지 얼마 되지 않은 시점에서 이런 조사를 실시했더라면 남부 전역에 걸친 모든 계층의 수많은 가정들이 여성에 의해 움직여지고 있다는 사실이 알려졌을 것이고, 여성들로 된 새로운 세상의

남부 연합 노스캐롤라이나의 여성들. 버지니아 주 리치몬드의 '남부 연합 박물관_the Museum of the Confederate' 소장.

속성이 드러났을 것이다. 노예소유주 가정에 이런 조사를 했다면, 아마도 놀랄 만큼 다양한 형태의 가정과 임시 '가족' 의 모습을 보여주었을 것이다. 그리고 관습으로부터 일탈한 임시가족은 새로운 환경을 제공하였고, 그 환경에서 여성들은 기본적인 경제적 생존을 위한 새로운 책임을 떠맡고, 애정을 가졌던 대상의 변해버린 모습을 경험하고, 아프리카 노예와 남부 '가족제도' 와의 관계가 급격하게 변했다는 것을 깨달으면서 그들 자신에 대한 정의를 새롭게 내릴 수밖에 없었다. 그러나 그러한 조사는 결코 시행되지 않았고, 우리는 남북전쟁 때 남부의 가족구조에 생긴 변화의 범위를 통계적으로 정확하게 알지 못한다. 얼마나 많은 백인 여성들이 대농장에서 혼자 살았는지, 아니면 도시로 이사했는지, 또는 친척에게 몸을 의탁했는지도 알 수 없다. 그리고 군대에 약간의 변화라도 생기면 개개인이 거기에 반응하던 전쟁시기였기 때문에 여성들이 적응하는 형태도 당연히 계속해서 바뀌었다. 그러나 가족

형태에 생긴 대대적인 변화는 분명히 새로운 여성 세상의 주민들이 직면한 선택과 딜레마가 어떤 것이었나를 설명하는 방식으로 묘사될 수 있다. 달라진 가정에서는 새로운 권력구조와 책임이 필요했을 것이다. 일기를 쓰거나 가족이나 친구들과 편지를 주고받던 거의 모든 여성들은 필연적으로 그 문제를 논의할 수밖에 없었다. 자기 자신은 어디서 누구와 함께 살지를 결정할 필요가 없더라도 이웃과 친척들은 이런 어려움과 마주하고 있었기 때문이다. 변화된 가정 형태에 맞추는 일은 남부 연합의 백인 여성들에게 주요한 문제점이었고, 이 새로운 가정환경은 남부 연합 여성들의 삶에 또 다른 변화를 초래했다. 남부의 가부장적 사회질서를 형성하던 토대는 전쟁이 시작될 때 그것의 주축이었던 남자들이 떠남에 따라 위태로워질 수밖에 없었다.

나를 위한 최선의 방법

남편의 군 입대 후에 많은 여성은 어디서 어떻게 살아야 좋을지 알지 못했다. 래티샤 라퐁 애쉬모어 너트_Laetitia Lafon Ashmore Nutt는 남편이 루이지애나에서 소집한 특별유격대 중대의 지휘관으로 출정하려고 할 때 남편과 떨어져 있기를 거부했다. 그녀는 세 딸을 이끌고 남편을 따라 딥사우스_Deep South, 남북전쟁초기에 남부 연합을 구성한 7개의 주가 위치한 지역을 통칭하는 용어로, 남부의 아래쪽에 위치하고 있으며, 노예제로 운영되는 대농장 지대를 의미한다.-옮긴이를 지났고, 작전에 따라 바뀌는 남편의 거처 가까운 곳에 숙박시설을 찾았다. 1864년 무렵 그녀는 완전히 지쳐 "어머니에게 아이들을 맡겨두고 내 시간과 에너지 모두를 병들고 상처 입은 군인들에게 바칠 수 있기를" 희망했다.[7]

새라 제인 에스테스_Sarah Jane Estes는 아이들을 남겨두고 남편을 따라갔지만, 이것은 그녀의 의사라기보다는 남편의 요구가 반영된 것이었다. "1862년 가을, 그는 내게 '미시시피로 가라고 지시'했다. 남편의 성격을 아는 나는 모든 것을 뒤로하고 남편을 따르기로 결정했다… 나는 남편을 떠나든지 아니면 아이들 곁을 떠나야 한다. 남편보다는 아이들이 내가 없어도 더 잘 견딜 수 있을 거라 생각했다." 그녀는 아이들 없이 어찌 지낼 수 있을지에 대한 생각을 떨쳐버리려고 애썼지만 가슴은 무너져 내렸고, 한 살 된 아이와 다시 만나기 전에 아이가 그녀를 완전히 잊을까봐 두려웠다. "선택의 여지가 거의 없었기에 집을 떠난 이후로 나 자신의 행복은 염두에 두지 않았다." 그녀는 자랑스러움과 일말의 분노를 느끼며 적어 내려갔다. "나는 엄마이자 아내로서 나 자신의 안위는 고려하지 않고 그저 신이 내게 주신 이들을 위해 살고 일하며, 그들의 행복을 나의 기쁨으로 받아들이기를 원했다." 그녀는 여성에게 부과된 의무라고 이해한 바에 따라 그녀의 길을 걸어갔다. 그러나 여기서 아이들과 남편에 대한 그녀의 의무가 서로 상충되었고, 에스테스는 아내 혹은 어머니로서의 실패 그 어느 쪽도 감수할 수가 없었다. 그녀는 자신이 처한 딜레마로 눈에 띌 정도로 고통스러워했지만 그럼에도 남편에게서 거의 아무런 동정도 받지 못했다. "남편은 내가 참으로 사악하게 행동하고 있다며, 내가 절망적으로 슬퍼한다고 나무랐으며, 신에게 의지하여 위안을 받으라고 하였다. 나도 그 사실을 알았지만 너무나 비참해서 아무 생각도 할 수가 없었다. 하지만 나는 강인함을 달라고 기도해왔고 지금은 나의 시련을 이겨낼 수 있을 것 같은 느낌도 들지만, 어쩌면 속고 있는지도 모른다. 하지만 나는 "신의 뜻이 이루어지리다." 라고 말할 수 있도록 기도할 것이다. 남편과 아이들 중 한 쪽만 선택해야만 하는 것은 견디기에 너무 가혹한 일이었고, 새라 에스테스는 위로를 받고 문제를 해결하기 위해 신에게 기댔다. 미시시피와 테네시 강을 건너 남편의 뒤를 쫓아 움직인 지 수개월 후, 그녀는 자신의 유랑생활이 끝날 거라는 기대는 저버렸다. 그러나 더 이상 아이들을 버려두었다는 생각으로 자신을 고통스럽게 할 수는 없었다. 그녀는 아이들이 죽은 것처럼 행동하기로 했다. "나는 마치 주님께서 내 아이들을 그의 곁으로 데리고 가시기라도 한 것처럼 그들을 주님께 바치려 노력할 것이며, 다시 그 아이들을 보겠다는 생각을 포기하도록 노력하고 기도할 것이다." 새라 에스테스는 전쟁으로 남편이 아니라 젖먹이 아이들을 잃었다고 느꼈다.[8]

대부분의 여성들은 래티샤 너트나 새라 에스테스와는 달리 남편을 따라 전방으로 가는 대신에 가정을 이끌어 나가거나 전쟁의 여신이 인도하는 곳이 어디든 거기에 순응하고자 했다. 한 노스캐롤라이나 여성이 1862년 5월, 남편이 떠난 후에 곧바로 동생에게 편지를 쓰며 이렇게 말하였다. "우리는 그것이 나에게 최선의 방법이 될 수 있는지 검토해보려고 하고 있어." 그녀는 어머니로부터 집으로 돌아오라는 말을 들었으나 자신의 집을 폐쇄하고, 노예들이 감독 없이 일하게 내버려두는 것을 내켜하지 않았다. 그러나 그녀는 분명 혼자 있고 싶지도 않았다. 그녀는 최소한 몇 달간만이라도 동생이 함께 있어주기를 간청하였을 것이다. 조지아의 리사 천_Lisa Chunn은 1861년 가을, 남편 윌리_Willie가 떠난 후 자매들이 번갈아 자신의 집에서 머물자 매우 기뻐했다. 그래서 "나 혼자 밤을 보낸 적은 별로 없었다."고 기록했다. 그렇지만 이것은 단지 일시적인 해결책에 불과했다. 리사는 1864년 가을 조지아의 군사 상황이 악화되어 결국 다른 곳으로 옮겨가기 전에, 혼자서 밤을 보내는 일이 많아졌다. 셔먼_William Tecumseh Sherman, 남북전쟁 때 북군 장군으로 1864년 북군 총 사령관 그랜트 장군의 지시에 따라 조지아 주의 애틀랜타로 진격하여 남부군을 소탕하는 작전을 전개하였다. -옮긴이의 군대가 진군하는 길에서 피해야 한다고 깨달은 그녀였지만, 여전히 친정부모에게 가야할지 시부모에게 가야할지를 결정해야만 했다. 그녀가 망설이는 까닭은 가능한 남편의 연대 가까운 곳에 남아있고 싶다는 마음에서 비롯된 것이었고, 또한 일단 떠나기로 결정하면 자신의 '검둥이 자산'을 낮은 가격에 팔아야 되는 것은 아닐지 걱정스러웠기 때문이다.[9]

미시시피의 엠마 크러처_Emma Crutcher도 천과 같은 걱정을 하고 있었다. 그녀는 남편 윌_Will이 입대하자마자 빅스버그에 있는 시부모집으로 이사했다. 그러나 1862년 가을 무렵, 엠마의 친정 부모는 '피난민으로서 첫 정계 진출'에 대한 의논을 하고 있었으며 멀리 떨어진 안전한 곳에 큰 집을 빌려서 살고 있었다. 엠마는 지금 현재 있는 곳에 남아야 할지 아니면 부모님께 가야할지를 놓고 마음이 괴로웠다. 그녀의 주요 관심사는 우체국이나 철도 가까이에 있으면서 윌과 연락을 취하는 것이었다. 리지 오즈번의 아버지는 만약 지미가 1861년이 지나도록 제대하지 않는다면 그녀가 가사를 포기하고 자신의 집으로 이사를 해야 한다고 주장했다. 그러나 리지는 결혼한 성인으로서 이제 다시는 '아버지에게 의존하지 않겠다'고 결심했다. 버지니아의 엘렌 무어_Ellen Moore는 독립에 대해 전혀 다른 생각을 갖고 있었는데, 그녀는 아이들과 함께 그녀의 친정 부모 집으로 가는 것이 현명한 결정이라며 남편 샘_Sam을 설득하려고 했다. 남편이 없는 집에서 그녀는 이런 말로 입장을 밝혔다. "그곳에서 내 영혼은 기나긴 시간동안, 밤낮으로 외로움에 고통 받을 거예요." 그녀는 "당신이 나를 돌보지 못하는 동안 아빠가 있는 곳이 나에게 가장 좋은 장소"라는 것을 샘이 납득하기를 바랐다.[10]

많은 젊은 여성들이 친척 집에서 생활하는 게 여간 피곤한 것이 아니라는 사실을 깨달았다. 조란사 셈스_Jorantha Semmes는 다섯 아이와 함께 미시시피 주 캔턴_Canton에 있는 남편 사촌의 집으로 들어갔는데, 그곳은 서로 신경을 건드리는 17명의 거주자들로 북적대고 있었다. 셈스는 그곳사람들이 자신을 '귀찮은 존재'로 여길 거라 생각했지만 그녀 자신도 안주인의 '헐뜯기'와 감히 그녀의 아이들을 자신의 아이들과 함께 매질하는 집주인의 뻔뻔스러움에 화가 나 있었다.[11]

그 시대 가족 간의 갈등이 흔한 일이 되기는 했어도, 앤 마리 스튜어트 터너_Anne Marie Stewart Turner의 경험은 특별히 더 가혹했다. 남편의 군복무 기간 동안 그녀와 아이들은 노스캐롤라이나에 있는 남편의 가족들과 함께 지냈는데, 시어머니의 '심술궂은 말투'와 '야비한 성미' 때문에 그곳에서 터너의 인생은 비참하였다. 시어머니는 터너가 자신의 아들을 훔친 것도 모자라 자신의 남편까지 유혹했다며 그녀를 비난했다. 그녀는 "내가 그녀의 남편에게 꼬리치는 탓에 보통 남자가 자신의 아내 외에는 보이지 않는 관심을 내게 보인다고 말했어요. 시아버지께서는 나에게 열정을 갖게 되었고, 내가 그의 머리를 빗겨주는 등의 행동으로 그를 부추겼다고 말이에요." 절망에 찬 터너는 수천마일 떨어진 텍사스에 있는 어머니에게 편지를 썼다. 그러나 터너의 시련은 더 심해지기만 했다. 남편이 1864년 크레이터_Crater 전투에서 전사한 것이다. 그때 그녀는 그 불행이 시어머니의 "불친절함"에 대한 적절한 처벌일 뿐만 아니라 자신이 시어머니에게 분노를 느끼고 앙심을 품은 탓에 받은 천벌이라고 생각했다. 집안의 구조에서 오는 중압감 때문에 앤의 슬픔은 자기혐오와 분노가 한데 뒤섞인 모습으로 나타났다. 시부모와의 강한 유대감은 이미 사라진 뒤였지만 집으로부터

버지니아 주 컬페퍼(Culpeper) 근처 존 마이너 보츠(John Minor Botts) 집안의 백인들. 1863년 9월. 사진촬영 오설리반(T. H. O'Sullivan). 국회 도서관의 사진인쇄과(Prints and Photographs Division) 소장.

아득히 먼 곳으로 떠나버린 앤은 전쟁의 격변 때문에 그 불행한 가정에서 옴짝달싹 못하게 되었다.[12]

혼자 남은 여성들끼리 서로 동지애를 나누고 생활비를 아끼려는 목적에서 함께 생활하는 경우도 자주 있었다. 테네시의 한 여성은 "나는 집에 홀로 남고 우리 오빠 집에는 시누이와 어린 아이 둘만 남았기 때문에, 함께 지내기 위해 그 집으로 갔다."고 회상했다. 집안의 사춘기 소녀 집단은 친자매들보다도 훨씬 결속력이 강했다. 군사방어선 배후의 생활은 매우 따분한 경우가 많았기 때문에, 많은 부모들이 젊은 여성들의 기분을 전환시켜 주고 싶어 했다. 전방에 밀집되어 있는 남자들과 동떨어져 있는 상황에서, 10대 후반과 20대 초반의 젊은 상층 여성의 관심거리인 구혼은 완전히 중단되었다. 비록 나라의 운명은 풍전등화와 같았지만, 남부연합의 어떤 젊은 여성은 인생이 견딜 수 없이 무료하다고 생각했다. "하루를 또 다른 하루와 구분지어 줄만한 것은 아무것도 없다… 언제나 모든 것이 똑같다. 바느질, 뜨개질, 책 읽기, 물레질, 베 짜기… 아, 나는 이 모두가 지겹고 신물이 난다." 22세의 말비나 기스트_Malvina Gist는 1865년 콜롬비아의 고향마을이 불에 타기 바로 전날에도 다음과 같이 불평할 만큼 용감하기도 하고 어리석기도 했다. "당신이 단지 여자라는 이유만으로 언제나 안전한 장소에 숨겨지는 것은 지독히도 지루한 일이다."[13]

그러나 리치몬드_Richmond에 있는 메리 체스넛_Mary Chesnut의 가족과 함께 살게 된 사우스캐롤라이나의 프레스턴_Preston자매는 그 시대가 매우 흥미진진하다고 느꼈다. 두 소녀는 이윽고 늠름한 남부 연합 장교들과 사랑에 빠졌고, 애인들이 군대 문제로 정신이 없을 때는 체스넛 댁의 응접실을 가득 메운 멋진 청년들 무리와 다른 젊은 아가씨들과 함께 즐거운 시간을 보냈다. 메리는 제퍼슨 데이비스의 중요한 보좌관의 아내로서 남부 연합권력집단의 중심부에 속하게 되었다. 그렇기 때문에 프레스턴 자매가 그녀의 집에 머무르는 것은 엄중히 수비되고 있는 리치몬드 지역에서도 상대적으로 안전한 곳에 있는 것이며, 남부 연합 사회의 최상류계층에 접근할 수 있는 기회이기도 했다.[14]

나이어린 백인 소녀들의 안전과 순결함을 유지하는 것은 전시 남부에서는 특별한 관심사였는데, 적군의 침입이나 노예 폭동이 일어날 경우에 이들은 특히 상처입기 쉬운 존재로 보였기 때문이다. 많은 가정에서는 그들을 군사 활동과 격변 지역에서 멀리 떨어진 곳에 있도록 하려고 상당한 노력을 기울였다. 사우스캐롤라이나의 어느 어머니는 "양키 군대가 미치지 않는 곳에서 자라는 것이 어린 소녀들에게는 더 안전할 거라고 생각했다."고 말하였다. 사우스캐롤라이나의 어느 어머니는 이렇게 말했다. "양키 군대가 미치지 않는 곳에서 자라는 것이 어린 소녀들에게는 더 안전할 거라고 생각했다." 기숙학교가 이 문제에 한 가지 해결책이 되었다. 남자컬리지와 아카데미는 남자들이 전쟁터로 가기위해 교실을 떠났을 때 문을 닫았지만, 많은 여학교들은 번성했다. 1861-62년 사이에 83명이 등록했던 홀린스_Hollins 컬리지는 1854-65년 160명으로 늘었다. 사우스 웨스트 조지아의 침례교 여자 컬리지_Baptist Female College의 총장 대그_J. F. Dagg는 끊임없이 이어지는 전시의 혼란에 직면해야 했는데, 1863년에는 유행성 천연두가 돌았고, 학교의 양철 지붕을 남부 연합정부에 기부해야 했으며, 결국엔 학교건물이 군병원으로 바뀌게 되었다. 그러나 학교는 발전을 거듭해서 1861년에 36명이었던 학생 수가 1863년 무렵에는 82명으로 늘어났고, 1864년에는 학교건물이 치료목적으로 이용되는 바람에 103명으로 늘어난 학생들이 대그총장의 사택에서 공부했다.

기숙학교는 사우스캐롤라이나 캠던_Camden에서 온 사렙타_Sarepta에게 향수병을 안겨주었다. 그러나 그녀는 초완 여성 교육기관_Chowan Female Institute에 있는 것에 대해 감사해야 한다는 것을 알고 있었다. 그녀는 숙모에게 "저는 제가 머물 곳을 주시고 안전하게 지켜주신 주님께 감사해요."라고 썼다. 노스캐롤라이나에 있는 올드세일럼아카데미_Old Salem Academy의 교장 로버트 드 슈바이니츠_Robert De Schweinitz는 전시에 학교를 운영하는 것이 어려움이 따르는 일이라는 것을 알게 됐다. 필수품은 구하기 힘들었고, 교육비는 물가상승을 따라잡지 못했으며, 학생들은 사랑하는 사람들과 장기간 떨어져 지내는 데서 오는 극도의 정서적인 스트레스를 경험했다. 그러나 드 슈바이니츠는 일종의 공익사업으로서 학교를 계속 유지해야한다고 느꼈다. "여기에는 집이 없거나 자신의 집이 적진 한가운데에 놓여있는 학생들이 많이 있다. 우리는 어떤 면에서는 학교를 계속 운영할 수밖에 없는 상황이다. ” 올드세일럼_Old Salem은 특히 캐롤라이나 동부에서 온 피난민들을 환영하는 몇몇 교육기관 중 하나로 알려져 있었고, 많은 학교들이 스스로를 젊은 피난민 여성들을 위한 천국으로 표방하고 있었다. 팜빌여자컬리지_Farmville Female College는 '어느 곳에서든 접근이 용이하고 동시에 전장에서 멀리 떨어져 안전하고 조용한' 곳임을 강조하며 선전하던 곳인데, 버지니아의 한 소녀가 이곳에 흥미를 가졌다. 마침 그녀의 가족들은 7일간의 전투_Seven Days Battles, 버지니아 주 리치몬드 부근에서 1862년 6월 25일부터 7월 1일까지 계속된 전투–옮긴이가 있은 후 리치몬드 주변의 대농장에 어린 소녀를 머무르게 하는 것이 더 이상 현명한 일이 못된다고 확신했던 터였다.[15]

그러나 많은 젊은 여성들은 필요에 의해 적진 가까이에 남아있어야 했다. 윈체스터의 메리 리_Mary Lee는 남편이 죽은 십대 여동생 두 명과 조카 두 명, 리 자신, 이렇게 다섯 명으로 이루어진 가족을 거느리던 여성으로 마을 이곳저곳으로 움직이는 적군에 대항하며 서로를 보호하고 위로하고 있었다. 리는 집과 친구들에게서 멀어지기보다는 적군을 상대하는 위험을 감수하는 쪽을 택했다. 그녀와 어린 친척들은 1865년 2월, 미연방 장군이 그들을 남부 연합 방어선 너머로 추방했을 때에야 윈체스터를 떠났다. 리는 그 순간에도 '분개하여 피난민이 되기를 거부' 했고, 그녀에게 그러한 호칭을 붙이는 다음 사람을 쏘겠다고 위협했다.[16]

망명의 고단함

피난민이라는 용어에 리가 적대적인 것은 남부가정에 큰 변동을 일으킨 사람들의 이동 이면에 아직 검토되지 않은 복잡한 사정이 있음을 암시한다. 피난민 이라는 용어는 전쟁 초기에 남부에서 쓰인 사적, 공적인 글에 자주 나타나기 시작했는데, 난민의 일반적인 개념과는 조금 달랐고 이후 자주 혼동하여 쓰였다. 피난민은 아마도 1861년 연방군의 침공이 임박했을 때 캐롤라이나 연안에서 가족들과 노예자산을 피난시킨 해안지역의 거물들에게 처음 사용되었을 것이다. 이들 명문가 사람들이 대규모 노예집단을 데리고 피에몬트_Piedmont에 도착하자, 좀 더 평등주의적 사고방식을 가진 이곳 사람들은 분노하였다. 캐롤라이나 내륙지방 사람들은 그들의 도피가 비겁하다고 비난하면서 반항할 가능성이 다분한 노예들이 늘어난 것을 염려했으며 엄청나게 많은 새 주민들에게 제공할 음식과 숙소에 대해 걱정했다. 얼마 지나지 않아 피난민이라는 용어는 대개 전통적으로 살아온 주거지를 버리고 재산, 특히 노예 자산을 지키려는 목적에서 미연방의 영향권에서 벗어난 부유한 사람들을 지칭하게 되었다. 노예가 몇 명 안 되는 집이나 가난한 농부들은 이런 선택을 할 수 없는 여건이라고 생각하였고, '피난'은 애국심이 결여된 증거라고 생각하는 사람들이 많았다. 아무래도 자신들을 부양해주길 기대하는 피난민들의 존재가 그 지역 사람들에게 상당한 부담을 지운 것은 사실이다. 더 많은 남자들이 전쟁터를 향해 떠나갈수록, 피난민 집단에서 여성의 수는 압도적으로 늘어났다. 따라서 이 계급은 특권계급이라는 계급적 특성만이 아니라 여성이라는 성별의 특성까지 띠게 되었다. 특히 전쟁이 마지막 국면에 접어들었을 무렵 군사적인 행동에 의해, 예를 들면 1864년 가을 셔먼 장군이 모든 민간인들은 애틀랜타_Atlanta를 떠나라고 명령했을 때처럼, 어쩔 수 없이 집을 떠난 가족들, 심지어는 공동체들이 있었다. 그러나 남북전쟁 시대의 어법으로는, 이들은 피난민이 아니라, 좀 더 정확하게 난민으로 간주되어야 한다. 그 시대의 피난민은 주로 특권과 이기주의라는 경멸적인 의미를 내포하고 있었다. 이 함축된 뜻이 갖는 힘은 메리 리가 그 호칭에 대해 혐오감을 보여준 것처럼 분명히 드러났다. 그녀는 자신의 행동 진로를 선택하지 않았다. 그녀는 스스로 집을 버리지도 않았고 도망가지도 않았으며 다른 사람들이 그녀를 책임져 주리라고 기대했다. 그녀는 자신의 의지에 반하여 강제로 내보내졌고, 이러한 점 때문에 마땅히 피난민이라고 불려야 하는 사람들보다 그녀가 도덕적으로 우월한 지위에 있다고 믿었다.[17]

냰시 메이 제트_Nancy Mae Jett는 양키군이 조지아에 도착할 거라고 예상하고 있었다. 그녀는 군대에 있는 남편 리처드에게 자신의 선택에 대해 설명했다. “우리는 길을 떠나는 데 필요한 돈이 없어요. 그러니 시련을 견뎌야만 해요.” 그녀와 일곱 아이들에게는 위험한 곳을 벗어나 이동할 돈이 없었다. 과부이자 앨라배마의 소규모 노예소유주인 새라 에스피는 1863년 여름, 양키들이 다가오는 동안에 부유한 이웃들이 노예들을 데리고 떠날 준비를 하는 것을 지켜봤다. 그러나 에스피는 ‘어디로, 어떻게 가야할지’ 몰랐기 때문에 자신이 ‘집에 머물러야만 하고 신의 뜻이 무엇이든 그것을 받아들일’ 것이라고 생각했다. 어느 날 저녁, 부유한 친구인 핀리_Finley 부인을 방문한 그녀는 그 이웃이 노스캐롤라이나로 떠날 준비를 하고 있음을 알게 됐다. 에스피는 분노를 감출 수가 없었다. “그들은 모두 부유하고, 부자친구에게로 간다. 반면 나와 다른 많은 사람들에게는 친구도 없으며, 수염조차 안 난 소년들인 우리의 아이들은 우리 곁을 떠나 군에 입대했다.” 노예소유주인 에스피는 남부가정들 중에서 가장 부유한 집안에 속했지만, 그녀는 전쟁의 압박으로 남부의 계급차이를 새롭게 깨달아가게 되었는데, 그 차이란 어딘가 다른 곳에 피난처를 찾을 수 있는 선택권이 있느냐로 나타났다. 전쟁 중 앨라배마를 떠날 수 있는 핀리 부인의 자유에 대해 사라 에스피는 심하게 불평하였다. "어딘가 모르게 단단히 잘못되었다. 만약 우리 남부 연합이 패한다면 그에 따른 모든 부담은 노동계층에게 지워지고 그동안 부자들은 편안하고 즐겁게 산다고 해도 전혀 놀랄 일이 아니다."[18]

피난 경험은 타고난 사회적 우위에 자부심을 갖고 있던 부유층 여성들에게 계급에 대한 인식과 정체성을 한층 더 확고하게 만들었다. 전쟁 말기, 메리 체스넛이 양키 침략자들을 피해 도망치고 있었을 때 그녀는 한 노스캐롤라이나 여인의 은혜를 입었다. 이 관대함에 그녀가 보인 반응은 감사한 마음이라기보다는 냉소에 가까웠다. "안주인은 노스캐롤라이나의 상류계급이라면 으레 그러하듯이 젊고, 매력적이고, 교양이 넘치고, 말재주가 뛰어나며, 무척 품위 있고 친절해 보인다… 그러나 문명화의 첫 번째 증거라고 할 수 있는 이를 닦는 일을 그녀는 하지 않았으며 먼지 한 가운데에서 생활하고 있는데 극빈한 감독관의 아내라면 이런 생활방식을 부끄러워했으리라… 그녀의 예법이나 취미를 보면 분명 숙녀인데, 미개인에게나 어울릴 환경에 둘러싸여 있다." 아마도 체스넛 자신이 도움을 받는 상황에 익숙지 않았기 때문에 가시 돋친 말을 하게 되었을 것이다. 높은 지위를 나타내는 복장을 하지 않은 상태에서 그녀가 잃은 것은 상류계급의 장신구만이 아니라 자신의 실체이기도 했다. 가족과 함께 피난 중이던 루이지애나의 어떤 젊은 여성은 전쟁 중 혜택 받지 못한 집단의 삶의 현실을 처음 경험했을 때, 가난에 대한 낭만적인 견해를 버렸다. 여행을 하는 동안 노예를 소유하지 않은 여러 백인 가정에 머물렀던 시드니 하딩_Sidney Harding은 도처에 깔린 빈대와 보잘것 없는 식사를 견디면서 이렇게 말했다. "나는 한때 가난해지고 싶다는 생각을 했다. 하지만 예전에는 가난한 사람을 한 번도 본 적이 없었기에 그게 어떤 것인지 전혀 알지 못했다. 이제 그러한 생각은 품지 않는다." 의도하지 않았지만 새롭게 습득하게 된 하위계급에 대해 지식은 동정심이 아닌 혐오감을 불러일으켰다. 전쟁은 남부의 결속을 공고히 하기보다는 주로 훼손하는 방식으로 백인들의 사회적 계급 차이를 드러냈다.[19]

"피난민들Refugees". 폭격이 있기 전 프레데릭스버그(Fredericksburg)를 떠나다. 유화. 1865년. 남부 연합 군대의 지도제작자 데이비드 잉글리쉬 헨더슨(David English Henderson)의 그림. 게티스버그국립군사공원(Gettysburg National Military Park) 소장.

전쟁 중 남부 피난민을 둘러싼 논쟁은 바로 이 계급문제, 즉 어떤 남부사람들은 자산을 가졌기 때문에 전쟁의 공격을 피할 수 있다는 인식을 중심으로 일어난 것이다. 피난민이 될 수 있는 선택권을 가진 여성은 어떤 의미에서 보면 대리인을 고용할 수 있는 징집병과 같았다. 징집된 사람이 대리인을 고용할 수 있는 것과도 같았다. 피난민들은 이런 분노의 열기를 직접적으로 느끼는 일이

잦았다. 케이트 스톤의 가족은 텍사스로 옮겨갔다. 이곳은 연방군대의 힘이 닿지 않는 곳에 노예를 정착시키기를 희망하는 농장주들에게 인기 있는 행선지였다. 그러나 스톤은 "온 주에 피난민들에 대한 편견이 퍼져 있는 것이 이상했다. 우리는 그것이 질투라고, 그저 단순한 질투라고 생각한다. 피난민들은 그들이 만나는 대다수의 사람들보다 더 상냥하고 품위 있는 사람들이다. 그들이 그 차이를 알고 분개하는 것이다."라고 설명했다.[20]

피난민의 주제넘은 우월의식은 그들이 마주치는 적개심을 줄이는 데 거의 도움이 되지 않았다. 사우스캐롤라이나 주 콜롬비아의 『데일리서던가디언_Daily Southern Guardian』지는 1864년 봄에 이런 오만함을 변명하려고 했다. "그들은 어떻게 용서를 구해야 하는지 알지 못한다. 지금까지 살아오는 동안 옛 보금자리의 풍족함에 길들여졌기 때문에 자선의 손길에서 무엇을 받기보다는 그들의 풍요로움을 나누는 것이 습관이 되었다. 그들 중 많은 사람들이 이 가혹한 훈련을 받는 중이다. 그것은 배우기에 힘겨운 수업이고 그들 중 이해조차 하지 못하는 사람들도 많다." 남부 사람 대부분은, 제트나 에스피와 마찬가지로, 부유하지 않다면 피난민이 되겠다는 선택은 할 수 없을 거라고 생각했지만 역설적이게도 그 피난민 경험 자체가 재산이 빠른 속도로 줄어드는 원인이 되었고, 대다수 남부 특권계급의 여성들에게서 부유함을 앗아갔는데, 그들의 정체성을 규정하던 것이 부유함이었다. 『가디언_Guardian』지에서도 지적했듯이 이 정체성은 그들이 쉽사리 포기할 수 있는 것이 아니었다.[21] 남부 연합의 유머작가 빌 아르프_Bill Arp는 방랑자들의 비참함을 이렇게 요약했다. 비록 욥_Job이 큰 고통을 겪고, "조물주가 그에게 지운 모진 괴로움을 이겨내며" 마지막 시련에서 목숨을 건지기는 했지만, "그의 성스러운 기록을 면밀히 살펴본 결과, 욥이 피난민이었던 시절은 찾아볼 수 없었다."[22]

여성들은 절망감 속에서 자신들의 경험을 기록했고, 사실 피난민들의 형편을 객관적으로 살펴봐도 대부분 유쾌함과는 거리가 멀었다. 전시의 남부에서는 날이 갈수록 운송수단이 부족해지고 있었기 때문에 이동을 하는 여성들은 걸핏하면 고장이 나는 혼잡한 열차나 부서지기 일보직전인 짐수레, 어떨 때는 다루기 벅찬 노새를 이용했다. 임시 숙박업소들은 불결한데다, 지나치게 높은 금액을 요구하고, 상류층 숙녀들이 달갑게 여기지 않던 흑인과 백인들만큼이나 많은 벼룩과 빈대가 들끓었다. 새라 모건은 "우리는 흑인들, 반짝거리는 피부의 검둥이 유모들과 진짜로 한 이불을 덮고 자야한다는 사실에 경악했다!" 새라 워들리_Sarah Wadley에게 야영은 신기했지만, 바닥에서 잘 때는 코르셋이 거추장스럽게 느껴졌다고 하였다. 오래 거주할 수 있는 곳은 찾기가 힘들고, 특히 도시에서는 어려움이 한층 더 했기 때문에 넓은 저택에 익숙한 가족들이 방 한 칸이나 두 칸에서 북적거리며 생활해야 했다. 포위당했을 동안, 산중턱 동굴에 거처를 정하고 깔개와 정교한 장식품으로 그곳을 꾸몄던 빅스버그의 주민들은 말할 것도 없거니와 가장 비참한 남부 난민들 가운데 일부는 애틀랜타 외곽에 있는 화물차에서 살거나 피츠버그 근처에 있는 텐트촌에서 살았다. 별로 다급한 상황이 아니었던 수많은 남부 사람들마저 전쟁을 이유로 이용이 가능한 피난처에 관심을 기울이게 되었다. 사람들은 모두 식탁에 올릴 음식을 찾기 위해 고군분투했으며, 물가가 급등한 시기에는 어려움이 더욱 커졌다. 전쟁이 끝나갈 시기에 부모님과 함께 조지아의 시골에 살고 있던 라일라 천_Lila Chunn은 다행히도 아이들에게 먹일만한 음식을 사는데 성공하였지만 고기와 빵, 빵과 고기가 전부인 조악한 음식들뿐이라고 불평했다. 그녀는 "아이들이 예전에 먹었던 케이크보다 지금 먹을 수 있는 비스킷에 더 기뻐한다." 며 신기해했다. 1865년 5월 리치몬드의 말비나 기스트는 그다지 운이 좋지가 못해서 "질 좋은 양초가 있다면 그거라도 먹을 지경"일만큼 배가 고프다고 선언하였다.[23]

그러나 집을 떠난 사람들만이 아니라 모든 남부 사람들에게도 상황은 점점 악화되었다. 그들이 어떤 육체적인 불편을 경험했든지 간에, 피난민들은 심리적인 박탈감과 고향에서 쫓겨났다는 사실을 훨씬 고통스럽게 느낀다는데 선뜻 동의할 것이다. 1862년, 연방군이 루이지애나를 침입한 후 어머니와 자매들과 함께 정착할 곳을 찾고 있던 새라 모건은 마치 '집 없는 가난뱅이' 같이 느껴진다며 투덜거렸다. 마가렛 벡위드_Margaret Beckwith는 전쟁이 일어난 지 3년 후에 버니지아를 떠나 노스캐롤라이나로 향하면서 이를 수치스럽게 여겼다. 그녀는 "싸움터를 떠나는 것이 혐오스럽다. 마치 내가 탈영병처럼 느껴졌다. 나는 이 전선을 따라서 끝까지 싸우기를 원했다."라고 적었는데, 그녀는 그랜트 장군의 유명한 단호한 선언을 반복하는 듯한 군인의 말투로 썼다. 그랜트 장군은 '설령 여름 내내 싸우는 한이 있더라도 이 전투선을 끝까지 지키기' 로 단호히 결심했었지만, 벡위드는 봄이 끝나갈 무렵 버지니아를 떠났다. 리즈 미첼_Lize Mitchell은 할아버지와 그들이 소유한 노예들과 함께 루이지애나를 떠나 딥 사우스_Deep South를 지나던 중 빅스버그 근처에 멈추어서 새로운 노예 숙소를 세웠고 후에 앨라배마에 자리를 잡았다. 그녀가 씁쓸하게 말했다. "집이라… 여기를 집이라 부르다니 얼마나 우스운 일인가. 우리에게는 집이 없다. 우리는 하찮은 피난민이다. 피난민이란 말은 메마른 내 가슴에 슬픈 과거, 불안한 현재, 불행한 미래를 연상케 한다." 거주지가 새로워지자 덩달아 책임져야 할 일들도 완전히 달라졌는데, 젊은 리즈로서는 전혀 달갑지 않은 상황이었다. "이 어려운 시기에 난생 처음으로 가사의 의무를 지게 된 내가 불쌍하다. 머지않아 의욕을 잃게 될까 걱정스럽다."주24

"망명의 고단함이 우리에게 큰 부담이 되고 있다._l' amertume de l' exil qui pèse si lourdement sur nous."라고 불평하던 뉴올리언스_New Orleans 그리머_Grima가문의 여성은 자신들을 피난민이라기보다 망명자라고 여겼다. 조지아 주의 오거스타_Augusta는 육체적으로나 정서적으로 춥게만 느꼈고, 당연한 말이지만 그들의 모국어인 프랑스어를 아는 사람은 거의 볼 수 없었다. 젊은 루이즈_Louise의 어머니는 루이즈가 심각한 우울증에 빠진 것처럼 보이며 음식도 거부하고 기운이 없다고 썼다. "망명생활이 그 아이를 수심에 가득 차게 했다. 딸아이는 외출하는 일도 거의 없고, 점점 쇠약해지고 있다._Elle est tellement attristée de l' exil qu'elle ne sort presque jamais et se laisse trop abbatre." 25

1864년 셔먼장군이 조지아를 위협했을 때, 조지 웨스트_George West의 아들들은 이미 군대와 함께 출발하였고, 그는 딸 조세핀_Josephine을 가족의 노예들과 동행하여 미시시피로 보냈다. 그녀는 아버지에게 편지를 써서 노예를 어떻게 감독해야 하는지 잘 알지 못한다며, 고통을 호소하는 인부가 정말로 아프다면 어떤 말을 해야 할지, '검둥이들이 일을 하지 않는다' 는 감독관의 말에 어떻게 대응해야 하는지, 노예들의 향수병은 어떻게 다루어야 하는 지등을 물었다. 그러나 어머니에게는 슬픔과 절망감을 털어놓았다. "완전히 버림받은 느낌이에요. 집에 돌아가기 전까지는 절대 안심할 수 없을 것만 같아요… 앞날에 대한 희망이라곤 전혀 보이지 않아요. 사랑하는 어머니, 집을 떠난 제가 좀 더 의연하게 운명을 받아들이도록 당신의 딸을 위해서 기도해주세요."26 피난민으로 사는 것은 선택의 문제로 시작되었지만 결국 하나의 형벌처럼 보였다. 그들 역시 고향을 떠나지 않은 여타 남부 가정들과 거의 다를 바 없이 전쟁으로 타격을 입었다. 피난민 가정의 순회 생활 역시 궁극적으로 남부 가정생활의 관습적인 형태를 변화시킨 제요인중 하나였기 때문이었다.

가내제조

북군에 의한 봉쇄와 군대 총동원의 필요성으로 남부 연합에 계속적으로 가혹한 경제적 압박이 가해지자, 전쟁으로 인한 인력 동원 이외의 다른 요인들도 남부 가정에 영향을 미치기 시작했다. 북부와의 전투로 남부에서 제조된 상품의 입수가능성이 눈에 띄게 감소하는 결과가 나타났다. 이는 봉쇄에 따른 대외무역의 제한 때문이기도 했고 가뜩이나 제한된 남부의 산업 생산 능력이 전쟁물자 생산에 주력한 결과이기도 했다. 모든 가정이 물자부족으로 어려움을 겪게 되자 남부 연합의 지도자들은 국가의 정치적 독립을 위해서는 반드시 남부 가정의 경제적인 독립이 이루어져야 한다고 주장했다.[27]

미합중국이 전반적으로 그러했듯이, 남부에서도 1800년대 초에서 중반에 걸쳐 가내제조의 중요성이 점차 퇴색되어 가고 있었다. 대부분의 남부 백인 가족들은 일상생활에서 필요한 물품의 상당량을 구매했다. 좀 더 부유한 가정과 특히 시장경제와 연루된 주곡을 생산하는 대농장도 직접 생산하기보다는 대량으로 만들어진 제품을 구입했을 것이다. 그러나 군사적 충돌의 시작과 함께 그러한 필수품들을 구입할 수 없게 되었고, 설사 방법이 있다 하더라도 구하기가 까다로웠다. 그리고 남부 연합의 담화와 국가정

책은 머지않아 이것을 소비자의 위기라 부르게 된다.[28]

신문들은 남부의 백인여성들이 가내생산, 특히 방직생산을 되살려야 한다고 역설하며 그것을 애국적이고 도덕적인 행동으로 묘사했다. 그러나 특권계급 여성들은 하류계급과 관련된 직물은 입지 않겠다며 완강하게 거부했다. 1862년 『서던일러스트레이티드뉴스_Southern Illustrated News』는 이렇게 선언했다. “거리에서 볼 수 있는 숙녀들 500명 중에서 5명도 채 안 되는 숙녀들만이 집에서 만든 옷을 입고 있었다.” 제퍼슨 데이비스 대통령은 공개적으로 집에서 만든 옷의 실용성과 매력에 대해 이야기했고, 그의 논평을 요약하면서 『밀리지빌컨페더러트유니온_Milledgevill Confederate Union』지에서는 여성의 허영심을 잠재우는 동시에 그들의 고상한 동기에 호소하고자 했다. “자신의 옷을 직접 짜 입는 것은 우리 여성에게 명예로운 일이며, 실제로 집에서 만든 옷은 여성들에게 아주 잘 어울린다.” “훌륭한 남부 섬유로 만들어진 제품으로 차려입는다면 남부 여성의 신념과 애국심이 시각적인 만족감보다 우선시된다는 사실을 세상에 증명하게 될 것이다.”이라고 기사의 내용은 계속되었다. 『리치몬드인콰이어러_Richmond Enquirer』지는 오직 여성의 이상주의에만 호소했다. “양키제품 때문에 봉쇄를 뚫는 일은 하지 맙시다. 집에서 만든 옷을 공급하고 입는 것은 명예와 관련된 문제로 만듭시다.” 신문은 이렇게 부르짖었다. 또 다른 신문은 어느 아칸소(Arkansas) 여성의 일화를 소개하면서 ‘소파나 마차 방석에 기대어 앉아 불평하는’ 사람들을 고무시키는 한편 부끄럽게 만들고자 했다. 그 여성은 하루에 8야드 정도 길이의 천를 짜는 것 외에도, 도끼와 톱, 끌, 나사송곳을 집어 들고 일에 필요한 베틀을 만들었다. 한 유명한 시는 베를 짜고 실을 잣는 것을 ‘고귀한 일’이라고 칭송하며, 신께서 ‘베틀에 속도를 더하고 그것을 움직이는 손길에 축복을 내리셔야' 한다고 했다. 전쟁에 대한 시들은 그러한 정서를 노래로 옮겼고, 북부 직물이 부족하기만 한 것이 아니라 시대에 뒤떨어진다고 목소리를 높였다.

남부의 숙녀들이 입은
홈스펀 드레스를 위해 만세삼창을.
이제 북부 옷감은 유행이 지났다네
늙은 에이브_Abe, 링컨 대통령을 지칭-옮긴이의 봉쇄 이후
남부에서 만든 옷감에
우리 남부의 여성은 만족할 수 있었지

우리는 한 조각의 비단
한 조각의 북부 레이스를 걸치는 일을 경멸한다네
그러니 우리의 홈스펀_국내에서 짠-옮긴이 드레스를 만들어
우아하게 입자 29

가내직물제조를 장려하기 위해 화려한 문체를 사용하였다. 메리 스파이트_Mary Speight는 이미 1862년 2월에 "조지아에는 한 야드의 천도 가정용으로 사들인 경우가 없었다."고 주장하였다. "자신이 가진 것에 의존할 수밖에 없었다."는 사라 에스피의 말처럼, 여성들은 다락방에서 물레와 베틀을 가지고 내려와 실을 잣고 베를 짜는 법을 배우기 시작했다. "이곳이 봉쇄당하고 다른 종류의 제품을 구할 수 없는 만큼, 이 오래된 작업은 지금 한창 유행이다."라고 케이트 커밍_Kate Cumming은 기록하였다. 마사 제인 크로슬리_Martha Jane Crossley는 1862년 방적을 하면서 그것이 '어린 시절

이후' 처음 하는 일이라는 것을 깨달았다. 사우스 캐롤라이나의 메리 레그는 친구 해티 팔머_Hattie Palmer가 천짜는 일과 실 잣는 일에 새로운 재능을 보이고 있어 감탄을 금치 못하며 "내가 할 줄 아는 것은 뜨개질밖에 없다."고 유감스러워했다. 플로리다의 옥타비아 스티븐스_Octavia Stephens는 꼭 필요해서라기보다는 쓸모 있는 사람이 되고 싶어 하는 사람들 대열에 동참하고자, 베틀을 구입하고 천짜는 법을 가르쳐 줄 이웃을 찾으려 했다. "저는 뭔가 중요한 일을 하고 싶어요. 그리고 나 자신에게서 어떤 에너지를 이끌어낼 수 있는지 알고 싶고요." 그녀는 집을 떠나 있는 남편에게 설명했다. 새라 워들리는 1865년까지 직물 만드는 일을 하지 않으려고 저항하였으며, 그 이후에는 자신이 얼마나 어리석었는지를 부끄러워했다. "소면공정과 실 잣는 법을 배우기 시작했다. 나는 이렇게 힘들고 피곤한 일은 결코 해본 적이 없었다."30

제퍼슨 데이비스 대통령조차 국내에서 짠 직물_홈스펀을 찬양했지만, 많은 남부 남자들은 자신의 아내가 방직물을 생산하기 시작했다는 사실을 알았을 때 매우 심란해 하였다. 대농장 집안에서 줄곧 있었던 실잣기와 천짜기는 대부분 노예여성들의 몫이었기 때문에 상류층 백인 여성들에게 걸맞은 일이 아니라고 생각되었다. 윌 네블릿_Will Neblett은 최근에 옷감을 짜려고 노력한다는 리지의 설명에 괴로워했다. "천을 짜겠다는 당신 생각이 마음에 들지 않는구려. 나에게는 굴욕적인 일이 아닐 수 없소. 당신이 그 일을 하지 않기 바라오." 라는 내용의 편지를 1864년 6월에 보냈다. 리지 자신도 이 새로운 의무에 대해 별로 탐탁해 하지 않았지만, 아이들과 11명이나 되는 노예들에게 옷을 입히려면 그 일을 '해야만 한다' 고 윌에게 설명했다. 조지 페디_George Peddy는 그의 아내에게 완전히 생소한 베틀로 하는 일과 관련된 고된 육체적 노동을 하는 것에 대해 염려했다. "당신이 어떤 일도 하지 않기를 바라오. 나는 그런 목적에서 당신과 결혼한 것이 아니라오. 나는 당신 고유의 가치를 진심으로 존경하기 때문에 당신이 아름다움을 유지하기 바라고, 당신의 부드럽고 나긋한 손과 사랑스러운 얼굴을 사랑했기 때문에 당신과 결혼한 것이라오. 나는 노동으로 당신 얼굴에 주름이 생기는 것을 원치 않소. 여보, 방직을 할 실이 있어도 그 실로 천을 만들어서는 안 되오." 라고 자신의 아내 케이트에게 편지를 썼다. 아만다 블록_Amanda Bullock은 방직노동의 위험성에 대한 이런 견해에 가세하며 남편에게 설명했다. "제가 무리하게 일을 하면 안 된다는 사실이 안타까워요. 경험상 그러면 안 된다는 것을 알게 되었거든요. 하루 종일 실을 뽑은 다음날이면 마치 한동안 병을 앓다가 일어난 사람처럼 보이기 때문이에요." 천을 짜는 일은 백인 여성들의 건강만이 아니라 그들의 지위마저도 위협하는 것처럼 보였다. 그것이 그들과 그들이 데리고 있는 여성 노예들 사이의 가장 중요한 차이점을 모호하게 만들었기 때문이다. 상류계급 백인 여성들의 전통적인 정체성은 가내방직제조 캠페인과 상충되었다.[31]

홈스펀을 둘러싼 선전노력은 이런 저항을 무마하려고 계획된 것이었지만 베 짜기와 실 잣는 일이 품위를 떨어뜨리는 육체노동이 아니라는 인식을 극복하는 데에는 부분적인 성공을 거뒀을 뿐이다. 그러나 이데올로기적 문제만이 전쟁 중 가내방직제조가 활성화되는 것을 방해하는 요인은 아니었다. 물레와 베틀을 구하기 힘들었고, 필요한 기술을 갖춘 백인여성들이 드물었고, 열심히 일하고자 하는 방적공과 직조공을 적절하게 교육시킬 만한 여건이 갖추어져 있지 않다는 사실 또한 중요한 요인이었다. 그러나 아마도 더욱 중대한 요인은 전쟁 기간 내내 남부에 소면기가 턱없이 부족했고, 이런 상황이 방직제조과정에 병목 현상을 유발하게 되었던 것이다. 목화씨나 가공하지 않은 양모를 직물로 바꾸는 첫 번째 과정을 소면 혹은 소모(梳毛)라 하는데, 철사가 톱니모양으로 박힌 나무판자 두 개에 섬유를 빗는 것이다. 전쟁 전에는 모든 소면공정이 남부 밖에서 행해졌고, 이 과정을 마친 옷감의 재고가 줄어들기 시작하자 남부 연합에서는 지역에서 필요로 하는 물량을 공급하지 못했다. 다급해진 여성들은 남부 연합 당국자들에게 도움을 청했고, 8개의 주지사들은 소면공정을 장려하는 법률을 통과시켜 위기에 대응하려고 했다. 예를 들면, 앨라배마의 주지사 존 쇼터는 6만 달러를 들여서 봉쇄를 뚫고 소면기를 들여왔으며, 셀마_Selma에 옷감제조시설을 설립하기 위해 주 정부 기금을 지정했지만 별다른 성과를 거두지는 못했다. 남부 연합 여성들은 소면기의 희소성과 중요성을 인식했기 때문에 가급적 오래 사용하려고 노력했다. 여자노예가 자기 아이들 머리를 빗기느라 집안의 마지막 남은 소면기를 못 쓰게 만들었다는 사실을 알게 됐을 때, 리지 네블렛은 눈물을 멈출 수가 없었다. 그녀는 그 사고로 인해 실 잣는 일이 중단될 것으로 우려했고, 실제로 소면기를 구입하는 것이 하늘의 별 따기였기 때문에 집안의 많은 사람들은 옷감 생산을 포기하게 되었다.[32]

남부 백인 여성들이 전시에 이룬 업적으로 전후에 보고 된 홈스펀 혁명은 사실 매우 제한된 영역에 그친 보고로 보인다. 최근의 연구와 '미시시피 홈스펀: 19세기 직물과 그것을 만든 여성들_Mississippi Homespun: Nineteenth Century Textiles and the Women Who Made Them' 이라는 제목의 박물관 전시에서는 남부 전체를 일반화해서 적용할 수 있는 결론에 도달하였다. 그 결론이란 이렇다. "종종 보고되던, 남북전쟁 동안 여성들이 후방에서 주도했다는 방적과 직조

열풍은 미시시피에서 발견된 증거에는 나타나지 않는다."는 것이다. 전쟁 전에 직물생산에 적극적으로 참여했던 여성들은 전쟁 중에도 계속하였다. 전쟁 전에 노예들이 옷감을 생산했던 가정에서는 생산량이 유지되었고, 심지어는 증가하기도 했다. 한 번도 실을 잣거나 베를 짜는 일을 해 본적이 없는 일부 여성들의 경우는 직물을 제조하려고 애를 썼지만 남부 연합의 직물 수요를 감당하기에는 그 기여도가 너무나 미약했다. 대다수 최상층 가정들은 봉쇄를 뚫고 옷감을 수입하거나 뉴올리언스 같이 군대가 점령한 지역까지 가서 군사방어선 뒤에서 옷감을 구입하는 방법으로 대처했다. 그다지 운이 좋지 않은 남부 사람들은 식탁보, 커튼, 버려진 옷을 재활용했다. 남부 연합 가정에 지워진 경제적인 압력이 가내 직물생산과 백인 여성들의 관계에는 별다른 영향을 미치지 못했다. 여성들의 저항이 보다 현실적인 문제와 결합하여 변화의 범위를 제한했던 것이다.[33]

그러나 홈스펀 혁명이 없었더라도 다른 영역의 가사노동이 존재했을 테고, 거기에 대해 못 마땅해 하거나 열의를 보이거나, 혹은 재능이 있거나 재능이 없는 다양한 수준으로 백인 여성들이

소면기. 남부 연합에서 진귀했던 물건. 버지니아 주 리치몬드의 '남부 연합 박물관' 소장. 캐서린 왓즐 촬영.

새로운 종류의 가사노동을 떠맡았을 것이다. 1865년, 메리 리가 집안에서 자신의 책임이 어떻게 달라졌는지에 대해 기록하였다. “매일매일 전에 해보지 않은 일을 하고 있는 나 자신을 보게 된다.” 비록 여성들이 베를 짜거나 실을 잣지는 않았을지라도, 가족과 군인들을 위해 뜨개질과 바느질을 하였다. 전쟁 전에는 수예나 자수에 집중했던 남부 최상층 여성에게 뜨개질과 양재는 새로운 출발을 의미하는 경우가 많았다. “우리 가운데 바느질을 배워본 적이 없는 많은 사람이 바늘을 다루는 데 전문가가 되었고, 완성도 높은 옷을 만드느라 서로 경쟁했다. 그리고 나는 편물기계라 해도 과언이 아닌 수준이 되었다.” 사우스캐롤라이나의 한 여성은 자신의 열정이 필요한 수준을 넘어섰다고 기억했다. 이전에 양말을 떠본 적이 없던 그녀는 엄청나게 큰 양말을 떠서, 그 만큼 발이 큰 군인이 그곳에 주둔하여 그것을 신어주어야 할 정도였다. 젊은 여성들은 나이든 숙모들이나 어머니들보다 이 새로운 기술을 익히는 것이 더 쉬웠을 것이다. 엠마 르콩_Emma LeCont은 어머니의 무능력과 끝없이 계속되는 도와달라는 요청에 거의 미칠 지경이었다고 기록했다. 엠마는 이렇게 불평했다. “나는… 양말 하나를 짜는 것처럼 단순한 일이 어떻게 절대 해결 못할 문제처럼 보일 수 있는 건지 도무지 이해하지 못하겠다.” 그러나 줄리아 데이비슨 같은 여성들은 실제로 숙련된 재봉사였으며, 견본 자르기라든가 드레스 수선하는 방법을 알려달라거나 도와달라는 친구들의 부탁을 끊임없이 받았다. 데이비슨은 아예 자신의 재능을 살려 돈을 벌기로 결정하고 바느질삯을 받아서 가계살림에 보탰다. 그러나 그녀가 숙련된 재봉사로서 가진 재능 때문에 가혹하고 끝이 보이지 않는 노동을 하게 된 것은 아니었다. 그러한 노동은 리치몬드와 다른 남부 도시에 있는 남부 연합군 의류사무국에서 하층계급

의 백인여성들이 생계를 위해 하는 일이 되었다.[34]

전쟁에서 비롯된 물자 부족과 경제적인 압박 때문에 남부 가정들이 군사적인 충돌 이전에는 당연하게 여겼던 다양한 기성품을 구하기란 불가능했다. 남부 가정들은 생소한 종류의 경제 생산 활동을 시작하거나 그냥 없는 대로 지냈다. 남부백인여성들은 특히 자서전이나 회고록에서 손에 넣을 수 없는 물건의 대체품을 발견

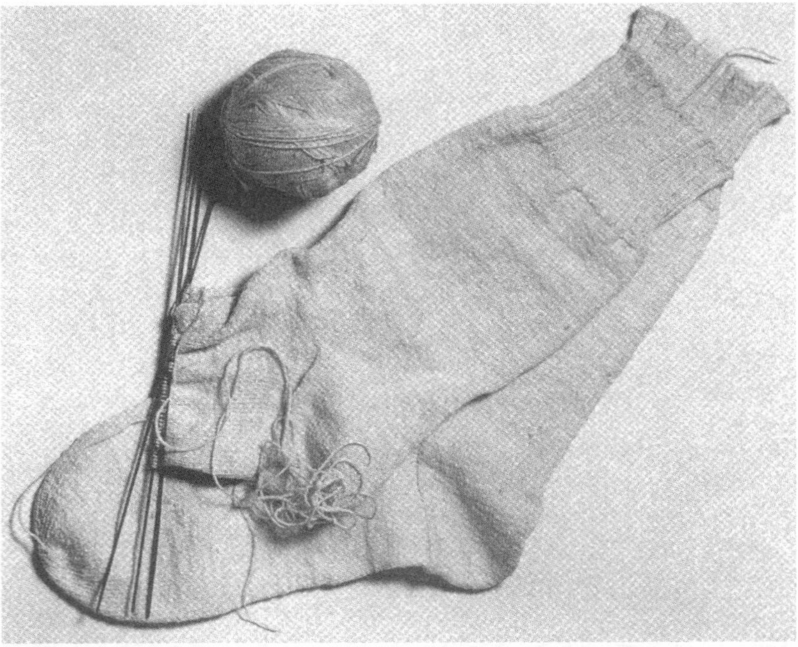

메리 그린하우 리가 미연방 군대 천막에서 뽑은 실로 짠 양말. 버지니아 주 리치몬드의 '남부 연합 박물관' 소장. 캐서린 왓즐 촬영.

하거나 만들어 낸 그들의 독창성과 솜씨를 한껏 자랑했다. 베리 주스를 잉크와 염색에 이용하고, 짚을 짜서 모자를 만들고, 오크라 씨나 호밀로 커피를 만들었고, 옷감이나 종이로 신발을 만들었으며, 누더기를 꼬아서 뉴잉글랜드에서 수입해오던 밀랍 양초를 대신하였고, 집에서 만든 옷을 입었다. 전쟁으로 남부의 가정들은

내수소비의 현장에서 한 앨라배마의 여성이 기억하는 것처럼, '미니어처 공장' 으로 변하게 되는 압력을 받았으며, 그 안에서는 대부분의 남부 최상류층 여성들까지도 생소하지 않은 일을 시작하고 새로운 생산적인 역할을 맡게 되었다.

그러나 우리는 이 변화의 한계를 인식해야만 한다. 남부의 가정이 공장으로 변한 것은 아니었다. 오히려 여성들이 희생하면서 살았다고 할 수 있다. 즉 가내생산으로 자급자족하기보다는 빈곤과 물자부족을 감수하며 살았으며, 전쟁이 하루빨리 끝나기를 바라거나 봉쇄를 뚫고 밀수된 물건들이 도착하기를 기대하면서 살았다. 전쟁이 지운 과도한 부담은 남부의 가정들을 궁핍으로 몰아넣었다. 전쟁으로 더 생산력이 늘어난 가정은 없었다. 남부 가정의 경제적인 역할에 생긴 변화는 전쟁에 필요한 병력과 징병제도로 초래된 남부 가정의 구조와 구성에 일어난 변화에 비하면 아무것도 아니었다. 노예 감독으로서 백인 여성들에게 지워진 새로운 의무는 전쟁이 야기한 가내제조와 그들 관계의 그 어떤 변화보다도 사회적, 정치적, 경제적으로 훨씬 더 중요한 의미를 갖게 된다.[35]

남북전쟁은 남부의 모든 가정에 강력한 영향을 미쳤다. 각 가정은 저마다 다른 방식으로 전쟁이 지운 부담을 경험했지만, 반면에 어떤 특정한 유형의 정신적 중압감과 변화는 계속 반복되면서 남부 가정의 구조와 역할을 다시 형성했다. 아마도 그중에서 가장 중요한 것이 남자들의 출정으로, 백인여성이라면 빈부에 상관없이 누구나 위기와 도전에 직면하게 되었다. 가정 내부의 재배열과 가족들의 잦은 지리적인 이동은 가정의 존재에 대한 가장 근본적인 관점을 바꾸었다. 남자들의 부재로 여자 친구들이나 친척들이 등장하게 되자, 여성들 특유의 감성적인 생활과 여성들이 사회에서 소통하는 방식이 바뀌었다. 여성들이 어쩔 수 없이 그들의 반려자보다는 자기 자신이나 다른 여성들에게 더 많이 의지하게 되면서, 남편과 아내는 그들의 관계가 변했다는 것을 깨달았다.

그러나 후방에 있는 여성들은 물리적, 감정적인 단절보다 더 많은 일들을 처리해야 했다. 그들은 물자부족과 경제적 압박 때문에 새로운 종류의 노동을 시작할 수밖에 없었다. 그들 자신과 남부 연합의 생존, 두 가지 모두를 확보하기 위한 것이었다. 그리고 우리가 앞으로 보게 되겠지만, 상당수의 흑인노예를 소유하고 있던 가정에서는 인적자산을 관리하는 것이 전시에 하는 일 중 핵심적인 일이 되었고, 이것이 이제 남부백인여성들에게 떠넘겨졌다.

1864년 중반, 라일라 천은 남편 윌리에게 보낸 편지에서 피난민으로서의 자신의 새로운 생활과 변해버린 가정생활에 관해 설명했다. 그녀가 내린 결론은 "저는 다시는 저답다는 느낌을 갖지 못할 거예요."였다. 달라진 상황이 새로운 자아를 창조하고 있거나 아니면 적어도 오래된 자아를 무너뜨리고 있었다. 여성들은 새로운 환경에 처하면서 새로운 기대감을 품게 되고, 새로운 의무와 새로운 평가 기준을 갖게 되었는데, 이 기준에 따라 자신과 자신의 가치를 평가하게 되었다. 전쟁이 한창이던 때, 명문가의 젊은 여성이었던 사우스캐롤라이나 저지대 출신인 수전 미들턴_Susan Middleton은 친구 해리엇 치브스_Harriott Cheves에게 당황스러움과 불안한 마음으로 편지를 썼다. "내 인생의 현실과 내가 처해 있는 상황은 나라는 사람의 성격 그리고 일찍이 내 인생이 보여주리라고 기대했던 미래와는 이상할 정도로 달라. 특히 걱정근심, 책임감, 독립적으로 생각하거나 행동하는 것은 내 본성과는 전혀 다른데도, 수시로 이런 것이 요구되고 있어." 전쟁이 요구하는 것이 반드시 자신의 성격이나 본성, 기대와 잘 어울리는 것만은 아니라는 사실을 수전 미들턴 혼자만 깨달은 것은 아니었을 것이다. 그녀를 형성한 사회적 상황과 그녀가 지금 살아가야만 하는 상황은 일치하지 않았다.[36]

CHAPTER THREE

Enemies in Our Household

CONFEDERATE WOMEN AND SLAVERY

제3장

집안 내부의 적
남부 연합 여성과 노예제

노예를 소유한 가정의 남자들이 전쟁터로 떠났을 때, 작은 농장이나 대농장을 소유한 남부 전역의 백인여성들은 남부의 '특이한 제도'를 관리해야 했다. 전쟁이 있기 전 백인남자들은 매일같이 노예를 감독하고, 관리하고 유지시켜야 하는 막대한 책임을 지고 있었다. 그러나 전쟁으로 남부가정의 형태가 바뀌게 됨에 따라 집안 내 권력 체계가 변할 수밖에 없었다. 백인여성들은 익숙하지도 않고, 사실 원한 적도 없는 권력을 행사하여 집안의 질서, 더 나아가서는 사회의 질서를 바로 잡는 권력을 행사하게 되었다. 남부 연합의 부통령 알렉산더 스티븐스_Alexander Stephens가 주장했듯이, 노예제도는 그 지역의 사회와 경제, 정치의 '주춧돌'이었다. 그러나 노예의 생존은 포괄적인 주의 정책의 지시보다는 특정 노예에게 특정 주인이 행사하는 개인적인 지배에서 비롯된 수만 가지 개별적인 행동에 따라 좌우되었다. 전쟁이라는 절호의 기회가 흑인들에게 자유를 향한 갈망을 솔직하게 드러내도록 부추기는 상황에서 수백 개의 소농장과 대농장에서 강압과 통제를 놓고 벌어지는 일상적인 투쟁은 어느 군사적 충돌 못지않게 남부 사람들이 삶의 방식을 지키는 데 결정적인 일이 되었다. 점차 다루기 힘들어지고 심지어 반항적이기까지 한 노예들을 감독하게 된 여성들은 북부군의 지배에 대항하는 남부의 전쟁에서 제 2의 전방을 수비하는 셈이었다.[1]

19세기 남부사람들은 흔히 노예를 '가정 내의 제도'라고 불렀다. 그러나 그런 호칭은 좀 이상하게 들린다. 왜냐하면 정치적, 사회적인 제도와는 전혀 관계가 없는 듯 보이기 때문이다. 구 남부에서 주로 가정을 중심으로 이용되던 노예제는 주인 가정의 사회적 관계에 포함되어 있었고, 노예를 소유한 집안들은 남부 지역의 공적 생활에 주요 구성요소였다. 노예에 대한 직접적인 통제권 행사는 구 남부 사회에서 가장 기본적이면서도 필요한 정치적 행위였다. 백인남자들이 출정하면서 이 대단한 공적인 의무는 남부 연합의 여성들에게 지워졌다.[2]

남녀 불문하고 남부의 모든 백인들은 전시의 변화된 상황에서조차 정치는 여성들 영역에 어울리지 않는다고 주장했을 테지만, 여성 노예감독관은 필연적으로 남부의 정치적인 질서를 떠받치는 기둥역할을 했다. 노예 주인으로서 백인여성들의 행동은 남부의 운명에 없어서는 안 될 존재였다. 일반시민들의 한결같은 충성은 물론이고 남부농업경제의 생존능력과 사회질서의 안정성이 전적으로 노예통제가 얼마나 순조롭게 진행되느냐에 달려있었기 때문이다.

남부 연합의 공적인 담론이나 정부정책은 구 남부에서 성별화된 지배체제를 근간으로 하고 있음을 보여주었다. 사실 지배의 의미 자체가 남자다움과 남자의 힘이라는 개념에 뿌리를 두고 있는 것이다. 남부 연합의 지도자들은 처음부터 그러한 책임이 여성들에게 이양되는 것에 불안감을 감추지 못했다. 1862년 4월, 첫 번째 징병제가 통과된 후에 비평가들은 감독관들, 특히 흑인인구가 과도하게 밀집된 지역의 백인남자 관리인들을 징집하는 것이 과연 현명한 일인지 의문을 제기했다. 어떤 면에서는 이런 걱정은 경제적인 문제에 관한 것이라고 할 수 있는데, 농업 생산성과 효율성이 효과적인 관리감독에 달려있는 것으로 보였기 때문이다. 조지아 지역의 한 신문에서 어떤 기고자는 선언하였다. "진리가 우리를 응시하고 있다. 노예 노동자들로 하여금 이 전쟁을 지원하도록 해야 한다는. 그러기 위한 한 가지 방법은 검둥이들을 백인 남자들의 직접적인 통제와 지휘 아래 두는 것이다." 1862년 5월, 앨라배마의 한 남자는 남부 연합 당국에 경고했다. "검둥이 주민들 사이에 이미… 무질서한 성향과 반항적인 기질이 나타나고 있는데, 백인 남자들이 그들 가운데서 사라졌기 때문에 벌어지는 일이라는 것은 의심할 여지가 없다." 극소수의 남자들의 예상 때문에 가정마다 노예폭동이 일어나지는 않을까 하는 극심한 공포감이 야기되었고, 여기에 백인여성들은 특히 공격당하기 쉽다는 생각까지 가세하였다. 이 문제는 성별의 문제를 넘어서는 것이었다. 이것은 성에 대한 뿌리 깊은 불안을 보여주는 것이었다.[3]

1862년 가을, 노예 감독관을 병역에서 면제시키자는 공식적인 법률초안이 지지를 얻자 『메이컨데일리텔레그래프_*Macon Daily Telegraph*』지는 이렇게 묻는다. "의회는…정말 우리 여성들이 노예를 통제하고 농장을 감독하는 것이 가능하다고 여기는 걸까요? 우리의 애국적인 어머니, 여동생, 딸들이 고된 의무와 감독관이라는 노역을 책임지고 그것을 수행할 수 있다고 보는 겁니까? 그럴 리는 없겠지요. 그들도 잘 알고 있을 겁니다." 같은 해 10월, 의회는 노예가 20명 이상인 농장마다 각각 백인남자 한 명씩을 징집에서 제외할 수 있다는 법안을 통과시킴으로써, 자신들도 그 사실을 잘 알고 있다는 것을 증명했다. 그러나 이 악명 높은 '20명의 검둥이 법'은 곧 수많은 대중들의 분노를 불러일으켰다. 이 법이 자신들보다 특권계급을 더 높이 평가하는 처사라고 생각했던 비노예소유주들과 20명의 범주에는 포함되지 않는 소규모 노예소유주 모두가 반발했다.[4]

이 위협적인 계급적 적대감의 폭발을 잠재우려고 노력하는 동시에 병력을 충원할 필요성에도 직면한 남부 연합의회는 여러 차례에 걸친 법률 개정 끝에 징병연령의 범위를 늘리고 면제 범위는 제한했다. 하원이 제시한 안건에 의해 1863년 초, 이른바 '20명의 검둥이 조항'을 철회할 수도 있었지만, 상원의 반대에 부딪혀 그 절충안으로 1863년 5월과 다음 해 2월에 통과될 법령에 따라 면제의 범위를 점차 제한하기로 했다. 감독관 면제에 대한 법률적인 기반이 약해지자 군사적 의무를 질 사람이 아니라, 최초 법안의 표현을 빌리자면, '나라를 제대로 통제'할 남자를 찾는 일이 요원해졌다. 남부 연합 전역의 여성들은 더 이상 소농장과 대농장에서 백인남자들의 도움을 받지 못하리라는 사실을 깨달았을 것이다.

징병정책은 남부 연합의 생각이 어떠했는지를 보여준다. 남부 연합 지도자들이 남부의 생존을 위해서는 성별의 문제보다 계급 문제가 중요하다는 판단 하에 내린 의미심장한 결정이기 때문이다. 백인여자들은 감독관으로서의 '고된 임무를 효과적으로 수행'

할 수 없다고 의회가 처음에 인정한 사실은 병역면제 법에 반대하는 거센 항의로 거의 잊혀졌다. 최소한 징병의 형평성이라는 모양새만이라도 갖추겠다는 생각에 남부 연합 지도자들은 여성들이 홀로 남아 노예를 관리해야 된다는 걱정은 밀쳐내야 되었다. 노예소유가정의 백인여성들은 노예가 없는 집 남자들의 요구와 비교해서 자신들의 요구가 우선권을 갖지 못한다는 것을 깨달았다. 이들 남자들은 투표를 할 수 있었고 남부 연합은 전쟁에서 이들이 필요했다. 이들의 충성심을 유지하게 하는 것이 급선무였다. 종국엔 성공하지 못하더라도 남부 연합 내에서 계급 간 분열을 최소화하는 것은 반드시 필요한 일이었다. 새로 등장한 성별간의 차별을 다루는 것은 상대적으로 화급을 다투는 일이 아니었다. 아무리 노예를 소유한 특권계급 출신의 명문가 숙녀들이라 할지라도 여성들은 투표도 하지 않고 신문사설도 쓰지 않으며 무기를 들고 싸우지도 않기 때문이다.[5]

병력에 대한 수요가 늘어나자, 백인여성들은 전쟁의 주요 원인이자 목적인 노예제도를 감독하는 책임을 맡게 되었다. 그렇지만 여성들은 자신들이 당연히 누려야 한다고 믿었던 것, 즉 남자들이 여성을 보호해야 된다는 약속과 의무를 잊을 수 없었다. 노예감독관으로서 고통스러운 경험을 한 여성들은 사회제도의 붕괴로 짊어지게 된 무거운 짐에 대해 걱정과 분노가 커지게 되었다.

궁극적으로 이런 긴장상태가 노예제도와 남부 연합의 대의를 위한 여성들의 적극적인 지지를 약화시켰다. 그리고 남부 전역에 걸쳐서 노예통제의 약화와 농장효율성의 저하는 후방에서 생산성을 높이거나 사기를 고취시키지 못하는데 직접적으로 기여하였다.

보호받지 못한 두려움

여성들은 그들이 노예 주인으로서 적합하지 않다는 조지아 신문의 주장에 동의했다. 앨라배마의 한 여성은 주지사에게 편지를 썼다. "우리보다 검둥이 수가 많은 곳에는 노예들을 통제할 수 있고, 통제해야 할 남자들이 반드시 있어야 합니다. 특히 지금과 같은 때는요." 노예 60명과 함께 남겨질 상황에 처한 미시시피의 한 농장주의 아내는 비슷한 심정을 토로하며 주지사 존 페투스_John Pettus에게 물었다. "여성들이 노예들을 제어할 수 있을 거라 생각하세요?" 어쩔 수 없이 노예를 책임지게 된 여성들은 그 새로운 역할을 기회로 여기기보다 의무라고 생각했다. 다른 남부 군인들과 같이 그들은 자원자라기보다는 강제적으로 징집된 사람들이었다. 리지 네블렛은 남편 윌이 텍사스 보병 제 20연대에 입대했을 때, 그에게 편지를 써 눈앞에 닥친 농업지배인이자 노예 지배인으로서의 역할이 '강제적인 것' 이라고 설명했다.[6]

여성들이 내키지 않아했던 이유는 상당부분 자신의 능력을 대단히 불신하는 데에서 비롯되었다. 미시시피의 한 여성은 노예들을 다스리기에 충분한 '정신적인 용기' 가 없다고 불평했다. 또 다른 여성은 "노예를 관리하는 일은… 내 능력 밖이다."라고 믿고 있었다. 캐서린 에드먼드스턴은 "주인의 눈빛과 목소리는 안주인보다 훨씬 더 강력하다."고 말했다. 노예 두 명을 소유한 어느 앨라배마 여성은 자신이 노예를 다스리는 일에는 "무능력하다"고 선언했다. 조지아의 마사 포트_Martha Port가 찾은 해결책은 노예자산을 빌려주는 것이었다. "나는 농장을 경영하지 않겠다. 나는 남자 검둥이들과 잘 지낼 수 없다.” 또 다른 조지아의 숙녀는 여자들은 노예를 감독하는 일에 ‘어울리지도 않고 적당하지도 않은 사람’ 이라며 비웃듯이 말했다. 그 책임을 미리 생각해보는 것만으로도 기가 죽는 듯했고, 실제 상황에서도 그런 불안감이 자주 현실이 되어 나타났다. 노예들도 안주인이 자신이 무능력하다고 생각하는 데 동조하는 것처럼 보였다. 버지니아의 엘렌 무어는 노예들 “모두가 내가 이 자리를 강탈이라도 한 것처럼 여기며 그들에 대한 권한이 없다고 생각한다.”라고 투덜거렸다. 전쟁과 자유에 대한 약속으로 고무된 흑인들은 점점 더 자기주장을 하게 됨에 따라, 백인 여성들은 자신들이 책임지고 있는 노예제도가 군사충돌이 일어나기 전 그들의 남편과 남자형제, 아버지, 아들이 지배하던 것과는 판이하게 다르다는 사실을 깨달았다.[7]

노예지배에 대한 여성들의 우려는 이런 반항적인 분위기와 백인여성들에게 영향을 미칠지도 모르는 노예폭동의 징후를 감지하면서 비롯되었다. 사우스캐롤라이나의 58세 된 과부 케지아 브레바드_Keziah Brevard는 그녀가 소유한 대규모 노예들이 폭동을 일으킬지 모른다는 두려움 속에서 살았다. 그녀는 “폭동이 일어날 것을 생각하면서 사는 것은 끔찍하다.”고 시인하였다. 게다가 “우리에게 닥칠 위험을 생각하며 내 인생의 많은 시간을 뜬 눈으로 보냈다.” 홀로 노예들과 지내는 것에 꽤 익숙해있던 브레바드였지만, 섹션_섹션은 미국의 지역을 구분하는 용어로 건국 초기에는 북부와 남부로 구분되었으나 이 시기에는 북동부, 북서부, 남부 세 개의 섹션으로 재편성 되었다.-옮긴이간 충돌이 남북전쟁으로 번지자 두려움이 더욱 증폭되었다. 1861년 봄, 그녀는 이렇게 걱정했다. “우리는 어느 순간에 노예들에 의해 가장 잔인한 방법으로 난도질당해 죽을지 알지 못한다.” 그녀가 마시는 커피에서 짠 맛이 나고 상한 저녁 식사가 상에 올랐을 때, 그녀는 하인들이 자신을 독살하려고 하는 것인지 아니면 계속되는 복종에 대한 항의표시로 그러는 것인지 판단할 수가 없었다.[8]

메리 체스넛은 전쟁 초기에 노예들에게 어떤 두려움도 느낀 적이 없다고 공언했지만, 사촌 벳시 위더스푼_Betsey Witherspoon이 하인들에 의해 질식사했을 때는 자신의 안전에 관해 다시 생각해보지 않을 수 없었다. 혼자서 노예들과 살았던 나이 지긋한 과부인 위더스푼은 무능력하고 엄격하지 못한 관리인으로 유명했다. 그 살인사건은 노예 주인으로서 백인여성들의 부족함과 무기력함을 예고하는 것이었다. 그녀의 운명은 사우스캐롤라이나의 케지아 브레바드가 가장 두려워하던 것이었다. 캐롤라이나의 또 다른 과부인 에이다 바콧은 위더스푼의 죽음을 곰곰이 생각하였으며, 두려운 마음으로 자신의 노예들이 가진 충성심을 가늠해 보았다. 그녀는 " 그들이 나를 제거하기로 마음먹는 것은 그리 힘든 일이 아니라는 생각이 들어 두렵다."고 썼다.[9]

노예 폭동에 관한 소문이 무성해지고, 개별적인 난폭행위에 관한 이야기가 여성들의 관심을 끌었다. 1861년 7월 11일 앨라배마의 새라 에스피는 살인사건에 관한 뉴스를 기록했다. "노부인을 살해한 가장 극악한 사건… 그녀의 여자 검둥이가 저지른 일이다. 그 검둥이는 내일 교수형에 처해진다." 불과 이틀 후의 기록에는, "윌스 밸리_Wills Valley의 검둥이들 사이에서 일어난 폭동은 결국 진압되었다."라고 쓰여 있다. 노스캐롤라이나에 있는 '글렌 안나 여학교_Glenn Anna Female Seminary 세미나리는 읽기 쓰기 등의 기초적인 교육보다는 좀 더 수준 높은 지적 교육을 시키기 위해 설립된 중등 여성 교육 기관이다-옮긴이' 의 여학생들은 연방탈퇴 후 1주일 정도가 흘렀을 때 '검둥이들의 반란과 살인' 에 대한 이야기들로 '지독하게 겁에 질려' 있었는데, 특히 여학교에는 남자라고는 한 명도 없었기 때문에 두려움이 더했다. 비록 현실과 소문을 분리하기란 거의 불가능하지만, 1861년 봄 나체즈_Natchez 근처에서 일어난 노예 음모는 유난히 더 무시무시했다. 붙잡힌 폭도들은 여성들의 두려움을 확인시켜 주는 것처럼 보였고, 백인남자들이 고상한 표현으로 기록한 진술대로라면, 최소한 유명한 노예소유주의 딸과 아내들인 '메리 양… 사라 양… 안나 양'을 '범하려는' 의도가 있었던 것으로 보였다. 비록 연방탈퇴와 전쟁 발발이 반란에 대한 두려움과 소문을 과장되게 조장한 측면이 없지는 않지만, 링컨이 노예해방을 선언했을 때, 미연방 군대가 결정적인 진군을 감행했을 때, 그리고 결국 1864년과 1865년, 남북연합의 국운이 눈에 띄게 다해가는 순간까지지도 폭동관련 보고는 전쟁 내내 끊이지 않았고 수적으로도 증가했다.[10]

아울러 개별적인 폭력행위에 대한 보고도 급격하게 증가했다. 에이다 바콧은 이웃집에 난 불이 그 집 노예들이 지른 것이 분명하다고 확신했다. 로라 리_Laura Lee는 점령군이 여주인을 살해한 죄로 유죄판결을 받은 윈체스터 노예를 풀어줬을 때 두려움에 떨었다. 1862년 9월, 『모바일애드버타이저앤드레지스터_*Mobile Advertiser and Register*』지에는 한 노예가 여주인 독살에 성공했다는 기사가 실렸다. 같은 달 『리치몬드 인콰이어러_*Richmond Enquirer*』지는 라비니어라는 이름의 노예가 여주인 집에 불을 질렀다고 보도했다. 조지아의 애비 브룩스_Abbie Brooks는 이웃 여자의 얼굴에 생긴 흉측한 상처를 묘사했는데, 그녀는 노예에게 떼밀려 불속으로 넘어진 것이라고 하였다. "그녀가 목숨을 구할 수 있었던 이유는 순전히 검둥이에게 불이 옮겨 붙었기 때문에 그녀를 놓아주었고, 그래서 불을 끌 수 있었다는 것이다."[11]

전쟁이 한창이던 시기에 공개적으로 두려움을 표명한 여성들은 주와 남부 연합 당국자들에게 수백 통의 편지를 써서 군복무중인 남자들을 보내서 노예들을 통제하게 해달라고 간청했다. 앨라배마의 해티 모틀리_Hattie Motley는 국방장관에게 남편을 제대시켜달라고 애원했다. 그리고 그녀의 간청을 뒷받침하기위해 지난 주 '밤에 검둥이 남자의 형상을 한 괴물' 이 집으로 들어와서는 어린 딸의 침실로 들어갔다며 당시 상황을 설명했다. "여자들이 무방비 상태로 남겨졌다는 생각을 할 때 그런 사건이 생기면 여자들의 심장은 얼어붙게 됩니다." 라고 모틀리가 분명한 어조로 말했다. 스미스부인_M. K. Smith은 배우자가 없는 백인여성으로 젖먹이 아이 한 명과 노예 43명과 함께 앨라배마 농장에 살고 있는데 "이들은 감독할 백인남자가 농장에 없다는 이유로 구속받지 않고 자유를 만끽하고" 라는 것이다. 그녀는 검둥이들이 언제고 마음이 내키면 자신을 모욕하고 살해할 수 있는 그런 상황에 놓여있다고 믿었다. 스미스는 죽음과 불명예 중에서 어느 쪽이 더 끔찍한지 판단이 서지 않았지만, 다른 남부 여성들은 이에 대한 견해가 좀 더 분명했다. 뉴번_New Bern 근처에서 살고 있던 한 여성들 무리는 노스캐롤라이나의 주지사 재뷸런 밴스에게 아직 집에 남아있는 몇몇 남자의 병역을 면제해달라고 탄원했다. "보호해줄 사람 모두가 떠나고 없는 이 마을에서 여성들이 폭행당할지도 모르는 운명에 처해있다는 것을 각하께서 헤아려주시기를 간절히 바랍니다. 이러한 운명은 정숙한 부인들과 아가씨들에게는 죽음보다도 더 끔찍한 일로 가장 극심한 고통이라고 불러야 마땅할 것입니다." '미시시피 주 재스퍼 카운티 북동지역의 숙녀들_Ladies of the N.E. beat of Jasper County, Miss' 이 국방장관에 올린 비슷한 탄원의 내용은 노예폭동이 예상되는 만큼 여기에 대처할 남자들의 보호가 필요하다는 것이었다. 만약 그것이 불가능할 경우에는 '악마의 습격' 으로부터 그들 자신을 지키고, 명예롭고 순결하게 죽을 수 있도록 무기와 탄

약을 달라고 애원했다.[12]

이 여성들은 여러 가지 완곡어법을 선택해서 모욕, 폭행, '가장 극심한 고통', 불명예, 오점, 괴롭힘과 같은 그들의 불안을 표현하고 있지만, 주제는 명백하게 성적인 것이었다. 구 남부에서는 백인 여성의 복종을 생물학적 차이로 정당화하고 여성의 본질적인 연약함을 강조했는데 이 연약함이란 결국 성적으로 공격당하기 쉽다는 점에 근거한 것이었다. 적개심을 품고 있을 4백만 명의 흑인노예의 억압을 토대로 한 사회에서 그러한 무력함은 특별히 중요한 의미를 띤다. 이러한 인종적 토대에서 남부백인들은 여성들이 남성에게 의존하는 것이 당연하다는 특별한 논리를 내세웠다. 오직 백인남자의 힘으로만 적절하고 필요한 보호를 해 줄 수 있다는 것이다. 보호라는 단어가 남부 연합 여성들의 탄원에 몇 번이고 반복해서 언급된 것은 그것이 남부의 가부장적 사회질서가 여성에게 보장한 기본적인 권리라고 믿었기 때문이다. "저는 보호받지 못하는 것만 같아서 두려워요." "제 자신을 보호할 수가 없어요." "보호해주는 백인남자의 도움 없이는 지워진 짐을 견뎌내지 못하겠어요."… 안전을 보장받지 못한 많은 여성들이 여성의 열등함을 자발적으로 인정하는 것이 과연 타당한 것인지 은연중에라도 의문을 가질 수밖에 없었다. 미시시피 주 재스퍼카운티의 숙녀들처럼 스스로를 지키고자 했던 남부 연합 여성들은 여성들의 의존이 당연하다는 논리를 약화시켰고, 우월하다고 생각되던 백인남자의 힘에 의존하지 않는다는 것을 _사실 그럴 수도 없었지만_ 증명했다.[13]

의미심장하게도, 미시시피 여성들이 가장 두려워하던 그 '악마 같은' 침입자들은 양키들이 아니라 반항하는 노예들이었다. 노예들의 반란을 무서워하던 백인 여성들이 나름대로의 기준으로 결정한 전시 두려움의 순위는 남부 연합의 수뇌부와 정부의 생각과는 일치하지 않는 것처럼 보였다. 빅스버그의 잉그러햄_A. Ingraham 부인은 빅스버그가 연방군에게 포위당했을 때 이렇게 고백했다. "나는 양키들보다도 흑인들이 더 두렵다." 버지니아의 베티 마우리_Betty Maury도 이에 동조했다. "나는 무지막지한 양키 군인들이 무섭지만, 우리에게 반기를 들지도 모르는 검둥이에 비하면 아무것도 아니다." 미시시피 마을에서 흑인들의 공모에 관한 어떤 소식을 접한 수전 실러스 다든_Susan Sillers Darden은 "노예폐지론자들 외에 또 우리를 위험하게 만드는 것이 하인들이라고 생각하면 소름이 끼친다."고 했다. 한 버지니아 여성은 전시에 노예들과 사는 것은 "자기 집안에서 적과 함께 사는 것이다."라고 말했다.[14]

남부 지역에 흑인 군인들이 도착하자, 이런 공포와 연계되어 여성들의 공포는 최고조에 이르게 됐다. 버지니아 주 윈체스터의 메리 리는 군대가 나타났을 때 '거의 정신을 잃을 뻔했다.' 그녀는 "전쟁이 시작된 이후에 본 어떤 광경에도 이번처럼 동요된 적은 없었다." 이 군인들은 남자이자 흑인이고 동시에 국가의 적으로 그녀의 성별, 인종, 정치적인 입장과는 대치되는 존재이며, 힘있고 적대적인 상대의 전형적인 모습이었다. 윈체스터를 점령한 그들이 나약함과 무기력함을 얼마나 강렬하게 상기시켰던지 메리는 그만 정신을 잃었다. 그리고 남부 연합이 독립을 위해 싸운 것만큼 오랜 세월동안 극복하려고 애써 왔던 여성의 연약함과 무력함을 바람직하지도, 일반적이지도 않은 방법으로 드러냈다.[15]

그러나 여성들은 인종간의 폭력에서 비롯된 깊은 두려움을 억누르고 부정하는 경우가 대부분이었으며 잠 못 이루는 밤, 불안감이 가장 깊어진 시간에만 그 두려움을 느꼈다. 콘스탄스 캐리 해리슨_Constance Cary Harrison은 어느 날 오후 노예폭동에 대한 우려가

'터무니없어' 보였던 것을 기억한다. 그러나 밤에는 '공포가… 어둠과 불길한 징조가, 잔혹함, 그리고 완전한 증오… 안식을 거부하는 유령이 나타났다.' 여성들은 계속해서 공포에 질려있어야 하는 것이 너무도 당연한 일인데 오히려 그렇지 않은 것이 의문스러웠다. 케지아 브레바드는 잠자리에 누워 자신이 '난도질당해 죽을' 것인지 궁금해 하며 뜬 눈으로 보내는 시간들을 생각하던 중 문득 궁금해졌다. "가끔씩 위험이라고는 전혀 없는 듯이 내가 안전하다고 느끼는 이유는 무엇일까? 언제나 이렇게 안전하다고 느꼈으면 좋겠다." 캐서린 에드먼드스턴은 "검둥이 88명이 가까운 곳에 있고 5마일 이내에 백인은 한 사람도 없었지만 위험한 느낌은 전혀 없다."는 것을 의아하게 여겼다.[16]

사실 일부 여성들은 자신의 노예들을 보호자로 간주하며, 그들에게서 남부 연합의 민간문화에 나중에는 "실패한 대의"라는 신화에서 널리 회자 되곤 하던 '충성스러운 하인들' 이야기에 나오는 충성을 기대했다. 1905년에 엘리자베스 색슨_Elizabeth Saxon은 전쟁 중 노예들에 대한 전형적인 장밋빛 추억에 빠져 이렇게 회상했다. "폭동은 한 번도 일어나지 않았고 어느 집도 불에 타지 않았다… 농장의 외로운 여성들은 어린 아이들과 함께 평화롭게 잠들고, 두터운 신뢰를 받는 노예들이 이들을 보호했다… 그렇게 다정하고 힘이 되는 사람들은 어디에도 없었다." 이런 회상과 남부 연합 대농장의 불안에 가득 찬 일상과의 모순은 노예제도가 이타적인 제도였으며 백인들만이 아니라 흑인들도 그 가치를 인정했다는 견해를 유지하려고 전시와 전후에 남부백인들이 어떻게 애썼는지를 잘 보여주고 있다. 전쟁이 계속 되는 동안, '충성스러운 하인' 이야기는 백인들의 두려움을 잠재우는 역할을 했다. 그러나 노예들을 향한 백인의 한결같은 신뢰와 믿음을 보여주는 사례들을 간과

할 수 없듯이 이 이야기들도 모두 백인들이 만들어낸 것이라고는 할 수 없다. 실제로, 주인의 은을 땅에 묻어 적군에게서 숨긴 노예들도 있었고, 캐서린 에드먼드스턴의 이야기처럼 칼을 들고 주인을 지키기 위해 연방 군대에게 맞선 노예들도 있었다. 이런 사건들은, 자신들이 잘 알고 지냈다고 생각한 사람들, 때로는 평생을 알고 지냈다고 생각한 남자들과 여자들이 어느 순간 갑자기 살인자와 혁명론자로 돌변했다는 사실을 믿고 싶어 하지 않는 남부백인들의 바람을 뒷받침해주었다.[17]

백인여성들과 노예들의 관계가 전시에 복잡해진 원인 대부분은 여성들이 노예들의 노동과 능력, 때로는 그들과의 교제에 의존하는 정도가 커졌던 반면, 노예들은 일을 하거나 복종해야할 이유가 줄고 있다는 것을 눈치 챘기 때문이다. 노예들에 대한 백인여성들의 의존도가 높아짐과 동시에 노예들은 주인으로부터 독립적이 되었고, 노예에 대한 두려움과 필요를 융화시키려고 애쓰는 동안 여주인들은 끊임없이 자신의 견해를 재평가하고, 의문을 제기하고, 정정해야만 했기 때문에 혼란스럽고 모순된 상황이 전개되었다. 1863년 “모든 인종에 대한 믿음을 잃어간다”고 한 캐서린 브룬_Catherine Broun의 말에 동의하는 사람들도 많았지만, 다른 백인여성들은 자신들의 노예가 위험한 전시 세상에서 유일하게 남은 아군이라고 여겼다. 어떤 노예 여주인들, 특히 고립된 대농장이라는 환경에 있는 사람들은 전쟁으로 달라진 집안에서 가장 가까운 관계에 있는 성인이 여자 노예들이라는 것을 깨달았다. 1862년 4월, 로다_Rhoda가 죽었을 때, 그녀의 주인인 안나 그린_Anna Green은 절망에 빠져 자매에게 편지를 썼다. “내 유일한 친구를 잃은 느낌이야. 그리고 그녀가 비록 하인이기는 했지만 나에게 가장 헌신적인 친구였다고 생각해.” 레일라 갤러웨이_Leila Gallaway도 자신의 노예 수잔나_Susannan가 천연두로 죽었을 때 거의 같은 표현을 했다. "수잔나는 우리 가족 다음으로 가장 다정한 내 친구였다." 그녀는 남편에게 알렸다. "당신이 없는 지금 저를 지켜줄 사람은 아무도 없어요." 성별과 인종을 기초로 한 남부의 위계질서가 붕괴되는 상황에서 레일라 갤러웨이는 백인남자의 부재로 생긴 감정적인 공백과 다른 역할들까지 흑인여성에게 부과하였다.[18]

사우스 캐롤라이나의 케이트 맥클루어_Kate McClure는 남편이 자신의 군복무 기간 동안 농장 관리를 도와달라고 부탁했던 백인남자들보다 노예 제프_Jeff를 더 좋아했다. 맥클루어는 두 명의 이웃 남자들보다 제프가 자신의 견해나 지시를 잘 따를 만큼 더 믿을만하고 아는 것도 많다고 생각했다. 마리아 호킨스_Maris Hawkins는 자신을 지켜주던 노예 모세_Moses의 부재를 뼈저리게 느꼈다. 그녀는 밴스 주지사와 남부 공직자들에게 갖가지 형태로 쓴 수백 통의 편지를 보내서 남편과 아들을 제대시키고자 했다. 그리고 해안 요새에서 일할 노동자로 강제징발당한 모세를 풀어달라고 간청했다. "그는 집에 있는 동안 매일 밤마다 집안에서 자고, 집과 뜰에 있는 모든 것을 지켜줬어요. 탈영병들이 매일같이 농장에서 약탈을 저지르고 있는 요즘같이 위험한 시기에 저는 정말이지 밤마다 무서워서 죽을 것만 같답니다. 저는 매일 밤을 거의 뜬 눈으로 보내고 있어요." 성별과 인종간의 불안과 관련해서 특이한 상황에 있던 호킨스 생각에는 흑인남성보호자가 여느 남자보다 훨씬 나았다.[19]

전쟁의 산물

남부 연합의 일상적인 환경 안에서 노예를 소유한 여성 대부분이 대면한 것은 흉악한 혁명론자도 아니고 남부의 낭만적인 전통을 고수하는 변함없이 충실한 남자도 아니었다. 대신에 그들은 복합적인 인간의 모습과 마주치게 되었는데, 자유를 갈망하는 이들은 무자비한 북부군의 압박 아래 노예제도가 계속 약화되는 동안 자신에게 주어진 기회와 수단에 따라 여러 가지 방법으로 자신을 표현했다.

대개 연방 경계선 가까이에 있는 노예들에게 자유를 얻을 기회가 더 많았고 그 결과, 이 지역의 노예소유주들을 이들을 통제하는데 가장 심각한 도전에 직면하였다. 캐서린 에드먼드스턴은 갈수록 다루기 힘들어지는 노예들에 대해 이렇게 썼다. “이것은 분명히 전쟁의 소산물 중 하나이다. 왜냐하면 우리는 전에는 한 번도 이런 일을 당한 적이 없었기 때문에.” 사우스캐롤라이나 농장의 주인이며 과부인 에이다 바콧은 “날이 갈수록 내 명령은 더욱 더 무시당하고 있다. 그것을 감수하는 것 외에는 달리 내가 할 수 있는 일이 없으며, 이는 결코 유쾌한 일이 아니다.”라고 생각했다. 그러나 그녀는 샬롯빌에 있는 몬티첼로_Monticello 병원의 간호직 때문에 캐롤라이나를 떠난 지 얼마 되지 않아 곧 깨닫게 된다. “사우스캐롤라이나 검둥이들은 버지니아 검둥이들에 비하면 양반이다.” 심지어 그녀가 집에서 데려 간 가정부마저 새로운 환경의 영향으로 반항적으로 변했다. 고집스러운 노예들 때문에 바콧의 집안일은 ‘온통 불쾌한’ 일이 되어 버렸다. 윌리엄_William이라는 이름의 한 젊은 노예가 있었다. 그는 바콧이 다른 간호사들, 의사들과 함께 머무르는 집에서 식탁을 치우라는 명령에 반항했고, 바콧은 그 일에 대해 꾸짖었다. 그러나 그 젊은 노예는 “너무 건방져서 나도 모르게 그의 입을 손바닥으로 때렸다.” 그 노예의 엄마가 부엌에서 달려 나와 그를 감쌌고, 여기에 격분한 바콧은 두 노예에게 벌을 주겠다고 위협했다. 대다수의 남부 연합 노예감독관들과는 달리 바룻이 살고 있는 곳은 여성들로만 이루어진 세상이 아니었다. 그녀는 집안에 머무르던 백인남자 의사들에게 도움을 청했고 그들은 성난 어머니 노예와 건방진 아들 노예를 매질했다.[20]

이렇게 물리적인 차원에서 노예를 통제하는 것은 많은 백인여성들에게 골치 아픈 일이었다. 전쟁 전 남부에서는 물리적인 폭행을 가하겠다는 협박이 _대부분 협박만으로 끝나지는 않았지만_ 가부장적인 농장주의 고압적인 태도와 결합되어 노예를 억압하는데 중요한 역할을 했고, 이것이 인종간의 지배를 가능하게 했다. 백인여성들은 그 '특이한 제도'를 주인과 노예 상호간에 도움이 되는 제도라고 정당화시키며, 노예의 노동은 주인의 보호와 부양에 대한 합리적인 보답이라고 규정하였다.

스스로를 점잖은 기독교인 남자들로 생각하고 싶었던 전쟁 전 남부의 노예주들은 법이 허용한 무자비한 힘을 행사하기보다는 상호간의 이익을 위해 서로 협상하는 것을 더 좋아했다. 가부장주의에 입각한 이상형은 매질을 처음이 아닌 마지막 수단으로 생각하는 것이었고, 매질은 몸 보다는 정신을 통제하는데 실패했다는 의미로 받아들였다. 그러나 노예제도에 폭력이 존재했다는 것은 분명한 사실이고, 농장주들의 기록이나 노예들의 회상 역시 얼마나 자주 폭력이 행사되었는지를 입증하고 있다.

'가부장주의'와 '지배'는 남자다움이라는 개념에 뿌리를 두고 있다. 따라서 구 남부의 이데올로기 안에서는 폭력도 이와 비슷하게 남자의 일로 간주되었다. 남성의 명예와 백인의 우월성을 뒷받침하려고 물리적인 힘에 의존하는 것은 정당할 뿐만 아니라, 백인남자의 의무라고 생각되었는데, 가정과 농장과 공동체에서, 그리고 전쟁이 벌어졌을 때는 국가를 위해서 해야 할 의무로 생각되었다. 여성 노예감독관들은 협박과 잦은 폭력행사에 기반을 둔 사회질서를 물려받았다. 그 특이한 제도의 역사를 처음부터 끝까지 살펴보면, 노예 여주인들은 실제로 노예들의 뺨을 때리고, 밀치고, 난폭하게 매질을 하기도 했고, 그 대상은 주로 여자노예들이나 아이들이었다. 그러나 물리적인 힘의 행사와 그들의 관계는 남자들의 경우와는 판이하게 달랐다. 성별 화된 신사도_gendered code of honor에는 여성들의 신체적인 힘이나 지배를 찬양하는 조항이 없었다. 이와는 대조적이면서 상응하는 남부의 이데올로기는 여성의 섬세함, 연약함, 무기력함을 칭송하고 있다. 전쟁이 일어나기 전에 노예제도 유지에 기본적이었던 폭력 행사는 전적으로 백인남자들의 특권이자 의무였다. 백인여성들은 주인의 아랫사람이자 대리인으로서 벌을 주고 처벌했다. 합리화되고, 조직적이고, 자주적이고, 유용한 폭력 사용은 남자들의 몫이었다.

에이다 바콧은 젊은 윌리엄을 채찍질하고 뺨을 때린 자신에게 놀라움을 금치 못했고, 그와 같은 분노의 순간에 많은 남부 연합 여성들은 물리적인 힘을 행사하였다. 그러나 노예를 벌하려는 의도로 합리적인 처벌을 원했던 바콧은 남자들을 찾았다. 혼자인 여성들은 습관적으로 감독관, 남자친척 혹은 이웃을 찾아서 노예들, 특히 남자노예에게 물리적인 폭력을 행사하게 하였다. 그러나 백인남자들이 전쟁을 하기 위해 떠나며 모습을 감추는 동안, 도움의 손길을 찾는 일이 점차 어려워졌다. 새라 에스피는 이웃인 핀리_Finley로 하여금 필요한 매질을 하도록 했지만, 그가 캐롤라이나를 떠나자 의지할 사람이 없었다. 그렇지만 에스피는 “숙녀가 그런 짓을 한다는 생각만으로도 혐오스럽다.”고 잘라 말한 어느 여성과 같은 생각이었다.[21]

그러나 전쟁이라는 급박한 상황에서는 손으로 폭력을 가하는 여주인들도 많았고, 대개는 분노로 인해 폭력에 대한 여성의 뿌리 깊은 심리적 갈등과 모순이 무시되고 그런 행동이 가능하게 되었다. 텍사스의 수전 스콧_Susan Scott은 제대로 경작되지 않은 옥수수 밭 한가운데에 서서, 남자들과 동일한 말투로 그녀의 노예에게 울음 섞인 저주를 퍼부을 때는 거의 제정신으로 보이지 않았다. 그리고는 "한명을 무지막지하게 매질하고… 만약 내가 여기 있는 빌어먹을 노예들을 옥수수 수만큼 때리지 못한다면 지옥에 떨어질 것이라고 말했다." 테네시의 에밀리 퍼킨스는 다시는 매를 맞지 않겠다고 선언한 여자노예에게 노발대발해서 삽이라고 생각한 것으로 그 노예의 머리를 내리쳤다. 그러나 삽이 아니라 빗자루였기 때문에 노예를 때려눕히는 대신 빗자루가 부러졌다. 그러자 퍼킨스는 남자노예를 보내 그녀를 묶은 다음, '그 위에 매질을 가했다.' 백인여성들이 폭력에 의지한 것은 권력을 효과적으로 행사하려는 노력이었다기보다 그들 자신과 노예에 대한 통제력을 상실했다는 의미였다.[22]

자유에 대한 기대감으로 노예들의 자기주장이 점점 강해지면서 그들의 여자지배인들은 육체적인 강압이 더욱 필요해졌지만 동시에 그렇게 하기가 더욱 힘들어졌다고 생각했다. 어떤 백인여성들은 노예들이 충성스럽지는 않더라도 일은 계속 해줄 거라는 기대로 폭력을 자제하고 노예제를 관대하게 유지하려고 노력했다. 그들은 노예들이 건방지거나 일을 엉망으로 할 때조차 신체적인 처벌은 자제하면서 노예들이 전부 떠나지 않도록 조심했다. 레일라 캘러웨이는 남편 모건_Morgan에게 보내는 편지에서 인자하게 행동해서 바람직한 여주인으로 보이려고 노력한다는 이야기를 했다. "지금까지 살면서 올해 노예들에게 했던 것의 반만큼이라도 부드럽게 대했던 적은 없어요." 버지니아 북쪽의 노예주와 자유주의 경계선에 살았던 캐서린 브룬은 "그들 모두가 떠날까봐 두려워서 작은 잘못도 지적하지 못하겠다."고 고백했다. 남부 연합의 반대편 끝에 있는 텍사스의 리지 네블렛은 시간제 감독관을 설득해서 노예들이 불복종 적이더라도 때리지는 말라고 했다. "나는 그에게 조가 일을 잘하는 동안에는 그를 때리지 말라고 했다… 조가 도망갈지도 모르고, 어쩌면 다시 찾지 못할지도 모른다." 리지는 또한 매질 때문에 감독관들에 대항한 폭력적인 보복행위가 일어날까봐 걱정했다. 감독관들은 상처입기 쉬운 남부 연합의 백인여성들이었기 때문이다. 그녀는 많은 사람들이 '실제로 두려워서 검둥이를 때리지 못하게' 되었다고 기록했다.[23]

구 남부의 위계질서에서는 여러 가지 형태로 폭력행사를 정당화했기 때문에 사회 권력과 물리적 힘을 이용할 수 있는 권리는 서로 떨어질 수 없는 밀접한 관계에 있었다. 거의 모든 계급의 백인남자들이 폭력을 행사했고, 전쟁이 임박하고 징집이 시작되면서 사회적 통념이 공공연히 모습을 드러냈다. 반면 흑인노예들은 이와 대조적으로 그들이 속한 곳, 백인사회가 아예 존재하지도 않는 것으로 취급하던 자신들의 공동체를 제외하고는 폭력을 사용하는 것이 일체 금지되었다. 백인여성들은 경계가 불분명한 중도적인 입장을 취했는데, 행동과 신념이 일치하지 않는 경우가 종종 있었다.

남북전쟁은 이런 긴장상태를 고조시키는 한편, 노예소유가정의 여성들은 권력을 자신들의 것으로 정당하게 수용할 수 없었음에도 불구하고 어쩔 수 없이 마지못해 권력의 대리인이 되었다. 옛 남부에서 폭력이 중심적인 역할을 했다는 것은 그 사회에서 여성들의 지위가 열등했다는 사실을 반영하기도 하며, 그 열등한 지위를 심화시킨 요인이기도 했다. 남북전쟁의 발발과 함께 시작된 군사적 충돌로 인해 조직화된 폭력은 남부가 규정한 목적이자 생존을 위한 수단이 되었고, 이러한 상황은 여성들을 다시금 주변적인 존재로 만들었다. 그러나 '천막을 친 전장'에서 멀리 떨어진 곳인 후방에서도, 여성들은 자신이 도움이 안 된다고 느꼈다. 자신의 성별에 대한 여성들의 인식은 스스로의 능력을 평가절하 하도록 만들었다. 남부 연합의 여성들은 무기를 들 수 없는 무능력함을 이유로 자신이 '무가치'하다고 느꼈던 것처럼, 폭력행사를 금기시해 온 점 때문에 스스로를 노예관리에 적당하지 않은 사람이라고 생각했다. 리지 네블렛은 고집 센 노예 11명을 통제하며 느낀 좌절감에 대해 썼다. "남자가 할 일을 하려고 노력하는 것도 지긋지긋하다. 나는 그저 애나 낳고, 빽빽 울어대는 어린 것들 때문에 집에 묶인 한심한 인간에 불과하며, 열등한 인종으로 업신여김이나 당하는데 말이다." 그녀가 자신에게 느끼는 혐오감을 묘사하기 위해 선택한 언어들이 중요한 의미를 갖는 이유는 성별에 관한 단어뿐 아니라 인종에 관한 단어도 차용했기 때문이다. 그녀는 생물학적인 제약, '애나 낳는'이라는 객관적인 현실을 비롯해서 사회적으로 형성된 '열등한 종족으로 업신여김당하는' 지위의 한계를 떠올리면서, 자기 자신을 백인 상류층이나 그들 계층의 이익을 위해 전쟁을 벌인 사람들이 아니라 남부에서 소외되고 혜택 받지 못하는 집단으로 인식했다. 비록 자기만의 해석이기는 하지만, 그녀는 점차 스스로를 그 지역 노예제도의 수혜자가 아닌 피해자로 간주하게 되었다. 폭력과 노예제의 체험에 관한 리지 네블렛의 독특한 기록은 좀 더 깊이 파고들어 살펴볼 가치가 있다. 그녀의 기록이 묘사하는 것이 단순히 여성의 생활자체에 내재된 모순이 아니라 새로 떠안게 된 생소한 역할이 초래한 개인 정체성의 심각한 위기이기 때문이다.[24]

마음이 심란하다

1863년 봄, 남편이 전쟁터로 떠나자 리지는 '최선을 다해' 노예관리 업무를 시작했지만, 농업에 대한 무지와 11명의 노예들이 보일 행동이 염려되어 마음이 쓰였다. 그러나 그녀의 지시에 대해 그들이 처음 보인 반응은 앞으로를 기대해도 될 성 싶었다. 그녀는 4월말 윌에게 이렇게 편지를 썼다. "농사가 잘 돼서 검둥이들 기분이 들뜬 것 같아요."25

그러나 수확기가 되자, 상황이 바뀌었다. 8월 중순 목화 따기가 한창일 때 리지는 윌에게 "그 검둥이들은 아무것도 안하고 있어요."라고 썼다. "그런데 우리 검둥이들만 일을 안 하는 게 아니에요. 이 근처에 있는 거의 모든 검둥이들이 일을 안 해요. 내 생각이지만, 그들 중 일부는 양키들이 엄청난 자유를 가져다 줄 거라는 꿈에 부풀어서 매질에도 저항하는 것 같아요." 리지는 자신의 집에 있는 흑인 가족들이 오랫동안 충성을 바칠 거라는 환상은 거의 갖고 있지 않았다. "우리 검둥이들 중에서 남아있을 사람은 한 명도 없을 거예요."26

수확물이 전년도 수준에 훨씬 못 미치자 리지는 새로운 방법으로 노예들을 관리할 필요성을 느꼈다. 윌이 부탁한 이웃 남자가 네블렛가의 노예를 전반적으로 살펴주고 있었지만, 리지는 1863년 가을, 남편에게 편지를 써서 일주일에 사흘 간 반나절 동안, 메이어스_Meyers씨가 노예를 관리해주기로 계약을 맺었다고 알렸다. "그 사람이 노예들을 엄격하게 다룰 거라고 생각하지만, 검둥이들은 그런 것이 필요해요. 메이어스는 규칙을 정하고 그것을 지키도록 할 거예요. 그러나 리지는 잔인한 행동이나 학대는 허락하지

않을 거라고 강조했다.[27]

메이어스를 통제하는 일이 어떤 면에서는 노예를 통제하는 것보다 훨씬 더 힘들었다. 농장에서 일한지 이틀째 되는 날, 메이어스는 게으르다는 이유로 젊은 노예 세 사람에게 매질을 가하고, 그 다음 번에는 나이 든 샘_Sam을 상대로 '일에 착수했다.' 고 리지는 표현했다. 인근 노예들 사이에서는 샘이 어느 누구에게든 맞지 않기로 작정했다는 소문이 퍼져있었고, 그 소문은 다시 그 주인들 귀에 들어갔다.[28] 사실 윌 네블렛은 무자비하게 엄격한 사람이 아니었고 매질보다는 위협이나 불평을 하는 편이었다. 그러나 메이어스는 샘의 도전이 '충분히' 맞을 만한 이유가 된다고 여겼다. 맞을 이유가 없다고 생각한 샘이 메이어스의 처벌을 거부했을 때 메이어스는 그를 구석으로 몰아놓고 총으로 쏘겠다고 위협했다. 기선을 잡은 메이어스는 매우 호되게 샘을 때렸고, 리지는 샘이 죽을까봐 덜컥 겁이 났다. 그녀는 불안한 마음에 의사를 불렀는데, 그는 샘이 내장에 손상이 갈 정도로 심하게 다친 것도 아니고 자신은 더 심하게 두들겨 맞은 노예도 본 적이 있다며 리지를 안심시켰다.

리지는 메이어스와 샘을 어떻게 대해야할지 갈피를 잡을 수가 없었다. 그녀는 윌에게 "그 불쌍한 자가 안쓰럽긴 하지만 내가 느끼는 감정을 알게 하고 싶지는 않아요."라고 속마음을 털어놓았다. 다른 노예들에게는 샘이 맞을 짓을 하지 않았다면 메이어스가 때리지도 않았을 거라는 사실을 강조했다. 그리고 윌에게 다소 변명하듯이 말했다. "누군가가 그들을 통제해야만 돼요. 날이 갈수록 다루기 힘들어지고 있어요. 그들이 얼마나 제 말을 안 듣는지… 당신에게 차마 말을 할 수가 없었어요."그녀는 처음부터 메이어스의 행동이 통제권을 강화하기 위한 계획의 일환이라고 생각했다. "그는 자신이 어떤 사람인지를 알려줬어요… 그러자 더 이상의 문제는 생기지 않았어요." 그러나 그녀의 주장과 방어적인 태도에서 사실 그녀도 마음속으로는 그것이 이상적인 형태의 노예관리가 아니라고 생각했다는 점을 알 수 있다.[29]

다음 며칠 동안 메이어스와 그의 일련의 행동들에 대한 리지의 의심은 커져만 갔다. 그가 의도한 대로 문제의 싹이 사라지는 대신에 그 사건은 더 큰 소동을 일으킨 것처럼 보였다. 집안의 요리사이자 노예인 새라는 샘이 그 매질을 여주인이 계획한 것으로 의심하고 있으며, 적당한 기회가 주어지면 윌이 돌아올 때까지 도망가려 한다고 일러주었다.[30]

리지는 일촉즉발의 상황을 해결하고 노예 여주인으로서의 평판을 되살리기 위해 또 다른 백인남자 콜먼_Coleman에게 도움을 청하고 샘과 이성적인 대화를 나누게끔 했다. 콜먼은 리지 아버지의 감독관이었으며 계속해서 리지 어머니의 자산을 관리했었다. 윌과 리지의 남자들이 전방에 있는 지금은 그가 명백한 가족 대리인이었으며 리지가 아버지 재산이었던 샘을 물려받기 전부터 샘을 속속들이 잘 알고 있었다. 콜먼은 '샘이 저지른 잘못을 알게 해주자는 제안'에 찬성했다. 샘은 자신의 잘못을 시인하고 앞으로는 반항하지 않겠다는 약속을 하며 적어도 콜먼이 기대했던 대답을 내놓았다.[31]

그 사건이 있은 후 2주가 지나고 리지와 샘은 마침내 솔직한 대화를 나눴는데 최소한 리지가 생각하기에는 서로를 위로하는 말들을 주고받았다. 메이어스는 샘에게 일터로 돌아오라고 명령했지만, 아직 회복기간이 더 필요하다는 샘의 주장을 존중한 리지가 중간에서 잘 조율해주었다. 리지가 보이는 화해의 메시지를 받아들이고 또 콜먼의 조언에 따르고자, 샘은 리지를 실망시킨 점에 대해 사과하고 윌이 없는 이때 가장 연장자인 노예로서 자신에게 특별한 책임이 있다는 사실을 인정했다. 그는 리지에게 약속했다. 이제부터 "맡은 바 일을 성실하게 할 것이며, 그의 힘이 닿는 한 나를 섬기고 돕겠다고 했어요. 저는 오랜 친구에게 미안한 마음을 금할 길이 없었답니다… 그는 매우 정중하게 이야기했고 내가 자신이 그렇게 매질을 당하도록 내버려 두었다는 사실에 무척 상처 받은 것처럼 보였어요."[32]

샘이 반항아 샘에서 신실한 검둥이 샘으로 재빨리 변모하자 적절한 노예관리 방침에 대한 리지의 걱정이 사라졌다. 메이어스의 가혹행위를 옹호하던 태도를 버리고, 감독관에 대항하는 샘의 입장에서 중재를 했던 리지는 샘이 받은 처벌에 대한 책임이 자신에게 있지 않으며 자기도 사실 거기에 '경악한' 사람이라는 점을 분명히 했다. 그녀는 윌에게 최근에 깨달은 사실, "메이어스가 잘못된 행동을 했고 노예를 관리하는 방법에 대해서 아무것도 알지 못한다."고 보고했다. 그녀는 허심탄회하게 밝혔다. "그는 노예들을 이성을 가진 존재로 취급하는 것이 아니라 야만스럽게 폭력으로 다루고 있어요." 리지는 앞으로는 자신의 무기력함에 밀려 극심한 가혹행위를 용인하지 않겠노라고 결심했다. 대신에 그녀는 샘에게 계속 공손한 태도로 순종한다면 다시는 매질을 당하는 일이 없게 하겠다고 약속했다.[33]

샘의 매질 사건은 그녀와 노예들 사이에서 그녀의 권한이 갖는 범위를 설정할 좋은 기회가 되었다. 그녀는 메이어스와 콜먼에게 도움을 요청함으로써 보기와는 달리 자신이 그저 자기 선에서 일을 처리하려고 전전긍긍하는 여자가 아니라는 사실을 증명했다. 비록 최종권한은 그녀에게 있었을지 모르지만, 노예관리는 공동체의 일이었다. 자신의 무능력을 두려워하며 메이어스가 저지르

리지 네블렛. 오스틴 텍사스 대학의 '미국역사센터(the Center for American History)'

는 잔혹한 행위를 허용할 수밖에 없었던 리지는, 메이어스가 그녀를 극단적인 입장을 취하도록 하였지만 그러한 태도에서 한 걸음 물러날 수 있었다. 그렇지만 그녀는 메이어스의 행동과 자기 자신은 별개로 생각하면서도 그의 행동에서 이익을 취했는데, 샘이 노골적으로 드러내던 반항적인 태도를 포기하고 순종하는 모습을 보여주었기 때문이다. 샘과 리지는 결국 메이어스가 비난받아 마땅하기는 하지만 한편으로는 여주인과 노예 두 사람 모두가 요령 있게 다루어야 하는 필요악으로 견디어야 한다는 데 뜻을 같이 하여 힘을 모을 수 있었다. 사이먼 레그리_Simon Legree, 해리엇 스토우_Harriet B. Stowe의 소설 『톰 아저씨의 오두막집_Uncle Tom's Cabin)』에 나오는 악명 높은 노예 매매업자–옮긴이와 냇 터너_Nat Turner. 미국의 흑인 노예 폭동 지도자로 주인 일가를 살해하고 주변의 노예를 선동하여 미국 역사상 가장 대규모의 흑인 노예 반란을 지도했다–옮긴이가 되어 자신의 신념을 시험하려던 리지와 샘은 그 일을 포기함으로써 온정주의자_paternalist와 충성스러운 노예라는 보다 익숙하고 편안한 역할로 돌아갔다. 양쪽 모두 자신의 행동이 상당부분 상대방 행동에 달려있는 상호보완적인 관계라는 것을 깨달았다.

위기의 시간 내내 리지가 보인 행동은 젠더의 정체성과 태도가 주인과 노예의 관계에서 나타나는 전형적인 모습을 보여주었다. 여성 주인으로서 리지는 분명히 가정부 새라와의 친밀한 관계를 이용해서 자신의 권력과 관련된 정보를 확보했다. "새라의 혀는 검둥이들 한 무리만큼의 가치가 있어요." 리지는 윌에게 이렇게 말했다. 그러나 리지의 성별이 기회라기보다는 속박이 되는 경우가 더 많았다. 메이어스와 샘이 대립하기 바로 직전에 리지가 윌에게 보낸 편지에는 노예들에게 신체적인 강압을 가하는 것에 대한 생각을 솔직하게 털어놓고 있다. 윌이 매질을 내키지 않아했다는 것을 아는 리지는 윌보다 그녀가 매질에 대해 더 강한 혐오감을 느낀다고 말했다. "때리는 건 정말 불쾌한 일이에요. 당신이 떠난 이후로 저는 아직 케이트를 채찍질 한 적도 없었어요. 그냥 몇 대 때렸을 뿐이에요. 저는 마음이 너무 심란해서 매질을 할 만큼 마음을 다잡지 못하겠어요. 손튼_Thornton에게 톰을 때리라고 한 적이 한 번 있답니다."[34]

가끔 여자노예들을 때리는 일에나 익숙했던 리지는 남자노예를 시켜서 젊은 톰에게 매질을 했다. 그리고 이후에는 이웃남자의 도움을 받아 나이든 샘을 위협했다. 그렇지만 그녀가 전쟁 중 '집안의 우두머리' 로서 새로운 역할을 수행하는 동안 폭력의 구조화된 위계질서는 점차 '불쾌한' 일이 되었다. 리지는 객관적으로 주위의 흑인남자나 백인남자들보다 자신이 육체적으로 약하다는 사실을 알고 있었다. 그러나 또한 '마음이… 심란하다' 는 것과 노예들에게 최후의 권력을 행사하는 것이 적절한 일인지 확신이 서지 않는다는 것도 고백했다. 전시의 압박이 리지가 선호하는 '도덕적인' 관리의 토대를 약화시키는 동시에 그녀가 '야만적인 폭력' 이라고 부르던 방법이 노예를 다스리는 방법으로 위험하지만 더욱 지지를 얻게 되었다.

자신의 노예관리 방법의 중심이었던 신체적인 가혹행위를 금지 당하자 메이어스는 추수기간이 끝날 무렵 리지와 맺었던 계약을 해지해달라고 요청했다. 계약 초기에 메이어스는 그녀의 노예들을 '정복' 할 수 있다고 하면서 그러려면 아마 그들 중 한 명을 죽여야만' 할 거라고 말했었다. 결정은 리지의 몫이라는 것이 메이어스의 설명이었다. 격심한 분노를 느꼈던 당시 리지는 그러한 극단적인 방법을 받아들일 생각이었다. "그렇게 하세요." 그러나 마음을 가라앉히고 곰곰이 생각하고 윌의 신중한 조언으로 평정을 되찾은 리지는 노예들이 가진 인간으로서의 권리를 고려하게 되었다. 메이어스가 그녀의 명령에 불복하여 노예들을 호되게 처벌했을 때, 리지는 메이어스와 노예들 사이에서 중재를 되풀이하면서 그들을 매질과 비난으로부터 보호했다. 하지만 메이어스를 다루는데 어려움을 느끼고 그가 분별력이 없는 사람이라고 생각했음에도 리지는 자신이 메이어스와 그가 상징하는 폭력의 위협에 의지하고 있다는 사실을 깨달았다. 그녀는 "가능한 한 오래 메이어스를 붙잡아둬야겠다"고 마음먹었다. 만약 그가 일을 그만두고 그를 대신할 사람이 아무도 없다는 사실을 노예들이 안다면 "내 세상인양 난리가 날 것"이라고 말했다. 계략, 속임수, 수치스러운 노예지배가 끝나는 것이다. 남자가 없고, -설령 일주일에 사흘 간 반나절 일하는 남자라도 말이다- 메이어스가 직접 보여준 폭력이라는 수단이 없다면, 노예들은 자기 할 일을 제대로 하지 못 할 것이었다. 온정주의라는 비단장갑에는 무쇠로 만든 손이 필요했다.[35]

폭력은 노예가 있는 남부사회에서 가장 중요한 힘의 원천이었지만 성별에 따른 관습이 알게 모르게 백인여성들, 특히 노예를 통제할 책임이 있었던 특권계급 여성들이 의도적으로 물리적 지배력을 행사하는 데 방해가 되었다. 심지어 상황이 바뀌어 여성이 권위를 행사하는 것이 사회적으로 바람직한 것으로 되었을 때조차 대농장 여주인들 개인적으로는 권위를 행사하지 못했다. 폭력에 혐오감을 느끼면서도 동시에 멀리할 수 없었던 리지의 갈등은 전쟁이 낳은 어쩔 수 없는 모순이 구체적으로 표현된 것이며, 여성의 노예지배에 지워진 짐이었다. 리지는 노예들을 빌려주거나 "당신 검둥이들을 그냥 줘버리세요. 그러면 저는… 제 손으로 일을 하겠어요. 고되게 일을 해야 하겠지만 제 마음은 편할 수 있을 거예요."라고 말했다. 리지는 죽거나 남자가 되었으면 좋겠다는 생각을 계속 했고 아니면 '내 시중을 들 좋은 검둥이 한 명'을 제외하고는 노예들을 전부 포기하고 싶었다. 백인여성들은 전쟁 전 식민지적인 남부에서 노예들이 존재하던 시기 내내 그들에게서 이익을 취했다. 그러나 여자다운 모습이라고 생각했던 것을 얼마간 포기하지 않고서는 일상생활의 지배자가 될 수 없었다. 계급과 인종에 따라 여성들에게 권한이 부여되었음에도 불구하고 그들은 여자다움의 본질이라고 배운 의존성을 극복하지 못했다.[36]

얻는 것보다 잃는 것이 많다

리지와 같은 경험을 하게 될까봐 두려워하던 여성 중에는 직접 그 골치 아픈 자산을 다스리려고 노력하기보다는 빌려주거나 파는 사람들이 많았다. 이전보다 더욱 음식과 직물이 귀해진 남부에서는 노예들 식사를 책임질 사람을 구하는 일이 거의 그들을 팔거나 빌려주고 얻는 수입을 현금으로 확보하는 일만큼이나 중요한 경우가 많았다. 라일라 천의 시아주버니는 앤_Ann과 샌디_Sandy를 팔아버리라고 충고했다. 라일라의 자매가 이렇게 기록했다. 그가 말하길 "그 둘이면 4천에서 5천 정도는 받을 수 있을 겁니다. 그들이 당신을 돌봐주기 보다는 그들을 먹이는 데 들어간 돈이 더 많아요." 피난민들이 많은 수의 노예들을 데리고 떠나간 지역들에는 전쟁이 끝나기 일 년 전쯤 시장에 노예들이 넘쳐났다. 일례로, 1864년 텍사스에서는 한 재산관리인이 고인의 노예들을 팔아도 한 푼도 못 받겠다며 투덜거렸다.[37]

어떤 백인가정들에게는 노예시장의 이런 변화와 구입가능성이 높아진 점이 놓치기에는 너무나 아까운 기회였다. 전쟁으로 빚어진 혼란이 생전처음으로 노예 소유주가 될 수 있는 길을 열어주었기 때문이다. 이런 가정의 가장 역할을 하는 여성들은 노예소유라는 새로운 의무를 신분상승의 기회로 보고 환영하였다. 노스캐롤라이나 주 프랭클린_Franklin의 메리 벨_Mary Bell은 남부의 노동력에 생긴 새로운 유동성을 적극적으로 이용했다. 그녀는 1864년 캐롤라이나 연안에서 그녀가 사는 산악지대 마을로 이동한 3명의 노예

가족을 구입하였다.[38]

1861년 남편 알프레드_Alfred가 전쟁 때문에 집을 떠난 후, 메리는 임대노예 두 명에게 의존하고 있었는데 그녀의 땅에서 소작을 하는 백인이 명목상의 관리인이었다. 그러나 톰과 리자_Liza는 끊임없이 문제를 일으켰으며 1862년에는 톰이 고기를 훔쳤을 뿐 아니라 메리 시아주버니의 개도 독살시킨 사실이 드러났다. 한동안 리자는 며칠 동안 모습을 감추었고 메리는 일꾼들을 제대로 부리지 못한 자신의 무능력에 대한 좌절감으로 속이 쓰렸다. 메리는 부분적으로는 자신이 의지하던 백인남자들, 소작농과 시아버지 그리고 시아주버니가 적절하게 도와주지 못해서 이런 결과가 초래되었다고 믿었다. 그녀는 1862년 5월 알프레드에게 "당신 아빠는 톰을 제대로 통제하지 못해요. 그 분은 톰이 너무 제멋대로 굴게 놔두시거든요. 이 전쟁이 끝날 때까지는 제가 남자도 되고 여자도 될 수 있으면 좋겠어요."라고 썼다. 그녀가 믿고 있던 백인남자들에게 실망한 메리는 있을 수 없는 일이라는 것을 알면서도 그 불가능을 꿈꾸었다. 그녀는 남자로서 힘을 발휘하거나 그녀 자신이 남자를 통제하는 능력이 있으면 하였다. 그녀는 너무나 울화가 치민 나머지 임대노예들을 완전히 포기할 각오가 되어있었다. 일주일 후 메리가 남편에게 편지를 썼다. "톰은 돌아오지 않았어요. 저는 톰 없이 일하게 된 것이 아주 만족스러워요. 그는 너무 게을러서 급여로 주는 음식과 옷이 아까울 정도였답니다. 게다가 항상 소란을 피웠고요."[39]

그러나 메리가 노예 관리인으로서 느끼는 불만의 원천은 성별 문제이거나 -비록 성별도 문제의 한 부분으로 보기는 했지만- 전시에 주인과 노예의 관계가 무너졌기 때문이 아니라 그녀에게는 자신의 일꾼에게 행사할 수 있는 법적인 영향력이 거의 없었다는 점 때문이었다. 그녀는 그들의 주인이 아니었다. 그들과 그녀의 관계는 영구적인 것이라기보다 일시적인 것이었다. 메리는 노예에 대한 완전한 소유권이 있다면 지금 겪는 문제가 해결될지도 모른다는 생각을 했다.

그래서 1864년 3월, 시아주버니의 도움과 조언으로 '검둥이 매매'에 참가해서 트림_Trim과 그의 아내 팻시_Patsy, 딸 로사_Rosa를 구입했다. 처음에 메리는 새로 취득한 자산에 흥분해서 "내 검둥이들한테 아주 만족한다."고 자신 있게 말했다. 그러나 그 감격은 얼마 안가서 사그러들었다. 그 해 11월, 알프레드에게 편지를 쓴 그녀는 만약 제대한 그가 집에 와서 모든 것이 얼마나 엉망인지를 본다면 다시 부대로 돌아가길 원할 거라고 했다. 팻시의 건강이 좋지 않으며 발작을 일으킨다는 사실이 밝혀졌고, 그 때문에 "살아있는 동안 우리에게 짐이 될 터였다." 게다가 메리가 거래에서 사기를 당했음이 밝혀졌는데, 팻시는 사실 자유인이었다. 메리는 사실상 노예 세 명이 아니라 한 명을 구입한 것이나 다름없었다. 로사의 법적신분이 어머니의 신분을 따르게 되기 때문이었다. 트림 역시 논밭에서 쓸모가 없는 존재였다. "당신이 집에 있지 않는 한 우리는 농사를 얼마 짓지 못할까봐 걱정스러워요." 12월에 그녀가 알프레드에게 쓴 편지이다.[40]

메리는 이 노예들을 다른 노예들로 바꿀까 하는 생각을 해보았지만 처음에 신분상승과 재산의 증가를 꿈꾸었을 때보다 노예가 가져다줄 것에 대한 기대치가 상당히 낮아진 상태였다. 아기를 출산하고 일이 더욱 버거워진 메리 벨은 리지 네블렛과 마찬가지로 노예제도의 가장 큰 장점이 가사를 덜어 줄 누군가가 집에 있는 것이라고 생각하게 되었다. 1864년 무렵 메리 벨이 꿈꾸는 최대한의 사치는 '아침에 일어나서 아침밥을 차려줄 수 있는 여자'였다. "요즘같이 추운 날 아침에 일어나는 일은 지긋지긋하다."[41]

모든 것을 고려해 볼 때 관리인으로서 그리고 풋내기 노예소유주로서 그녀의 경험은 견디기 힘든 것이었다. 1864년 11월, 그녀는 남편에게 이렇게 썼다 "당신이 집에 있지 않는 한 검둥이들한테서 얻는 이익보다 유지비가 더 많이 들 거예요. 당신이 있으면 트림도 우리한테 도움이 될 거라고 생각해요." 옥수수 수확량이 형편없고 감자가 밭에서 썩는 것을 본 메리는 "올해는 되는 일이 하나도 없다."며 풀이 죽었다. 낙천적인 생각과 열정을 가지고 노예 감독관으로서의 임무를 시작한 메리는 결국 리지 네블렛과 같이 개인적인 무능함과 심한 패배감을 맛보았다. 그녀가 남편에게 되풀이해서 말한 것처럼 '당신이 집에 있지 않는 한' '당신이 집에 돌아오기 전에는' 일이 원활하게 돌아가지 않을 터였다. 메리는 1864년 12월, 남편에게 보낸 편지에서 이렇게 말했다. "당신은 제가 자신에 대한 믿음만 있다면 훌륭한 농장주가 될 수 있다고 말씀하셨죠. 솔직히 말하면 저는 제 판단과 관리에 대한 자신감이 거의 없어요. 저도 좀 더 자신감이 있었으면 좋겠어요. 만약 그랬다면 풀이 죽지도 않았겠지요. 저는 거의 포기할 지경 이예요. 그럴 때면 내 운명이 다른 사람보다 가혹한 게 틀림없다는 생각을 해요."[42]

백인 상류층 여성들 사이에서 커져가던 노예제도에 대한 환멸은 바로 이 모든 것을 '포기하고' 노예감독이라는 짐과 흑인들의 보복에 대한 공포에서 벗어나려는 마음에서 비롯되었다. 노예들은 갈수록 반항적으로 변했고 그들의 노동에서 얻는 그 어떤 명백한 이익보다도 그들의 보복에 대한 두려움이 압도적으로 큰 경우가 많았던 것이다. 많은 이들이 그 제도의 폐단을 인정하고는 있었지만, 노예를 소유한 여성들 중에는 간혹 체제의 도덕적 합법성

혹은 정치적 합법성에 심각한 의문을 제기하는 사람들은 거의 없었다. 게르트루드 토마스는 '우리 남자들과 소년들을 풍기문란하게 하는' 제도라는 점을 지적했으며, 메리 체스넛도 백인남성들이 흑인여성들에게 성적으로 접근하는데 거의 아무런 제약을 두지 않는 제도라며 강하게 비판했다. 그러나 그녀가 근심하는 것은 게르트루드 토마스 같은 사람들과 마찬가지로 착취당하는 노예보다는 그 사회적 제도가 백인들과 백인가족들에게 미칠 영향이었다. 남부 백인여성들은 그 시대 인종차별을 받아들이는 데 전혀 거리낌이 없었다. 체스넛은 흑인들이 "태생적으로 불결하고, 단정치 못하고, 게으르며, 지독한 냄새가 난다"고 말했다. 노스캐롤라이나 어느 여성은 노예들이 의문의 여지없이 열등한 존재이며 백인들 사이에서 가정을 갖도록 '축복받았다.' 고 썼다. 제인 호위슨 비일_Jane Howison Beale은 흑인들이 백인을 섬기는 것은 하늘이 결정한 운명이고, 오직 그 운명을 따를 때만이 쓸모 있는 존재로 존중받을 수 있다고 확신했다.[43]

그러나 남부의 노예 여주인들은 흑인들에게 유익한 제도라고 확신했던 것이 반드시 그들의 이익을 보장하는 것은 아니라는 생각을 하게 되었다. 남부 연합 여성들은 전쟁이 있기 전, 노예제도 옹호론자들이 노예제도의 가치를 강력하게 주장했던 바와 같이 '추상적으로' 노예제의 장점을 받아들이기 힘들었다. 노예제도의 의미는 정치나 도덕적 철학이라는 동떨어지고 지적인 영역에서 설명될 수 있는 것은 아니었다. 노예를 소유한 여성들이 그 제도 때문에 감수해야 하는 감정적, 물질적인 손실이 증가하자 여러 노예 여주인들은 노예제도가 장점보다 불편한 점이 훨씬 많은 제도라고 생각하기 시작했다.

1863년 남부 연합의 승리를 아직도 예견하고 있던, 라일라 천은 전쟁 후에 노예 없이 할 수 있는 새로운 일을 생각해보라고 남편을 설득했다. "저는 가끔씩 노예를 소유한 수가 적을수록 그 사람은 더 행복할거라고 생각해요." 테네시의 새라 케네디_Sarah Kennedy는 1863년 "마음 내키는 일을, 마음 내키는 방법으로, 마음 내키는 시간에 일을 하는 하인들로 걱정하느니 차라리 나 혼자 일을 다 하는 편이 나을 것이다… 만약 우리가 노예들에 걸맞은 제대로 된 가격을 받을 수만 있다면, 그들이 없는 편이 한결 살기 좋을 것이다."라는 결론에 도달하였다. 케지아 브레바드도 이에 동의했다. "노예를 관리하는 일은 정말 신물이 난다. 만약 양심의 가책 없이 그들을 버릴 수만 있다면 그렇게 하였을 것이다… 제대로 요리된 음식 하나도 먹지 못한다면 그 많은 노예가 무슨 소용이 있단 말인가?" 보이스 부인_W. W. Boyce은 1862년 사우스캐롤라이나 하원의원인 남편에게 편지를 썼다. "농사일에 온 신경을 쏟는 일은 저한테 벅찬 일이라는 걸 당신이 아셔야 해요. 저는 명령은 아주 잘 내릴 수 있지만 그 명령에 따르지 않으면 화를 억누를 수가 없어요… 저는 언제든 당신에게 도움의 손길을 내밀 준비가 되어있지만, 제멋대로인 검둥이들을 관리하는 일에는 완전히 질렸다는 말씀을 드려야겠네요." 게르트루드 토마스는 1864년, "인간으로서의 검둥이는 자유의 몸이 되는 것보다… 우리와 함께 있는 편이 더 나을 거라는 생각이 든다. 검둥이에게 자유를 준다고 하더라도 우리가 잃을 것은 없다고 확신한다. 만약 우리 일을 도와줄 뭔가 다른 것에 투자한 동일한 것이 있다면 나는 기꺼이, 아니 즐거운 마음으로 그들에 대한 책임을 내 어깨에서 떨쳐버렸을 것이다."[44]

리지 네블렛과 같이 백인여성들은 노예제도로 인한 시련에 초점을 맞추었고, 그 특이한 제도-그리고 그 굴레 안에서 억압받고 있는 말썽 많은 흑인들-가 마술처럼 사라지기를 열망하였다. 케지아 브레바드는 이렇게 기원했다. "노예폐지론자들과 검둥이들에게는 그들만의 나라가 있고, 언제나 주님의 진실과 사랑을 행하기를 원하는 우리들은 우리들 나라에 살았으면 좋겠다. 하느님 아버지시여, 다음 세상에서는 우리를 따로 떼어 주시옵소서, 우리가 서로 함께 하지 않게 하여 주시옵소서." 그러나 이런 환상을 품고 있는 많은 여성들은 또 한편으로 리지 네블렛과 같이 '내 시중을 들어줄 좋은 노예 한 명'에 대한 동경을 갖고 있었다. 백인여성들에게 이것은 노예해방으로 초래될 엄청난 대가였다.[45]

우리 가정에서 일어난 엄청난 격변

1862년 여름, 남부 연합의 한 여성이 작은 여자아이 두 명이 하는 '숙녀놀이'를 우연히 듣게 되었다. "안녕하세요, 부인," 어린 샐리_Sallie가 친구에게 말했다. "오늘은 좀 어떠세요?" "오늘 아침은 기분이 썩 좋지 않군요." 샐리보다 네 살 많은 내니 벨_Nannie Belle이 대답했다. "우리 검둥이들이 저를 남겨두고 모두 도망갔답니다."[46]

전쟁이 시작되고 한 달이 지난 무렵부터 백인여성들은 가정에서 또 다른 변화에 직면했으니 바로 어느 버지니아 여성이 '우리 가정 내 모든 관계의 붕괴'라고 설명했던 노예들의 이탈이다. 이따금씩, 특히 북부 군대가 그 지역 전체를 휩쓸 때면 손실은 엄청나고 즉각적이었다. 앨라배마의 새라 휴즈_Sarah Hughes는 길가에 서서 자신의 노예 수백 명이 참여한 자유를 향한 의기양양한 행렬을 지켜보고 있었다. 숙모인 사라를 방문하던 조카 엘리자 워커_Eliza Walker는 휴즈 농장에 가까워졌을 때 그녀를 맞이한 그 장면을 묘사했다.

블루코트_Bluecoats가를 따라… 내려왔다. 그리고 거리를 메운 모든 노예들은… 그들이 생각하는 약속의 땅으로 길을 떠났다. 나는 큰 길을 따라 터벅터벅 걷고 있는 그들… 팔에 아기를 안은

앨라배마 농장의 여주인, 사라 휴즈. 몽고메리(Montgomery) '앨라배마 역사보관소(the Alabama Department of Archives and History)' 소장.

> 많은 여성들, 노인들과 젊은이들, 남자들과 여자들 그리고 어린 아이들을 보았다. 그들 중 어떤 이들은 다른 이들보다 형편이 나았다. 우리 숙모가 좋아하던 재봉사였던 여자 검둥이 로라_Laura는 여주인의 화려한 붉은 색 안장을 얹은 하얀 조랑말을 타고 있었다. 나이든 마부 탤리어페로_Taliaferro가 모는 휴즈 가족의 마차는 푸른 색 코트를 입은 군인들과 검둥이들을 가득 태우고 당당하게 지나갔다. 그리고 그 뒤를 다른 탈 것들이 뒤따랐다.

믿을만한 하인들과 함께 길을 떠난 새라 휴즈의 노예들은 그녀의 세계를 엉망으로 만들었다.[47]

노예들의 이탈은 일반적으로 덜 극적이고 보다 은밀하게 행해졌다. 흑인들은 연방군대와 자유에 가까이 갈 수 있는 기회가 생겼을 때 한 명씩 또는 두세 무리로 나뉘어서 몰래 달아났다. 버지니아 주 미들버그_Middleburg의 캐서린 코크란_Catherine Cochran은 "아침은 채 밝지도 않았고, 도망간 사실은 알려지지 않았다. -때때로 사람들은 아침에 일어나서 하인들이 모두 사라진 것을 발견하게 되었고, 우리는 그런 일이 일어나리라는 것을 예상하지 못한 채 잠자리에 들었다."고 말했다. 윈체스터 근처의 메리 리는 장기간에 걸쳐 노예집단의 붕괴를 경험했다. 1862년, 그녀의 남자노예들이 처음 떠났다. 에밀리_Emily와 베티_Betty도 따라갈 것이라고 협박을 하였다. 리는 그들 모두를 한꺼번에 잃지 않기 위해 연방군으로부터 멀리 떨어진 좀 더 안전한 곳으로 그들을 보낼 생각을 했다. 비록 위험부담이 따르더라도 가정에서 일상적인 도움을 받는 것은 꼭 필요한 일로 여겨졌다. "나는 천한 일이 혐오스럽다." 고 메리가 솔직하게 말했다. 그러나 자신의 자산을 계속 유지할 수 있을지에 대해서는 확신이 서지 않았다. "아침에 잠에서 깨어났는데 하인 중 누군가 물을 가져오고 아침을 준비해줄 것인지가 분명하지 않다면 곤란한 일이 아닐 수 없다…우리 집 하인들이 떠나고 그들이 하던 일을 하게 될까봐 겁이 난다." 1863년 1월, 베티가 다시 집을 나가는 문제에 대해 이야기했을 때 메리의 시누이 로라 리는 그 흑인여성이 출발을 예상하고 꾸려놨던 옷가지들을 압수했다. 로라는 "가능하다면 그들을 잃지 않겠다."라고 마음먹었다. 그러나 일시적인 방해에도 불구하고 베티는 다음 여름 영원히 떠났고 리의 가족들은 노예를 잃고 옷도 잃었다.[48]

1865년 1월, 윈체스터를 떠나 몸을 피하던 메리 리는 가족들이 여전히 새라와 에밀리_Emily 두 모녀의 시중을 받고 있는 것을 보고 깜짝 놀랐다. 그녀들은 반복적으로 협박하고 격렬하게 대항하였음에도 불구하고 아직 자유를 찾아 도망가지 않았다. 메리 리는 노예들의 충성이 계속될 거라는 환상은 거의 갖고 있지 않았다. 전쟁이 발발하고 얼마 지나지 않았을 때 그녀는 "어느 노예에 대해서든 충성을 다 할 거라는 확신은 전혀 가져본 적이 없어요."라고 분명히 말했다. 노예들이 하나둘씩 모습을 감췄을 때 그녀가 느낀 슬픔은 매우 실리적인 이유에서였다. 그녀는 일손을 잃어서 슬퍼한 것이지 노예들이 충성보다 자유를 선택했기 때문에, 주인과 노예 관계에 대한 환상이 깨져서 슬퍼한 것이 아니었다.[49]

이와 대조적으로 사우스캐롤라이나의 어떤 여성은 집안일을 하던 노예들 중 가장 의지하던 세 명이 떠나자 "비참할 정도로 침울해졌다." "그들이 지금의 나와 같은 감정을 가졌더라면 나를 버리고 떠나지는 못했으리라." 인적자산이 떠났을 때 독실한 장로교 신자인 조지아의 존스 가족이 느낀 분노에 가까운 배신감을 드러낸 것은 종교적으로 노예제도 지지자였던 그들의 고집스러운 모습을 보여준다. 에바 존스_Eva Jones는 세 명의 여자노예가 "우리 중 어느 누구에게도 애정 어린 작별인사를 하지 않은 채" 자유를 찾아 떠나자 화가 나서 정신이 혼미해질 지경이었다. 메리 존스는 노예들의 '배은망덕'에 깊은 상처를 받았다. 노예제가 상호간의 권리와 의무를 토대로 한 기독교 제도라는 개념에 익숙한 그녀는 흑인들이 자유를 갈망하는 것은 노예제도 안에서 헌신적으로 의무를 이행하였던 그녀의 노고를 제대로 평가하지 못한 것으로 이해하였다. "내 평생 동안…그들을 보살피려고 애를 썼다. 전쟁이 벌어진 이후에는 혼신의 힘을 다해 원하는 것을 제공했고, 직접적으로나 간접적으로 그들을 부양하기 위해 내가 가진 모든 것을 썼다. 그리고 이것이 내가 그들에게 받은 보답이다." 메리 존스는 흑인들의 행동으로 충격을 받은 상황에서조차도 노예제도가 상호간의 도움이 되는 제도라는 자신의 의견에 노예들이 동조하지 않았다는 사실을 이해하지 못했다. 자유로워질 기회를 얻은 흑인들에게 남부백인들이 만든 제도를 지켜야겠다는 의무감은 전혀 없었다.[50]

전쟁의 위급한 상황 속에서 고통 받고, 날이 갈수록 늘어만 가는 가사노동에 치인 백인여성들은 오래지 않아 메리 리가 그랬듯이 노예들의 이탈에 담긴 관념적인 의미보다는 현실적인 의미에 초점을 맞추었다. 1861년 12월, 19살 난 하인이 사라졌을 때 캐서린 브로운은 남편이 자신의 고통을 알아주지 않는다며 불평을 늘어놓았다. "그는 좋은 하인을 거느렸는지의 여부가 여자의 행복을 얼마나 크게 좌우하는지 알지 못한다." 남부 상류층 사람들의 근간이 되는 정체성의 의미는 인생에서 하찮은 일을 대신 해줄 사람을 소유했는가에 달려있었다. 사우스캐롤라이나의 귀족 샬롯 라브넬_Charlotte Ravenel은 요리를 책임질 노예를 구하던 시기에 거의 10일 동안 직접 음식을 해야만 했다. 1865년 3월, 그녀는 분명한 어조로 이렇게 기록했다. "뉴포트_Newport가 요리를 맡았고, 우리 모두는 다시 숙녀가 되었다." 조지아의 어느 여성은 운이 좋게도 라브넬이 가까스로 탈출한 운명을 피할 수 있었다. 그 여성의 딸 엠마 프레스콧_Emma Prescott이 기억하기에 "우리 어머니가 처음이자 유일하게 식사를 준비하신 날은 검둥이들이 모두 떠난 다음 날이었다. 어머니는 부엌으로 가서 아침을 만드셨다. 그녀는 밀가루 약간을 접시에 부은 다음 그대로 서서 다음에 무엇을 할 것인지 생각했다. 그때 한 나이든 남자 검둥이가 창가에 나타나서 말했다. '이런! 마님이 아침을 만드시는군요.' '내가 여기 들어오는 일은 없을 거야. 자네가 식사를 준비하게나.' 그리고 그것이 그가 한 일이었다."[51]

백인여성들은 노예들의 이탈에 대한 반응을 통해 하인들에 대한 의존도가 어느 정도였는지를 후손들에게만 알린 것이 아니라 자기 자신들에게도 알린 셈이었다. 집안일과 식사 준비가 자동화된 오늘날에는 19세기의 가사노동에 어느 정도의 솜씨가 필요했는지 떠올리기란 쉽지 않다. 많은 노예 여주인들이 이런 기본적인 것들도 할 줄 몰랐고 다양한 범위의 기본적인 가사를 노예들에게 일임하고 있었다. 한 세대 전의 역사학자 앤 피어러 스콧_Ann Firor Scott은 남부숙녀에 관한 일반적인 지식에 혁명을 일으켰다. 그녀의 주장에 따르면 남부숙녀는 게으르지도 않았고 애지중지하게 길러진 사회통념과 로맨스의 꽃도 아니었다. 그보다는 오히려 노동자였으며, 농장의 효율성과 질서를 위해 없어서는 안 될 정도로 많은 기여를 했다는 것이 그녀의 주장이었다. 노예들이 떠났을 때 백인여성들이 보인 행동은 이 주장에 대해서 주목할 만한 전망을 제시하고 있다. 만약 농장 여주인들, 특히 대규모 농장이나 대농장의 여주인들이 정말로 일을 열심히 했다면 음식과 옷을 정리하거나 집안에서 업무를 할당하는 것과 같이 정리하고 관리하는 일에 엄청날 정도로 몰두했었을 것이다. 왜냐하면 전쟁과 노예해방을 계기로 많은 백인여성들 스스로가 일상생활에서 기본적인 일을 하는 방법에 대해 완전히 무지하다는 사실을 깨달았기 때문이다.[52]

'내 손으로 손수건 한 장 빨아본 적이 없는' 루이지애나의 어떤 숙녀는 갑자기 온 식구들 옷을 세탁하는 법을 배워야 했다. 케이트 포스터는 노예들이 집을 나갔을 때 설거지를 책임지게 되었다. 그녀는 빨래를 하면서 "이런 험한 일을 하기에는 너무 귀하게 자랐지만 살기 위해 건강을 거의 망칠 정도로 일했다." 미시시피의 농장주 토마스 데브니_Thomas Dabney는 노예들이 떠났을 때 숙녀들이 빨래를 한다는 생각에 충격을 받아서 딸들에게 자신이 직접 그 일을 맡겠노라고 주장했다. 피츠버그의 리지 카터는 유모가 떠나자 모성애를 새롭게 인식할 수 있는 기회를 얻었다. 그녀는 "나는 전에는 아이들을 키우는 일이 고생스럽다는 것을 전혀 몰랐다."고 언니에게 푸념했다. 미주리_Missouri의 마사 혼_Martha Horne은 "여자 검둥이들이 떠났을 때 한 번도 음식을 해본 적이 없던 터라 배우는 데 애를 먹었다." 아만다 워싱턴_Amanda Worthington은 물 끓이는 법을 배우는 데 힘들었던 점을 말하며 자신이 "요리사로는 어울리지 않는다."고 결론 내렸다. 1865년 5월, 말비나 기스트는 "나는 피아노 연주 대신 요리하는 법을 배웠다. 음식을 준비하는 실질적인 지식은 이 중요한 때에 나에게 큰 도움이 될 것이다."라며 기대감을 드러냈다. 헨리에타 바_Henrietta Barr는 요리사가 떠나자 부엌일을 맡았다. 그녀는 일기장에 털어놓았다. "(이렇게 고백하는 것이 굴욕적이기는 하지만)나는 확실히 그녀만큼 훌륭하게 해내지는 못한다. 내가 분명히 말할 수 있는 것은 요리는 내 특기가 아니라는 것이다."[53]

남부 숙녀들의 특기가 노예관리에 있었던 것 같아 보이지도 않았다. 이 여성들은 노예와 같이 살수도 없고 그들 없이도 살 수 없다는 생각을 하게 되었다. "그들이 없으면 비참하지만 그들이 있어도 안 좋을 것이다. "고 갤버스턴_Galveston의 아멜리아 바_Amelia Barr가 고백했다. 여성들은 이미 '남자들의 일을 하려는 노력' 과 노예를 지휘하는 일에 좌절감을 느꼈고, 그들은 그들보다 열등한 인종이 하는 일을 할 때도 마찬가지로 무능하다는 느낌을 받는다는 것을 알았다. 헨리에타 바와 같이 많은 이들이 그 상황을 '굴욕적' 이라고 여겼다. 버지니아의 마셀라 페이지 해리슨_Mattella Page Harrion은 금방이라도 노예들이 도망갈 거라고 예상하면서 이렇게 썼다. "지금의 우리처럼 하인들에게 그토록 의존하는 것은 대단한 치욕이라 할 수 있다."[54]

여성이 의존적이고 나약하다는 관념이 그저 남부 성별 이데올로기의 핵심이기만 했던 것은 아니다. 백인 숙녀들은 전쟁이라는 환경에서 그것이 너무나 고통스러운 현실이라고 생각했다. 자신들이 나약하다고 믿도록 사회화되고, 일상에서 기본적인 일조차 하지 않아도 될 만큼 보호받으며 살았던 백인여성들은 전쟁이 야기한 새로운 삶을 살 준비가 되지 않았기 때문에 마치 새로운 환경에서 불구자가 된 느낌이었다. 그러나 그들이 변화를 극복하려고 투쟁하게 되자 옛 관습에 집착하던 태도도 흔들리게 되었다. 문명화된 사회의 기초이며 그들의 국가가 전쟁을 벌인 목적이기도 했던 노예제도는 점차 이익이 되기보다는 짐이 되는 것처럼 보였다. 백인여성들은 이를 위협이 된다고 생각하였다. 백인여성들이 가장 기초적인 여성의 권리라고 믿었던 것을 보장하지 못하고, 여성들을 보호하지도 못할 뿐더러 건방지고 심지어 반항적이기까지 한 노예들을 통제하지도 못한 남부 연합 남자들은 남부의 특이한 제도의 기반만이 아니라 백인여성과 흑인노예들로 이루어진 가정의 우두머리로서, 백인남성으로서 가진 권력의 정당성마저 훼손시켰다.

CHAPTER FOUR

We Must Go to Work, Too

CONFEDERATE WOMEN AND SLAVERY

제4장

우리도 일을 해야 한다

1861년 9월, 버지니아의 마리아 허바드_Maria Huabard는 "내 인생에서 보기 드문 사건!"이라고 일기에 썼다. 생전처음으로 '보수가 주어지는' 일을 시작하였다고 그녀는 흥분해서 일기에 썼다. 많은 남부 연합 여성이 노예들과 논밭을 관리하고 여성이 가장인 가정을 안정시키려고 애쓰급되는 일을 하기 시작했다.[1]

남부에서는 농업의 비율이 압도적으로 높았고, 19세기 중반에 북부 남녀 수천 명이 북부 도시와 공장에서 임금을 받는 노동자가 되었을 때도 이 지역은 제조업과 상업이 발달하지 않았다. 일부 백인여성들은 경제적인 이유로 전쟁 전 아직 발달하지 못한 남부의 산업체에서 일자리를 구해야 하는 처지가 되었고, 여성들은 모자상인, 제과기술자, 재봉사, 세탁부, 하숙집과 여관 관리인 등 다양한 직업에 종사할 수 있었다. 그러나 북부의 백인여성들에 비해 전반적으로 훨씬 적은 수의 남부 여성들이 가정을 벗어나 일자리를 얻었고, 이들 중 중산계급이나 상류계급 여성들의 수는 더 적었다. 그런 일을 한 남부의 백인여성들은 필요에 의해 어쩔 수 없이 한 것이고 그들의 노동은 사회적 지위가 격하되는 치욕과 막연하게 좋지 않은 평판이 뒤따랐다. 교사나 상인과 같은 직업이 북부에서는 중산계급 여성들에게 어울리고, 존경받는 직업으로 간주되었지만 남부에서는 전적으로 남성들의 영역에 남아 있었다.[2]

대규모 군사동원과 전쟁에서 비롯된 물자수요를 충당하려면 남부 노동력이 엄청나게 큰 폭으로 증가해야 했고, 이것은 공적 영역에서의 생산 활동과 자신들과는 거리가 있다고 생각하던 중산, 상류계급 여성들을 포함한 백인여성들의 협조가 있어야만 가능한 일이었다. 처음에는 무수히 많은 여성들에게 소외감과 보잘 것 없는 느낌을 맛보게 했던 전쟁이 얼마 지나지 않아 남부 최상류계층의 여성들의 노동과 희생도 필요로 하게 되었다. 로버트 반웰_Reverend Robert Barnwell 목사는 찰스턴의 숙녀들에게 했던 연설에서 "여러분 없이는 이 전쟁이 계속되지 못했을 겁니다. 정부가 모든 일에 대처할 준비를 하지 못했기 때문입니다."라고 강조했다. 예기치 않게 여성들이 새로운 역할과 직업을 갖게 되자 남부 연합 전역의 사람들은 호기심을 가지고 여기에 대해 저마다의 의견을 피력했다. 1862년 조지아의 라일라 천은 전방에 있는 남편 윌리에게 새로운 소식으로 그 현상을 전했다. "지금 이곳에서는 숙녀들이 장사를 하고 있어요… 남편들은 군에 입대했고요. 남부에서 여성이 카운터 뒤에 있는 모습이라니, 정말 우습지 뭐에요. 그렇지만 양키들에게는 그런 것이 관습이니까 만일 여기가 양키들 나라였다면 그것도 자연스러워 보였을 거예요. 저는 그런 관습, 그러니까 숙녀가 아무하고나 얼굴을 마주하고 거래를 해야 된다는 생각이 마음에 안 들지만요. 그런 일은 얼굴이 두꺼운 북부여성들에게나 어울리지요. 그래도 꼭 필요한 일이라면 우리 여성들은 장사도 하고 우리가 할 수 있는 모든 일은 다해서 자유를 위한 위대한 투쟁에 힘을 보탤 생각이랍니다."[4]

여성들이 일을 하게 된 데에는 아마도 남부의 자유를 위해 공헌하겠다는 애국적인 마음보다는 개인적인 필요가 훨씬 더 큰 이유로 작용했을 것이다. 더 힘들어진 경제상황도, 이전에는 단 한 번도 생계비 마련에 대한 생각조차 해보지 않았던 남부 연합 여성들이 급료를 받는 노동자가 될 수밖에 없었던 요인이었다. 2천5백만 달러 상당의 농장을 소유한 농장주 딸인 게르트루드 토마스는 1864년 9월에 "언젠가는 내 손으로 생활비를 벌어야 될 것이라는 생각이 몇 번 들었다."라고 기록했다.[5]

그러나 개인과 국가의 생존을 위해 꼭 필요한 일이라고 할지라도 여성이 사회에서 급료를 받는 직업을 갖는 것은 개인적으로나 사회적인 관념상 쉽지가 않았다. 왜냐하면 그것은 여성이 의존적이라는 것과 여성의 영역은 분리되어야 하며 가사에 국한되는 것이 타당하다는 뿌리 깊은 관념을 부정하는 것이었기 때문이다. 남부 연합이 여성의 노동을 필요로 하고, 보수가 있는 일을 절실하게 원하는 여성들이 많아지면서 여성의 연약함과 품위에 대한 남부의 인식은 의미심장하게 도전받게 되었다. 라일라 천과 같이 전통을 벗어난 새로운 출발의 필요성을 이해하고 지지했던 사람들조차 일하는 여성들은 '얼굴이 두껍다' 고 생각했다. 남부사람들이 이런 변화를 불안한 눈으로 바라보았기 때문에 가정에서 일터로 옮겨간 특권계급 여성들의 움직임은 많은 사람들로 하여금 계급과 성별의 정체성을 구성하는 적절한 요소가 무엇인지를 생각하게 하고, 공개 토론을 확산시키기도 했다. 또한 이와 동시에 새로운 삶이 가져올 기회와 어려움에 대한 여성들의 반응이 각양각색이었기 때문에 개개인이 상당한 혼란을 겪기도 했다.

어디서 교사를 구할 수 있을까요?

여성들이 눈을 돌린 첫 번째 직업 중 하나가 교사였다는 사실은 그리 놀라울 것도 없다. 교사가 되려는 시도는 자신의 아이들에게 양육자이자 교사였던 여성의 전통적인 책임감, 즉 모성과 밀접한 관련이 있는 것처럼 보였다. 북부에서는 이미 전쟁 전에 대부분의 교사가 여성들이었지만 남부에서는 여성들이 교실을 책임지는 일을 장려하지 않았다. 예를 들면 1860년, 노스캐롤라이나에서 여교사의 비율은 전체의 7%에 불과했다. 그러나 전시에 이 비율이 가파르게 증가해서 종전 무렵에는 남성 교사와 여성 교사의 수가 비슷해졌다.[6]

남부 연합의 대중 토론에서는 이 극적인 변화와 여성의 지성 및 특성에 대한 보다 포괄적인 의미에 대해 지대한 관심을 보였다. 변화에 대한 가장 일반적이고 공공연한 주장은 여성은 가르치는 일이 필요하고 가르치는 일에는 여성이 필요하다는 것이었다. 노스캐롤라이나 국립초등학교의 교장 캘빈 와일리_Calvin Wiley는 1862년 연례보고서에서 "시대상황 때문에 부득이하게 생계를 위해 일을 해야 하는 여성들이 많지만, 아이들의 정신과 마음을 형성하는 일보다 더 여성의 본성에 적합하고 재능을 발휘할 수 있는 직업은 없다."라고 기록했다. 『오거스타 데일리 컨스티투셔널리스트_*Augusta Daily Constitutionalist*』지는 와일리의 주장을 되풀이하며 교사직은 여성의 본질적인 특성과 아주 잘 어울리는 일이라고 말했다. 신문은 자신 있게 선언했다. "여성은 천성적으로나 도덕적으로 아이들의 선생님으로서 손색이 없다." 그러나 편집자는 곧 숭고한 정신적인 기준을 강조하던 태도에서 벗어나 현실적으로 고려할 사항들을 언급했다. "전쟁은 젊은 남자들을 집어 삼켰다." 우리에게 남은 것이라고는 여교사들밖에 없다… 그들은 반드시 우리의 교사가 되어야 한다. 그렇지 않으면 우리는 교사가 없는 생활을 해야 할 것이다."7

『센트럴 프레즈비티어리언_Central Presbyterian』지는 그 문제를 무척 현실적인 사안으로 여겼다. 그 신문은 노스캐롤라이나의 스테이츠빌 여자대학_Female College of Stateville이 교사들의 부서를 신설했음을 알리며 전쟁터로 당당히 나아간 그들의 형제들처럼 "우리나라의 젊은 숙녀들은… 이 의무를 위해 자발적으로 나서야한다."라고 주장했다. 데이비슨 대학_Davidson College의 학장 커크패트릭_J. K. Kirkpatrick 또한 남성 군인들과 여성 교사들 사이의 유사한 점이 있다는 것을 깨달았고 아들들을 전쟁터로 보낼 때와 같이 딸들을 학교로 보내는 것에 대해서도 부모들의 반발이 있으리라 예상했다. 그러나 그는 교육운동에 애국주의적 협조를 얻으려고 노력했다. "그것이 여러분이 딸들을 위해 꿈꾸었던 인생은 아닐지도 모릅니다… 여러분은 국가의 제단에 아들을 바쳤습니다. 여러분의 딸들이 여성에게 이로우며 고귀한 의무를 다하는 것을 허락지 않으시겠습니까? 그렇지 않으면 이 나라는 우리의 냉혹한 적군이 우리 목에 드리우는 것보다 더욱 수치스럽고 가혹한 멍에를 지게 될 것이 틀림없습니다. 무지와 그에 따른 부도덕과 타락의 멍에를 말입니다." 커크패트릭은 노스캐롤라이나의 졸업반 여성들에게 솔직하게 이렇게 말했다. "우리 여성은 가르치는 일에 종사해야만 한다… 그 외에는 달리 방도가 없다."8

전시의 필요성과 여성의 천성적 자질이 맞물리면서 "여성 고용의 범위가 넓어졌다." 이는 최소한 남부 연합의 공적 담론에서 이데올로기적 선언으로는 꼭 필요한 일이었을 뿐 아니라 자연스럽고 바람직한 현상이었다. 1861년, 『드 보우스 리뷰_De Bow's Review』지는 남부는 '가르치는 일이 천한 직업으로 분류' 되거나 '사회적으로 품위가 떨어지고' '양키여자들에게나 어울리는' 일로 여기는 풍조를 극복해야 한다고 충고했다.[9]

그렇지만 『드 보우스』지에서 지적되었듯이 극복해야 할 문제는 이런 사고방식의 변화만이 아니었다. 남부에는 여성을 교육시키기 위한 적당한 시스템이 부족했다. 남부에는 '제 역할을 잘 해내고 있는 수많은 여성 교육기관' 이 있으나 이곳들은 대부분 "남부여성들, 특히 새로운 국가의 남성들을 가르칠 남부여성이라면 응당 갖춰야하는 높은 수준의 학문과 문학적 소양을 위해 설립된 것이 아니었다." 여성 교사가 필요한 남부의 상황은 여성의 지성에 대한 일반적인 견해를 고찰하고 여성의 교육을 개선하고 향상시키려는 운동을 야기하였다. 『드 보우스』지는 반드시 교과이수과정의 개혁이 이루어져야 하는 과목에 대해서 분명히 명시하였다. 여성들이 수학과 고전문학, 자연과학과 같이 여학교 교육에서 완전히 생략되거나 경시되던 과목들을 제대로 교육받아야 한다는 것이었다. "그녀들이 수학이라는 유익한 학문에서 제외되어야 합니까? 그리스, 로마 문학에 묻혀 있는 보배들은 언제까지나 그녀들의 눈이 닿지 않는 곳에 있어야 합니까? 자연에 관한 방대한 저서가 봉인된 책으로 남아 있어야만 하는 겁니까?"[10]

한 익명의 작가가 『드 보우스』지에서 여성의 교육에 대한 논쟁 밑에 숨겨진 근본적인 문제를 직접적으로 건드렸다. "분명히 존재하지만 그럼에도 겉으로 표현되지 않는 믿음이 있다… 여성의 정신이 남성에 비해 열등하다는 것이다." 여성의 교육을 위한 정부 차원의 지원을 요구하는 저자는 남녀 간의 동등/대등함에 대한 문제에는 더 이상의 분명한 언급을 피하면서 비록 여성이 지적으로 열등하다 하더라도 더 나은 학교교육을 받을 권리가 있다고 주장했다. "비록 남녀 사이에 본래 선천적인 차이가 없다고는 단언할 수는 없지만, 우리는 실제 남녀 간 지성의 차이가 주로 성별과 관련된 관습에 따른 교육과정과 성장과정의 차이 때문이라고 믿고 있다… 그러나 두 성별이 완전히 평등해져야한다고 주장하려는 것은 아니다." '대등_equivalence' 은 환영하지만 '평등_equality' 은 아니라는 것이 저자의 결론이었다. 여성의 지성이 남성의 그것과 견주어 모자람이 없다는 급진적인 주장에서 한 걸음 물러서있기는 하지만 그럼에도 저자는 크게 바뀐 정책들을 지지했는데 그 정책들은 '대등' 과 '평등' 사이의 개념적인 차이를 거의 논의할 여지가 없는 것으로 만들었다.[11]

『서던 필드_*Southern Field*』지와 『파이어사이드 오브 오거스타_*Fireside of Augusta*』지에서도 이와 비슷한 방법으로 「교육받은 여성-평화기와 전시_Educated Woman-In Peace and War」라는 제목의 에세이를 통해 교묘하게 교육개혁에 접근함으로써 논의를 이어갔다. "여기서 여성이 정신적으로 남성과 동등하다는 주장을 하고자 하는 것은 아니다." 잡지는 독자들을 안심시키며 말을 이어갔다. "그러나 여성이 정신적으로 동등하건 열등하건 간에 그들의 연약한 천성에 도움이 될 수 있는 정신적, 도덕적, 신체적 훈련의 모든 혜택을 누릴 자격이 충분히 있다." 여성인지 남성인지 성별에 대한 호기심을 부추기던 이 저자는 여성의 교육을 위한 실리적인 명분을 넘어 여성들이 배움이라는 기본적인 권리를 누릴 수 있게 해주었다.[12]

자신이 남성임을 분명하게 밝힌 작가들도 유사한 표현으로 의견을 피력했다. 제임스 램지_James D. Ramsey박사는 1863년 노스캐롤라이나 주 콩코드 여자대학_Concord Female College의 '젊은 숙녀들'에게 한 연설에서 남성들만이 '지성적으로 혜택 받았다'는 생각을 버려야 하며 남녀 간 업적에서 나타나는 모든 차이는 여성이 충분한 교육을 받지 못한 결과라고 설명하였다. "여성들이 강하고 위대하지 않을 때는 그 어떤 국가도 위대하고 강해질 수가 없다." 홀린스 대학_Hollins College의 교수인 에드워드 조인스_Edward Joynes는 여성을 교사로 양성하는 교육이 있어야 한다고 강력하게 주장하며 여성을 위한 현 교육 체계는 '얄팍한 겉치레이자 지독한 모욕'이라고 잘라 말했다. 하지만 조인스가 의미심장한 변화를 지지하기는 했지만 성별에 따른 영역의 구분이 없어지는 것에 대해서는 신중한 입장을 견지했다. 개혁된 여성 교육제도는 *여성은 여성일 뿐 남자가 아니며,* 변덕쟁이도 아니고, "남자의 노리개도 라이벌도 아니라는" 생각에 바탕을 두어야 했다. 남부 연합의 교육은 사교계의 꽃이나 여류문학가가 아니라 여성의 영역에 남아 있도록 여성을 교육하는 것을 목적으로 삼아야 했던 것이다. 남부와 북부 그 어디에도 조인스 교수를 만족시키는 모델이 없었다. 파괴적인 전쟁으로 태어난 새로운 국가는 여성에 대해 매우 특별한 책임이 있었다. "여성들이 일자리를 차지하는 숫자만 늘어나는 것이 아니라 그들의 영향력도 더욱 커질 것이다." 여성의 성공은 남부 연합의 성공과 함께 이루어져야 했다.[13]

에세이를 쓰면서 조인스는 매우 실용적인 목적을 마음에 두고 있었다. 조인스는 여성의 교육과 국가적 위대함에 대한 자신의 신념과 더불어 홀린스에 사범학교를 설립하기 위한 구체적인 계획, 그리고 부가적으로 어려운 학생들을 위한 국가지원 장학제도를 같이 제안하였다. 1864년 홀린스는 여성교사를 위한 정규교육 프로그램을 시작했지만 장학금은 정부기금보다는 기부를 통해서 지원받았다. 교과과정에 대한 남부 연합 교육 개혁가들의 실제적인 관심사는 자신들의 영향력에 관한 것이기도 했다. 일례로 앨라배마의 터스컬루사 여자대학_Tuscaloosa Female College은 카탈로그에서 "소수의 여자대학에만 개설된" 고대 언어를 포함한 "교육과정의 탁월함"을 자랑스럽게 광고하며, 주요 학습과정으로 대수, 기하학, 삼각법, 자연과학실험도 목록에 올렸다.[14]

교육 개혁가들은 그들의 제안 속에 숨겨진 급진주의를 부정하고 자제하려고 주의를 기울였지만 그런 노력에도 불구하고 남부 연합의 일부 여론에서는 이것을 감지하고 이 새로운 제도가 위협적인 의미를 담고 있다며 비난했다. 한 평론가는 『서던 일러스트레이티드 뉴스_*Southern Illustrated News*』지에 쓴 글에서 이 새로운 교육제도가 "최근에는 남자와 동등한 기준으로 만든 지성의 척도로 여성들을 진보시키려는 최첨단 유행으로 변했다"고 말했다. 그 잡지는 이러한 출발에 반대했다. "여성들이 야심적으로 일자리를 동경할 때는 조물주가 허락하신 영역에서 벗어나서 여성적인 우아함과 사랑스러움을 짓밟는 인물이 되는 것이다." 이러한 우려 중 일부는 교직에의 도전과 기회에 반응하는 남부여성 개개인의 독특한 태도를 묘사한 것이다.

앨라배마 주 헌츠빌_Huntville의 메리 제인 쿡 차딕_Mary Jane Cook Chadick은 마을의 '젊은 숙녀들' 사이에 부는 '교직 열풍'을 관찰하고 그 열정을 '확실히 바람직한 일'로 여겼다. "만일 젊은 숙녀들이 자발적으로 현 세대를 교육하는 의무를 다하지 않는다면, 우리는 어디에서 교사를 구해야 한단 말인가?" 열풍이라는 용어는 수

십 개 신문의 광고란에 교사나 가정교사 자리를 구하는 젊은 여성들의 구직 광고가 실린 것을 설명하기에 더할 나위 없이 적절해 보인다. 광고를 올린 사람 중에는 피난민들이 많았고 일자리를 원하는 만큼이나 간절하게 거주할 수 있는 새로운 가정을 찾고 있었다. '루이지애나의 한 젊은 숙녀'가 1863년 『리치몬드 인콰이어러』지의 광고란에 이런 글을 올렸다. "일반가정의 교사직을 원합니다… 급료보다는 즐거운 가정 분위기가 더 중요합니다."[15]

그러나 버지니아 다니엘 우드러프는 인생의 목표를 찾고 인생에서 성공하기 위해 새로운 교실로 들어섰다. '옅은 색 금발 머리'를 가진 12명의 소녀들을 유심히 살펴보며, 그녀는 어린 시절부터 계속 간직해왔던 성공의 꿈을 이룰 수 있는 자리를 얻게 된 것에 기뻐했다. 하지만 본래 포부가 컸던 그녀는 현재의 모습과 야심 사이에서 느끼는 갈등을 드러내기도 했고, 이런 모습은 남부연합의 새로운 교육자 수십 명에게서도 볼 수 있었다. 젊은 여성으로서 "나는 교사의 삶이 부럽다고 생각해 본 적은 한 번도 없었다." 그러나 그녀는 가능한 기회를 포착하기 위해 자신의 야심을 수정하였다. "미래를 계획할 때 그것이 나에게 유용한 가 아닌가 외에는 고려하지 않았다."[16]

여성들은 교사가 지위나 목적 면에서 부합할 뿐 아니라 전시 상황을 주시하는 것 외에는 아무런 할 일도 없고 불안감만 커져가던 생활에서 벗어날 수 있는 기회임을 깨달았다. 테네시에서 19명의 학생을 맡은 애비 브룩스는 "일에 완전히 몰두했다. 학교문제를 제외하고는 내 문제나 다른 불쾌한 일에 대해서 생각할 시간이 없다."라고 했다. 피난민이었던 메리 스트링필드_Mary Stringfield는 '뭔가 일정하게 할 일이 없는 것'에 대해 고통스럽게 느꼈기 때문에 학교를 맡아 하면서 "하는 일도 없이 친구들의 관대함에만 의존하지 않고자" 했다. 그러나 자기 앞에 무엇이 놓여있을지에 대해서 완전히 자신하지는 못했다. "나는 어리석음, 무지, 아이들의 제멋대로인 감정과 부딪히는 일이 두렵다. 그러나 호기심과 직무에서 오는 만족감도 기대가 된다." 미시시피의 제니 펜들턴_Jenny Pendleton은 궁핍한 생활에도 불구하고 가르치는 일을 하지 않기로 결심했는데, 그 이유는 그녀가 "품위를 모두 잃게 될 것"이 두려웠기 때문이었다. 에밀리 퍼킨스는 교사가 되겠다는 친구의 결정에 경악했다. "네가 무슨 일을 하려는 건지 알고는 있는 거야? … 그건 금욕과 고통의 인생이야." 루이지애나 피난민 새라 모건은 교직에 대해 전혀 열광적이지 않았는데, 그 이유는 가난과 거주지 문제의 대안으로 가르치는 일을 심사숙고하였기 때문이다. "먹고 살기 위해 일을 할 것이다. 내가 무슨 일을 하겠는가? 나는 교사가 될 것이다… 교사가 되느니 차라리 죽는 것이 낫겠다… 나는 고된 일에 혐오감을 느낀다." 여성교사를 위한 운동에 비판적이던 많은 사람들과 마찬가지로 그녀도 그 일이 말할 것도 없이 천한 일이며 분명 바람직하지도 않고 아마 남부 숙녀들에게는 어울리지 않는 일일 것이라 생각했다.[17]

교사 '열풍'에 휩쓸린 젊은 여성들의 친척들은 모건과 같은 사고방식을 갖는 경우가 많았다. 심지어 가족들에게 재정적인 도움이 절실하게 필요한 상황에서도 엘리자벳 그림볼_Elizabeth Grimball의 어머니는 교사가 되겠다는 딸의 계획을 접하고는 '매우 심한 모욕감'을 느꼈고, 리지 스미스의 경우 마을 학교에서 일을 하기 위해 아버지와 오빠들과 격렬한 논쟁을 벌여 그들의 반대를 극복해야 했다. 경제적으로 형편이 좋지 않았던 뉴올리언스의 한 여성은 학교를 열 계획이었지만 남편의 반대를 예상하고 포기했다고 군대에 있는 남편에게 알렸다. 앨라배마의 조 길리스_Jo Gillis는 '가르치기 위해 벤턴_Benton으로 가는 것'을 군목이었던 남편이 반대하자 매우 '실망'했지만 그래도 그의 의견을 따랐다. 그러나 일 년 후, 그녀는 새 학교에 정착하였다. "나는 모든 반대의견과 나를 사랑하는 사람들의 불쾌감을 이겨내고 가르치기 위해 이곳에 왔다… 가르치는 일 없이는 절대로 만족하지 못할 거라고 생각했다… 남편은 나의 옹고집에 무척 기분이 상했다."18

여성들은 일을 하면서 스스로에게 회의를 품거나 모순된 감정을 맛보는 경우가 많았다. 캐롤라인 데이비스는 제멋대로인 남자 아이들의 교실을 맡았는데 그 아이들 덕분에 그녀는 "가르치는 일을 좀 더 잘했으면 좋겠다. 나는 자주 나의 무능함을 느끼게 된다고 하였다." 화를 참지 못했을 때 데이비스는 죄책감을 느끼고 도망가고 싶은 마음이 간절했다. "나는 가끔씩 세상 모든 아이들의 소리에서 완전히 벗어나고 싶다." 수입이 부족해서 학생들을 맡을 수밖에 없었던 사우스캐롤라이나의 클라라 맥린은 교실을 전쟁터에 비유했지만, 그녀 자신은 "다른 교사들에 비해 내가 운이 더 나쁜 것은 아니다."라고 생각했다. "내가 이 일에 도전한 이후로 일에 항상 따르기 마련인 불만, 눈물, 씁쓸함은 나에게 일상적인 것이 되었다." 사우스캐롤라이나의 저지대에서 피난을 온 엠마 홈스는 권태감에서 벗어나고 경제적 필요를 충족시키기 위해 가르치는 일을 시작했다. 자신과 새로운 학생들 사이에 존재하는 계급 차이에 부딪힌 그녀는 "그녀의 교실의 학생 수가 늘어나는 만큼 내가 전형적인 서민들에게 둘러싸이는 일이 많아지자 나의 정체성을 거의 인식할 수가 없었다."고 했다. 그녀는 처음에는 그것을 "귀족으로서 내가 가진 편견에 대한 신선한 경험"으로 받아들이고 절대 우월감을 드러내지 않겠다는 다짐을 일기장에 썼었다. 그러나 좋은 의도에도 불구하고 홈스는 곧 가르치기로 했던 무식한

'멍청이들'에 대해서 불평하며 그녀를 고용한 부모들과 다투었다. 홧김에 두 명의 학생에게 그들이 '저능아'라는 사실을 알려주었을 때 그녀는 일자리를 잃었다. 조지아의 엠마 슬레이드 프레스콧은 군에 입대한 마을 선생님을 대신해서 그 직책을 맡게 되었다. "가르치는 일에 대해 제대로 생각할 시간을 갖기도 전에 나는 이미 가르치는 일을 하고 있었다." 그러나 그녀는 두 달 후에 "정신적 긴장이 너무 크다."며 그만두었다.[19]

이와 대조적으로 애비 브룩스는 천국의 일부가 아닐까 하고 생각할 만큼 교실에서 "즐거운 시간을 보내고 있다"고 환호성을 질렀다. 그러나 그녀조차 "남을 가르치는 건 매우 힘든 일이다."라고 인정했다. 모든 학생들이 하나의 교실에 모여 있었기 때문에 그녀는 '자연철학에서 고양이까지' 모든 수준의 학습을 책임져야 했다. 게다가 자신의 노력에 비하면 보수가 한 없이 실망스러웠다. 숙박비를 지불했을 때 그녀는 생활비 외에는 남는 것이 아무것도 없다는 것을 깨달았다. 남부의 여러 지역에서는 학생을 유치하는 데 경쟁이 매우 치열했기 때문에 경제적으로 넉넉하지 못한 부모들은 후한 보수, 때로는 적절한 보수도 제공하려 하지 않았다. 아멜리아 핀킨드_Amelia Pinkind는 1862년, 남부 연합에서는 수업료를 제외한 모든 것의 가격이 오르고 있다고 기록했다. "학부모들은 아주 적은 가격으로, 거의 무료로 가르쳐주길 바란다."[20]

재무부에서 일하는 불쌍한 우리 여성들

1864년 무렵, 가르치는 일의 '책임과 궁핍' 에 완전히 지친 노스캐롤라이나 주 캐스웰_Caswell의 엘리자벳 리치몬드는 몸과 마음이 덜 피곤하면서 편안한 생활이 제공되는 일자리를 찾을 수 있기를 기대하며 밴스 주지사에게 편지를 썼다. 그녀 역시 남부 연합과 주 공무원들에게 청원한 수백 명의 다른 남부 여성들과 마찬가지로 정부의 사무직을 구하려고 했다.[21]

남부 연합이 신체 건강한 백인남자들을 군대에 배치하려고 애쓰는 동안 공무원들은 결원이 생긴 많은 민간인 일자리를 여성들로 채워나갔다. 여성들은 육군성, 우체국, 병참부, 병참감의 사무실에 채용되었지만 재무부만큼 높은 비율로 여성이 일을 하는 곳은 없었다. 여성들은 손으로 수십만 장에 달하는 남부 연합 채권에 서명을 하고 지폐가 인쇄된 종이 자르는 일도 도왔다.

이 '정부부처 업무' 의 배분은 흥미롭다. 왜냐하면 성별과 계급을 바탕으로 한 정부의 복지 형태로 보이기 때문이다. 어려운 상황에 빠진 남부 특권계층의 숙녀들이 이렇게 괜찮은 일자리를 차지한 여성 가운데 절대 다수를 차지하였으며, 연줄이 좋은 친구들의 추천은 대단한 영향력을 발휘하였다. 데이비스_제퍼슨 데이비스 대통령에게 일자리를 탄원한 여성들은 원조가 필요하다는 사실과 남자들의 도움이 없는 상황에서 대의와 독립을 위해 희생했다는 사실을 남부 연합 대통령에게 강조했다. 모빌의 젊은 전쟁 과부인 다이아나 존슨_Diana Johnson은 다음과 같이 썼다. "이렇게 폐를 끼치게 된 이유는 제가 당신을 하느님께 부르심을 받은 '국민의 아버지' 로 여기기 때문이며, 그렇기 때문에 국가의 일로 마음이 어지럽고 혼란스러운 가운데서도 당신의 위대하고 고귀한 마음속에는 개개인의 고통과 사적인 요구라 여겨지는 것에 대한 연민이 자리하고 있으리라 믿기 때문입니다." 정부에 일자리를 찾는 편지를 두 번째로 써야했을 때 리지 야링턴_Lizzie Yarrington은 심기가 불편했다. 주 정부가 그녀의 상황을 이해하고 필요한 것을 제공할 거라 기대했기 때문이다. "나는 전쟁이 시작된 첫 해부터 무상으로 일을 하고 있으니 정부로부터 그 정도는 제공받을 자격이 있다고 생각한다. 내가 지금 극심한 고통을 겪고 있는데 도움을 받을 수 없다는 것은 내가 보기엔 말이 안 되는 것 같다." 사무엘 쿠퍼_Samuel Cooper장군은 육군성 일자리라는 형태의 '후원'을 원하는 78세의 과부가 반드시 갖추어야 할 조건은 '사회적 지위와 궁핍'이라고 주장했다. 그러나 또 한편으로는 실제로 보고서를 작성하게 될 사람은 과부가 아닌 젊은 친척이라고 설명했다. 시드노어_M. H. Sydnor 양은 데이비드 대통령에게 '독립적인' 여성이 되려했으나 거절당했다고 알리며, 자신이 '명문가 출신의 숙녀라는 것을 입증'해 줄 사람들에게 추천을 받아 관청에 자리를 얻으려 한다고 말했다. 윌리엄스버그의 캐서린 윈들_Catherine Windle은 이 자리를 절박한 상황에 대처하라고 데이비스가 '선사'한 '정부의 선물'이라고 불렀다.[22]

다른 여성들은 과거 남부 연합에 공헌한 점이나 그들이 처한 눈에 띄는 시련 때문이 아니라 뛰어난 능력과 특성 때문에 직업을 얻을 자격이 있다고 생각했는데 그 특성이라는 것이 그들의 사회적 지위와 구분되지 않는 경우가 많았다. 재무부 자리는 우아한 글씨체를 요구했기 때문에 분명 상류 사회의 교육을 받은 사람들이 유리한 입장에 있었다. 제퍼슨 데이비스 대통령은 재무부에 자리를 원하는 요크타운_Yorktown 피난민의 청원서에 "이 편지의 글

씨는 아주 훌륭해 보인다."라고 썼다. 또 다른 신청자는 자신의 이름을 서명한 견본을 25번 제출했다.[23]

여성 사무관의 급여 규모는 그들의 사회적 지위와 영향력을 드러내는 것이기도 했다. 1862년과 1863년, 남부 연합 군대 병사의 한 달 급여는 11달러였지만, 여성 사무관은 65달러를 받았다. 1864년에는 재무부에 자리를 지키고 있는 여성의 연봉이 남부의 통화가치가 떨어지는 상황에서도 3천 달러로 올랐다. 이 여성들은 남부 연합의 보통 병사들보다 높이 평가되고 특별대우를 받는 것처럼 보였고 남부 연합도 이를 부인하지 않았다. 분명히 그들은 전국에서 일하는 대부분의 다른 여성들과는 다르게 생각되었다.[24]

평범한 여성들은 남부 전역에서 국가와 관련된 다양한 종류의 일을 했다. 리치몬드에서 전쟁이 끝나는 해까지 삯을 받고 일한 의류사무국 재봉사 3~4천 명은 셔츠 한 장에 1달러, 바지 한 벌에 1달러 50센트, 완성하는 데 며칠이 소요되는 코트는 4달러를 받았다. 오거스타의 조지아 군인 의류사무국에서 일하는 여성 노동자 5백 명은 일주일에 6달러에서 12달러를 벌었다. 같은 도시의 무기고 직원들은 하루에 1달러를 받고 탄약통을 꿰맸다. 리치몬드에서는 여성 군수품 직원들 중 거의 50명에 가까운 사람들이 1863년 3월에 있었던 폭발로 목숨을 잃었다. 낮은 임금만이 아니라 위험과도 맞서야 했던 이들은 단체를 조직해서 임금인상을 위한 파업을 강행하며 불만을 털어놓았다. 그들의 행동을 지지하던 어떤 이는 남부 연합 정부가 이 여성 노동자들과 영향력 있고 좋은 배경을 갖춘, 그들과 같은 부류의 동료들을 차별 대우하고 있다는 사실을 분명히 깨달았다. "아무 할 일도 없는 젊은 숙녀들이 (자신들 수입에 의존하지도 않는) 그렇게 많은 정부의 부서를 차지하고 여타 부서들의 고위 남자 사무관과 같거나 어떤 경우에는 많기까지 한 급료를 받는 동안… 어째서… 가난한 여성들은 위험하고 위태로운 직업에 종사하고… 그들의 노동에 대한 생계보장을 거부당하는 것인가?”[25]

한편 재무부에서 일하는 메리 다비 드트레빌_Mary Darby DeTreville은 조금이라도 급료를 받는다는 것이 부끄러웠다. 그녀는 매일 아침 9시부터 오후 3시까지 채권에 사인을 하며 성실하게 일했는데 예상되는 임금은 3천2백 달러였다. 그러나 “월급날이 되었다. 처음으로 돈을 벌기 위해 일한 것이다. 아침에 일어나서 내 월급을 받기 위해 사인할 때 내가 얼마나 보잘것 없다고 느꼈는지.”라고 말하였다. 자원봉사는 구원의 천사, 정신적 힘이라는 여성의 이미지와 뒤섞일 수가 있었다. 무보수 노동은 단순히 여성들이 가족들을 위해 하던 일의 연장으로 보일 수 있었다는 이야기다. 자원봉사는 경제시장의 사회로 들어가는 입구와 연관되거나 여성의 의존성에 대한 근본적인 위협도 되지 않았다. 그러나 임노동은 남부 지배계급 여성들의 적절한 태도에 관한 기존 관념에 심각한 의문을 제기했다. 군수품 직원들이 임금 노동자로서의 특정한 권리를 요구하는 동안, 특권계급 여성들은 여전히 집안의 가장에게 의지하고 부양받는 전형적인 여성으로서의 의무를 다했으며, 그들이 가족과 맺고 있는 관계에서는 후원이, 캐서린 윈들의 표현처럼, 자애로운 아버지의 관대함, 즉 선물의 의미로 생각되었다. 이제 정부의 일자리라는 형태로 나타난 이 관대함은 의미심장한 새 출발을 나타내기는 했지만, 이것은 지상에서 최고 권력을 가진 아버지 제퍼슨 데이비스가 간절히 도움을 바라는 소박한 청을 들어주기 위해 선사한 선물로, 과거 집안의 가장에게 의존하던 관계와 별반 다를 것이 없었다. 생계보장을 해주는 임금을 받기 위해 파업 중인 백인 노동계급의 여성들과는 달리 메리 드트레빌이 임금의 개념과 보수를 받는 노동을 어색하게 느낀 것도 이것으로 설명될 수 있다. 개인의 권리와 자주, 독립의 의미가 함축된 임금과 노동의 교환은 특권계층의 백인여성들이 입지를 굳히고 정체성을 형성하는 데 기반이 되었던 가부장적 제도의 사회적 지위에 관한 원칙을 부정하는 것이 되었다.[26]

'정부부처 여성들'을 향한 비판은 격렬했고 널리 확산되었다. 마지못해 교사직을 택했던 클라라 맥린은 친구가 남부 연합 채권을 자르며 시간을 보낸 다음 "이글거리는 태양 아래를" 걸어서 집으로 가야한다는 사실이 마음에 들지 않았다. "이 지긋지긋한 전쟁이 연약한 숙녀들에게 어떤 영향을 끼쳤는지 보라." 메리 체스넛은 여성이 규정된 가정적 영역의 지붕 바깥 사회에서 일한다는 생각에 깜짝 놀라기까지 했다. 그녀와 친구 존 프레스턴_John Preston 부인은 절대로 그러한 굴욕에 굴복하지 않기로 맹세했다. "살아남느냐 사라지느냐 – 우리는 어느 부서로든 가지 않을 것이다. 우리는 하루 종일 서서 지폐를 자르고 사무관으로부터 명령을 받지 않을 것이다. 우리는 우리의 집에서 가족들과 함께 굶주릴 것이다. 우리는 모든 집안일을 할 것이다. 어떤 비천한 노동이라도 우리 집 그늘 아래에서. 정부부처라니 있을 수 없는 일이다!"[27]

이제 막 20세가 된 애들레이드 스튜어트_Adelaide Stuart가 1864년에 맡게 된 재무부 자리에 좀 더 열정적이었던 이유는 아마 세대 차이덕분이었으리라. 왜냐하면 그녀는 '모든 상황에 쉽게' 적응할 수 있다고 자신 있게 말했기 때문이다. 그녀는 6개월이 지나기 전에 능력을 키워서 '이전보다 훨씬 더 능숙하게 이름을 서명할 수 있게' 되었고, 일손이 느린 직원들을 도와서 그 날 할당량을 끝낼 수 있도록 했다. 1864년 9월, 그녀는 "사무실에서 칭찬을 받았다. 서명을 매우 훌륭하게 할 수 있는 몇몇 재능 있는 여성에게

만 어음 4,500장이 할당되었다."고 자랑스럽게 기록했다. 오후는 업무로 채워졌고 저녁에는 사교적인 외출이 계속되었던 스튜어트는 "자기 자신을 위한 시간이 단 한 순간도 없었다." 그러나 그녀는 승승장구했다. "지금은 하다못해 두통 때문에라도 몸이 아픈 일은 거의 없다. 사실 지금은 신경과민이나 두통 같은 숙녀들이 앓는 병을 앓을 시간도 없다." 스튜어트는 자신을 일터로 몰아넣은 "재산 손실"이 "나에게 일어날 수 있었던 가장 좋은 일"이라고 결론 내렸다. "그 때문에 적극적으로 일을 하게 되었고 나의 성격 중에서 좋은 부분은 강화하고 바람직하지 못한 것들은 모두 근절할 수 있게 되었다."[28]

20세에 전쟁으로 남편을 잃은 말비나 기스트는 재무부에서 새롭게 일하게 된 흥분으로 슬픔은 모두 잊은 듯이 보였다. 서명하는 속도가 점차 빨라지자 그녀의 상사는 기스트가 "재무부의 보석과 같은 존재"라고 확신했다. 그러나 기스트는 부서일 바깥의 활동에 관심이 더 많은 듯했다. 셔먼장군이 콜롬비아를 위협했을 때 기스트는 재무부가 상대적으로 안전하다고 여겨지는 리치몬드로 옮겨가지 않게 해 달라고 기도했다. "때가 무르익었다… 나는 평범하지 않은 경험을 하고 있다… 돌아가고 싶지 않다. 나는 위험을 맛보았으면 한다." 사실 리치몬드로의 이전은 상당히 만족스러웠다. 장관이 "우리 불쌍한 재무부 여자 모두"에게 저녁초대를 하고, 전쟁 막바지였는데도 품위 있게 준비되고 세심하게 제공된 다양한 음식들을 내놓았다. 죽은 남편을 잊은 것처럼 보였던 기스트는 남부 연합 수도로 몰려오는 군복 입은 남자들의 물결을 보자 가슴이 뛰었다. 기스트와 스튜어트의 독립은 메리 체스넛과 같은 기혼여성들이 여성의 새로운 사회적 역할과 관련된 것 중 가장 위험한 것으로 간주하며 혀를 차던 것이었다.[29]

플로렌스 나이팅게일이 되다

남부 연합 특권계급 여성이 남부의 육군병원에서 일하기 시작했을 때 그들이 맡은 일은 전통적인 여성의 역할에서 벗어나는 가장 극적이고 두려운 새 출발을 하는 것이었다. 20세기에는 간호사의 일이 압도적일 정도로 여성의 일이 되었고 여성이 병원에서 일한다는 것이 위협적이라는 개념은 이해하기가 힘들다. 그러나 19세기 중반에는 병원에서의 간호가 하류계층의 사람들, 그중에서도 남자에게나 알맞은 일로 생각되었다. 남북전쟁이 임박해있던 시기에 회복기의 남녀 환자들이 숙련된 직원들과 합류했다. 이 직원들은 대개 입원환자 신분에서 병원 장기근로자로 승격하여 간호사로 일하게 된 경우였다. 19세기 초 일반적인 병원 환자들이 대부분 그랬듯이, 이들도 보잘 것 없는 배경과 환경에서 성장한 사람들이었다. 직업군인들과 함께 있는 간호사는 거의 대부분 파견되거나 불구가 된 군인들과 남자들이었는데, 이들은 당연히 군대의 계급체계와 일과에 제대로 적응할 수 있는 사람들이었다.

인력 부족과 사상자 증가, 애국적인 야심으로 인해 남부여성은 관습을 초월하여 병자와 부상자들과 함께 일하게 되었다. 그러한 움직임은 1853-56년 영국 크림 전쟁_Crimean War 때 활동한 플로렌스 나이팅게일_Florence Nightingale의 혁신적이고 칭송받은 역할로 인해 고무되었다. 품위 있고 높은 사회적 지위를 자랑하는 여성인 나이팅게일은 사심 없는 행동과 자신이 쓴 『간호론_*Notes on Nursing*』을 통해 여성 간호에 대한 개념을 정당화시켰다. 이 책은 미국에서 1860년에 처음 출판되었다. 정신적, 감정적 특성을 고려해볼 때 여성이 병원 일에 더욱 적합하다는 의견이 힘을 얻어 통용되기

시작했으며, 남부와 북부의 여성들은 나이팅게일을 여성의 영웅적 행동을 위한 역할모델로 받아들였다.[30]

그러나 간호를 천한 일로 여기는 인식은 사그라지지 않았는데, 간호일이 남성의 육체, 종종 하층계급 남성의 육체와의 어느 정도 접촉이 불가피하였기 때문이다. 또한 의사들과 군의관들은 나이팅게일 프로그램에 포함된 여성의 권리신장에 대한 논리에 반발했다. 남부 연합에서 간호는 계급과 성별 간의 갈등이 노출되는 장소였을 뿐만 아니라 국가적 논쟁의 쟁점이 되었다. 병원 내에서, 예비간호사들의 가정에서, 심지어 여성들 사이에서도 봉사와 관습 중 어느 쪽이 중요한지 의견이 엇갈리고, 서로 의견이 다른 집단들이 반목했기 때문이다.

교사직과 마찬가지로 간호도 여성이 하기에 가장 자연스러운 일, 한 수간호사의 말처럼 '진정한 여성의 영역'으로 보였다. 『모바일 애드버타이저 앤드 레지스터_*Mobile Advertiser and Register*』지에서는 여성들이 리치몬드의 부상자들에게 가는 '광경'은 "뭐라 말할 수 없을 만큼 감동적이라고 기술하였다. 여성들을 '구원의 천사'로 묘사한 시적인 글귀들은 지금 우리 눈앞에서 펼쳐지는 새로운 현실이 얼마나 놀라운지를 제대로 표현하지 못하고 있다." 여성들은 군인들의 어머니와 누이들의 역할을 대신할 수 있었고 육체의 상처만이 아니라 마음의 상처를 어루만진다고 『밀리지빌 서던 페더럴 유니온_*Milledgeville Southern Federal Union*』지는 기술하였다.[31]

그러나 여성의 간호를 장려하는 그런 언론들도 처음에는 우려의 목소리를 나타냈었다. 『컨페더러트 뱁티스트_*Confederate Baptist*』지는 전반적으로 찬성하는 입장이기는 했지만 병실에서의 과도한 권력에 행여나 여성들이 딴 생각을 하게 될까 싶어 경고를 하였다. 그 신문은 권위 있는 어조로 여성들의 순종을 호소하는 글을 썼다. "여성에게 어울리는 영역에서 여성들은 가장 귀한 조력자이다. 그렇지만 의사에게 지시를 내리거나 지배할 수 있다고 생각한다면 그들의 봉사는 없느니만 못할 것이다." 그리고 무엇보다 더욱 우려했던 점은 병원 일이 여성의 '섬세함', '수줍음', '우아함'에 영향을 미칠 거라는 것이었다. 1862년 5월, 어느 평론가가 『서던 먼슬리』지에 쓴 글은 플로렌스 나이팅게일을 칭송하면서도 그녀를 남부 여성들의 모델로 삼는 것을 경고하고 있다. "그녀의 숭배자들 중 많은 사람들이 잊고 있는 것이 있다. 그녀를 본보기로 삼아야 한다는 권고에 많은 제약이 따른다는 사실을 언급하지 않고 있다. 그녀의 이타적이고 영웅적인 정신은 우리 모두가 우러러 봐야한다. 그러나 그녀가 행한 일은 오직 소수의 사람에게나 적합한 일이다." 그가 주장하기를 숙녀들은 군인들을 위해 옷을 만들고 부대와 병원에서 '위로를 해 주고 맛있는 음식'을 제공하는 것에 만족해야 한다고 했다. "그러한 봉사는 여성들의 품위가 훼손당할 것을 걱정하지 않고 할 수 있는 일이다."[32]

남부 연합 여성들의 다양한 경험에도 나타나듯이 여성들은 전쟁 때문에 전통적으로 남부 숙녀들에게 어울리지도 않을뿐더러 숙녀가 하기에 적절한 일이라고는 전혀 생각되지 않던 역할들을 맡았다. 전쟁에서 도움이 될 수 있기를 간절히 바란 남부여성들은 1861년 여름, 병들고 부상당한 군인들의 숫자가 생각지도 않게 급격히 늘자 이를 행동을 개시할 수 있는 기회로 보고 위대한 목적에 기여할 수 있는 방법을 찾기 시작했다. 여성의 관심이 의류에서 치료로 옮겨가면서, 여성의 활동도 현재하고 있는 바느질과 군인원조연합회에서 벗어나는 일이 많아졌다. 이를테면, 같은 해 8월 중순 사우스캐롤라이나의 〈에이컨여성원조협회_Ladies Aiken Relief Association〉는 의약품을 모아 전방으로 보냈다. 버지니아 포츠머스

_Potsmouth의 숙녀들은 버려진 호텔을 병원으로 탈바꿈시켰다. 조지아의 여성들은 애틀랜타 병원협회를 결성하고 이와 동시에 와인과 시럽, 잼, 면직물을 모아서 버지니아에 있는 병원들로 보냈다. 버지니아 주 내추럴 브리지_Natural Bridge의 군인원조협회 숙녀들은 몸이 불편한 군인들을 집으로 초대하여 건강을 회복하고 몸에 좋은 산 공기를 마시도록 했다.[33]

전염병에 취약한 전장과 군대야영지 근처에 있는 여성들은 군인들의 건강을 위해서 더욱 직접적인 개입이 필요하다고 느꼈다. 내슈빌_Nashville의 메리 러틀리쥐 포그_Mary Rutledge Fogg는 독립선언서에 서명한 에드먼드 러틀리쥐_Edmund Rutledge와 아서 미들턴_Arthur Middleton의 혈통이라는 점을 이용해서 제퍼슨 데이비스 대통령에게 그녀가 사는 도시는 물론 병원이 절대적으로 부족한 멤피스_Memphis와 녹스빌_Knoxville에도 병원을 설립해줄 것을 요청했다. "적절한 간호를 받지 못해 용감한 군인 50명"이 죽어가는 것을 목격한 그녀는 데이비스 대통령에게 테네시 병원 여성단체와 의류연합의 도움을 받아 버지니아에 간호사로 보낼 여성 '연대'를 모집했다고 보고하였다. 아울러 그녀는 버지니아에서 그 여성들을 맞이할 준비가 되었는지의 여부에 관계없이 바로 다음 날 그들을 파견할 생각이라고 보고했다.

다른 유명한 가문 출신 여성들은 명령하는 습관과 귀족의 의무감 때문에 적지 않은 권한을 부여받았고, 눈앞에 마주한 고통을 해결하기 위한 최종결정의 책임을 졌다. 1861년 여름, 아픈 병사들을 도우려는 목적으로 미국 10대 대통령 존 타일러_John Tyler의 딸 레티샤 타일러 셈플_Letitia Tyler Semple이 윌리엄스버그_Williamsburg에 도착했다. 그녀는 "병원 내부에 정리되어야 할 것이 매우 많다"고 데이비스에게 알렸다. 그녀는 '부엌과 식품저장실과 세탁실의 모든 사소한 부분'을 책임졌고 그 후 얼마간 시간이 흐른 후에, 자신을 윌리엄스버그와 다른 두 병원에 여성 감독관으로 임명해 달라고 데이비스에게 요청했다. 제1차 매너서스 전투_Manassas War, 남북전쟁 최초의 본격적인 전투이며 불런_Bull Run전투라고도 한다.-옮긴이가 일어난 지 수 일후, 버지니아의 명망 높은 가문 출신인 샐리 톰킨스_Sallie Tompkins는 몇 가지 실질적인 방법으로 리치몬드의 집에 병원 장비를 공급했고, 이 집에서 전쟁이 끝날 때까지 병사들을 돌보았다. 줄리엣 오피 홉킨스_Juliet Opie Hopkins는 소문에 따르면 1854년 앨라배마 판사와 결혼하기 전까지 버지니아 서부에서 아버지가 소유한 상당한 규모의 노예들을 관리했던 여성이었다. 그녀는 1861년 여름 리치몬드에 도착해서 식료품을 관장하고 앨라배마 군대의 군인들을 치료하는 병원들을 조직화해서 관리했다. 뿐만 아니라 그녀는 간호 부장이자 병원 책임자가 되었고, 비록 남부 연합의 의료체계에서 공식적인 자리를 차지한 적은 없는 것 같지만 훗날 앨라배마 주 화폐에 사진이 실리기도 했다. 그녀를 칭송하는 어느 남성은 그녀에게 보낸 편지에서 "만약 당신이 남자였다면 총지휘관이 되었을 겁니다."라고 말했다. 그는 특히 아내가 홉킨스를 존경한다며 "제 아내는 병사들의 셔츠 등을 바느질하는 것이 고작이지만 당신은 다양한 분야를 관리할 수 있는 능력이 있기 때문입니다."라고 썼다.

전쟁 초, 여성으로서 부상병들을 모른 채 할 수 없었던 남부 특권계급 여성들은 이들을 돌보기 위한 해결책을 모색했다. 숙련된 간호사의 부족, 의학적 치료가 필요한 울부짖는 사람들, 위대한 목적에 기여할 방법을 찾는 여성들의 열정이 한데 뒤섞여 특권계급 여성들을 고무시킨 것이다. 포그와 셈플, 홉킨스처럼 대담하게 생각하고 행동하는 여성은 드물었으나 이들은 새로운 역할과 새

병원 간호 부장이자 책임자인 줄리엣 오피 홉킨스. 몽고메리 '앨라배마문서보관소' 소장.

로운 시설을 만들어서 남부 연합 내에서 벌어지는 의학 치료의 혼란과 위기에 대응했다. 언제나 그들 마음 한 가운데에 자리했던 플로렌스 나이팅게일의 감동적인 이야기가 봉사방법에 대한 영감을 주었고, 간호는 여성의 영역에 속한다고 주장할 수 있는 용기를 북돋워주었다.[34]

전쟁이 일어난 첫해 중반쯤, 남부 연합 전역의 여성 단체들은 전쟁 중 가장 혁신적이고 성공적인 의료 시설을 고안했다. 여행자를 위한 서비스와 진료실이 조합된 것으로 전방에서 집으로 돌아가는 부상병들을 위한 시설이었다. 1862년 10월, 『밀리지빌 컨페더러트 유니온』은 열광적으로 "우리나라에서 전쟁이 만들어낸 최고의 시설이다."라고 선언했다. 조지아 주 유니온 포인트_Union Point에서는 여성 14명이 1862년 가을에 그와 같은 시설을 설립했고, 2년이 채 지나기도 전에 2만 명이 넘는 군인들이 이곳에 머무르며 무수히 많은 식사와 다른 서비스를 제공받는 혜택을 누렸다. 노스캐롤라이나의 루이스 메드웨이_Louise Medway는 윌밍턴_Wilmington의 숙녀들이 설립한 군인원조협회_Soldiers' Aid Society가 항구도시를 지나는 부상자들에게 음식을 제공하고 치료한 수가 한 달에 6천에서 8천 명이 될 것으로 추정했다. 그러나 남부 전역 자신들의 고향에서 노력하는 이들 여성들이 전장에서 필요한 보살핌까지는 충족시킬 수는 없었다. 1862년 중반 무렵에는 사상자의 수가 헤아릴 수 없을 정도로 증가했다. 예를 들어 안티에텀_Antietam 전투에서는 하루에 2만 명이 넘는 사상자가 발생했다.[35]

매그루더_J. B. Magruder 준장은 남부 연합의 수많은 사령관 가운데 자원 병사들이 환자를 보살피는 일에 서투르다고 믿은 유일한 사람으로, 국방장관에게 흑인여성들을 간호사로 고용하게 해달라고 탄원했다. 매그루더는 흑인여성들이 모든 면에서 그러한 임무를 수행하기에 적합하리라 생각했다. 우선 여성에게 속한 일인 보살피는 일만이 아니라 굴욕적이고 비천한 노동에 인종과 성별 두 가지 모두가 꼭 들어맞는다고 보았기 때문이다. 매그루더의 제안을 따른 것인지 단순히 사려 깊은 정책의 일부였는지는 모르겠지만, 전쟁 중 남부 전역에서는 다수의 남녀 노예들이 병원에 고용되어 일을 했다. 그러나 환자를 살피고 관리하는 일을 할 사람은 여전히 부족했다.

1861년 여름 동안 남부 연합 군대의 약품과 병원 경영을 비롯해 직원관리에 대한 비난이 확산되어 있어서 의원들은 조사가 필요하다고 생각하였다. 남부 연합 의회가 지명한 위원회가 그 해 8월에 병참부, 병참장교, 의료부의 상황을 조사한 결과, 간호 서비스가 눈에 띌 정도로 부족하다는 사실을 발견했고 인력부족도 심각하다고 기록했다. 한편 그 보고서에서 한 가지 눈에 띄는 점이 있었다. '다정하고 관대한 이 나라의 여성들'이 남부 연합의 병원에서 식량과 자본과 노동을 제공하고 있다는 증언으로 끝을 맺고 있었다.[36]

그러나 무질서와 불충분한 간호 그리고 환자를 소홀히 하는 태도에 대한 불만은 계속 터져 나왔다. 부유한 상인의 딸인 케이트 커밍은 1862년 4월 샤일로_Shiloh 전투 후에 일하게 된 병원에서 대혼란에 직면하게 되었다. "이곳에는 간호사 역할을 하는 남자들이 있지만, 의사들은 그들이 간호사로 지명된 방법을 두고 매우 심하게 불평을 해댄다. 그들은 마치 보초병처럼 서로 다른 연대에서 파견된 사람들로 우리는 몇 시간마다 새로운 얼굴들을 본다. 나는 그들이 병사들을 제대로 간호한다는 것이 과연 가능한 일인지 잘 모르겠다. 간호는 배워야 하는 일이다. 그렇기 때문에 우리는 그에 걸맞은 최고의 남자들을, 신체적이 아니라 정신적으로 훌륭한 사람들을 선택해야 한다." 이것은 정신적인 힘에 치유의 힘이 있다고 강력하게 주장한 플로렌스 나이팅게일의 의견과도 맥을 같이 하며, 고결한 지상의 보호자로 여겨지는 여성을 간호사로서 병원에 받아들여야 한다는 주장에 힘을 실어주었다.[37]

켄터키 상원의원 윌리엄 심스_William Simms가 이끄는 병원관련 위원회는 군사들의 치료와 관련해서 계속되는 불평을 조사하고, 간호의 질이 향상되려면 여성들의 공헌이 필요하다는 사실을 사람들에게 납득시키려 했다. 위원회는 이렇게 보고했다. "남성과 비교했을 때 여성 간호사가 우월하다는 사실에는 의심의 여지가 없습니다… 남성이 담당할 때는 사망률이 10퍼센트인 반면에 여성이 관리자가 되면 5퍼센트에 불과합니다." 여성 간호사를 반대하는 목소리는 통계 앞에서는 잠잠해졌다. 루이지애나의 상원의원 셈스_Semmes는 "나는 생명을 구하는 일에 사람을 제한하자는 의견에는 동의하지 않겠다."고 말했다.[38]

1862년 9월, 의회는 육군병원에 여성들을 위한 구체적인 자리를 마련한다는 법안을 채택했다. 두 명의 부인이 "병원 살림 전체를 맡아 환자에게 제공되어야 하는 섬세한 일을 하고, 그들에게 필요한 양을 배분하고, 음식이나 식이요법이 적절히 준비되고 있는지를 감독하고 그 외 필요한 다른 의무를 수행"하며 월 40달러 급료를 받기로 하였다. 두 명의 보조 여성들은 환자들의 옷 세탁과 의류와 침구를 책임지고 그 외 다른 필요한 일을 하고 월 35달러를 받기로 했다. 각 병동에는 월급으로 30달러를 받는 수간호사 두 명이 침대를 정리하고, 청결을 책임지고, 약품을 관리하며, 환자간호를 감독했다. 그 외, 외과의는 간호사를 한 달에 25달러 주고 고용할 수 있는데, "목적에 가장 잘 공헌할 수 있는 여성을 우선적으로 고용할 수 있다." 여성이 성공적으로 병원을 관리한다는 통계자료가 널리 알려지고 거듭 언급되자 남부 연합 정부는 관리인력에 대한 법률 제정을 진척시켰다. 이는 새로운 국가를 건설하는 과정에서 여성의 역할을 제대로 대우하려는 의지를 분명하게 내보인 흔치 않은 사례였다. 남부의 대중 사이에는 여성의 병원 업무가 타당한 것인지에 관한 의혹이 존재했지만, 그럼에도 정부는 애정 어린 손길로 돌보아주는 여성의 전통적인 이미지를 환기시켜서 비전투적인 일자리를 군복무에 적당치 않은 사람들로 채우는 인력 정책을 옹호했다. 남부 연합 상원이 새로운 병원 법안 그리고 이후 10월에 악명 높은 '20명의 검둥이 법' 제정이라는 결과로 이어지게 되는 징병제와 병역면제 정책 개정을 같은 날 고려했다는 사실은 가볍게 보아 넘길 일은 아닌 것 같다. 1862년 9월의 법률제정은 정부가 가정에 관념적이고도 실제적인 개입을 한 사건으로 사상적, 현실적으로 중대한 의미를 갖는다. 대대적인 군사 동원과 총력전에서 주와 국가에 대한 의무를 다하라며 각 가정에게 복종을 요구하는 것이었다. 4월과 10월에 제정된 징병제와 병역면제 정책과 함께 같은 해에 제정된 병원 법은 여성 시민과 정부의 관계에 관한 남부 연합 정책의 주요 입장을 나타내는 것이다.[39]

서른아홉 살 과부인 피비 예이츠 레비 펨버_Phoebe Yates Levy Pember는 사우스캐롤라이나의 부유하고 유명한 집안 출신이었다. 1862년 11월, 국방장관의 부인이며 그녀의 친구인 조지 랜돌프_George Randolph가 최근에 생긴 간호부장 자리에 지원해보라고 설득했을 당시 그녀는 조지아 주 마리에타_Marietta에서 피난민 친척들과 함께 불행한 삶을 살고 있었다. 그 해 연말 펨버는 리치몬드에 있는 대형 종합병원 침보라소_Chimborazo 제 2병동에 자리를 얻었다. 그녀는 관습적인 인생과 명망 높은 가문의 여성에게 기대할 법한 일반적인 인생에서 벗어나는 일이 전혀 걱정되지 않았다. "그러한 인생이 숙녀의 본성을 타락시키고 감성을 무디게 하는 등 숙녀의 우아함과 섬세함에 나쁜 영향을 미칠 거라는 생각은 섬뜩하다. 그러나 '나에게 애정이 없는 사람들'과 함께 남아있는 것보다는 분명히 나은 일이다."[40]

펨버는 자신의 등장이 암시하듯, 여성의 역할과 병원관리에 불어 닥친 큰 변화를 제대로 인식하고 있었고 의사들 역시 마찬가지였다. 그들은 그녀의 존재를 새로운 법률이 강요한, 그렇지만 달갑지 않은 '여성 관리' 시대가 찾아왔다고 여기고 '반감'을 지닌 채 그녀를 맞이했다. 유난히도 퉁명스러운 한 의사가 '그들 중에 하나가 왔다는 사실에 대한 혐오감을 미처 감추지 못한 어조'로 침보라소에 온 그녀를 맞이했다.[41]

1862년 9월에 법이 제정되기 전, 펨버는 남부 전역 여성이 "일관성 없이 간호를 하고 문병을 하는 경우가 수없이 많으며" 그녀가 생각하기에 이것이 "환자에게 도움이 되기보다는 해로운 결과

침보라소 병원의 간호부장 피비 예이츠 레비 펨버. 버지니아 주 리치몬드의 '남부 연합 박물관' 소장.

를 낳았다"고 기록했다. 팸버는 분명히 이질 환자에게 도넛을 주어 그를 죽음에 이르게 한 어린 소녀나 사지를 절단한 환자의 붕대를 풀어 결국 출혈과다로 죽게 한 여성, 또는 열의에 가득 찼지만 무능한 자원봉사자 열두 명이 매일 아침 한꺼번에 얼굴을 씻기는 통에 이를 견뎌야 했던 군인의 이야기 같이 여성이 병원 일을 하는 것에 반대하는 사람들이 하는 말을 들었을 것이다. 심지어 새로운 법률이 제정된 결과, 병원이 '개방' 되어 남부 여성들이 본격적으로 기여를 할 수 있게 되었을 때도 펨버는 "소수의, 아주 극소수의 숙녀들과 거의 대부분 노동계급 출신인 무능하고 교육을 받지 못한 다수의 여성들만이 그 일에 지원해서 진료실을 가득 메우고 있다."고 불평했다.

전쟁이 계속되는 동안 유명한 가문 출신인 여성 다수가 간호부장 자리를 받아들였다. 케이트 커밍, 엘라 뉴섬_Ella Newsom, 패니 비어스_Fannie Beers, 에밀리 메이슨이 각자의 경험을 기록한 자서전은 전쟁이 끝난 후에 널리 읽혔다. 그러나 남부 숙녀들은 대부분 간호부장의 임무가 그러한 사회적 지위에 있는 숙녀들이 하기에는 너무 고되고 거칠다고 생각했다. 사우스캐롤라이나의 에이다 바콧은 샬롯빌에 있는 미드웨이_Midway 병원에서 1년간 자원봉사를 한 후에 간호부장직을 맡아달라는 제의를 받았다. 그때 병원봉사를 하는 몇 달 동안 후원자이며 친구가 되어주었던 의사에게서 조언을 듣고는 이를 거절했다. "그 분 의견은… 내가 원래 있던 곳으로 가는 편이 낫겠다는 것이었다. 그는 내가 리온_Rion부인〔간호부장직을 그만두는〕과는 다른 계급의 사람이고 노동에도 익숙하지 않기 때문에 안락함과 즐거움, 건강을 희생해가면서까지 그녀가 했던 일을 할 수는 없을 거라고 하였다."42

피비 펨버는 자신의 새로운 자리가 마음의 평화와 신체적 건강에 도전하는 일임을 깨달았다. 그녀의 새로운 임무는 남자 700명을 위한 일상 업무와 요리, 간호였는데, 그녀가 고백하기를 '물품 신청' 이라는 의미조차 몰랐으며 어떻게 신청하는지도 알지 못했다고 했다. 그러나 시험 삼아 사무장에게 닭 두 마리를 신청했을 때 기적적으로 신청한 닭들이 왔다. 그러자 펨버는 의지와 헌신을 증명해야하는 또 다른 시험에 직면했다. "생전처음으로 살아있는 닭의 눈을 외면한 채 죽여서 토막을 냈고, 루비콘 강을 건넜다."[42]

그러나 새로운 업무에 적응하는 것보다 훨씬 더 힘들었던 일이 있었으니, 계속되는 의사들과 직원들의 적의와 마주해야 한다는 것이었다. 그녀가 설명했듯이 병원은 계급과 성별 간의 전쟁터였으며, 여성을 관리자로 임명하고 권한을 부여하는 새로운 법률 때문에 상황은 더욱 악화되었다. 펨버는 분쟁의 중심은 의료용 알코올 지배권에 관한 싸움이라고 생각했다. 그녀는 이를 '위스키 통을 둘러싼 전쟁' 이라고 이름 붙였다. 법에 따르면 위스키는 간호부장의 책임이었고, 의사들은 그 조항이 여성의 권한을 부적절하게 구체화시킨 것이라며 분통을 터트렸다. 일부 의사들이 제멋대로 병원 술을 홀짝거리며 기분 내는 버릇이 있다는 것을 알고 있던 펨버는 병원의 소유라는 원칙의 문제와 정작 필요한 환자들을 위한 알코올이 부족할지도 모른다는 현실적인 이유로 이를 통제했다.

한 바탕 싸움이 벌어질 거라고 예상한 펨버는 이 문제를 염두에 두고 병실 간호사들을 골랐다. 비록 그녀가 남자들을 선호하기는 했지만, 안타깝게도 어느 누구에게도 설명하지 못하는 '타당하고 설득력 있는 이유' 때문에 술의 유혹에 빠지지 않을 여성들을 고용하기로 결정했다. 펨버와 같은 사회 계층의 숙녀들은 와인이나 과일주스로 만든 음료를 가끔 마시는 정도였고 도수가 높은 술에 손대는 일은 거의 없었다. 그러나 펨버는 이러한 원칙이 모든 여성에게 보편적으로 적용될 것이라고 잘못 생각하였다. 게다가 교육받고 지위가 있는 숙녀들보다는 점잖은 하인 계층의 평범한 여성들이 권위에 더 순종적일 것이라는 예상 역시 빗나갔다. 펨버가 고용한 새로운 간호사들은 펨버에게 복종하지도 않고, 맑은 정신을 유지하지도 않았다. 어느 여성은 여성인 펨버가 위스키 통을 통제한다는 점을 이용해서 술을 마셨다. 또 다른 여성은 병실 공간의 일부를 가로막고 병원 가구들을 슬쩍해서 안락한 숙소를 만든 다음, 펨버로서는 기절할 일이지만, 그곳에서 신입 간호사들과 함께 재떨이 주위에 둘러앉아 담배를 피웠다. 모두들 펨버가 집에 초대하지 않았다는 이유로 분개했다. 스스로를 펨버와 같은 '숙녀라고 생각했기 때문이다.' 펨버의 권한을 지지하는 외과 과장의 개입이 있고나서야 그 못마땅한 고용인들을 쫓아낼 수 있었다. 계급과 성별, 이 두 도전에 맞서는 과정에서 그녀의 자리가 위태로워졌다.[44]

위스키를 둘러싼 전쟁이 계속되는 가운데 외과 과장은 펨버의 '충실한 벗'이 되어 주었다. 그녀는 그의 도움 때문에 간호부장과 남성 병원 직원 사이에 '항상 적대감만 있었던 것은 아니라는' 것을 독자들에게 말해줄 수 있었다. 그러나 그리 이례적인 일만도 아니었고, 펨버의 경험만이 특별한 것은 아니었다. 전투가 벌어지는 서쪽 지역의 병원에서 간호부장으로 근무하던 케이트 커밍도 비슷한 적의를 느꼈다. 그녀는 처음부터 "일부 병원에서는 숙녀들을 둘러싼 갈등이 많다."는 것을 눈치 챘다. "이곳에 있는 친구들은 이 일이 존경받는 일이 아니라며 집으로 돌아가라고 충고했다." 처음에는 커밍 역시 펨버처럼 새로운 직업에 대한 서로 다른 견해 사이에서 갈팡질팡했다. 그러나 극심한 고통을 받는 환자들의 고통을 경감시킬 수 있다는 것을 목격하고 플로렌스 나이팅게일의 선례에 힘을 얻어 결심을 굳히게 되었다. 그녀는 "대영제국의 귀족 여성들이 존경받으며 했던 일이 대서양 이쪽편의 여성들에게는 불명예가 된다는 논리를 이해할 수 없다."고 썼다. 커밍에게는 기독교 정신과 여성에게 주어진 봉사의 의무가 여성의 우아함에 관한 피상적인 논리보다 훨씬 더 중요했다. 여성적 이데올로기의 한 측면을 주장함으로써 다른 부분을 밀어내는 것을 보면서 커밍은 정숙과 품위라는 잘못된 주장에 사로잡혀 필사적으로 도움을 청하는 병원을 외면하고 있는 남부여성들에 대해 절망하였다.[45]

사명감에 불탄 커밍은 남자들의 반대에 눈 하나 깜짝 하지 않았다. 그녀는 "의사들이 우리를 인정하지 않을 거라고 말해봤자 소용없다. 우리에게는 권리가 있고, 정당하게 그 권리를 주장한다면 그들을 설득시킬 수 있을 것이다. 이것은 우리의 권리, 우리만의 것이다."라고 단언했다. 현실에서는 이 권리를 확보하는 것이 훨씬 더 어렵다는 사실이 입증되었다. 1863년 여름 커밍은 조지아에 있는 한 병원을 그만두었다. 적의를 품은 외과과장이 사사건건 그녀를 방해했기 때문이다. 그녀가 기록한 일상에서의 갈등은 리치몬드에서 펨버가 경험한 것과 매우 흡사하다. 그중에서도 특히 1864년 여름 '우리 여성들이 승리한' 이야기가 인상적이다. 한 여성이 염증치료에 쓰일 로션을 만들었지만, 의사들은 처음에 '여성이 만든 것' 이라며 무시했다. 그러나 그 로션이 분명히 효과가 있는 것같이 보이자 어느 의사는 로션을 더 달라고 부탁했다. 커밍의 눈에 여성의 능력을 인정해 주었다는 사실은 그저 주목하고 끝날 일이 아니라 당연히 축하해야할 일로 보였다.[46]

커밍의 불만은 남자들에게만 국한된 것이 아니었다. 그녀는 일기 곳곳에서 간호업무가 절실하게 필요한 형국임에도 간호 업무를 하지 않는 남부 연합 숙녀들을 비난하고 있다. "남부의 여성들은 병원으로 갈 것인가? 솔직하게 말하면, 유감스럽게도 아니라는 대답을 해야 할 것이다. 그것은 품위가 있는 일도 아니고 끊임없이 촉각을 곤두세워야 하는 일이다. 그리고 병원에서는 집과 같은 편안함은 찾을 수 없다!" 그녀는 단호하게 말했다. "만약 남자였더라면 그 많은 일들을 할 수 있었을 거라고 말하는 여성들과 여성으로서 할 수 있는 일조차 하지 않고 방치하는 모습을 관대히 보아줄 인내심은 없다… 나는 그녀들이 할 수 있는 일을 수십 가지는 댈 수 있다." 커밍은 품위가 떨어질까봐 우려하는 점을 인정한다면서 "병실에 가지 않고도 할 수 있는 일이 많이 있다."고 덧붙였다.[47]

케이트 커밍의 비판이 우리에게 상기시키듯, 커밍과 피비 펨버처럼 정식으로 급여를 받고 온종일 근무한 사람들은 그들의 계급에서 예외적인 존재였다. 그러나 남부 연합 내에서 '간호'는 오늘날 우리가 생각하는 일반적인 간호 업무와는 활동영역이 상당히 달랐다. 사실 우리가 보기에 펨버와 커밍은 간호사라기보다 병원 관리자에 가깝다. 그들이 직접적인 환자 간호의 책임을 맡지는 않았기 때문이다. 커밍은 1864년 5월이 되기까지 상처부위에 붕대를 감아본 적도 없다고 고백했다. 그녀가 병실로 들어가고도 2년이 더 지난 시점이었다. 그녀는 자신의 일을 이렇게 설명했다. "사실상 우리가 할 수 있는 일이라고는 간호사들 -그녀가 근무하는 병원의 경우에는 파견된 군인들과 노예들이 압도적으로 많았다.-이 하는 일을 지켜보는 것이다."[48]

사실 남부 여성들이 '간호'라고 부르던 것은 우리가 생각하는

'병원 일'에 가깝다. 병원 일에는 매우 다양한 활동과 다양한 수준의 일이 포함되어 있었는데, 이 일을 조직하려는 법 제정 노력이 계속되었다. 이들 업무 중에서 가장 일반적이며 부담 없는 일은 아마도 병원 방문이었을 것이다. 미시시피의 젊은 아내, 엠마 크러처는 군대에 있는 남편에게 쓴 편지에서 "다음 주 빅스버그에 가는 방문 위원회에 임명되었어요.(간호가 아니라는 점을 기억하

간호부장 케이트 커밍. 전후에 『남부 단편선집_*Gleanings from the Southland*』(앨라배마 주 버밍엄. 로버츠앤선Roberts and Son. 1895) 중 그녀의 책에 실린 사진을 복사한 것이다. 버지니아 주 리치몬드의 '남부 연합 박물관' 소장.

세요.)"라고 말하며 이 차이를 분명하게 밝힌다. 첫 날이 지난 후에 그녀는 "전쟁을 위해 입대하였다."고 알렸다. 그러나 그녀가 사용하는 군대용어에 의하면 자유선택이었음에도 불구하고 그녀는 스스로를 자원병이 아닌 징집군으로 표현하며 어쩔 수 없이 연루된 일이라고 주장했다. 그리고 "여성들이 그 일을 해야만 해요. 제가 봉사하겠다고 제안한 것이 아니라 부탁받고 지명된 거예요."라며 남편 윌을 납득시켰다. 그녀는 남편이 그런 계획에 얼마나 '불안' 해할지 알고 있었으나 '이것이 국가에 봉사하는 나의 방식'이라는 점을 그에게 상기시키며 달래듯이 말했다. "숙녀들은" 간호와 관련된 힘든 일은 전혀 하지 않고 있어요. 그런 일을 위해 파견된 회복기 환자들이 있답니다. 하인들도 있고요." 그녀의 시아버지는 그녀와 동행하며 시중 들 하인이 없다면 병원에 가서는 안 된다고 주장했다. 이 방문객들은 식사와 약을 나눠주고, 환자와 병실의 청결을 두루 살피며, 환자들에게 성경을 읽어주었다. 엠마 크러처는 병원이라는 미지의 세계에서 자신을 인도하고, 그녀의 젠더와 계급 정체성을 유지하기 위한 분명한 행동기준을 마음속으로 세웠다. "나는 하인이 할 수 있는 일이라면 그 어떤 일도 떠맡지 않겠다. 그리고 숙녀에게 완벽하게 들어맞지 않는 일은 절대 하지 않을 것이다. 나는 환자들과 격의 없는 대화를 나누지도 않을 것이다… 사실, 나는 나의 성별과 지위에 적합한 위엄을 전혀 잃지 않으면서 동시에 친절하고 유능한 사람이 될 수 있다고 생각한다."[49]

실제로 일을 시작한 지 2주가 지났을 때, 질병과 죽음의 암울한 현실을 마주한 크러처의 열정은 빛을 잃어갔다. 그녀는 윌에게 그 사실을 인정했다. "솔직히 말하자면 병원에서의 일은 별로 낭만적이지 않아요." 그녀에게 배정된 병실 군인들은 헤지고 헐렁한 군복을 걸치고 행색이 초라한 '교육을 받지 못한 아칸소 사람들로 지루한 사람들의 전형' 이었으며 "'위풍당당한 전쟁' 과는 거리가 멀었다." 비록 환자들에게 손을 대지는 않았지만, 그녀가 있는 병실의 환경은 이가 들끓고 '나의 성별과 지위에 적합한 위엄' 이라 부른 것과는 전혀 어울리지 않는 곳이었다.[50]

많은 남부 여성들이 기록한 경험도 엠마 크러처의 경우와 별반 다르지 않았다. 그들은 군인들을 방문해서 버터밀크, 커스터드, 과일과 같은 진귀한 음식을 주거나 병실의 음식 준비를 감독하고, 글을 쓸 수 없거나 쓸 줄 모르는 사람들을 위해 편지를 썼으며, 때로는 얼굴을 씻기는 일까지 했다. 이런 노력의 일부는 거의 하찮은 일로 보였고, 동시대의 작가들마저 처참하고 혼잡한 병실에 고급 도자기로 가득한 은 쟁반과 린넨제품, 꽃병을 보내는 리치몬드 숙녀들을 조롱했다. 그 밖의 다른 노력은 잘못 받아들여졌다. 예를 들면, 환자들이 파슬리로 섬세하게 장식한 수프를 거부할 정도였다. 한 환자는 파슬리가 수프를 더럽히는 '잡초' 처럼 보였다고 말했다.

그러나 군사적 위기의 순간에는 방문자들의 책임이 늘어나는 경우가 많았다. 자원봉사자들이 가장 중요한 일을 맡았던 때는 어쩔 수 없이 심한 부상병들을 직접 보살피게 되었을 때다. 새라 아그네스 프라이어_Sarah Agnes Pryor는 1862년, 유혈이 낭자했던 7일간의 전투가 벌어지는 동안 자신이 버지니아 병원 간호사로 변모하게 된 이야기를 차례대로 기록했다. 간호부장에게 자신이 자원봉사자라고 소개한 프라이어는 그 경험 많은 여성에게서 자신에 대한 의혹을 읽을 수 있었다. 그녀는 프라이어가 멋도 모르고 열의만 갖고 덤벼드는 사람으로 분명히 상류계급 출신일거라 여기고 있음이 분명했다. "이 일은 매우 고됩니다." 간호부장은 이렇

여성 병원 방문객. 〈병원에서 In the Hospital〉, 윌리엄 러드웰 쉐퍼드(William Ludwell Sheppard)가 그린 수채화. 1861년 작. 버지니아 리치몬드 '남부 연합 박물관' 소장.

게 경고하며 자신 앞에 서 있는 숙녀에게 그녀가 원하는 자리가 본질적으로 품위 있는 일이 아니라는 사실을 자세하게 설명했다. “이곳에는 인원이 많지 않기 때문에 우리 간호사들이 어떤 일이 됐든 간에 모든 일을 해야만 해요. 침대를 정리하고, 어느 누구의 시중이라도 들어야 하고, 한꺼번에 수십 가지 일을 처리해야 할 때도 종종 있답니다.” 프라이어는 시키는 모든 일을 기꺼이 하겠다는 의지를 분명히 내보이고는 자신의 이름을 적기 위해 한 줄로 늘어선 환자들을 지나갔다. 어느 침대 옆에는 한 간호사가 무릎을 꿇고 절단된 팔의 아래 부분에 그릇을 받치고 있었다. 프라이어는 곧바로 기절했고, 눈을 떴을 때는 회의적인 간호부장이 그녀를 내려다보고 있었다. “제가 생각한 그대로네요. 당신은 이 일에 어울리지 않아요.”[51]

그 일로 창피함을 느낀 프라이어는 뭔가 하겠다는 자신의 의욕이 “진정으로 제 역할을 하는 사람들”에게 방해만 될 뿐이라는 사실을 깨닫고 “비난받기에 마땅한 나의 나약함을 극복하기로 결심했다.” 다음 날 그녀가 간호부장에게 다시 갔을 때, 간호부장은 상냥함과 몇 가지 실제적인 조언으로 프라이어를 맞아주었다.

그 숙련된 여성은 프라이어를 문 가까이에 배정해주겠다고 약속하며 처음 현기증이 느껴지는 순간에 문 밖으로 달려 나가라고 충고했다. 프라이어는 다른 간호사 몇 명이 자신을 업신여기며 ‘기절하는 우아한 숙녀’ 라고 부르는 것을 극복하기로 마음먹었다. 그리고 어느 날 아침 집에 있는 린넨으로 깨끗한 붕대를 만들어 단정히 말은 후 병원에 가지고 왔을 때, 동료들의 눈에 비친 자신의 이미지를 쇄신하는 데 성공했다. 그 주가 끝날 무렵에는 한 계급 진급도 되었다. 베이컨을 썰고 파리를 쫓거나 물을 길어오고 침대를 정리하는 대신 그녀에게 특정 환자를 돌보는 일이 주어졌다. 얼마 지나지 않아 간호부장은 7시부터 7시까지 정규 교대시간에 그녀를 배정했고 프라이어는 "우리는 항상 '유능하고 친절한 유색인종 여성들'의 도움을 받아 '정식으로 훈련받은 간호사들'처럼 일했다."고 기록했다.[52]

다른 여성들은 프라이어처럼 예민하기는 했어도 그녀와 같은 결단력을 갖추지는 못했다. 메리 체스넛은 친구인 루이자 맥코드_Louisa McCord가 보여주는 모범적인 행동과 그녀의 간청에도 불구하고 병원 일을 거부했다. 맥코드는 콜롬비아 사우스캐롤라이나에 설립된 시설에서 환자들을 살피고 있었다. 체스넛에게는 맥코드의 정신력과 결단력이 여자의 특성이라기보다 남자의 특성인양 부자연스럽게 보였다. 리치몬드 병원에서 '발작을 일으키며 기절한' 이후에, 체스넛은 기부물품을 모으는 방법같이 '외부에서 병원 일을 하는 것이 현명하겠다'는 생각을 했다. 그러나 부끄러운 마음이 들어 급식부서에서 매일 반나절 동안 일을 하던 개인 병원으로 되돌아갔다. 비록 자신의 품위를 지키는 일에는 그다지 개의치 않았지만, 체스넛은 젊은 숙녀들, 특히 미혼 여성들이 여성의 섬세함을 충분히 배려하지 않는 저속한 남자들의 시선과 구설수에 노출되는 모습이 마음에 들지 않았다. 그녀는 "나는 개인병원이든 다른 곳이든 간에 젊은 여성들이 병원으로 가는 모습을 참고 보기가 힘들다."라고 기록했다.[53]

윈체스터의 코넬리아 맥도날드_Cornelia McDonald는 전쟁 중 점령당한 도시에서 아이들과 함께 견디기 힘들 정도의 괴로운 삶을 살고 있었다. 그러나 간호는 그녀가 견딜 수 있는 한계를 넘어서는 것이었다. 그녀는 이렇게 해명했다. "나는 도움이 되고 싶은 마음에 최선을 다했다. 하지만 의사가 닦아줘야 한다고 말하며 노출시킨 한 환자의 얼굴을 보자… 기절하는 것이 아닌가 하는 생각이들었다… 그 의사는 내가 그 상처를 닦아줄 수 있는지 물었고 나는 그러겠다고 대답하려 했지만 그 생각을 하는 것만으로도 어지러워서 문 쪽을 향해 비틀거리며 걸어갈 수밖에 없었다. 내가 지나갈 때 문 근처에 산더미처럼 쌓아놓은 절단된 팔다리에 드레스가 스쳤다." 가장 당황스러우며, 여성들의 헌신과 침착함에 최대의 도전이 되었던 것은 항상 절단된 수족인 것 같았다. 전쟁 중의 일기와 편지, 자서전에서 몇 번이고 되풀이 된 산더미 같이 쌓인 절단된 팔다리에 대한 묘사는, 미국 남북전쟁의 아이러니와 공포를 생생하고 강력하게 표현하고 있다. 그것은 인간이 인간에게 한 잔인함이 치료의 영역으로까지 확대되어 나타난 것이며, 과학기술과 의학기술은 절단은 해도 좀처럼 치료는 하지 못하고 있으며, 정신성을 빼앗기고 절단되어 시체보다 나을 것이 없는 인간이자 유일무이함과 개성을 가진 존재에서 식별이 불가능한 신체의 일부분으로 변한 것이었다.[54]

메리 리도 이웃인 코넬리아 맥도날드처럼 병원 일에 거부감을 가졌지만 전투가 진행되는 동안 윈체스터의 전세가 계속 바뀌자, 집안의 다른 젊은 여성들과 함께 여러 가지 업무를 맡아 부상당한 북부 군인들과 남부 연합 군인들을 도왔다. 리에게 동기를 부여한 주요 요인 중의 하나는 양키들이 점령하고 있는 동안 마을 병원에 있는 남부 군인들이 제대로 간호 받지 못할 거라는 걱정에서 비롯된 것이었다. 또한 북부와의 전투에서 쏟아져 들어오는 엄청난 숫자의 부상병들 모습에 자극을 받은 것이 원인이기도 한데, 안티에텀 전투가 끝난 후에는 수천 명이, 게티즈버그 전투_Battle of Gettysburg, 1863년 7월 1~3일의 3일간에 걸친 전투. 미국남북전쟁 때 가장 큰 사상자를 낸 최대의 격전으로 남북전쟁의 전환점으로 여겨진다. 이 전투로 사실상 북부군의 승리가 결정되었다.-옮긴이 후에는 5천명에 달하는 사상자가 병원으로 옮겨졌다.[55]

메리 리가 병원을 위해 한 일 중 가장 중요한 것은 음식을 조달하고 준비한 것이었다. 그녀는 셰넌도어 계곡 북쪽에 있는 농장주들과 그 가족들과의 친분을 이용해서 식량 부족이 점차 심각해지는 와중에도 환자들이 영양가 있고 충분한 식사를 할 수 있도록 고군분투했다. 때로는 '조리실' 을 감독하며 우스갯소리로 '나만의 고유한 천직' 을 찾은 것 같다고 말하기도 했다. 게다가 필수품을 찾으러 총총걸음으로 마을과 시골을 돌아다녔다. 그러자 놀랍게도 어느 시점에 이르러서는 윈체스터 외과과장의 공식 임명을 받아 의사들에게 필요한 물건을 책임지고 공급하게 되었다. "물건을 파는 온갖 종류의 기묘한 사람들에 대한 이야기를 듣고 그들을 찾아냈다. 무엇 하나라도 구입할 수 있는 유일한 기회이기 때문이다. 가게들은 완전히 텅텅 비었다." 리는 또한 환자들 일에도 매우 열심이어서 질녀와 함께 병실에 가서 노래를 부르고, 고통스러워하는 남자들에게 기도문을 읽어주었으며, 상처 부위의 붕대를 갈아주기도 했다. 그 중에는 창피해서 어쩔 줄 모르는 대령 한 명도 포함되어 있었는데 그녀의 도움을 받으려면 그는 '상당한 노출' 을 해야만 했다.[56]

그러나 리가 하는 일은 윈체스터의 전세가 바뀌는 빈도만큼 수시로 바뀌었다. 그렇기에 새로 도착한 연방 장교들을 구슬려서 부상병들 치료에 대한 허가를 얻는 일도 빈번하게 행해졌다. 그녀는 기독교 정신 때문에 양키 부상병들에게도 친절하게 행동했지만, 북부 군인들의 무례한 시선 속에서는 남부 군인들에게 하듯이 동정심을 갖고 상냥하게 돌보기가 힘들었다.

병원 일에 헌신적인 많은 남부여성들과 마찬가지로, 리도 자신의 일에 만족하는 동시에 일 때문에 녹초가 되었다. 그녀는 1862년 봄, 도로시아 딕스_Dorothea Dix, 미 육군 여성간호사 조직의 지휘자로 임명된 후, 임

상경험을 살려 자원봉사 간호사를 조직화하고 환자와 부상병들을 간호하는 데 크게 기여했다.–옮긴이가 간호사들과 함께 도착했을 때 커다란 안도감을 표시하며 적어도 당분간은 자신이 필요하지 않을 거라 확신했다. 그녀는 이따금씩 병원 일에 에너지를 소비하는 것에 대해서 불만을 나타냈었다. "나는 때로 애초에 병원에 발을 들여놓지 않았으면 하고 바랄 정도로 이기적일 때가 있다." 리의 시누이인 로라는 무리하게 일하는 리를 걱정하며, 어느 날은 그녀가 집에 돌아왔는데 너무나 쇠약해진 나머지 정신을 잃어서 깨어나기까지 몇 시간이 걸려 걱정하였다고 기록했다. 그러나 리는 일을 사랑하기까지 했다. 1863년 11월, 리가 일하는 병원의 환자들이 스톤튼_Staunton으로 후송되었을 때 그녀는 자신의 목적과 동료들을 잃은 듯한 기분을 느꼈다. "병원에서의 내 임무를 이토록 그리워할 거라고는 상상도 못했다. 내가 한 사람 한 사람에게 개인적으로 얼마나 많은 관심을 가졌는지 미처 몰랐다… 나는 내가 병원에서 보낸 시간을 어떻게 써야할지 모르는 채 빈둥거리며 아침을 보낸다." 그녀는 분명히 코델리아 스케일스_Cordelia Scales가 홀리 스프링스_Holly Springs 근처에 있는 자신의 집에서 간호하던 병사들이 그녀에게 너무나 많은 도움을 받았다고 하는 말을 듣고는 그녀의 말을 이해했을것이다. "유감스럽게도 얼마 안 있으면 내가 중요한 사람이라고 생각하게 될 것이다." 사우스캐롤라이나의 에이다 바콧은 버지니아에서 간호를 하며 보낸 처음 몇 달이 인생에서 가장 행복한 때였다고 말했다. "나는 살면서 거의 처음으로 내가 유용한 사람이라고 느꼈다." 비록 남자들을 보는 것만으로도 진절머리가 난다고 불만을 토로하기는 했지만, 그녀는 자신의 일이 "말로 다 표현할 수 없을 만큼 만족스러웠다"고 분명히 말했다.[57]

그러나 보람 있는 병원 일에는 무리한 요구와 진짜 위험이 도

사리고 있기도 했다. 바콧은 황달에 걸렸다. 다른 간호사들은 장티푸스에 시달리는 경우가 많았다. 버지니아 병원에서 온 와이트_Wight양이 병으로 죽었을 때는 동료 간호사의 말 그대로 "그녀는 자신의 목숨을 희생해서 생명을 구했다." 앨라매바의 줄리엣 오피 홉킨스는 세븐 파인스_Seven Pines 전투에서 부상당한 장교를 들어 올리다가 다리가 부러져서 되레 그녀가 사상자가 되었다. 홉킨스는 이후부터 평생 다리를 절게 되었다. 이상하게도 간호의 위험성을 논하는 대중적 토의는 여성의 건강에 대한 이런 신체적인 위협은 간과하는 대신, 간호를 도덕과 관습에 대한 도전으로 여기며 그것이 의미하는 문화적, 사회적 위험에 집중했다.[58]

남부여성들은 자신들의 품위와 인생을 잃게 될까봐 두려워서였는지 아니면 그저 집이 주는 안락함에 연연해서였는지는 모르겠지만, 사상자가 늘어감에도 도움의 손길을 기다리는 병원에 자발적으로 찾아가지 않았다. 거의 전쟁기간 내내 여성 간호사를 구하는 광고가 남부 신문에 끊이지 않고 실렸다. 군대 의료체계를 통합하고 표준화하려는 정부의 노력에도 불구하고 남부 연합 병원 대부분은 임시방편적인 운영을 계속하고 있었다.[59]

그러나 이런 불규칙함이 계속되면서 여성에게 더 많은 기회가 생겼다. 예컨대 여성들은 남부 연합이 법률로 제정한 의사, 간호부장, 간호부장 보조, 병실 수간호사, 간호사로 구성된 제도 밖에서 해야 되는 병원의 일을 지속하게 되었다. 관료적인 법규는 가장 세심하게 운영되는 제도에서조차 일상의 현실을 제대로 반영하지 못했다. 아내들과 어머니들, 누이들이 가족을 돌보기 위해 병원에 도착했다. 피비 펨버의 병실에서는 그러한 방문자가 장기간 머무르면서 남편의 침대에서 출산을 하기도 했다. 자원봉사자들은 성경과 음식물을 가지고 병실을 돌아다니면서 몇 마디 용기를 주는 말을 건넸다. 많은 시설들이 마을 주변의 여성들에게 의지해서 음식과 일용품 같은 기본적인 문제들을 해결했기 때문에 '급식부'에는 여성들의 도움이 많이 필요했다. 이러한 공공 병원들은 부상병들을 돌보려는 남부의 노력의 일부분이었다. 정부에서 운영하는 병원은 처참한 전투의 여파로 나타난 수천 명의 부상병들을 보살피기에는 늘 충분치 않았다. 큰 희생을 치른 격전지 근처 마을에서는 개인적인 기질이나 경험, 또는 품위 여부에 관계없이 갑자기 거의 모든 주민들이 위기상황을 타개하기 위한 원조활동에 참여해야 했다. 예를 들어 로라 리의 기록에 따르면 안티에텀 전투가 끝난 후의 윈체스터에는 학교, 교회, 은행, 마을회관 등의 이용 가능한 거의 모든 공공장소에 병원 스물네 곳이 설립되었으며, 부상당한 남부 연합 군인들을 몇 명씩 받아들인 가정들도 셀 수가 없을 정도로 많았다. 그녀는 마을 전체가 거대한 병원이 되고, 그곳에 남아있는 모든 주민들 -절대 다수가 여성이었다-은 병원 직원이 되었다고 기록했다. 그 아수라장과 조우하고 싶지 않았던 사람들은 피난민이 되는 길을 택했다.[60]

그러나 병원에서 일할 수 있는 이런 저런 기회들이 생기고 때로는 거의 불가항력적으로 일을 해야만 하는 상황이 있었음에도 불구하고, 대다수 상류층 여성들은 봉사를 간헐적으로 하거나 아니면 아예 하지 않았다. 남부 연합 여성들을 대거 병원 일에 참여하게 하려는 정부의 노력은 실패할 수밖에 없었다. 군대 징병과는 달리 여성을 대상으로 한 남부 연합의 인력정책과 인력동원정책은 강압보다는 설득에 기반을 두고 있었다. 선택의 여지가 있던 남부 백인여성 대부분은 힘들고 위험한 병원 일을 회피했다. 초기에 어려움을 겪었던 메리 체스넛은 2차 진료 기관에서 일하기를 자원하였고, 그 곳의 환자들은 상태가 위중해지거나 숨을 거두기

보다는 차츰 회복되는 경우가 많았다. 다른 여성들도 체스넛과 같이 선택의 기회가 늘어난 점을 이용해서 업무 정도를 조절하고 가장 참혹한 진료 환경은 피한 것이다. 기독교인으로서의 의무를 염려하는 여성들은 하루 종일 하는 일이나 장기간의 의무를 수행하는 것 보다는 이따금 도움을 주는 방법, 즉 음식을 보내거나 병실을 방문해 성경을 읽어주고, 열차로 마을을 지나가는 군인들에게 식사를 제공하는 일이 적절하다고 생각하는 경우가 많았다.

여성들이 이렇게 결정하게 된 가장 중요한 요인은 무엇이었는가? 그토록 많은 여성들이 여성이 봉사하고 애국할 수 있는 기회를 거부함으로써 케이트 커밍, 피비 펨버, 수잔 스미스를 실망시킨 이유는 무엇인가? 커밍의 물음처럼, 어째서 "여성의 신성한 의무가… 방치되었는가?" 스미스가 말한 대로, "그들 눈앞에 작은 도움이라도 큰 힘이 될 수 있는 현장이 있는데… 더 많은 숙녀들이 도움의 손길을 내밀지 않는 이유는 무엇이란 말인가?" 관습에 도전하여 이 중대한 역할을 맡은 여성들을 다른 여성들과 구별 짓게 하는 특성과 동기는 무엇이었는가?[61]

젊은 숙녀들은 분명히 엠마 크러처가 '나의 성별과 지위에 적합한 위엄' 이라고 부른 것이 위협당하는 것에 대한 두려움을 극복하지 못하는 경우가 많았다. 숙녀다움 -계급과 젠더의 정체성의 차원에서- 숙녀다움에 관한 사회통념과 대부분의 병원 일은 어울리지 않았다. 그러나 많은 여성들이 그러한 상황 그리고 의무를 다해서 도움이 되는 사람이 되고 싶다는 충동 사이에서 균형을 잡으려고 애를 썼다. 이들은 크러처와 같이 품위를 지키겠다는 선언을 통해 신중하게 봉사의 범위를 설정했다. 간호는 흥미진진하고 애국적이며 의미 있는 일이기도 했지만 동시에 불결하고 품위를 떨어뜨리는 일기도 했다. 엠마 크러처가 그러한 간호의 매력과 혐오감 사이의 갈등을 거의 완벽하게 구체적으로 표현한 예라 할 수 있다. 어느 시점에서 엠마는 남편의 부재를 떠올리며 자신의 모순된 감정을 해결하려고 했는데, 그가 있었더라면 남편의 권위를 행사하며 병원 일을 하는 것을 금지했을 거라고 생각하였다. 다른 여성들도 크러처와 마찬가지로 병원 업무가 절박하고 중요한 일이라고 인정하면서도, 그 일을 회피하는 것을 정당화하기 위해 남성의 압박이 들어올 것을 떠올리면서 내면의 갈등에서 벗어나려는 듯 보였다. 간호사로서 버지니아에 갔던 에이다 바콧마저 의사인 친구가 병원 간호부장직을 수락해야할지의 여부를 결정해주자 안도의 한숨을 내쉬었다. 20대에 베스트셀러 작가가 된 오거스타 제인 에반스_Augusta Jane Evans는 간호사로 봉사하겠다는 계획에 오빠들이 반대하자 '실망감을 감추지 못한 채 마지못해서,' 하지만 예의바르게 그 의견을 따랐다. 비슷한 반대에 부딪친 새라 모건은 다음과 같이 기술하였다. "만일 내가 독립했더라면, 만일 내 행동으로 다른 사람들을 괴롭게 하지 않고도 내 의지를 실현할 수 있었더라면, 이런 한심한 책을 열심히 읽고 있지도 않았을 테고, 독서나 바느질을 하며 게으르게 지내지도 않을 것이다. 쓸모없는 여성의 일일랑 젖혀두고 여성의 의무를 다할 것이다. 그리고 버림받은 남자를 도우며 그가 마지막으로 눈 감는 순간에 그에게 신의 가호를 빈다고 말해줄 것이다. 설교나 정치활동이 아닌, 바로 그것이 여성의 사명이다!… 죽어가는 이들을 도울 수 있었으면! 하지만 나는 마치 쇠사슬에 묶인 곰과 같아서 나로서는 불가능한 일이다… 비겁하고 무력한 여성이 바로 나다! 내게 자유가 있었더라면…" 비록 모건이 변명도 하고 자신을 책망하기도 했지만, 한편으로는 자유로움으로 인한 책임과 마주하지 않아서 안도하는 것처럼 보인다.[62]

오랫동안 봉사하고, 병원 일에서 거의 전문가가 다 된 여성들은 모건이 암시했듯이, '독립'적인 경향이 있었다. 예를 들면, 펨버와 바콧은 과부였고 커밍은 노처녀라 해도 좋을 만큼 나이가 많은 미혼의 숙녀였다. 남부에서 가장 활발하게 활동하던 대부분의 자원봉사자들 -이를테면, 루이자 맥코드와 메리 리- 또한 과부들이었다. 그들은 가장의 직접적인 통제와 가사노동의 의무 밖에 존재하는 여성들로 사회적 책임에 몰두하기가 수월했을 것이다. 꿈에 부푼 한 간호사가 줄리 오피 홉킨스에게 보낸 지원서에 쓴 것처럼 그녀에게는 "아무런 방해물도 없었다."[63]

진지하고, 헌신적이며, 장기간 해야되는 병원 일은 이들 예외적인 여성들의 영역이었다. 그것은 대다수 남부 숙녀들의 경험이라 보기에는 무리가 있었고, 펨버의 말처럼 '소수의, 아주 극소수'의 숙녀들만이 간호부장이나 간호사가 되었다. 흔히 남북전쟁 시대 간호사로서의 여성들의 공헌은 평등 그리고 성취감과 자긍심 고취를 향한 진보의 이정표로 환영받았다. 남북전쟁 시대의 간호 자체가 의료 분야에 여성의 진출이 시작된 것으로 간주되고 있다. 그러나 남부의 경우에는 이런 기념비적인 묘사가 어울리지 않는다. 북부에서는 전후에 간호 양성학교가 설립되었고, 클라라 바튼_Clara Barton, 미 적십자사 창설자-옮긴이같은 전시의 간호 지도자들이 보건 정책과 전후 여성의 역할에 상당한 영향력을 행사하기는 했지만, 남부 지역에서는 그 어떤 발전적인 일도 일어나지 않았다. 남부의 커밍스와 펨버, 뉴섬과 같은 여성들은 회고록을 남기곤 사라졌다.

전체적으로 볼 때, 남부 백인여성들의 병원 일은 자기 자신에 대한 새로운 자신감과 능력을 강화하는 요인으로 간주되지 않았다. 남부에서 가장 헌신적인 간호사들 다수가 분명히 밝혔듯이,

여성들의 종합성적은 성공이 아닌 실패였다. 그들은 수많은 요청에도 자진해서 일을 맡지 않았고, 케이트 커밍이 보기에는 남부가 결정적으로 패배한 것에 대한 많은 책임을 그들에게 물어야 했다. "나는 만약 우리가 승리하지 못한다면 남부여성들이 그 책임을 져야할 것이라고 여러 차례에 걸쳐 이야기했었다… 나는 결코, 단 한순간이라도," 그녀는 말을 이었다. "우리의 직무를 당당하게 수행하고, 반대의 목소리가 높은데도 불구하고 그 모든 것을 감수한 강한 여성들이 없었다고는 말하지 않겠다."64

개별적으로 말하자면, 가장 성공하고 헌신적이었던 이 여성들도 그 경험을 뭐라 한 마디로 정의내릴 수가 없었다. 한편으로는 엄청난 만족을 준 경험이지만 또 한편으로는 좌절과 낙담을 하게 한 경험이기도 했다. 전쟁 전 이 여성들 정체성의 근간을 이루던 것들, 전통적으로 여성스러움 혹은 여성의 특성으로 여겨졌던 것들은 무능력으로 간주되어 포기되어야 했다. 고상함과 품위는 희생되어야만 했고, '기절하는 우아한 숙녀' 는 극복되고, 감수성은 무뎌지고, 연민은 현실주의의 경계를 넘지 않아야 했다. 최고의 간호사들은 다른 여성들의 판단에 의하면 놀랄 만큼 남자처럼 보인다는 것이다. 메리 체스넛은 "루이자 맥코드의 체력은 우리의 허약함과 얼마나 대조적인가!"라고 썼다. "그녀는 '남자의 머리와 힘' 을 갖고 있다." 버지니아의 병원에서 일했던 엘리자 맥키_Eliza McKee는 친구인 클라라 맥린이 보기에 "그러한 일에 타고난 사람이다. 내가 본 여성 중에서 단연코 그녀가 가장 결단력 있는, 거의 남성에 가까운 여성이다. 사실 나는 그녀가 병원에서 그녀와 함께 섬세한 주제에 관해 이야기를 하는 것을 불편하게 느낀다고 그녀에게 말했다. 나는 그녀가 여성으로 변장했다고 밖에 생각할 수 없다."라고 했다. 남북전쟁의 경험이 남부에서는 의미심장한 방법

으로 여자다움과 간호가 양립할 수 없다는 견해를 강화한 것이다.[65]

남부의 상류층 여성들은 체스넛이나 맥린의 견해에 상당부분 동조했다. 간호를 경험함으로써 그들은 자신들의 부족함 그리고 여성스러움과 특권에서 비롯된 연약함을 새로이, 고통스럽게 깨닫게 되었다. 그들은 자신들의 나약함에 충격을 받고, 무능력과 무지에 놀라고, 영웅 대접을 받아 마땅한 평범한 군인들에게 혐오감을 느끼고, 가정의 안락함을 더 좋아하는 자신들의 모습을 믿을 수가 없었다. 한편 메리 체스넛은 무례하게 '플로렌스 나이팅게일 업무' 의 가치를 폄하하였다. 그러나 그 시도가 실패한 후에도, 그녀는 다시 병원 일을 하고 음식을 보내고, 급식부에서 봉사를 하는 한편, 기여도를 높일 수 있는 방법을 강구했다. 맥코드의 헌신과 비교하여 자신의 미약한 노력을 부끄러워했다는 것은 체스넛이 그 임무가 긴급하다는 것을 온전히 이해하고 있었으며 스스로 그 일을 하기에 부족하다는 사실 역시 알고 있었다는 뜻이다.[66]

상류층 여성들이 나이팅게일 역할에 실패하자 일부 남부 연합 숙녀들은, 커밍의 표현대로, "여성들이 아무리 최선을 다하더라도, 남자들이 견뎌야 하는 것과 비교한다면 아무 것도 아니다."라고 생각하게 되었다. 커밍은 '숙녀들에 대한 의례적인 칭찬' 에 '넌더리' 가 난다며, 그녀들이 '그런 모든 칭찬을 들을 자격이 없다' 는 것을 알고 있다고 불평하였다. 그러나 정말로 남부 연합 간호의 짐을 진 사람이 누구인지 커밍이 이해할 수 있고, 인식할 수 있었는지는 분명하지 않다. 남부 육군병원의 직원 기록에 따르면 내과의사, 사무장, 간호부장, 파견 병사, 회복기의 환자, 수녀들에 이르기까지 다양한 직종의 직원들이 있었다. 그러나 그 외 다른 사람들 중에는 흑인들이 압도적으로 많았다. 이들은 주인에게 강제로 끌려오거나 고용된 사람들, 혹은 남부군대에서 붙잡힌 흑인 남녀들로 요리와 세탁을 했지만, 가장 중요했던 일은 남부 연합의 부상병들을 간호하는 일이었다. 남부 연합 숙녀들이 한 부인할 수 없고 중요한 기여에도 불구하고, 남부의 상처받은 영웅들을 돌보는 사람은 남부 연합의 숙녀들이 아니라 흑인들이었다. 남부 연합의 숙녀들은 요리를 하고 설거지를 하는 가사노동의 세계와 같이, 간호의 영역에서도 그들보다 열등하다고 생각하는 인종들에 비해 더 무능력하고 생산적이지 않다는 사실이 입증되었다.[67]

남부의 백인여성이 가정을 벗어나 노동의 세계에 진출함에 따라 그들 자신에 대한 가장 기본적인 가정을 마주 대하게 되었다. 전시에 교실과 관청과 병원에서 일한다는 것이 어렵고 고되다는 사실을 점차 인식하면서 자신의 능력에 회의를 품고 능력과 책임의 한계를 새롭게 깨달은 것이다. 그러나 특권계급 여성들에게는 아마 가정과 가족들의 테두리 안에서 보호받으며 사는 동안에는 좀처럼 볼 수 없었던 새로운 사람들과의 만남이 더욱 인상적이었을 것이다. 여성들은 학교와 병실에서 다른 계급의 남부 백인들과 마주쳤고, 숙녀들은 그들의 행동으로 자신을 규정하는 전제에 대해 다시 생각하게 되었다. 엠마 홈스는 사우스캐롤라이나 하류 계급 아이들의 무지와 무례를 경험하면서 '자신의 정체성을 제대로 인식하는 데 어려움'을 겪었다. 피비 펨버는 병원의 백인여성 근로자들이 술에 취하고 욕설을 퍼부으며 대체적으로 자신과는 판이하게 다른 행동을 한다는 것을 알았을 때 본질적으로 여자다움이란 무엇인지를 다시 생각해야 했다. 상류층 여성들이 노동을 하고 평소와는 달리 품위 없는 백인들을 가까이서 접하게 됨에 따라 자신들의 정체성에 필수적인 것 즉 크러처가 '나의 성별과 지위에

어울리는 위엄' 이라 불렀던 것을 구별하는 것이 모호해질 위협에 놓였다.[68]

케이트 커밍은 주위 환경보다 '품위를 지키는 것' 이 중요하며, 사회적으로 탐탁지 않은 사람들과의 교제나 간호가 가진 불결하고 비천한 측면이 품위를 훼손할 수는 없다고 단언했다. 좀 더 정확히 말하면 그녀는 숙녀들의 품위란 정신적인 것이고, 타인을 향한 기독교적인 봉사만이 품위를 높일 수 있다고 주장했다. 그러나 그녀의 주장에 동조하는 사람은 거의 없었다. 훨씬 더 많은 여성들이 군중과 자신을 분명하게 분리해서 자신의 지위를 규정할 필요가 있다고 느꼈고, '정부부처라니 있을 수 없는 일이다!' 라고 했던 메리 체스넛의 맹세처럼 공적 영역으로부터의 오염을 완전하게 피함으로써, 라일라 천이 말하는 얼굴이 두껍다는 의심을 피해야 했다. 남부 연합 여성들이 집을 벗어나 노동의 세계로 진출함에 따라 특권계급 여성들은 그들의 정체성과 자아 개념 형성에 계급이 얼마나 중요한 지를 이해하게 되었다. 부득이하게 낮은 계급의 학생과 환자들 혹은 직장 동료들과 어울려야 했던 특권계급 여성들은 이전에는 거의 주장할 필요가 없었던 우월함을 내세워야 할 필요를 느꼈다. 남북전쟁으로 인해 지위와 계급을 구분 짓는 토대에 의문이 제기됨에 따라 특권계급 여성들은 자신들의 계급과 지위에 대해 더욱 완고한 태도를 갖게 되었다.[69]

CHAPTER FIVE

We Little Knew

HUSBANDS AND WIVES

제5장

우리가 아는 게 무엇인가
이별은 언제나 슬프다
남편과 아내

1861년 10월, 케이트 페디는 집을 떠난 남편 조지에게 편지를 써서 '거의 매일 밤' 그의 꿈을 꾼다고 고백했다. 때로는 그의 안전에 대한 걱정으로 악몽을 꿀 때도 있지만, 대부분은 그가 돌아올 거라 믿으며 잠에서 깨어나기 때문에 무척 행복했다. 그러나 그의 모습이 무척 생생하게 자주 보였기 때문에 마치 헤어진 그들의 관계가 다시 시작되어 환상과 상상이 가득한 밤의 세계에서 꽃을 피우는 것만 같았다.[1]

엠마 크러처의 꿈은 남편 윌이 보호자이자 수호자로서 마땅히 있어야 할 자리에 그를 되돌려 놓았다. "지난 밤 당신 꿈을 꾸었어요. 기나 긴 모험이 계속되는 동안 당신이 저를 지켜봐주고 돌봐주는 꿈이었는데 웬일인지 그 꿈 덕분에 기운이 났어요. 당신이 정말로 저에게 마음을 쓰실 거라는 걸 알기 때문이지요." 그녀는 밤마다 계속해서 윌을 보았고, 어느 순간 재회하는 꿈이 너무 생생해서 낙담하고 아쉽게 생각하였다. 그녀는 "어찌된 건지 꿈이 스스로를 통제하는 힘을 마비시켰다."고 설명했다. 그녀의 환상은 그녀가 "잠에서 완전히 깨어났다면 결코 허용하지 않았을 그런 것이었다." 그녀의 상상력은 너무나 실감나고 관능적으로 상세하게 발휘되어서 전쟁으로 중단된 관계가 재현되었다.[2]

남부 연합 여성 중에서는 꿈이 미래의 사건을 예견하는 것이라고 생각하고, 그것을 예언으로 해석하려는 사람들이 있었다. 코넬리아 노블_Cornelia Noble은 결혼반지가 두 조각으로 깨진 꿈을 특히 불길하게 생각했다. 하지만 엠마 크러처는 꿈의 의미를 다르게 해석하며, 모든 자기기만과 변명을 벗어던진 우리의 진정한 동기를 드러내는 것이라고 믿었다. 그녀가 특별히 예시적이라고 생각한 어떤 꿈에서 윌이 다리를 다쳐서 집으로 돌아왔다. 그러나 엠마는 그의 고통에 슬퍼하기보다는 뛸 듯이 기뻤다. 그가 평생 다리를 전다면, 전쟁터로 돌아갈 수도 없고 다른 여자를 유혹하지도 못할 거라고 판단했기 때문이다. 영원히 그녀의 것이 되는 것이다. 엠마는 이 꿈이 자신의 '지독한 이기심'을 보여주는 것이라고 결론내렸다. 그녀가 가장 염려하는 것은 그의 정절과 생존이며, 그녀가 마음 속 깊이 바라는 것도 승리나 독립, 평화가 아닌 남편의 영원한 귀환이었다.[3]

엠마 크러처나 다른 수천 명의 남부 연합 여성들이 소중하게 생각하던 결혼의 인연이 잠시나마 -영원하지는 않더라도- 꿈과 환상의 소재가 되었다. 전쟁터로 떠난 남편들은 낮에는 부재중이고, 오직 아내들의 꿈의 상상 속에서 생생하게 돌아와 외로움을 달래주었고 그것이 부부간의 친밀함을 대신해 주었다. 전쟁으로 남부 가정 구조에 생긴 변화는 아내들의 마음과 영혼 또한 변화시켰다. 남부 연합 여성들은 여러 감정의 굴곡을 경험했다. 그들 인생에서 가장 근본적인 개인적 애정관계는 이제 꿈처럼 잡을 수 없고, 그들 사이를 이어주는 유일한 수단인 편지에서만 실재하였다.

전쟁으로 떨어져 있는 남부 연합의 부부들은 원활하지 못한 국가 우편제도에 의지해 그들의 감정을 표현했다. 엠마 크러처는 말했다. "당신의 눈길이 머무르리라는 것을 알고 쓰는 이 편지는 그 어느 것보다 당신과 나를 가깝게 만듭니다." 의사소통, 애정과 헌신의 고백, 간단한 정보교환에 이르기까지 이 모두가 오직 편지를 통해서만 이루어졌다 해도 과언이 아닐 정도였다. 남부 특권계급의 교양 있는 사람들은 느끼고 생각하는 바를 의미심장한 표현을 사용하여 알리는 데 어려움을 느꼈지만 읽고 쓸 줄 모르는 일반 군인들이 겪는 어려움에는 비할 바가 아니었다. 병사들은 부부사이에 편지를 주고 받기 위해 의존했던 유일한 방법으로 다른 사람에게 편지를 받아쓰게 하는 경우가 많았다. 그러나 빈부를 막론하고 비효율적이고 값비싼 남부 연합의 우편제도는 감정적 유대감을 유지하는 데 결정적인 방해물 역할을 했다. 남부 연합 지도자들은 우편제도에 보조금을 지원하게 되면 국가의 영리적인 이익에 도움이 되지 않을 거라고 믿었다. 따라서 우편요금은 실제 가격을 반영하였고, 그 정책으로 인해 연방탈퇴 후에, 우표 가격은 폭등하였다. 1861년 가을, 게트르루드 토마스는 편지를 보내는 가격이 평범한 남부 사람들에게 '심각한 문제' 임이 분명하다고 기록했고, 그 다음 해 우편 요금은 두 배가 되었다. 1862년 우편 요금이 10센트로 올랐을 때 엠마 홈스에게는 그 충격이 "상당했다. 이렇게 어려운 시기에 나의 편지왕래가 제약을 받게 생겼으니 말이다." 전쟁이 후반으로 접어들면서는 남부 사회의 상류계급 사람들마저 원하는 만큼 자주 편지를 보낼 수가 없었다. 1865년 1월, 버지니아의 캐롤라인 데이비스는 리치몬드에 있는 식구들에게서 소식을 듣기가 힘들다고 불평했다. "매일 편지로 서로의 소식을 들을 수 있었으면 좋겠다."[4]

비싼 가격에도 불구하고 편지배달은 전혀 안정적이지가 않았고, 남부사람들의 기록을 보면 때로 몇 달 동안이나 배달이 중단되었던 사례를 볼 수 있다. 이런 배달사고가 끼친 영향은 이루 헤아릴 수 없지만, 가장 큰 괴로움을 안겨주었던 것은 군 사상자에 대한 정보부족이 계속 반복되었다는 점이다. 여성들은 사랑하는 사람들이 특정 전투에서 살아남았는지의 여부를 몇 주간, 혹은 몇 달 동안 듣지 못하곤 했다. 기다림은 너무나 견디기 힘들어서 차라리 최악의 뉴스를 듣는 것이 안심이 될 정도였다. 소문의 여신은 견딜 수 없는 불안감 속으로 파고 들어 그 잔인하고 독단적인 지배권을 행사했다. 많은 여성들이 마을이나 도시, 전신국, 우체국 등 정기적이고 믿을만한 정보를 제공하는 장소 가까이에 자리를 잡으려고 했다. 그곳에서는 정기적으로 믿을만한 정보를 제공받을 수 있어서 근심걱정을 조금이나마 덜 수 있었다. 버지니아의 메리 두라니_Mary Dulany는 "나는 매 시간마다 할_Hal의 소식을 계속 들을 수 있는 곳으로 가고 싶은 충동을 느낀다."라고 썼다. 조지아의 리지 오즈번은 남편 지미에게 이렇게 말했다. "기다리는 일을 견딜 수가 없어요. 당신과 나에게 전신기가 있으면 좋으련만."[5]

그러나 소식을 제대로 전할 수 없었던 것이 삶과 죽음에 관련된 문제에만 국한된 것은 아니다. 결혼생활에서 감정적인 친밀함을 이루는 거의 대부분의 사소한 문제들 역시 효과적으로 전달될 수가 없었다. 루이지애나의 어떤 여성은 거의 4개월 동안 전방으로부터 편지를 한 장도 받지 못하자 "자유롭게 편지를 쓸 수 있어도 이별은 언제나 매우 슬프다. 하지만 사랑하는 이에게서 소식을 듣지 못할 때면, 이별은 견디기 힘든 끔찍한 일이 된다._L' absence est toujours bien triste, même avec la consolation de pouvoir écrire librement, mais lorsque l' on est privé de recevoir des n〔ouv〕elles de ceux qui sont si chers, c' est horrible à supporter." 남부 연합의 우편제도에 관한 한 연구에서는 우체국이 '후방의 사기저하' 에 중대한 역할을 했다는 것이다.6

신원미상의 남부 연합 부부. 조지아 주 애틀랜타의 '애틀랜타 역사센터the Atlanta History Center' 소장.

아마도 우편 요금이 비싸고, 드물게 배달되는 점 때문에 편지가 더욱 소중하게 생각되었을 것이다. 엠마 크러처는 "편지가 이렇게 귀중한 것이 되리라고는 생각하지 못했다."고 기록했다. 파니 고든_Fannie Gordon이 애타게 기다리던 편지가 군사령관인 남편 존 고든_John Gordon으로부터 도착했을 때, 그녀는 그 종이가 남편 대신이라고 생각했다. 그녀는 편지를 베일 아래 놓아 두어 세상 모든 사람의 눈으로부터 편지를 숨기고는 "저는 당신의 입술이 닿은 부분에 계속해서 제 입술을 대며 제가 너무나 사랑하는 당신의 사랑스러운 입술과 멋진 콧수염이 느껴진다고 상상했어요."라고 하였다. 편지는 많은 여성들에게 외롭고 고통스러운 인생에 남아 있는 '가장 귀한 보물' 이었다. 여성들은 답장을 쓰면서 감정을 표출했는데, 이는 편지에서만 가능한 일이었다. 남부 연합 당국자들과 대중언론은 군대의 사기를 걱정하며 여성들에게 "우울한 편지를 삼가 달라."고 부탁했다. 그러나 많은 부인들은 삼가달라고 한 바로 그러한 일을 하였는데, 부인들은 전쟁으로 초래된 여러 문제를 남편과 공유해서 친밀한 관계를 유지하고자 하였다. 1862년, 노스캐롤라이나의 메리 벨은 남편 알프레드에게 이런 편지를 보냈다. "당신은 제가 몰리_Mollie의 우울한 편지를 그만 받기 바란다고 생각하실 거예요. 하지만 저는 항상 가장 친한 친구에게 가장 큰 두려움을 털어놓는 일은 정말 위안이 된다고 생각해왔어요. 특히 그 친구가 공감해준다면 더할 나위가 없지요."[7]

리지 네블렛도 여기에 동의하였다. "제 문제를 말할 수 있는 누군가가 꼭 필요해요." 그녀는 남편 윌에게 말하길, 그에게 보내는 편지가 '안전판' 역할을 한다고 했다. 하지만 그 편지들 역시 '내 마음의 거울' 이라고 그녀는 고백한다. 자신이 감정을 완전히 드러내며 편지를 쓴다는 것을 깨달은 리지는 조금 걱정이 되었는데,

윌이 속마음을 털어놓지 않았기에 걱정이 더했다. 엠마 크러처 또한 남편에게 느끼는 대로 솔직히 털어놓았다. 그녀는 "말로 할 때보다 편지를 쓰는 것이 더 편하다."는 사실을 깨달았다. 이별은 역설적이게도 남편과 아내의 관계가 이전과는 다르게 솔직해지고, 감정적으로 가까워지고, 서로의 애정이 더욱 깊어지게 한 것처럼 보였다.8

특히 남성들의 경우는 대부분 자신의 감정을 드러내거나 나약한 모습을 보이는 일을 어려워했다. 윌 네블렛만이 감정 표현에 신중했던 것은 아니다. 조지 페디는 자신의 부족함을 케이트에게 사과해야겠다고 느꼈다. "내가 당신을 얼마나 사랑하는지 말로 표현하거나 글로 쓸 수 있었으면 좋겠소. 편지로 당신에 대한 내 사랑을 말하려 할 때면 내 감정을 표현하기에 알맞은 단어와 표현을 찾지 못해서 어찌할 바를 모르겠소. 사실 당신의 편지에 비하면 내 편지가 너무나 부족해서 무엇을 쓰려고 시도하는 것 자체가 부끄럽기 짝이 없구려." 노스캐롤라이나의 데이비드 맥라벤_David McRaven은 편지를 쓰려는 시도는 부끄럽지 않았지만, 그 결과에는 당혹스러워했다. "아만다_Amanda, 나는 낭만적으로 변하고 있소. 당신은 마흔 여덟 살 먹은 남자가 마치 소년처럼 사랑을 논하는 것을 보고 웃음을 터트릴 거요." 메리가 재빨리 그를 안심시키며 '바로 내가 받고 싶던 편지들'이라고 말했음에도 불구하고 알프레드 벨은 아내가 자신의 '연애편지'를 바보 같은 허튼소리로 여길까봐 걱정스러웠다.9

로즈 루이스_Rose Lewis는 그녀에 대한 남편의 사랑이 진정 더 깊어진 것인지, 아니면 편지를 이용해서 사랑한다는 말을 자주하는 것인지 판단할 수가 없었다. 전시의 이별은 평화 시에는 무시되거나 당연하게 여기던 감정을 깨닫고, 인정하고, 분명하게 표현하게

끔 했다. 엠마 크러처가 윌에게 단언하길, 자신에게 새로 생긴 애국심조차도 '당신의 부재가 일깨운 감정의 강렬함' 앞에서는 빛을 잃는다고 했다. 그러나 이 새로운 애정은 달콤하면서도 괴로웠다. 그녀는 편지에 "나는 전에는 당신을 충분히 사랑한다고 생각했고, 행복했습니다. 그러나 이제는 내가 불행하게 느끼는 걸 보니 당신을 충분히 사랑하고 있는지 모르겠어요."라고 썼다. 남부 사람들은 감정적인 발견에, 언제나 그 자리에 있었지만 위협을 느낄 때까지 숨겨져 있던 것을 갑자기 깨달은 것에 대해 놀라워했다. "오, 조니," 줄리아 데이비슨이 열정과 후회를 담아 썼다. "이 엄청난 희생을 치르기 전까지 우리는 서로가 서로에게 얼마나 사랑스러운 존재인지 거의 모르고 있었어요."[10]

부부 간의 강한 애착을 다시금 깨닫게 되면서 남부 연합의 아내들은 전에 없이 상처를 쉽게 받았다. 여성들의 편지는 온통 금방이라도 남편을 잃게 될까봐 두렵다는 고백으로 가득 차 있었다. 테네시의 새라 케네디는 남편에게 그의 죽음에 대한 공포에 사로잡혀 있다고 썼다. 그녀의 가장 큰 공포는 낮 시간의 바쁜 일을 끝마치고 잠자리에 누웠을 때 찾아왔다. "자꾸만 당신이 영원히 돌아오지 못할지도 모른다는 생각이 들어요. 아침에 일어나야만 하고 이렇게 또 밤을 보내는 것이 너무나 괴로워요." 버지니아 주 워렌턴의 수잔 콜드웰은 자신의 걱정에 남편과 떨어져 지내야 하는 어려움이 가중되었다고, 남편인 리쿠르고스_lycurgus에게 설명했다. "이별은 고통스러워요. 하지만 거기에 불안한 마음까지 더해지면 거의 참을 수가 없어요."[11]

여성들이 가장 불안해하던 것은 남북전쟁의 끔찍한 아수라장에서 사랑하는 사람이 살아남을 것인가 하는 것이었다. 그러나 상당수의 부인들은 남편이 목숨을 잃을까봐 염려하는 것만큼이나

미 육군준장 존 헌트 모건(John Hunt Morgan)과 그의 아내 마사 레디 모건(Martha Ready Morgan). 1862년 결혼생활 당시. 이때로부터 2년이 채 지나지 않아 미연방의 갑작스러운 공격으로 남편이 죽고 그녀는 과부가 되었다. 명함판 사진. 버지니아 리치몬드의 '남부 연합 박물관' 소장. 원본촬영은 캐서린 웨즐

남편의 애정을 잃게 될까봐 두려워했다. 남편의 정절에 대한 여성들의 염려는 상당부분 전쟁터로 향한 남부 남자들이 새로운 미지의 세계로 들어갔다는 느낌에서 비롯된 것이었다. 또 한편 부인들은 음란한 여자들의 유혹과 전통적으로 군 생활과 관련이 있는 방탕한 행실을 염려했다. 그러나 그들은 남자들이 향하는 미지의 장소에서 혹여 과거의 인연과 정절을 잊거나 무의미하게 생각하게 되지는 않을는지 걱정했다. 남부 연합 군대에 있는 남자들은 '세상물정을 아는 것' 에 대해 이야기를 하는 일이 많았다. '세상물정을 아는 것' 은 누군가 첫 번째 전투를 경험했다는 것을 의미하거나 그렇지 않은 경우도 있었다. 여성들도 전투에서의 입문식에 대해 말로 표현할 수 없는 신비로움을 느꼈으며, 이 통과의례를 경험하는 것이 남자들을 영원히 변화시키고 부부사이를 멀어지게 할까봐 걱정했다. 존 데이비슨은 아내의 걱정에 이렇게 대답했다. "당신은 생활이나 사는 장소가 변해 내가 당신을 비롯해 아이들과 멀어질까봐 염려하는구려. 장담컨대 나는 당신과 아이를 영원히 사랑할 거요." 그는 "나는 군복무를 위해 떠났던 바로 그 사람, 그 모습 그대로라오."라는 말로 아내를 안심시켰다.[12]

전투에 참전한 남자들의 군사적 기여도와 비교해서 여성들은 자신들이 쓸모없다는 느낌을 받는다고 자주 말했으며, 이러한 느낌 때문에 자신들이 새로운 남부 연합의 영웅들에게 계속 매력적으로 보일 수 있을지, 소중한 사람으로 여겨질 수 있을지 점점 자신없어 했다. 심지어 조지 페디가 편지에서 한 여성을 언급할 때마다 케이트는 남편이 새로 알게 된 그 여성과 '매력 없고 어리석은 나' 와 비교하고 있지는 않을까 하는 생각에 전전긍긍했다. 그녀는 "당신은 어째서 저를 사랑하시는 거죠?"라며 의아스럽게 생각할 때가 많았다. 그리고 편지에서 전쟁으로 더욱 커진 자신과 남편 사이의 차이를 누누이 말하곤 했다. "당신은 변덕스러운 운명과 싸울 수 있을 만큼 자기 자신을 신뢰하고, 독립적이며, 뛰어난 재능을 갖춘 유능한 사람이지만, 반면 저는 무가치한 사람이어서 당신이 마땅히 차지해야 하는 지위에 오르는 데 방해가 되고 있어요."[13]

노스캐롤라이나의 메리 벨은 알프레드가 다른 여성들과 관련되지는 않았을까 하는 걱정을 끊임없이 하였다. 남편의 편지가 갑작스럽게 정중해지고 그가 속한 중대에서 벌어지는 방종한 행동에 관한 소문이 끝없이 밀려오자 메리는 단도직입적으로 비난을 하기에 이르렀다. 알프레드가 마음에 상처를 입고 화를 내며 그 모든 비도덕적인 행위를 부정했을 때 메리는 사과했다. 그러나 그녀는 "만일 당신이 제가 없는 것에 만족하는 것은 아닐까, 또 다른 여성이 아내의 역할을 대신해 당신을 돌보는 것은 아닐까하는 생각을 해요." 라며 의심을 계속하였다.[14]

이런 불안과 무력감은 단순히 감정적인 것 이상을 남편에게 의존한 데서 비롯된 것이었다. 남부 연합에서의 고된 생활 즉, 노예관리 그리고 물가상승과 물자부족 가운데서 가족을 부양하면서 느낀 좌절감은 여성들의 마음속 깊은 곳에 무능력하다는 느낌을 심어주었다. 여성들은 리지 네블렛이 '나조차 어쩔 수 없는 무능력' 이라고 표현한 것 때문에 쓸모없다는 느낌에 사로잡히는 일이 자주 있었다. 새라 케네디는 1864년 무렵 "불가피하게 내게 지워진 의무와 책임을 다할 능력이 없어서 절망하기 일보직전이다."라고 했다. 전쟁으로 여성에게 허용된 독립과 자율성은 축하받을 일이기 보다는 슬퍼할 일이었다.[15]

여성들은 남자들의 물리적, 감정적, 경제적 보호가 사라진 것을 한탄했다. 엠마 크러처는 윌과 떨어진 지 6개월이 되었을 때 남편에게 솔직한 심정을 털어놓았다. "어떻게 해서든 지금 당신이 여기 있어서 의지할 수 있으면 좋겠어요… 저는 혼자 힘으로 행동하고 결정을 내리는 데 지쳤어요. 독립하는 것은 때로 매우 즐거운 일이기도 하지만 우리 여성들은 모두 그 일에 지쳤답니다. 당신이 떠난 이후로 저는 완전히 독립적으로 행동했어요. 제 인생에서 처음으로, 의논할 사람 한 명 없이 말예요… 이제 당신의 아내는 녹초가 되었기 때문에 지배권을 포기하고 싶어요. 그리고 당신 어깨에 기대어 쉬고 싶습니다." 그들이 헤어져있는 기간 내내 엠마는 윌에게 그녀가 병원 일을 하는 것을 금지시키거나 옷을 어떻게 입어야 하는지 지시하며 그녀에게 권위를 행사해달라는 부탁을 되풀이했다. "만약 당신이 제가 원하는 대로 하라고 하신다거나, 제 일에 간섭하지 않으신다면 저는 영원히 당신을 용서하지 않겠어요… 당신이 저에게 어떤 일을 하라고 말씀만 하신다면 저는 매우 기쁠 거예요. 저는 당신의 아내이자 당신의 소유물이 되고 싶어요." 남편이 사우스캐롤라이나의 집에서 휴가를 보낸 후 군대로 돌아갔을 때, 에밀리 해리스_Emily Harris는 매우 우울해하며 이렇게 단언했다. "나는 집안의 가장으로 남겨지는 일에는 결코 익숙해지지 못할 것이다." 그러한 책임은 그녀의 본성과 대치되었다. "나는 천성적으로 지시받고 보호받는 것을 좋아한다. 나는 독립적인 여성이 아니며 절대로 그렇게 되지도 않을 것이다." 데브니_R. L. Dabney가 전쟁터로 떠난 지 얼마 되지 않았을 때 그의 아내 라비니아_Lavinia는 편지를 보내 군사훈련에 적응해가고 있는지를 물으며 여성의 순종을 찬양했다. "주인을 갖는 것에 대해 어떻게 생각하세요?" 그녀는 특히 남부사회에서 동조를 얻을만한 표현을 사용하며 물었다. "당신은 좋아하지 않으실지 몰라도 저는 복종하는 것이 좋아요. 제가 얼마나 저의 주인을 그리워하는지는 차마

남편을 만나러 버지니아 주 리치몬드 근처의 부대를 방문한 남부 연합 아내들. 조지아 주 애틀랜타 에모리(Emory)대학의 로버트 우드러프(Robert W. Woodruff)도서관 특별소장품담당부서(Special Collection Department) 소장.

말로 표현할 수가 없네요."[16]

남북전쟁으로 야기된 극도의 불안감과 변화 가운데서 여성들은 자신들에게 정체성과 안정을 보장하던 소속감과 권위체계에 이전보다 더욱 고집스럽게 집착했다. 사망자 수가 늘어가면서 소중히 여기는 관계들이 위태로워지자, 전통적인 질서와 방식을 유지하는 것이 한층 더 중요하게 보였을 것이다. 가장의 권력에 변함이 없다는 사실을 직접적으로 강조하기 위해 수전 콜드웰은 전쟁 기간 내내 남편을 '사랑하는 아빠'라고 부르며 모든 편지를 '친애하는 당신의 딸로부터'라는 말로 끝맺었다.[17]

일부 남성들은 특히 집을 떠난 지 얼마 되지 않았을 동안에는 가정에서 일어나는 일상적인 일을 결정하는 데 영향력을 행사하려고 했지만, 대부분은 자신의 권한을 재빨리 포기했다. 농사 관련 조언으로 가득 찬 편지들조차 1862년 12월, 페티_E. P. Petty가 아내에게 쓴 편지와 거의 비슷한 형식으로 끝맺는 경우가 많았다. "당신이 하는 일은 무엇이든지 찬성이오… 나는 이제 가족을 이끄는 가장이 아니며 감히 명령하려 하지도 않겠소." 모건 캘러웨이는 아내 레일라에게 면화를 수확하고, 감자를 안전하게 지키고, 순무 재배하는 방법을 조심스럽게 일러주었다. 그러나 그는 그때 자신의 생각이 짧았음을 깨달았다. "이것 참, 내가 왜 당신 같은 숙련된 농부에게 조언을 해야 한단 말이오?"18

여러 면에서 볼 때 남성들보다는 여성들이 익숙하지 않은 권한에 대해 더 불안해했던 것 같다. 존 데이비슨는 아내가 자신에게 주어진 새로운 임무에 대처하도록 안심시키고 용기를 북돋워주려 했다. "줄리아, 당신이 할 수 있는 한 최선을 다해야만 하오. 당신은 남자와 여자, 두 가지 역할을 해야만 하오. 안타깝지만 말수가 적고 내성적인 당신에게는 힘든 일이 될 거요. 하지만 나는 당신의 수줍음이 상당부분 사라지고 있는 것을 볼 수 있어 기쁘다오. 당신은 홀로 자신에게 주어진 여정을 따라 갔고, 당신 힘으로 오랫동안 모든 일을 처리했기 때문에 이제 당신은 힘든 일을 이겨낼 수 있는 용사가 되었소." 존 데이비스는 여성이 독립적이 되기 위해서는 여성은 남성으로, 숙녀는 용사로 변해야만 한다고 생각했다. 격려하는 듯 한 어조에도 불구하고 성별 간 능력의 차이를 전제사실로 하는 그의 태도는 그의 과묵한 아내를 격려하면서도 그에 못지않게 불안감을 조성하기도 했다.19

나의 욕망에는 족쇄가 채워져 있다

고통스러운 이별, 죽음과 부정을 저지를지 모른다는 불안함, 부부 사이의 힘과 권위에 관한 문제, 이 모두가 전시의 성과 관련된 난처한 문제였다. 남부 연합인들이 주고 받은 편지에는 감정표현이 솔직하게 나타나 있는데, 이중에는 부부사이의 육체적인 사랑을 노골적으로 논의한 경우도 있다. 메리 벨이 어떤 면에서 남편을 그리워하고 있는지 여러 가지 항목을 열거했을 때, 그녀는 이렇게 말을 맺는다. "당신과 함께 하는 잠자리가 그 어느 것보다 그리워요." 꿈속에서 남편이 집으로 돌아왔을 때 그가 밤을 함께 보내기 전에 떠나자 그녀는 미칠 것만 같았다. "그 꿈이 현실이 되는 일은 절대 없을 거라는 걸 알아요. 만약 당신이 정말 오셨더라면 저는 당신을 묶어서라도 밤새 머무르게 했을 테니까요."[20]

벨은 뜨거운 정욕 때문에 갈등을 겪는 것 같지는 않지만, 다른 여성들은 임신에 대한 뿌리 깊은 공포가 그들의 욕망을 억제하고 있다는 사실을 깨달았다. 옥타비아 스티븐스_Octavia Stephens는 "분만은 생각하고 싶지도 않을 만큼 끔찍하다, 끔찍하다, 끔찍하다"고 했다. 1860년대, 미국의 출산억제 지지자들은 질외사정, 질 세척, 콘돔, 질 스폰지 등 다양한 형태의 피임법을 설명하는 소책자를 발행했다. 이 방법들은 절대적인 신뢰도와는 거리가 멀었으며, 이런 정보나 기술을 남부 연합 여성들이 접할 수 있었는지 확실치 않다. 무지해서 그랬는지, 관련 정보를 얻기 힘들어서 그랬는지, 아니면 안전을 생각해서 그런 것인지는 모르겠지만, 남부여성들은 임신을 피할 유일한 방법이 금욕이라는 생각을 버리지 않았다. 조지아의 아만다 블록은 남편 로버트에게 보내는 편지에서 그의 휴가 기간 중에 아이가 생기지 않아 기쁘다고 말했다. "제가 그걸 얼마나 두려워하는지 아무도 모를 거예요. 그렇지만 저는 당신이 어떤 이유에서든 저와 떨어져 계시는 건 원치 않아요. 그저 조금이라도 당신과 함께 하는 것이 모든 고통과 괴로움을 보상해 줄 테고, 저는 아무 일도 생기지 않기를 바라요."[21]

윌이 출정한 지 두 달 후, 원치 않던 다섯 번째 아이를 출산한 리지 네블렛은 임신에 대한 두려움을 '미칠 것 같은 생각'이라고 불렀다. "오랜만에 당신을 만나느니 차라리 한 무리의 곰들과 마주하겠어요. 당신을 너무나 사랑하기에 당신을 위해서라면 어떤 위험도 기꺼이 감수할 것만 같거든요. 나는 내 목숨보다 당신을 사랑하지만 지금은 제가 당신을 만나는 것이 두렵네요." 리지는 윌이 집으로 오기 전에 그들의 성적인 접촉을 조절하자는 의견에 동의해야만 한다고 주장했다. 그녀는 노예들을 다룰 때는 할 수 없었던 권위 있는 어조로 배우자에게 알렸다. "당신 주머니에 만약의 사태를 방지할 보호 장비를 넣어오라는 저의 지시에 따르실 수 없다면… 물론 그거 없이 오셔도 돼요. 하지만 집에 도착한 후에는 저의 규칙을 따르셔야 해요. 그리고 저의 안전을 확신할 만큼 규칙이 엄격하지는 않을 테니 걱정하실 필요는 없어요." 윌은 그녀가 이성적인 판단을 이기지 못하고 그에게 굴복할까봐 두려워한다는 사실에 우쭐한 기분이 든다고 고백했다. 그러나 윌이 초연한 모습을 보였음에도 불구하고 리지는 여전히 그를 향한 사랑과 그녀의 두려움 사이에서 생긴 갈등 때문에 고통스러워했다. "출산에 대한 이 끝도 없이 계속되는 공포가 나의 욕망을 가로막고 있구나. 나의 욕망에는 족쇄가 채워져 있다."[22]

애틀랜타의 데이비슨도 네블렛과 같이, 원치 않는 임신만큼이나 충족되지 않은 성적 욕구에 대해서 근심하고 걱정했다. 존은 그의 아내에게 이렇게 썼다. "줄리아, 나는 여성과 잠자리를 같이 한지 너무 오래되어서 여성이 얼마나 따뜻한지 거의 기억하지도 못할 지경이오. 나는 밤이 되면 추위로 고생하고 있소. 그리고 *다른 면에서도 상당한 고통을 겪고 있소.*"[23]

존은 모바일에 있는 세인트 마이클_Saint Michael 거리에서 '매춘부'를 이용할 수 있다는 것을 솔직하게 이야기하며 근처에 있는 그의 부대의 많은 군인들이 단골손님이라고 했다. "내 평생 벌거벗은 사람을 그렇게 많이 보기는 처음이었소." 하지만, 그는 이런 말로 줄리아를 안심시켰다. "나는 단골이 되지는 않을 거요." 매춘은 모든 군대에게 거의 필연적으로 동반되는 부속물이나 마찬가지이고, 남부 연합 군사들에게도 예외는 아니었다. 그러나 매춘부에 대한 접근이 용이하고 일반적이었다는 점이 남부 연합의 결혼생활에 어느 정도의 영향을 미쳤으며, 어떤 남부 군인들이 혹은 얼마나 많은 군인들이 여기에 탐닉했었는지 측정하기란 거의 불가능하다. 입증할 만한 자료가 거의 존재하지 않을 뿐더러, 존 데이비슨이 아내에게 보낸 편지에서 분명하게 밝힌 그의 결백조차도 액면 그대로 받아들이기는 어렵다.[24]

군복무를 하는 동안 윌 네블렛의 건강문제가 나빠진 것은, 리지가 육체관계를 제한했을 때 그가 보인 침착한 태도가 아마 갤버스턴_Galveston에서 매춘부와 함께 한 다른 성적인 활동이 그 근본적인 이유일지도 모른다는 점을 암시한다. 윌에게는 고환에 물이 차서 크게 부푼, 음낭수종이라는 진단이 내려졌다. 리지는 남편의 병이 세상에 알려지면 다른 사람들이 '최악의 성병'이라고 생각할지도 모른다는 생각에 걱정을 하였다. 사실, 그 병의 원인은 난잡한 성교 때문일 수도 있지만, 그렇지 않을 수도 있었다. 그러나 리지는 침착해 보였고 남편이 부정을 저질렀을지도 모른다는 생각

전쟁 후의 윌 네블렛과 리지 네블렛. 오스틴에 위치한 텍사스 대학의 미국역사센터 소장

을 거의 떨쳐버렸다. 줄리아 데이비슨과 남부 연합의 다른 많은 여성들처럼, 그녀의 주된 걱정은 원치 않는 임신을 하게 될지도 모른다는 불안감에 초점이 맞춰져 있었다.[25]

임신에 대한 공포는 아마도 불명예 그리고 사회로부터의 매장과 결합되어 여성들의 성적 자유를 제한했을 것이다. 순결에 관한 엄격한 사회규범은 구 남부에서 백인여성들의 행동을 통제했고,

특히 상류계급 사회에서는 이런 통제가 더욱 두드러졌다. 상류 사회에서는 여성의 정조가 숙녀로서의 여성의 정체성뿐만 아니라 남편의 명예와 지위와도 밀접한 관련이 있었다. 그러나 전쟁 중 일부 여성들은 관습에 도전할 필요성과 그렇게 할 수 있는 기회, 두 가지 모두를 찾았다. 남성들의 경우와 마찬가지로 여성의 경우도 실제 행동과 풍문 또는 추측을 분리하기란 어려웠다. 비록 다른 사람이 불륜을 저지른다는 소문에 대해서는 기꺼이 이야기를 나누었지만, 여성들은 자신의 불륜을 -아마도 다른 일에 몰두해서 그랬겠지만- 일기나 편지에서 고백하지 않았다. 조지 페디는 '부대의 어떤 신사' 가 그에게 조지아 주 뉴넌_Newnan 근처 숙녀들의 불명예스러운 행동을 이야기 해주었다고 케이트에게 알렸다. "그는 한베이_Hanvey 부인과 스티브 스미스_Steve Smith 부인, 테일러_Taylor의 부인(그의 이름은 잊었소.) 그리고 다른 여성들과 빈번하게 잠자리를 같이 하고 있소. 그는 정직한 남자라오." 1864년, 줄리아 데이비슨은 존에게 쓴 편지에서 부인 파니가 적어도 한 명 이상의 다른 남자와 함께 잔다는 사실을 알게 된 그녀의 오빠가 이혼하기로 결심했다고 말했다. 리지와 윌 네블렛의 편지는 저 멀리 텍사스에 관한 소문을 담고 있었다. 윌은 "집에 있는 여성들이 남자들만큼 대담하게 행동하는 것이 틀림없다."고 결론 내렸다. 그는 최근 혼혈아를 출산한 한 '젊은 숙녀' 에 관해 들었다. "사람들은 집 앞에서 그 검둥이를 교수형에 처했소." 윌이 소식을 전했다. 리지는 그 이야기를 각색해서, 혼혈아를 출산한 여성이 한 명이 아니라 서너 명이고 그들이 아기를 산채로 묻으려 했다고 주위 사람들에게 전했다.[26]

남편이 수년간 집을 비운 상태에서 일부 백인여성들이 백인남성만이 아니라 남자노예들과도 성적관계를 맺은 것은 어쩔 수 없는 일로 보인다. 연방군이 점령한 지역에서 미국자유시민위원회_American Freeman's Inquiry Commission가 '백인여성과 유색인종남자의 교제 사건'이라는 제목으로 해당 사건을 영장에 기입할 만큼 그런 사례는 충분히 많았다. 역사학자 마사 호데스_Martha Hodes는 이 사례들 중에는 농장주 계급의 여성들이 노예에게 권력을 행사하여 성적인 관계를 시작한 경우가 많다는 것에 주목했다. 어느 농장 노예는 일 년 간 과부로 지낸 40세의 여주인이 그녀와 "함께 잘 것을 명령해서 정기적으로 그렇게 했다."고 말했다.[27]

그러한 금지된 관계가 가능하다는 새로운 깨달음은 말할 것도 없이 서로 다른 인종 사이의 관계에 대한 억측을 확산시켰다. 리지 네블렛이 젊은 노예 빌에게 파티장소까지 태워달라고 했을 때 그녀는 그 흑인 남자와의 관계가 무엇인지에 대한 텍사스 주 그림스 카운티_Grimes County의 쑥덕공론이 시작되도록 불을 붙인 꼴이었다. 역설적이게도 뜬소문이 그러한 행동을 있음직하고 가능한 일로 만들기도 했지만 동시에 추악하며 생명을 위협하는 일이라는 꼬리표를 붙여서 그런 행동을 통제하는 역할도 했다. 텍사스 노예들의 경우, 흑백 혼혈 아기의 아빠라는 이유로 교수형에 처해졌다는 소문이 돌았던 것처럼 말이다. 만일 수태에 대한 공포로 백인 남성과 아내 사이의 성행위에 두려움과 갈등이 따랐다면, 혼외정사는 그보다 훨씬 더 큰 불안과 반감을 낳았을 것이다. 윌과 같은 상황에 처하게 되기를 바라는 부부는 거의 없을 것이다. 윌은 사태를 파악하지 못해서 그런지 모르겠지만, 아내의 출산이 가까워졌다고 휴가를 신청했지만, 거의 18개월 동안 아내를 방문할 기회를 허락받지 못하였다.[28]

남북전쟁 때 남부에서는 임신으로 인한 부끄러움보다는 임신에 따른 고통과 위험 등, 임신에 대한 공포가 여성들이 남성들과 성적인 관계만이 아니라 감정적인 관계를 맺는데도 결정적인 역할을 했다. 리지 네블렛의 시누이는 부대를 방문해달라는 남편의 간절한 부탁을 거절했는데 그 이유는 임신을 해서 집에 올 것이 두려웠기 때문이다. 그녀는 만약 그가 병에 걸렸다면 망설이지 않고 남편을 돌보러 갔을 거라고 했다. 그러나 그녀에게는 그의 원기 왕성함이 너무나 큰 위협이었다. 존과 줄리아 데이비슨은 줄리아의 월경주기에 대한 자세한 이야기를 편지로 할 정도로 걱정이 많았다. 그들은 월경을 '숙녀의 친구' 또는 '당신의 오랜 지인' 이라 부르며 존의 휴가가 끝난 후 그 주기가 찾아오면 안도감을 드러내며 기뻐했다. 보통 불규칙하던 줄리아의 생리주기에 예측 가능한 변화가 생기자, 존은 "그녀가 그토록 정확하다니 그것 참 이상하군. 전에는 그다지 친절하지 않았잖소. 그녀는 아마도 지금이 전시이니 숙녀들에게 도움이 필요하다고 생각했나보오." 1864년 봄, 두 번의 휴가 사이에 존은 편지를 써서 이렇게 물었다. "당신의 오랜 친구가 다시 방문했소? 아니면 그녀는 내가 집에 도착할 때까지 기다렸다가 나의 오랜 친구를 불러들여 함께 환락의 시간을 갖기로 결정한 거요? 그리 결정했으면 좋겠구려." 줄리아는 이번에 남편을 안심시킬 수 있었다. "제 친구가 저를 저버리지 않았네요." 그러나 그녀는 곧 '당신과 함께 즐거움' 을 누린 대가로 '고통과 정신적 불안' 을 겪어야 했다. 가을 무렵 그녀는 네 번째 아이를 임신하고 셔먼의 진군으로 피난민이 된 후인 1865년 초에 아이가 태어났다.[29]

윌리 천이 집을 떠난 지 4개월 정도가 되었을 때 라일라는 '내 몸 상태에 관한 두려움' 을 알리기 위해 편지를 썼다. 그녀는 결국 그가 떠난 다음 날부터 경험했던 괴로운 마음을 감추지 못했다. "저는 제 가슴 속 깊은 곳의 슬픔을 당신에게 숨기려고 애써왔어요. 당신이 마음 아파하실 거라는 걸 알았기 때문이죠… 저는 체념하려고 노력했고, 지금은 더 많은 것을 체념하게 되었어요. 제가 언제나, 어떤 상황에서도 '주여, 당신 뜻대로 이루어 지리이다.' 라고 말해야 하는 걸까요?" 조지 페디는 임신 말기동안 케이트가 감정적으로 불안할거라고 생각했다. 하지만 또한 그녀의 근심이 분만을 넘어서 결혼에까지 이르렀을 거라고 예상했다. 1864년 6월에 보낸 편지에서 그는 이렇게 말한다. "출산을 앞두고 결혼을 하지 않았더라면 더 행복해졌을 거라고 생각하는 것도 당연하오. 여성들은 그런 시기에 결혼을 후회하는 경우가 종종 있잖소."[30]

남부 연합 여성들이 출산을 질색했던 이유는 전반적인 의료 현실과 전쟁 중이라는 특별한 상황 때문이었다. 분만의 위험과 관련된 모든 우려는 오늘날까지도 당연히 두려워할 일이지만, 당시에 남편에게서 감정적인 지지도 받지 못하고 남편 없이 아이를 낳을 가능성에 직면했다는 사실을 고려해 볼 때 더 심각한 것이었다. 19세기 미국의 '분만' 을 조사한 최근의 한 연구는 출산이 대대적인 여성들의 의식이었으며, 거의 무관하다 싶을 만큼 남성들이 배제된 사건이었다고 묘사했다. 그러나 최소한 남부의 상류계급에서는 분만할 때 남성이 함께 있는 것이 -분만하는 바로 그 방은 아닐지라도- 임산부에게 대단히 중요한 일이었다는 사실을 남부 연합 여성들의 편지에서 엿볼 수 있다. 이들은 분명히 남편에게서 출산에 대한 정서적인 원조와 격려를 받기 원했지만, 결국에는 다른 여성들의 위로에 만족할 수밖에 없었다. 라일라 천은 윌리에게 해산할 때가 되면 무슨 수를 써서라도 휴가를 받으라고 애원했다. 그녀는 만일 그의 상관이 거절한다면 "나에게 있어 거의 치명적인 타격이 될 것"이라고 했다. 리지 오즈본은 '얀시 코브_Yancy Cobb,

그리고 제퍼슨 데이비스'에게까지 위협하는 편지를 보내 아기가 태어나는 날, 지미가 집에 있을 수 있게 해달라고 거듭 부탁했다. "만약 여성이 기대어 의지할 팔이 필요하다고 느낀다면, 내가 남자들에게 그러하듯이, 지금이 바로 그들이 팔을 빌려줄 때입니다."31

레일라와 모건 캘러웨이는 출산예정일이 6개월 남았을 때부터 계속해서 출산에 관해 말다툼을 벌였다. 그녀는 남편이 곁에 없으리라고는 상상조차 할 수 없었다. 하지만 그는 군목으로서의 임무 때문에 아마 그녀 곁에 있지 못할 거라고 누차 이야기하며, 그녀가 예상하는 고통이 그가 전방에서 목격하는 것과는 비할 바가 아니라는 점을 상기시켰다. "당신이 고통스럽다는 건 알고 있소. 하지만 여보, 내가 매일 보는 수백 명의 병든 병사들, 열이 펄펄 끓고… 고통으로 몸부림치는 사람들을… 당신은 상상할 수 있겠소? 당신이 그들을 본다면 당신의 고통이 그들에 비해 가볍다는 것을 이해하게 될 거요." 남부 연합 남자들의 희생과 비교해 볼 때 여성들의 산고는 하찮은 것이었다.

레일라는 이에 굴하지 않고 그녀가 생각하는 아내의 당연한 권리를 계속해서 주장하며 "11월에는 무슨 일이 있어도 반드시 당신이 있어야 해요."라고 알렸다. 모든 편지에는 간절한 청이 담기고, 결국에는 그가 그녀의 부탁을 들어줄 거라 믿는다는 마음이 표현되어 있었다. "내 사랑이 나를 실망시킨다고요? 그런 말은 절대 믿지 않을 거예요!!!" 모건은 마음이 누그러져 10월 중순에 휴가를 신청해보겠다고 약속했다. 그러나 휴가신청은 거부되고 레일라는 남편 없이 아이를 낳았다. "내가 곧 겪어야 할 시련을 생각할 때면 얼마나 슬픈지 사랑하는 당신은 모르실 거예요. 그리고 나의 모건은 이곳에서 나를 위로할 수도 없겠지요." 그녀의 노예 수잔나

_Susanna가 여주인의 아픔을 함께 나누었다. "저는 혼자에요."라고 했지만 레일라는 수잔나가 최선을 다해 시중을 들어줄 거라고 확신했다. 1862년 11월 4일, 수잔나와 '하늘에 계신 아버지'의 도움으로 레일라는 안전하게 비만한 남자 아이를 낳았다. 그녀는 아기의 이름을 모건이라 지었다.[32]

작은 동물들

이미 너무나 많은 짐을 짊어진 여성들은 아이를 키우는 데 노예들의 도움을 받을 가능성이 점차 불확실해지고 있는 상황에서 새로 태어난 아이들로 말미암아 늘어난 일을 걱정했다. 물자부족이 심해지고 있는 경제상황에서는 입이 하나 더 늘었다는 것도 달갑지 않은 일이었다. 루이지애나의 어느 여성은 사촌에게 의미심장한 결혼 축사를 보냈다. "평화와 안전과 행복을 빌어줄게. 그리고 이런 전시에는 아이를 많이 안 낳았으면 해." 대가족의 연장자였던 엠마 크러처는 남부 연합의 여느 할머니들만큼은 아기들에 대해 안다고 느꼈다. 자신의 아이가 없던 엠마는 우선은 아이가 없다는 사실이 기뻤다. "이런 전시에는 '작은 동물'로부터 자유로운 사람 모두가 감사한 마음을 가질 것이 분명하다. 도와줄 사람이 없다면 여성은 자기 자신을 돌보기도 벅차다."[33]

그러나 일부 여성들은 어쨌든 불안정한 결혼에서 찾을 수 없었던 애정과 친밀감을 육아에서 찾았다. 게르트루드는 "전쟁이 계속된다면 아이들에게서 위안을 찾으려 노력할 것이다."라고 선언했다. 아내들은 사랑스러운 아기의 키스, 귀여운 옹알이 그리고 걸음마를 시작하고, 이가 나고, 읽는 법을 익힌 것 등 아이들이 이룬 자랑스러운 성취를 남편들에게 편지로 알렸다. 여성들은 아이들이 전쟁을 그들의 삶에 반영하는 것을 보고는 한편으로는 놀라고, 한편으로는 마음 아파하였다. 마가렛 전킨 프레스턴_Margaret Junkin Preston은 "아이들이 하는 놀이의 거의 대부분이 전쟁과 관련이 있다."는 것을 깨달았다. 남자아이들과 여자아이들은 행진하고, 군사훈련을 하고, 장난감 블록으로 병원을 쌓고, 의자로 구급차를 만들었으며, 자신들의 팔다리가 없어졌다는 상상을 하기도 했다. '셔먼장군 행세'를 하던 작은 소녀 두 명은 놀이에 너무 열중한 나머지 장난감 집에 있는 모든 장난감을 산산조각내고, 인형의 머리를 물어뜯었다. 가장 어린 아이마저도 폭력과 전쟁의 혼란으로부터 완전히 보호될 수가 없었다. 엘렌 무어는 남편 사무엘에게 "이곳에서는 모두가 군인이에요."라고 썼다.

나이든 소년과 소녀들은 놀이에서 일로 방향을 바꾸어 어머니의 협력자 역할을 했다. 새라 케네디는 남편이 집으로 돌아왔을 때 '양키' 가족을 발견하게 될 거라고 경고했다. 노예들이 집을 떠난 후 아이들이 가사노동을 도맡았기 때문이다. 샐리_Salley는 이제 학교를 가지 않고 집에 머무르며 집안에 큰 힘이 되고 있었다. "지미_Jimmy는 저녁이면 석탄과 불쏘시개를 꺼낸답니다. 그 아이가 내가 하는 일을 모두 해주고 있어요. 샐리는 동생들을 돌봐요. 메리는 학교에 가지만, 매일 아침 집을 나서기 전에 모든 침대를 정리하고 있고요."[34]

애틀랜타의 열 살 된 소녀, 캐리 베리_Carrie Berry는 1864년, 그녀가 살고 있는 도시가 포위공격을 당하는 동안 일기를 썼다. 8월 그녀의 생일, 열한 살이 되는 그 순간에 그녀가 첫 번째로 빈 소원은 "이 땅에 평화가 찾아오고 근사한 식사를 할 수 있게 해주세요."였다. 그러나 평화에 앞서서 한층 참혹한 시련이 찾아왔다. 연방군의 포탄이 그 집 정원에 떨어져 가족들은 지하실로 대피해야 했다. 그 해 9월, 셔먼이 이끄는 군대가 그 도시로 행진해 들어와 주민들에게 집을 비워야 한다고 알렸을 때, 캐리의 부모는 거의 공황상태에 빠졌지만 캐리는 침착함을 잃지 않았다. "이사는 무척 재미있을 거예요." 어린 소녀가 보이는 쾌활한 모습에 나머지 가족들은 분명 기운이 났을 것이다. 비록 그녀의 일기는 근사한 식사와 평화, 그리고 교회와 교회학교가 다시 열리기를 바라는 마음으로 가득했지만, 일상에서는 가족이 하는 일에 진지하게 관심을 갖고 보통 그녀보다 훨씬 나이가 많은 아이들이 할 법한 집안일을 하며 엄마를 도왔다.[35]

남부 연합의 모든 아이들이 캐리 베리나 케네디 가의 아이들처럼 착실한 것은 아니었다. 많은 아이들이 어른의 축소판이라기보다 엠마 크러처가 회피한 '작은 동물들'에 가까웠다. 남부 여성들은 노예들을 관리할 때와 마찬가지로 아이들을 통제하는 데서도 권위와 관련된 문제에 부딪혔다. 알프레드에게 보낸 편지 중간에 메리 벨은 갑자기 그만 써야겠다며 아이들이 "나를 미치게 만들기 일보직전"이라고 했다. 그녀는 아이들이 그녀를 얼마나 화나게 만들 수 있는지에 그가 즐거워할 거라고 생각했다. 어쩔 수 없이 매를 들어야겠다고 생각한 그녀는 알프레드에게 엄격한 교사로서의 새로운 역할이 "나에게는 전혀 재미가 없다."고 말했다. 테네시의 또 다른 메리 벨에게는 성질이 '암사자' 같은 딸이 있었다. 이제 겨우 걸음마를 배운 그 작은 여자아이는 노상 엄마의 뜻을 거스르고 어떻게 해서든 자기 뜻대로 했다. "그 아이 뜻을 꺾어본 적이 없어요. 결국에는 저에게 맞서 대들고 발길질을 하게 될 거예요… 저는 시대사조가 그 아이의 기질, 명백하게 호전적인 그 기질에 어떤 영향을 끼친 것이 분명하다고 생각해요." 텍사스의 코넬리아 노블_Cornelia Noble은 "내 아이들에 대해 걱정이 많다."는 사실을 인정하는 한편, "내가 아이들을 가르치는 데 얼마나 형편없고 무능했는지"에 대한 뼈아픈 깨달음을 고백했다. 버지니아의 엘렌 무어도 비슷한 결론에 도달했다. "나는… 아이들에게 한심한 관리자이다."[36]

열 살 때의 캐리 베리. 조지아 주 애틀랜타의 '애틀랜타 역사 센터' 소장.

수잔 콜드웰은 워렌턴에 있는 노예 대부분이 이주해서 여느 때와 달리 집안일을 도와줄 사람이 아무도 없는 상황에서, 세 아이의 요구에 진이 빠졌다. 그녀는 아이들이 "버릇이 없다는 사실을 깨달았다. 나는 이제 그 아이들이 제대로 훈육되어야 할 필요가 있다고 생각하지만 나에게는 매우 버거운 짐이다." 수잔은 육아가 기력소모가 심한 일이라는 것을 깨달았으나 그 보다 더 힘든 일은 아이들을 통제하는 것이었다. 아이들이나 노예들과 같은 아랫사람을 다스리는 일은 전쟁 전에는 남부 가정의 가장인 백인남성들의 책임이었고, 아이들을 매일 보살피는 일과 허드렛일은 아이를 돌보는 여자노예의 몫이었다. 여성들에게 아이들을 통제하고 보살피는 일은 돈을 벌거나 노예를 지배하는 것만큼 생소한 의무였다. 레일라 캘러웨이는 "아이들을 돌봐야 한다는 생각 외에 다른 생각은 할 수 없어요."라고 썼다. 모건은 이렇게 답장했다. "해낼 수 있을 거라고 믿소. 처음부터 엄격한 태도를 취하고 계속 그렇게 밀고 나가면 큰 문제는 없을 거요." 어릴 때부터 남자로서 장차 갖게 될 사회적 권한에 준비가 되도록 키워진 남자 아이들은 엄마들에게 더 큰 골칫거리가 되는 경향이 있었다. 테네시의 메리 벨이 딸아이의 "암사자 같은 성질이 여자아이에게 어울리지 않게 너무 활발하고 대담하다."고 말했을 때, 어떤 점에서 보면 남자 아이들을 다루기가 더 힘들다는 일반적인 통념을 확인해주는 것이었다. 그녀는 일반적인 규칙에 의하면 예외였다.[37]

노예들을 다루면서 너무나 애를 먹었던 리지 네블렛은 버릇없는 자신의 아이들도 똑같이 골치 덩어리들이며, 어쩌면 더욱 감당하기 힘든 아이들이라는 사실을 알았던 것으로 보인다. 밥_Bob은 말들을 학대했고, 월터_Walter는 쇠가죽 채찍을 사용해 개를 때렸다. 모든 아이들의 얼굴에는 빌리_Billy의 손톱으로 생긴 상처가 사라지지 않고 있었다. 젖먹이 베티는 끊임없이 울어댔다. 리지는 노예들에게 물리적인 힘을 가하는 것은 두려웠지만, 아이들은 그리 겁나지 않았다. 그녀는 필요하다면 매일이라도 매를 들겠다고 빌리를 위협했다. "그리고 막상 그 일을 시작하자 아주 훌륭하게 해냈다." "내가 쇠가죽채찍을 들지 않으면 그 아이는 전혀 말을 듣지 않는다." 그녀는 밥이 "예전처럼 나의 말에 주의를 기울이지 않는다."며 푸념했다. 갓난아이 베티가 10개월이 되었을 무렵, 리지는 윌에게 "서너 차례 그 아이를 때린 적이 있어요."라고 실토했다. 리지는 그녀의 숙모가 그렇게 어린 아이를 때리는 것에 대해 단호하게 반대한다고 알렸지만 윌이 그녀에게 잔소리하지 하지 않은 것이 의외였다고 솔직하게 말했다. 노예들을 학대하지 않으려고 자제하던 리지는 어린 아이, 그저 말을 못하고 무력한 아이일 뿐 아니라 리지 자신의 이름을 따서 이름을 지어주고 아이의 어머니, 즉 리지 자신과 같은 여성이라는 성별을 타고난 아이를 때린 것에 대해 화가 나고, 좌절하고, 자기혐오감을 느꼈다.[38]

역사학자 버트럼 와이어트 브라운_Bertram Wyatt-Brown은 전쟁 전 남부 상류계급 육아법의 특징이 응석을 받아주는 것이었으며, 이것이 특히 소년들의 공격성을 조장하려는 의도였다고 주장했다. 소년들의 폭력적인 행동은 아주 약간의 우려만 샀을 뿐, 칭찬의 대상이라 할 수 있었다. 아이들의 행동을 제한하던 사람은 보통 아버지로, 아이들이 잘못을 저지르면 물리적인 제제를 가하거나 벌을 주곤 했다. 전쟁 전 미시시피에서 열린 아이의 후견인을 결정하는 재판에서 윌리엄 샤키_William Sharkey 판사가 아이양육에 대한 남녀 간의 차이를 설명했다. "아이를 훈육하기 위해 꼭 필요한 방법은 모든 것을 아이 마음대로 하지 못하게 하는 것입니다. 누가 이 양육방법에 적합하겠습니까? 맹목적으로 사랑을 퍼붓고, 아이의 잘못이 모두 장점이라는 편견에 사로잡히고, 아이가 원하는 것이라면 모두 해주는 어머니일까요? 아니면 아이의 어리석은 욕망을 만족시키기보다 미래의 행복을 바라보는 아버지겠습니까?" 아버지의 출정으로 가부장적 질서가 혼란에 빠졌을 때, 관대함과 통제 사이의 아슬아슬한 균형이 무너지고 여성들은 여러 가지 면

신원미상의 여성과 두 명의 남부 연합 아이들_은판사진(Daguerreotype, 잘 닦은 은판에 요오드 가스를 뿜어 빛을 쬔 뒤, 수은 증기 속에서 현상하는 사진법. 1837년에 프랑스의 사진 기술자 다게르가 발명했다.-옮긴이). 버지니아 주 리치몬드 '남부 연합 박물관' 소장.

에서 이 균형을 회복하기가 녹록치 않다는 사실을 깨달았다. 여성들은 노예관리에서와 마찬가지로, 좀처럼 익숙해질 수 없는 공격성과 폭력을 바탕으로 세워진 제도를 유지해야만 하는 처지에 놓였다.[39]

기이한 시대

남북전쟁은 가족관계에 심각한 긴장감을 초래하였다. 스스로에게 실망하고 좌절과 무능하다는 느낌으로 괴로워하던 여성들은 전쟁이 시작되자 남성들의 완전무결함에도 의문을 갖기 시작했다. 1865년 2월, 사우스캐롤라이나의 그레이스 엘모어_Grace Elmore는 "이 얼마나 기이한 시대란 말인가. 여성들은 남자들이 도와줄 거라는 기대는 전혀 할 수 없다. 남자들이 우리를 비웃거나, 우리에게 어떤 충고를 해야 할지 모른다고 진지하게 말할 때 우리는 힘이 닿는 한 최선을 다해야만 한다."[40]

테네시의 버지니아 프렌치_Virginia French에게는 이런 변화가 단순히 이상하거나 기이한 것 이상이었다. 전쟁 내내 그녀가 쓴 일기를 보면 남자라면 응당 취해야 하는 행동에 대한 그녀의 기대를 계속해서 무너뜨린 남편, 즉 '그 분'에 대한 분노가 격해지는 것을 볼 수 있다. 일기를 처음 쓰기 시작할 때 존 홉킨스 프렌치_John Hopkins French는 언제나 '내 사랑'이었다. 그러나 1865년 무렵, 그런 애정 표현은 사라지고, 들뜬 마음으로 미리 표시해두었던 결혼기념일은 아무런 주목도 받지 못한 채 지나갔다. 1864년 9월, 그녀는 이렇게 기록했다. "나는 이런 꿈을 수없이 많이 꿔왔다. 결혼하지 않았더라면, 나를 속박하는 가족이 없었더라면, 아이들의 현재와 미래의 행복 때문에 걱정하고 초조해 하는 일이 없었더라면…"41

루시 버지니아 스미스 프렌치_Lucy Virginia Smith French는 지적인 야심이 상당한 여성이었다. 버지니아 어느 대학 총장의 딸인 그녀는 전쟁 전에 뉴올리언스에서 발행되는 정기간행물『서던레이디스북_*Southern Ladies' Book*』의 편집위원으로 일했으며 시집과 희곡을 내기도 했다. 전쟁 초 연방군이 테네시를 침략했을 때, 프렌치와 가족들은 맥민빌_McMinnville 근처 산에 위치한 여름별장으로 몸을 피했다. 프렌치는 어린 아이들을 돌보려고 애쓰며 -빵과 고기와 같은 필수품에 대해 걱정하였고- 동시에 유능한 작가로서의 역할을 계속하려고 몸부림쳤다. 육체적으로나 정신적으로 피폐해지는 일이 아닐 수 없었다. 그녀는 "나의 일은 결코 끝나지 않는다. 나는 하루 종일 손으로 부지런히 일하고, 밤에는 잠을 줄여가며 머리로 일한다."라고 썼다. 이런 잔혹한 요구들은 결국 그녀로 하여금 자문하지 않을 수 없게 만들었다. "우리 가족 중 어느 누구라도 나만큼 일을 하는가? 그렇지는 않을 것이다."42

대다수 남부 부인들의 경우와는 달리 프렌치의 남편은 집을 떠나지 않았다. 전쟁 전에 부유한 목축업자였던 "그 분"은 군복무를 하지 않았다. 대신 집에 남아, 버지니아가 묘사한 그의 일상 활동인 '여기저기 배회하기'를 했다. 1864년 9월, 그녀는 혐오감을 감추지 않고 이렇게 썼다. "남편의 '주요 활동'은 그가 이름붙인 '시내에 가기'인 것 같다! 나는 가끔 남자들이 무슨 목적으로 만들어졌는지 궁금해진다. 내 생각에는 '종족유지'만이 그들이 항상 준비되어 있고 절대 꽁무니를 빼는 경우가 없는 유일한 일인 것 같다. 나는 그들의 전반적인 무능력에 지치고 녹초가 되었으며, 그들 모두가 군대에 들어가서 그곳에서 서로를 죽일 수 있기를 바란다. 남자가 적을수록 세상은 더 살기 좋아질 것이다!" 이렇게 열변을 토한 후 그녀는 말을 잇는다. "고난과 결핍과 슬픔의 시대를 지나며 내가 독기를 띄게 되었다고 생각한다."43

전쟁이 종국으로 치닫고 그 결과가 불 보듯 뻔해지자, 프렌치는 미래를 준비하지 못하는 남편에게 점차 분노가 치밀었다. 그녀는 "내가… 의지해야 하는 사람의 소극적인 기질"에 대해 불평했다. "주위상황을 운명으로 받아들이고, 자신의 처지나 역경을 극복하려는 노력도 보이지 않는 것은… 새로운 환경을 일궈야 하는 그 사람이 무능력하기 때문이다."라고 푸념했다. 그녀는 남편이 무슨 일이 생기기를 기다리는 디킨스 소설의 미코버_Micawber, 영국의 소설가 찰스 디킨스의 소설 『데이비드 카퍼필드』에 등장하는 인물로 낙천주의적인 인물의 대명사—옮긴이와 똑같다고 생각했다. 버지니아는 남편이 미코버 대신 남부의 베스트셀러 『마카리아_*Marcaria*』에 나오는 영웅, 러셀 오브리_Russel Aubrey를 흉내 내기 바랐다. 『마카리아』는 오거스타 제인 에반스_Augusta Jane Evans가 전쟁을 소재로 1864년에 쓴 소설이었다. "하지만 실제로 그렇게 강인한 남자는 없다. 그들은 단지 소설 속에서만 존재하는 것 같다."44

노예들이 적군 쪽으로 사라지자 그들이 하던 일을 맡아서 한 사람은 버지니아였다. 나이 많은 가정부 마사가 죽었을 때, 또 다른 노예가 '천국에 내 집이 생겼을 때_When I Can Read My Title Clear'를 부르는 동안 장례식을 주관한 사람도 버지니아였다. 학교교육을 받을 수 없을 때, 아이들의 선생님이 된 사람도 역시 버지니아였다. 이와 동시에 그녀는 날마다 열 페이지에서 스무 페이지 정도의 산문을 쓰려고 노력했다. 그러나 스스로 "무능하고… 보잘 것 없고… 무기력하다"는 느낌을 받게 되었고, 그녀의 희생을 알아주지도, 감사해하지도 않는 사람들에게 화가 치밀었다. 버지니아 프렌치는 무엇보다 자기 자신에 대한 공정한 평가를 원한다고 일기장에 털어놓았다. 마치 응당 받아야 할 대가를 받지 못하는 느낌이었다. 그러나 "공정함이란 남성이 여성에게 제공할 수 있는 것 중 가장 어려운 것이다. 그들은 너그러워지고, 상냥해지고, 관대해질 수 있다. 공정함을 제외하고는 그 어떤 모습이라도 보일 수 있다." 라는 것이 그녀의 생각이었다. 상냥함, 너그러움, 관대함은 여성에 대한 남성의 보호, 심지어 그들의 오만함을 의미했다. 프렌치가 갈구하던 공정함은 평등이라고 여겨지던 것이다.[45]

버지니아 프렌치와 그녀의 경험은 전쟁으로 헤어지게 된 많은 부부들이 주고받던 헌신과 외로움에 관한 애정 어린 선언과는 여러 면에서 대조적으로 보인다. 그러나 좀 더 자세히 살펴보면 그것들은 공통된 현상의 다른 측면이며, 전쟁으로 붕괴되고 변화된 성별 간 정의에 관한 일반적인 사회 흐름이 표출된 것이었다. 다른 남부 여성들과 마찬가지로, 프렌치에게 전쟁이란 부부관계에서 남성과 여성의 역할에 대한 기대가 무너졌다는 것을 의미했다. 아내들은 남편의 의무이자 책임이라고 당연하게 여겼던 감정적, 물질적 지원을 몹시 그리워했다. 예전에 그것에 대한 고마움을 거의 느끼지 못했던 이유는 그런 감정적, 물질적 지원이 일상생활의 일부로 너무나 당연해 보였기 때문이었다. 줄리아 데이비슨이 존에게 "우리는 거의 모르고 있었어요."라고 썼을 때 그녀는 남성과 여성 상호간의 책임뿐만 아니라 헌신을 새롭게 인식하고 전쟁이 결혼생활과 남녀의 역할을 어떻게 바꾸어 놓았는지를 깨닫고 있었다. 이렇게 성찰을 거듭해서 나타난 결과가 부부 사이의 깊어진 애정으로, 이것은 부부사이의 유대가 죽음이나 헤어짐으로 훼손될 수 있으며 절대로 당연하게 여겨서는 안 된다는 깨달음에서 비롯된 것이었다. 즉, 남부 연합 사람들은 떨어져 있으면 그리움이 더해진다는 사실을 알게 되었다.

텍사스의 신원미상의 부부. 텍사스 산안토니오(San Antonio)의 '위테 박물관(the Witte Museum)' 소장.

그러나 여성들이 남성들의 일이라고 여긴 많은 짐을 감당하게 되고, 여성의 당연한 권리라고 믿었던 보호 받을 특권을 잃어가는 동안, 분노와 불만이 고개를 들기 시작했다. 애정과 노여움 모두 여성들의 상실감, 한 남자를 잃고 여성의 정체성을 확립했던 관계, 즉 부부간과 남녀 간의 관계가 유지되던 세계를 잃어버렸다는 상실감에서 비롯되었다. 그레이스 엘모어의 표현처럼 "남자들이 도와줄 거라는 기대는 전혀 할 수 없다"는 사실로 인해 여성의 복종과 관련된 모든 논리에 의문이 제기되었다. 아기가 태어나는 순간에 당신 곁에 남편이 있어주는 것이 그의 의무라고 생각했지만, 그 순간 남편이 함께 하지 못했다는 사실 -꼭 그의 잘못은 아니더라도- 이 불신을 낳고 이것은 다시 분노와 노여움으로 이어졌다. 이 분노의 일부는 애초에 전쟁을 일으킨 양키군에게 향하고, 일부는 조속한 승리를 거두지 못하고 휴가를 허락하지 않는 남부 연합 당국자들과 지도자들에게 향했으며, 일부는 당연하게도 남편에게 향했다. 줄리아 데이비슨은 존이 군사 명령에 따라 포위되어 공격당하고 있는 애틀랜타에 출산이 임박한 그녀를 두고 떠났을 때 격노했다. 그녀는 이렇게 썼다. "애틀랜타의 남자들은," 여기에는 존도 포함된다. "그들의 이름에 지워지지 않을 오점을 남겼어요. 이곳에 남아 자신의 가정을 지키는 대신에 그들은 달아나 애틀랜타를 버렸지요… 조니 당신이 한 일이 무엇이죠?… 저와 이야기를 나눈 모든 사람들은 전출 명령을 받았던 안 받았던, 가족의 안전을 확인하기도 전에 떠난 당신이 대단히 큰 잘못을 한 거라 말해요… 상황이 어찌되었든 당신처럼 행동할 남자는 어디에도 없을 거예요." 아내가 보기에 존은 군인으로서 자신에게 내려진 명령에 굴복하여 남편으로서, 한 남자로서의 기본적인 의무를 다하지 못했다.[46]

많은 여성이 남편과 떨어지게 되었을 때 분명하게 표현한 강렬한 감정은 그들 세계의 근간이라고 생각했던 애정과 의무의 유대감이 사실 불안정하며 깨어지기 쉬운 것이라는 깨달음의 일부분이었다. 전쟁이 상황을 더욱 위태롭게 만들었다. 사랑하는 사람의 부재는 더욱 더 그 사람을 원하게 만들었으며, 보호받지 못하고, 물질적, 감정적인 지지를 받지 못하게 되자 남자들 책임의 중요성이 부각되는 한편 이 모든 것을 거둬 간 남자들을 향한 분노를 낳았다. 많은 경우에 전쟁으로 인한 헤어짐은 남편을 향한 아내의 사랑과 헌신을 더욱 깊어지게 했지만, 반면 간절히 원하는 것을 더 이상 남편이 제공해주지 못한다는 것을 깨닫게 된 아내들의 분노와 의혹을 초래하기도 했다. 노예제도의 경우와 마찬가지로 가정생활에 따른 책임이 거기에서 얻을 수 있는 이익에 비해 과중해졌다. 반항적인 노예들을 관리하는 새로운 일을 시작한 캐서린 에드먼드스턴에게 '가족을 돌보는 일'은 너무나 무거운 짐으로 느껴졌다. 그녀는 일기에 "남자들의 일상생활을 지탱하던 장비에 대해 무지한 상태에서는… 그들이 발을 내딛고 오르던 사다리를 끌어당기는 일도 때로 여성들에게 큰 짐이 된다."고 썼다. 그러나 그녀는 재빨리 분노를 억누르고 남성과 여성의 역할 구분과 여성의 복종에 대한 사회적 관념에 대한 생각으로 되돌아가 "하지만 항상 그런 것만은 아니다."라며 스스로를 달랬다. "사다리를 정확하게 다루고, 기도하는 마음으로 움켜쥔 다음, 극기심과 자기희생에 의해 좌우되는 '천국'을 향해 전진하는 마음으로 사소한 것까지 주의를 기울인다면 여성들도 사다리를 오를 수 있을 것이다." 그녀는 여성들이 시련 속에서 분노가 아닌 성취감을 느낄 거라고 확신했다.[47]

버지니아 프렌치는 에드먼드스턴과는 달리, 불만을 감추지 않았다. 전쟁이 끝났을 때 그녀는 여전히 어머니로서 아내로서 그녀에게 기대되는 모든 일을 계속하고 있었지만, 그 이유를 이해하지는 못했다. "나는 다른 사람들의 이익을 위해 일하고, 그들을 위해 노동하며, 그들을 위해 희생하고, 그들에게 도움이 되는 일을 하기 위해 나에게 도움이 되는 일을 거부한다. 그러나 내가 그들을 사랑하거나 그들이 나를 사랑해주기를 바라서가 아니다. 사실 누군가 나를 사랑하거나 말거나 전혀 신경 쓰지 않는다. 어쩐지 내가 해야 하는 일이라고 생각하기 때문에 하는 것이다." 버지니아는 남편을 향한 분노와 집안에서의 자신의 역할에 대한 환멸감을 대다수의 남부 아내들보다 더욱 강하고 분명하게 표현했다. 어쨌거나 그녀는 전문 작가였던 것이다. 그러나 아마도 더욱 중요한 이유는, 전시에 그녀의 결혼생활에서 이루어진 희생이 유독 불균형하게 배분되었기 때문일 것이다. 그녀의 민간인 남편은 전쟁에 나가지 않고 '시내로' 갔다. 그는 죽음을 무릅쓰지도 않았고 겉으로 보기에 후방에서 중대한 임무를 수행하는 것 같지도 않았다. 하지만 버지니아 프렌치만 남부 남자들이 아내와 아이들에 대한 의무를 수행하지 않는다고 느꼈던 것은 아니다. 숭고하고 영웅적인 대의를 내세우던 전쟁이 시간이 갈수록 피비린내 나고 잔혹한 학살보다 나을 것이 없어졌기 때문이다. 마사 포트는 남편에게 쓴 편지에서 씁쓸하게 말한다. "얼마나 많은 부인들이 남자들의 야망의 제단에 놓여 졌는지요. 저는 이 전쟁이 그저 추악한 야망을 충족시키기 위한 것이라고 생각해요." 남자들이 야망의 제단에 경배를 드리기 시작하는 동안 여성들은 희생의 제단으로 내침을 당했다. 야망은 충족되지 않았고, 희생이 커져가면서, 남녀역할의 배분은 점차 지지받지 못하게 되었다.

CHAPTER SIX

To Be an Old Maid

SINGLE WOMEN, COURTSHIP, AND DESIRE

제6장

노처녀가 되다
미혼 여성과 구애 그리고 욕망

만약 전쟁이 남편과 아내 사이의 기존 관계를 무너뜨리고 변화시켰다면, 미혼 여성들의 생활과 미래에 대한 희망에는 이보다 더 큰 변화를 초래하였다. 1864년 초, 어느 젊은 여성은 "이 전쟁이 끝난 후 수많은 남성과 여성들 사이에 얼마나 큰 변화가 생기게 될까 하는 생각을 떨칠 수가 없다고 썼다. 나는 노처녀는 되지 않을 것이라 다짐하였지만, 적당한 재산에 그렇게 아름다운 것은 아니기 때문에 내 소원을 이루는 것이 어렵지는 않을까 걱정스럽다."[1]

남부 상류계급의 여성들은 남성과의 관계에 의해 즉, 처음에는 딸이자 여자형제로서, 그 후에는 아내이자 어머니로서 그들 자신을 정의 내렸다. 텍사스 사람인 리지 스콧은 1850년 초, 곧 있을 윌 네블렛과의 결혼에 대해 숙고하면서, "나의 정체성, 나의 존재가 남편 안에서 사라질 것이다."라는 사실을 깨달았다. 미시시피의 케이트 포스터는 "여성의 인생은 남성의 뒷받침 없이는 완성되지 않는다."고 생각했다. 배우자 선택은 여성의 인생에서 가장 중요한 결정이었으며, 그러한 선택을 둘러싼 활동이나 의식은, 전통적으로 결혼적령기라 간주되는 모든 미혼여성의 시간과 주의를 상당부분 차지하였다. 그러나 내전으로 빚어진 대학살 때문에 남부 전역의 여성들은 졸지에 전쟁이 끝날 때까지만이 아니라 어쩌면 앞으로 남은 인생동안 결혼이 제공하는 울타리와 친밀감 바깥쪽에서 살아가는 것에 대해, 남자 없이 살아가는 여성이 되는 것에 대해 심각하게 고려해야만 하는 처지가 되었다.[2]

앞날을 이렇게 예상한 일부 젊은 숙녀들은 성공적으로 배우자를 찾은 사람들안에 포함되어야겠다는 결의를 더욱 굳혔다. 조지아의 어느 젊은 여성은 꿈꿔왔던 결혼을 기꺼이 포기하고, 친구에게 얼마 안 남은 남자들마저 사라지기 전에 그녀와 힘을 합쳐 '서둘러' 남편감을 잡아야 한다고 주장했다. 멤피스_Memphis의 안나 커틀랜드_Anna Kirtland는 결혼하기로 결심하는 데에는 전쟁 전에 생각했던 허용 가능한 배필의 조건과 어느 정도 타협해야 한다는 사실을 깨달았다. 그녀는 1862년 5월, 사우스캐롤라이나에 사는 친구에게 이런 편지를 보냈다. "해티_Hattie, 한 번 생각해봐. 우리는 한쪽 팔이 없거나 다리가 없는 어떤 불쌍한 남자와 결혼해야 될 거야. 그렇지만 크게 마음 쓸 거 없어. 사지 멀쩡한 군인하고 결혼할 가능성도 있고, 또 어쨌든 불구인 군인이 전쟁에 나가지 않은 남자 100명보다 나으니까." 『사랑의 함정_*Love's Ambuscade*』이라는 남부 연합의 유명한 인기 희곡은 이런 주제를 다룬 것으로, 여주인공이 돌아온 연인의 상처와 불구가 된 그의 모습 -부상당한 다리는 무릎까지 남았고, 오른쪽 팔이 없어졌으며, 오른쪽 눈에는 안대를 한- 에서 처음 느낀 혐오감을 극복하고 진실한 사랑의 승리를 보여준다는 내용이다. 무대 위의 인생에서 여성들은 "위대한 목적이 그러한 상처를 영광되게 한다."는 관념을 받아들이고자 애를 썼다. 그러나 사우스캐롤라이나의 어느 사교계의 여왕은 솔직하고도 빈정대는 태도로 이렇게 말한다. "머리가 없는 사람과 결혼하는 것이 내 운명은 아닐까 걱정된다."[3]

다른 여성들은 앞으로 결혼과 거리가 먼 인생을 살아야 할지도 모르는 실망스러운 가능성을 인정하거나 결혼생활에 대한 비판적인 견해를 받아들여 잃어버린 기회에서 오는 쓰린 마음을 달래고자 했다. 20대 중반의 엠마 월튼은 또 다시 찾아온 생일을 축하하면서 세월이 쏜살같이 지나간다는 것을 깨달으면서, "앞으로 자기 앞에 어떤 운명이 펼쳐질지, 또 비슷한 처지에 있는 다른 사람들의 운명은 어떻게 될지 모르겠지만 우리는 우리의 운명을 감수하고, 위대한 목적을 위해 견뎌야 한다!"고 생각하였다. 만일 월튼이 독신을 애국적인 사명이라 여길 수 있었다면, 그것은 남편감을 찾지 못할 경우에 따르던 관습상의 오명을 전쟁이라는 상황이 어느 정도 가려주었기 때문일 것이다. 왜냐하면 혼인은 여성의 인생에서 궁극적으로 다다라야 하는 목표로 간주되고 있었기 때문이다. 새로운 세상에서는 여성들이 "노처녀가 되는 것이 더 이상 불명예가 되지는 않을 것이다."라고 한 피츠버그 피난민이 일말의 안도감을 느끼며 말하였다. "우리는 언제든 남편 될 사람이 전사했다고 주장할 수 있다."[4]

젊은 여성들 중에는 앞으로 다가올 독신생활을 체념이나 저항 끝에 받아들이는 것이 아니라 선택의 여지가 없음을 인정하고 적극적으로 받아들이는 사람들도 있었다. 1862년 7월, 사라 모건은 대담하게 이렇게 선언했다. "나는 노처녀가 될 운명이다. 노처녀의 인생이 어떻게 변할 수 있는지 세상에 보여주겠다. 미혼인 채로 죽기는 정말 싫다고 말하는 여성을 보면 기가 막힌다.” 엘렌 로버츠_Ellen Roberts는 미혼인 채로 남은 덕분에 전쟁이 가져온 최악의 상처, 즉 남편과의 사별에서 자신을 보호할 수 있었다. “우리는 남편이 없다는 점에 대해 슬퍼하는 것이 고작이다. 결혼한 여자 가운데 일부는 만약 전쟁이 10년 동안 계속된다하더라도 자신들은 노처녀가 되지 않을 거라는 점을 결혼생활의 유일한 위안으로 삼는다. 하지만 나는 남편 없는 여자들이 가장 행복하다고 생각한다.” 결혼을 둘러싼 상황이 변하자 일부 여성들은 사회제도에 비판적인 태도를 갖게 되었다. 10대 소녀 루시 벅은 길고 쓰라린 경험을 한 사람이 가질 법한 냉소적인 태도로 버지니아에 사는 친구의 결혼을 안타까워했다. “젊은 신부들이 장밋빛 꿈에 부풀어 있는 것을 보면 서글퍼진다. 나는 그들이 결혼 전에 상상한 결혼생활과 지금부터 10년 후에 보게 될 결혼생활이 다를 것으로 생각한다.” 앨라배마의 조 길리스는 결혼생활에 전혀 매력을 느끼지 못한다고 털어놓았다. “결혼한 여성들이 해야 하는 일과 복종해야하는 일들을 본다. 억제되지 않은 나의 기질 -나는 성질이 급하다고 하겠지만- 은 절대로 그러한 것들을 참을 수 없고, 결국 가족 전체가 불행해지는 결과를 가져올 것이다. 게다가 노처녀의 인생이 뭐가 안 좋다는 건지 나로서는 알 수가 없기 때문에 독신생활은 나에게 안성맞춤이라 하겠다. 내가 애정을 갈망하게 되리라는 것도, 지금도 애정을 원하고 있음도 사실이지만 남편들은 내가 꿈꾸는 남편의 방식으로 사랑해주지 않는다. 게다가 내가 어떤 부인들에게서 보듯이 그들이 견디는 남편의 냉대는 나의 인생과 희망을 앗아갈 것이다.” 그러나 길리스는 몇 달 지나지 않아 결혼을 하게 되고 그녀의 어두운 전망보다도 더 불행한 결혼생활에 매인 몸이

된다. 출산 중 맞이한 죽음만이 그녀에게 마지막 자유를 안겨줄 수 있었다.[5]

남부 연합의 젊은 여성들은 전시의 현실로 인해 그들의 미래를 재평가하게 되었고, 결혼이 가져올 수 있는 지위에 변화가 생겼다는 사실을 받아들이게 되었다. 남자들의 존재가 이전보다 더욱 희소해지고 있다는 사실을 여성들은 깨달았고, 사고방식과 계획의 변화가 필요하다는 것이 분명해졌다. 남부 상류계급 젊은 여성들의 인생이 오직 구애와 결혼에만 초점이 맞춰져 있고, 그들의 정체성이 아내와 어머니로서의 환상에 단단히 묶여 있었으며, 이성의 사랑에 대한 기대가 과도함에 따라, 늘어나는 사망자 수와 전

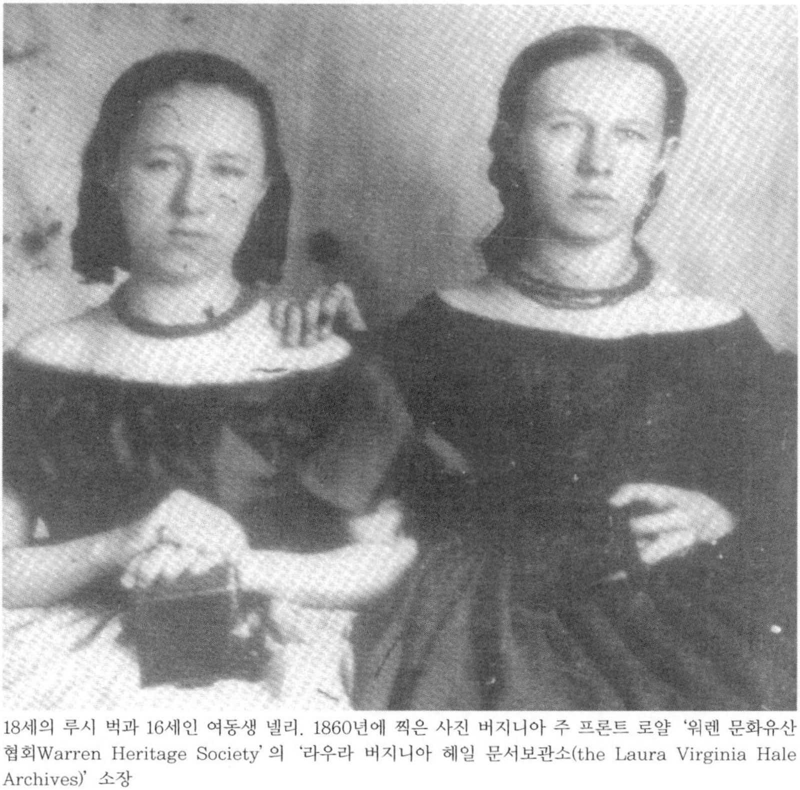

18세의 루시 벅과 16세인 여동생 넬리. 1860년에 찍은 사진 버지니아 주 프론트 로얄 '워렌 문화유산 협회Warren Heritage Society'의 '라우라 버지니아 헤일 문서보관소(the Laura Virginia Hale Archives)' 소장

쟁이 인생계획만이 아니라 그들의 근본적인 자아상에도 엄청난 충격을 주었다. 군에 있던 남부 남성 중 거의 4분의 1에 달하는 인원이 전시에 사망했다. 거의 결혼적령기의 남자 4분의 1이 사망한 것으로 볼 수 있었다. 이 연령대의 남성들의 사망은 독신여성들의 사회적 선택에 변화를 초래하였고, 그들의 정서적인 삶과 행동을 바꾸어 놓았다.

너를 사랑해

이성의 구애가 주는 흥분과 여흥의 기회를 빼앗긴 젊은 여성들은 그 대신 점차 서로에게 애정을 쏟기 시작했다. 19세기 여성들을 연구하는 역사학자들은 여성들 사이의 강렬한 애정 관계가 흔한 일이었음을 확인해 주었다. 그러나 전쟁이라는 상황이 이런 관습적인 유대관계를 돈독하게 했을 것이다. 특히 상류계급의 딸들을 위한 피난처로 한층 더 인기가 있었던 기숙학교는 그러한 개인적인 관계가 한껏 농밀해질 수 있는 환경을 제공했다. 한 버지니아 여성교육기관의 졸업생 대표는 이렇게 말했다. “여성들이 모인 이 곳에서 우리는 오랫동안 즐거운 시간을 함께 보냈습니다. 그것은 아마도,” 그녀는 전쟁의 결과에 대해 불길한 언급을 한다. “우리가 잃어버린 것에 대해 보상 받을 기회가 앞으로 없기 때문일 겁니다.”[6]

18세의 네티 폰드렌은 조지아 주 아테네에 있는 루시 코브 여학교가 전쟁으로 거의 정원이 꽉 찼다는 것을 알게 되었다. 전방에 있는 군인과 약혼한 상태였지만 폰드렌은 불확실한 시대에 교육이 반드시 필요하다고 생각하였다. 대부분의 동기들보다 나이가 많았던 그녀는 주위 여학생들의 관심사나 애정관계를 유치하게 생각하였다. 근처 여학교에 다니는 친구 레베카는 “여기 있는 우리는 대부분은 군복을 입은 남자를 바라보고, 그의 마음을 사로잡기 위해서라면 우리가 가진 걸 다 내놓을 거야.”라며 네티의 약혼을 부러워하는 한편, 네티가 다른 소녀와 가까이 지내는 것을 질투하기도 했다. “너를 정말 사랑해. 나로서도 어쩔 수가 없어.” 레베카는 이렇게 말했다. “얼마 전 꿈을 꿨는데 나는 너랑 진짜로 키스하고 있는 거라고 생각했어. 잠에서 깨어나서는 그게 모두 허무한 꿈이라는 걸 알았지.” 레베카는 그런 고백이 친구의 감정을 상하게 하지 않았으면 좋겠다고 말하면서, 학생들의 생활의 핵심이라고 할 수 있는 강렬하고 시간 소모적인 애정표현은 앞으로 하지 않겠다고 했다. “모든 학교 친구들을 좋아하기는 하지만, 앞으로는 그 누구도 사랑하지는 않을 거야.” 그녀의 말은 그녀가 기숙학교 친구들 사이에서 흔한 일이던 열정적인 애정과 우정 사이의 차이, 그녀의 표현을 빌리자면, ‘좋아하는 것’과 ‘사랑하는 것’의 차이를 분명히 깨달았음을 보여준다.[7]

뉴올리언스의 클라라 솔로몬은 자신의 학교에서 교사로 일하던 언니와 자신이 열중해 있는 것을 기록했다. 클라라의 학교생활에서 가장 즐거웠던 시간은 사랑하는 벨과 가까이 있을 때였다. “그 붉은 입술을 바라보며 내 마음 가득한 사랑을 실어 내 입술을 그녀의 입술에 포개었다. 그녀의 부드러운 머리카락을 보면 이런 생각이 든다. ‘이 얼마나 아름다운가.’ 파란 호수와 같은 그녀의 두 눈을 응시할 때면 ‘이보다 더 사랑스러운 것은 없으리.’ 라고 생각한다. 그리고 방금 딴 과일과 같이 탐스럽고 향기로운 그녀의 입을 바라볼 때면 내가 보는 아름다운 광경에 취해 오! 라고 감탄사를 내뱉는다… 나는 팔로 그녀의 허리를 감싸 안고 생각한다. ‘오, 그녀에게 바치는 나의 사랑에 응답받을 수만 있다면.’”[8]

그렇지만 클라라의 맹목적인 희망이었던 "그녀와 M이 함께 집에 가는 것을 보았을 때는 질투심에 사로잡혔다." 클라라는 언니에게 아름다운 친구의 '사랑을 구하려 애쓰고 있다'고 말하며 검은머리보다는 금발에 더 끌린다는 사실을 인정했다. 그리고 자신보다 나이가 많은 어떤 여성에게 '아낌없이 키스를 퍼붓고 포옹하던 흥분되는' 꿈을 묘사했다. "그런데 얼마나 좋았는지 몰라. 설령 현실이라 해도 그보다 더 강렬하지는 않을 거야." 요컨대 클라라는 이성간의 구애와 관련된 관습적 표현과 의미라는 테두리 안에서 다른 젊은 여성들과의 관계를 이해하고 있었다. 그녀의 터무니없고 불안정한 감정상태, 공상으로 가득 찬 생활, 그리고 특히 사랑의 육체적 표현에 대한 관심은 20세기의 우리에게는 동성애를 연상케 한다. 그러나 그녀가 살던 시대에는 그녀의 표현과 감정이 이상하다거나 보기 드문 것으로 여겨지지 않았다. 그러한 표현들은 감정의 섬세함과 진실함을 상징했고, 감성적인 빅토리아 중기에는 진실한 사랑만이 아니라 진실한 우정에도 적절한 것이라고 칭송받았다.

우리는 클라라가 꿈꾸던 에로티시즘이 그녀의 일상이나 아니면 그와 같은 낭만적인 환상을 갖고 있던 다른 남부 연합의 다른 젊은 여성들의 인생에서 실현되었는지의 여부는 알 방법이 없다. 육체적인 관계와 강렬한 우정에 동반된 성적인 즐거움이 실제로 존재했었는가를 입증할 자료는 없다. 그러나 19세기 중반의 여성들에게 그런 질문은 아무런 의미가 없었다. 프로이트 시대 이전의 사람들은 이성애와 동성애에 관한 우리의 엄격한 구분을 이해하지 못했을 것이다. 열정적인 -심지어 에로틱하게 보이기도 하는- 여성들 사이의 우정은 남성과 여성 사이의 구애, 그리고 결혼생활과도 공존했다. 만일 19세기 남부인들이 성별 간의 역할에 관련해서 제한적이고 엄격한 관념을 가지고 있었다면, 지금의 우리는 아마도 성적인 정체성과 관련해서 보다 확고하고 절대적인 관념을 갖고 있는 것이리라. 우리가 여성 사이의 성적인 행동이라고 분류하는 것이 19세기 중반에는 그들이 서로 느끼던 호감과 감정적인 의존에서 비롯된 강한 유대감이 자연스럽게 확장된 것으로 보았다고 생각하는 편이 나을 것이다. 전시의 특수한 상황에서, 한창 나이의 젊은 여성들의 풍부한 감정은 이성보다 동성에게 표출되는 경우가 더 많았다. 여성들의 열정적인 우정과 낭만적인 감정 표현에 높은 가치를 부여하는 사회분위기가 그것을 가능한 일로 만들고, 또 용인했다. 메리 리는 "전쟁이 괴로움, 우정, 사랑 등 이런 모든 형태의 감정을 이전보다 더 일찍부터, 더 빠른 속도로 발달하게 만든 원인이다."라고 기록했다.[9]

청소년기의 과도한 호감을 에로티시즘이라고 여기는 우리의 견해를 무색하게 할 만한 인상적인 사례가 있다. 당시 학생이었던 루이즈 니콜스의 일기를 살펴보자. 니콜스가 애정을 느낀 상대는 선생님인 '라이스 부인'이었다. 그녀는 정기적으로 라이스 부인과 침대를 함께 쓰고, 마찬가지로 교사였던 라이스 부인의 남편과 그에 대해 논의했던 것으로 보인다. "이번 주에는 월요일을 제외하고 매일 밤 라이스 부인과 함께 잤다." 1863년 5월, 니콜스의 기록이다. 그러나 다음 날 그녀는 "오늘 밤을 금요일로 바꾸자고 라이스 씨께 말해보겠지만, 그는 동의하지 않을 것이다."라고 썼다. 다른 주에는 자신의 성공에 대해 흡족해하며 기록했다. "라이스 부인과 화요일, 목요일, 금요일 밤에 같이 잤다. 라이스씨에게 대가를 치르고 부인을 얻었다." 선생님을 향한 니콜스의 감정은 뜨거웠다. "나는 너무나 그녀를 사랑하기 때문에 그녀가 없다면 어찌해야 할지를 모르겠다." 그 선생님은 아무래도 학생의 헌신적인 사랑에 보답했던 것 같다. 라이스가 감리교도가 되었을 때 니콜스가 강하게 비난하자, 라이스는 어린 친구의 애정을 잃을까봐 염려했다. 루이즈의 일기를 압수한 그녀는 그곳에 자신의 일기를 적었다. "그녀가 나를 믿어주었으면 좋겠다. 나는 마음으로부터, 진실로 그녀를 사랑하며 그녀가 행복해하는 일이라면 무엇이든 할 수 있을 것 같다. 루이즈, 제발 부탁이니 다시는 나와 함께 자지 못하더라도 상관하지 않겠다고 했던 말을 취소해줘. 정녕 진심인 거니?"

이 삼각관계를 상상하는 일은 불가능하다. 또한 라이스 부인과 루이즈 니콜스 사이에 오가던 행동의 본질만이 아니라 역사의 기록에서 완전히 침묵을 지키던, 한층 더 불가사의한 남편의 사고방식을 이해하는 것도 불가능하다. 19세기의 '함께 자는 것' 의 의미는 오늘날처럼 의미심장한 행동을 완곡하게 표현한 것과는 다르다. 하지만 침대를 함께 쓰고 싶다는, 눈에 보일 정도의 강렬한 욕망과 결합된 두 여성의 사랑고백은 함께 자는 것이 비록 성적인 것은 아니더라도 낭만적으로 중요한 뜻을 내포하고 있음을 암시한다.[10]

전쟁으로 파괴된 남부전역에서는 친척들과 친구들로 새롭게 형성된 여성들만의 가정에서, 여성들이 일하는 병원에서, 그리고 여성자선협회에서 여성들이 우정을 나누고 서로 의지하기 위해 하나로 뭉쳤다. 그러나 여성들, 특히 젊고 미혼인 여성들은 단순한 교제가 아니라 일반적으로 동성애적인 애정과 관련된 감정과 욕망으로 치닫는 경우가 많았다. 새라 워들리_Sarah Wadley가 설명한 것처럼, 그녀는 '전에 없던 애정과 욕망을 지니고… 끊임없이' 친구 발레리아_Valeria의 빈자리를 떠올렸다. 이러한 관계가 전적으로 전쟁의 소산물은 아니지만 변해버린 상황이 그러한 유대감을 조장하고 강화시켰음은 분명한 사실이다. 1863년, 테네시의 내니 하스킨스_Nannie Haskins는 다소 못마땅한 어투로 "여자들이 서로 시시덕거리고, 키스를 하고, 또 그 밖의 행동들도 한다는 것을 알아챘다. 나는 가끔 그것이 아주 어리석은 일이라고 생각한다."라고 했다.[11]

내가 군인의 아내였으면 좋으련만

곁에 없는 여자 친구에게 마음 깊은 애정을 표현하는 일이 빈번했음에도 내니 하스킨스 역시 남부 연합의 많은 미혼 여성들처럼 앞으로의 결혼 가능성을 사색하는 일에 가장 많은 시간을 투자했다. "내가 언젠가 결혼을 하게 될지, 아니면 언제까지나 그냥 내니 하스킨스로 남아있을지 알고 싶다." 테네시에 위치한 한 기숙학교 소녀의 아름다운 애가는 남부 미혼여성의 주된 정서를 표현하고 있다. "내 인생이여! 이 얼마나 숨이 막히는지 / 내가 군인의 아내였으면 좋으련만."[12]

군야영지와 민간인 거주지가 교차하는 경계선은 젊은 여성들이 현재의 시간을 보내며 안정된 미래를 확보하려고 노력하는 사이에 열광적인 구애의 현장으로 탈바꿈했다. 주디스 맥과이어_Judith McGuire는 "결혼에 관한 지독한 열병이 존재하는 것 같다."고 말했다. 버지니아 주 포콰이어 카운티_Fauquier County의 아만다 차펠리아_Amanda Chappelear는 1862년 9월, 집을 방문한 목사나 아픈 이를 뽑아준 치과의사 등 그녀가 마주친 거의 모든 남자와 사랑에 빠졌지만, 그 중에서도 특히 메릴랜드로 향하던 군인들을 사랑하게 되었다고 고백했다. 앨리스 레디는 그녀가 사는 테네시 집 근처에 한 무리의 군인들이 도착하자 뛸 듯이 기뻐했다. "이곳의 여성들은 그들의 체류에 감사하고 있을 것이다. 멋진 남자들은 보는 일은 매우 드물기 때문이다.” 리치몬드는 가장 매혹적인 장소이자 기회의 땅이라고 생각되었다. 남부 연합 수도에서 정치가인 남편과 함께 살고 있던 메리 체스넛은 사우스캐롤라이나의 내로라하는 미인들의 보호자 겸 여주인 노릇을 했으며, 그 젊은 여성들의 낭만적 모험에 많은 관심을 기울였다. 사우스캐롤라이나의 어느 노처녀는 리치몬드에서의 생활을 “놋 단추와 견장, 허리띠를 한 남자들이 이루는 물결에 흥분이 더해가고 있다… 우리는 황홀감으로 정신이 혼미해진 상태이다.”라고 묘사하였다. 리치몬드에는 남자가 너무 많아서 감당할 수 없을 정도였기 때문에 콜롬비아에 남자가 부족한 것과 비교하면 미안한 일이었다. “이토록 많은 남자들을 동시에 상대하는 일에는 세심한 주의가 필요하다!” 침보라소 병원의 간호 부장이었던 피비 펨버에게는 “리치몬드의 모든 여자들이 약혼했거나 이제 곧 약혼을 앞두고 있는 것처럼” 보였다.”[13]

남부 연합 군대가 인근 미시시피로 옮겨오자 아만다 워싱턴의 인생은 훨씬 더 흥미로워졌다. 1862년 초, 파티에 동행할 파트너가 부족해지자 그녀는 콘서트나 활인화에 참석하기보다 집에 있는 쪽을 택했다. “여기에는 멋진 남자도 없을뿐더러 앞으로도 우리 혼자 치맛자락을 질질 끌면서 파티에 가야만 한다는 것을 알고 있다.” 아직 마을에 남아있는 몇 명 안 되는 남자들마저 아만다보다는 세련된 언니를 더 좋아했다. 언니가 연애장난을 할 동안 말 상대와 보호자 역할을 해야 한다는 것은 특히 짜증나는 일이었다. “S선생은 나타날 때마다 언니에게 구애를 했다. 나는 그곳에 앉아 있어야 했기 때문에 그에 따른 모든 재미를 누릴 수 있었다. 그는 자신이 해야 할 말들을 내 앞에서 하는 것에 개의치 않았기 때문이다. 그렇지만 나는 이야기의 절반밖에 듣지 않는다. 그저 자리를 지키고 앉아 입을 다물고 있을 뿐." 1863년 무렵에는 그러한 침묵이 더 이상 필요 없게 되었다. 서부에서 일어난 빅스버그 전투_미시시피 강을 통제하던 남부의 요새 빅스버그를 겨냥한 전투로, 북부군이 승리하여 미시시피 강을 장악했다.-옮긴이와 다른 군사 활동 때문에 대규모 군대가 미시시피로 모여들었고, 아만다 워싱턴은 근접한 곳에 위치해 있다는 지리적 이점을 충분히 이용했다. "군인들과 이야기를 나누면서 그들의 모험담과 군대생활과 관련된 재미있는 일화를 듣고 싶다." 평화시였다면 그들 중 많은 수가 그의 구혼자로는 적합하지 않았을 것이지만 그들의 유니폼 덕분에 그녀의 낭만적인 관심을 받기에 손색이 없는 남자들이 되었다. 그녀는 "남자들 중에서 가장 괜찮은

버지니아의 젊은 여성. 1864년. 국회 도서관의 사진인쇄 부서.

G씨가 마음에 든다. 하지만 전쟁 전에는 그가 우리 계급과 교제하지 않았을 거라는 걸 알 수 있다. 하지만 어떠랴. 나는 모든 남부연합의 군인들을 사랑한다."라고 고백했다. 계급간의 경계선이 적어도 일시적으로는 사라진 듯 보였다. 케이트 커밍스는 "우리 군에 있다는 것은 보증수표이다. 모든 남자들이 신사이며, 그렇기 때문에 모두가 숙녀들의 관심을 받기에 적합한 대상이다."라고 생각했다.[14]

전시의 위험으로 고무된 강렬한 감정과 배우자를 찾는 여성들의 절박함이 맞물려서 관습에서 벗어난 결합이 속출했다. 엠마 홈스가 주목했듯이, '전쟁으로 만들어진 이상한 결혼과 부부들'이 많이 있었다. 그녀가 짐작하기에 최소한 이들 중 일부는 성적인 무분별함으로 빚어진 결과였다. "봉쇄작전이 아기는 막지 못했다." 그러나 아만다 워싱턴의 경험이 암시하는 것처럼 중산계급과 상류계급 여성들이 만나고, 구애를 받았던 남자들 중에는 전쟁 전이라면 마주칠 일이 없었을 미천한 집안 출신이 많았다. 연령차로 인한 관습적인 관념 역시 무너졌다. 1862년, 에이다 바콧은 자신이 생각하기에 사회 속으로 슬며시 들어온 새로운 '풍조', 바로 여성들이 자신보다 어린 남성과 결혼하는 것을 유감스럽게 생각했다. 그리고 앨라배마의 어느 여성은 '몽고메리의 성인 여성들 주위를 뛰어다니는 열세 살 혹은 열네 살이 넘지 않은 어린 소년들'을 언급했다. 전쟁의 압박감이 적합한 배우자 그리고 용인될 수 있는 일반적인 구애행위, 이 두 가지에 관한 오랜 관습을 완화시켰다. 메리 체스넛은 과부들이 뻔뻔스럽게도 기차에서 낯선 이들과 시시덕거리는 모습과 남녀가 그들 사이의 애정을 공개적으로 표현하는 모습에 경악했다. 심지어 그들 중에는 그녀와 같은 계층의 사람들도 있었다. 체스넛은 리치몬드에서 캐롤라이나까지 여행을 한 후에 이렇게 기록했다. "차라리… 남자의 거친 목 뒤에 입을 맞추는 여자들_ 맙소사! 아니면 열차에서 사촌의 뺨을 속눈썹으로 스치는 과부들에 대해 몰랐더라면 좋았을 것이다." 많은 간호부장들과 같이 그녀도 전시의 구혼 속도와 성급하게 결혼으로 뛰어드는 것처럼 보이는 세태를 비난했다. 충격을 받은 체스넛에게는 전쟁으로 연인을 잃은 한 여성의 푸념이 한탄이라기보다는 짝짓기를 위한 신호처럼 보였다. "그녀가 연인의 죽음으로 흐느끼기 시작하자마자, 나는 그녀에게 또 다른 남자가 생길 거라는 것을 알았다… 그녀는 언제라도 기회를 놓치는 법이 없을 것이다."[15]

사우스캐롤라이나에 사는 16세 에스더 알덴Esther Alden은 많은 젊은 여성들의 선택에 영향을 미친 위기감과 낮아진 기대감을 이렇게 설명했다. "한 남자가 내일 죽을지도 모른다고 생각했을 때는 그를 보는 시선이 완전히 달라질 수밖에 없다. 지금까지 내가 따분한데다 평범하다고 생각했던 남자들이… 매력적으로 보였다." 1863년에 결혼을 하는 앨라배마의 어느 여성이 배우자를 결정하는데 따르기 마련인 낭만적인 이상을 포기한 것에 대해 아마 자의식을 가장 잘 표현한 경우일 것이다. 그녀의 약혼자는 "내가 예전에 꿈꾸던 영웅과는 많은 점에서 달랐다. 그러나 나는 그러한 꿈에 들어맞는 남자를 만난 적도 없고, 만나기를 기대한 적도 없다. 인생은 현실이다." 아마도 전시의 인생은 더욱 현실적이었을 것이다. 클라라 맥린은 노골적으로 "수 많은 숙녀들이 사랑에 목말랐다는 이유로 사랑하지도 않는 남자와 결혼할 만큼 자포자기한 상태이다."라고 말했다. 그녀는 그들이 때로는 감정적인 안정만큼이나 경제적인 안정을 구하려했다고 덧붙였을지도 모른다. 이사벨라 우드러프는 아슬아슬하게 중년이 다 된 교사로 수년 동안 보지도 못한, 최근에 부인을 잃은 어느 남자와 편지로 약혼했다. 그녀의 한 여자 친구는 반농담조로 '만일 훌륭하고 부유한 신사'와 결혼한 후 '혼인서약이 지겨워지면' 언제든 남편을 전쟁터로 보낼 수 있다고 조언해주었다. 이사벨라 우드러프의 결혼은 훗날 지독하게 불행한 결혼이었음이 밝혀지는데 그녀는 그 해결책으로 친구의 조언보다 더 간단한 방법을 찾을 수 없었다. 메리 얼리(Mary Early)의 스크랩북에 있는 한 뉴스기사가 당시 상황을 정확하게 파악하고 있다. "전쟁으로 엄청나게 많은 결혼이 이루어졌다. 그 중 일부는 서둘러 시작되고 천천히 후회하게 된다."[16]

결혼상대 찾기에 열중해 있는 사람은 생애 처음으로 남편을 찾

전쟁으로 가족을 잃은 젊은 여성. 1863년, 챈스러스빌(Chancellorsville)전투에서 사망한 남부 연합 군인 곁에서 발견된 유리판사진(ambrotype). 버지니아 주 리치몬드 '남부 연합 박물관' 소장.

는 사람들만이 아니었다. 새라 케네디는 남편에게 보내는 편지에 그녀가 사는 테네시의 과부들이 공공장소에 자주 모습을 드러내고 있다고 썼다. 군인의 아내들이 울적한 마음으로 집을 떠난 배우자의 소식을 기다리는 동안, "과부들과 홀아비들만이 유일하게 즐거운 시간을 보내는 사람들이랍니다. 그들은 '원기회복클럽' 이라고 불리고 있어요." 당시에는 젊은 과부들을 '매혹적이고 거부할 수 없는' 여성, 가장 매력적인 여성이라는 말이 있었다. 테네시의 메리 벨은 이렇게 기록했다. "남자의 마음은 장밋빛 뺨을 가진 순진한 소녀의 명랑함보다 사랑과 고통을 아는 여성의 섬세한 아름다움에 끌린다. 나는 이것이 과부들의 매력의 비밀이라고 생각하였다." 한 젊은 여성은 과부들이 노처녀들보다 결혼에 더 욕심을 낸다고 비난하며 이미 결혼생활의 즐거움을 알고 있는 그들이 혼자 살려고 하지 않는 것이라고 풀이했다.[17]

그러나 놀라울 정도로 많은 남자들이 과부들에게 관심은 가졌다는 사실은 과부들이 보통의 남부 미혼 여성이라면 하지 않았을 행동을 했음을 명백히 암시한다. 전쟁은 전례 없이 매우 어린 과부들을 수 없이 많이 양산했고, 앞으로 살아갈 날이 몇 십 년이나 남은 여성들은 그 기나긴 나날들을 혼자 보내려 하지 않았다. 적극적으로 연애와 재혼을 추구했던 남부 연합의 과부들은 오직 남편을 기리며 살아가는 정숙하고 슬픔에 가득 찬 부인으로 남아야 하는 관습을 무시했다. 그들의 행동은 그들이 헤어진 배우자와는 관계없이 주체성을 가진 존재이며, 그들의 인생이 그저 계속 흘러가는 것이 아니라 새롭게 다시 시작되었음을 의미하였다. 웬일인지 수치스럽게 보이던 과부들의 구혼 활동, 특히 남편과 사별한 많은 여성들이 벌써 새로운 반려자를 구하는 일에 그토록 신속하게 착수한 것은 남편이 죽은 후에도 여성이 정숙함을 유지해야 한다는 기존관념에 도전하는 행위이며, 여성의 욕망이 존재하고 지속적임을 확인해 주는 행위였다. 연애와 재혼은 누군가의 자기희생과 헌신에 앞서 행복에 대한 그 사람의 권리를 주장하는 것이었다. 남부 연합 과부들의 절대 다수는 재혼 시장에 다시 나타나지 않았지만, 소수의 과부들만으로도 관심을 받고 주목을 끌기에는 충분했다. 그리고 이들의 구애활동은 청춘이 지나간 여성들이 개인적인 만족과 성취를 위해 새롭게 인생을 시작하는 것으로 간주되었다.

전 연령의 남부 미혼 여성들이 배우자 찾기와 결혼에 몰두한 실제 결과가 어떠했는지 측정하기란 불가능하다. 남부 연합 결혼에 관해 남아있는 통계자료는 불완전하고, 전쟁 중 인구이동도 너무 심해서 정확한 혼인율(성인 인구 100명 당 결혼비율)은 집계할 수 없다. 그러나 그 주제는 남부 연합 사람들에게 상당한 관심거리였다. 구애 양식과 풍습에 생긴 변화를 전쟁이 야기한 가장 의미심장한 사회적 변화의 하나로서 인식하고 있었기 때문이다. 『리치몬드 인콰이어러』지는 때때로 수도에서 거행된 결혼식 수에 관한 자료를 제공했다. 1862년 말, 그 해 '결혼한 사람' 은 총 286명으로 조사되었다. 신문은 지난해에 조사된 총계와 비교하며 이런 결론을 내린다. "사랑의 감정이 발전되는 데 전쟁은 거의 아무런 영향도 미치지 않았다." 1864년에는 총계가 117명으로 떨어졌다. 신문이 내린 결론은 "먹고 사는 문제(지금 같은 시대에는 매우 어려운 문제이다.)가 결혼 신봉자들의 숫자를 줄이는 데 중요한 역할을 했다."는 것이었다. 『인콰이어러』지는 결혼률이 아니라 총계를 구했다. 전쟁 중 버지니아의 인구 규모가 사실상 급격하게 증가한 사실은 전혀 고려하지 않았다. 이런 인구변화를 고려한다면 결혼한 사람들의 수가 줄어들었다는 것에는 한층 더 중요한 의미

가 있다.[18]

결혼은 남부 여성들에게 사회적 지위와 정체성을 부여했다. 구혼행위는 소일거리와 앞으로의 목표를 제시해 주었다. 전쟁으로 결혼할 수 있는 가능성과 구혼을 받을 기회가 눈에 띄게 줄어들자 여성들은 오랜 시간 당연하게 생각해왔던 것을, 오랫동안 품어왔던 그들의 꿈을 거부하는 사회 및 정치 체제를, 그리고 그 꿈이 포함하는 내용을 비판적으로 생각하기 시작했다. 결혼은 더 이상 당연한 것이라 할 수 없었다. 최소한 일부 여성들은 결혼을 전적으로 가치 있는 것이라기보다는 논쟁의 여지가 있는 것으로 보기 시작했다. 그러나 여전히 불가능한 희망에 사로잡혀 있거나, 맹목적으로 결혼을 희망하는 것이 훨씬 더 일반적인 모습이었다. 그런 여성들은 대개 절망감과 위기감을 극복하지 못하는 경우가 많았다. 때로는 사별한 사람과 거의 흡사한 태도를 보이며, 군복무 때문에 일시적으로 남편과 떨어져있거나 남편의 죽음으로 남편과 영영 헤어진 그들의 결혼한 자매들과 별반 다를 것 없는 상실감을 표현하기도 했다. 기혼 여성들은 자신의 남편을 잃을까 두려워하고, 독신 여성들은 어떤 사람이 됐든 남편을 만날 가능성을 놓치지는 않을는지 걱정했다.

미혼 여성과 기혼 여성의 일상생활은 여러 면에서 평화 시보다는 전시에 더욱 비슷했다. 남부 연합 후방에 있는 '여성들의 새로운 세상' 에서는 미혼 여성뿐만 아니라 수많은 기혼여성들도 남성과 함께 있지도 못하고 그들에게서 위로를 받지도 못했다. 제각각 다른 결혼생활을 하던 여성들이 이런 상황에서 함께 힘을 합쳐 붕괴된 가정의 영역을 벗어난 외부활동에서, 개인적인 관계에 있는 남성이나 가족보다는 국가와 지역사회에 대한 봉사활동에서 의미를 찾고 만족감을 얻었다. 아내들과 독신 여성들 모두 서로에게서, 여성들 사이의 우정에서, 그리고 전쟁이 낳은 새로운 세상에서 점차 중요성이 더해지던 상호교류를 통해 감정적인 지지를 얻는 일이 많아졌다. 해리엇 캐리_Harriette Cary는 두 명의 여자 친구들이 그녀와 함께 윌리엄스버그에서 장기간 지내게 되었을 때 기쁨을 감추지 못했다. "우리가 홀로 자유 시간을 보냈다면 지금과 같은 즐거움을 누릴 수 있었을까? 서로의 고통을 위로하고 공감하며, 신이 우리에게 주신 고난을 겸허한 마음으로 함께 견딜 수 있는 사람들과 함께 있는 것이 얼마나 안심이 되고 큰 위로가 되는지 모르겠다." 일반적으로 이런 관계는 대부분 단순한 교제였지만 감정적으로는 훨씬 더 강렬한 의미를 갖는 경우가 자주 있었다. 특히 한창 젊은 여자들의 경우에 여성들의 우정은 그들의 열정을 표현할 수 있는 몇 가지 안 되는 방법 중 하나가 되었다. 나이가 많은 여성들도 서로에게 비슷한 유대감과 호감을 느끼지만, 이런 기록을 남긴 사례가 거의 없는 이유는 아마도 감정이 흘러넘치는 낭만적인 미사여구를 사용할 나이를 지나친 듯 하고, 낭만적인 미사여구는 젊은 여성들이 역사의 기록에 남긴 애정의 증거에 나타난다. 아니면 열정을 느끼기에는 나이가 너무 많다는 것이 이유였는지도 모르겠다.[19]

그러나 나이가 많건 적건 간에 모든 여성들은 자신만의 욕구를 가진 인간으로서, 자신의 인생을 그저 희생하기보다 더 많은 것을 누릴 자격이 있는 개인으로서, 자신의 존재를 확인시켜줄 친밀함과 우애가 필요하다고 느꼈다. 전쟁에서 비롯된 상실감이 남부 연합 여성들에게 자신의 욕망에 충실해야 한다는 새로운 정체성을 불어넣은 것이다.

CHAPTER SEVEN

An Imaginary Life

READING AND WRITING

제7장

상상 속의 인생
독서와 글쓰기

남부 연합의 상류층 여성은 교육을 받고, 읽고 쓰는 법을 배웠던 자신들의 특권이 전시에 큰 위안이 될 수 있는 중요한 요소임을 알았다. 한밤의 꿈이 그들을 헤어진 사랑하는 사람들과 만나게 하는 것처럼 깨어 있는 시간에 책과 지식의 세계로의 유람은 그들을 고통과 전쟁, 죽음 너머에 있는 세상으로 데려가 주었다. 여성들은 그 세상에서 질서와 인생의 의미, 안도감, 그리고 붕괴되고 슬픔으로 가득 찬 인생에서 찾기 힘들었던 인생의 목적을 발견했다. 책에 빠져든 남부 연합 여성들은 앨리스 레디의 말을 빌리자면, 살아남는 데 필요한 '위로와 용기'를 책에서 '조금씩 얻었다.'[1]

19세기 중류계급과 상류계급 여성들은 오랫동안 소설의 주요 소비자로, 1854년 『서던 리터러리 메신저_the Southern Literary

Messange』지에서 선언되었듯이 '당대의 독특한 문학적 성과'를 내는 것으로 인식되어 왔다. 최소한 나다니엘 호손이 '글 나부랭이나 끼적대는 여성들'이 미국 문단을 타락시킨다고 폄하했던 시대부터 여성작가들의 대중성과 생산성 -예술적인 우수성은 아니더라도- 이 인정받기 시작했다.[2]

1820년대, 출판 산업과 직업적인 문학가의 등장은 독자이자 작가로서 중류계급의 여성들이 출현하는 데 적지 않은 영향을 미쳤다. 캐롤라인 길먼_Caroline Gilman, 캐롤라인 리 헨츠_Caroline Lee Hentz, 사우스워스_E. D. E. N. Southworth, 마리온 할랜드_Marion Harland, 매리 버지나 토휸_Mary Virginia Terhune의 가명 수잔 워너_Susan Warner, 해리엇 비처 스토우_Harriet Beecher Stowe, 오거스타 제인 에반스_Augusta Jane Evans와 같은 여성 작가들의 인기상승과 상업적인 성공은 상당부분 '감상적 소설'이나 '가정소설'의 주요 독자를 구성하고 있는 수천 명의 여성들에 의해 좌우되었다. 역사학자 메리 켈리_Mary Kelley의 말을 빌리자면, 19세기 중엽 미국 여성 소설가들은 '실질적으로 문학시장'을 장악하게 되었다. 1854년 출판된 마리온 할랜드의 『혼자_*Alone*』는 10만부 이상이 팔렸다. 사우스워스는 전성기 때 한 해 6천 달러 이상의 수입을 올렸을 것으로 추정된다. 아브라함 링컨은 해리엇 비처 스토우의 『톰 아저씨의 오두막집』을 남북전쟁을 촉발시킨 책이라 부르며 찬사를 아끼지 않았다.[3]

중류와 상류계층 여성들이 문학과 관련되어 있고, 한층 더 보편적이라고 할 수 있는 독서를 하였다는 것은 책 소비 관련 통계자료만이 아니라 일기와 편지에서도 명백히 드러나며, 이것은 독서가 그들의 인생에서 중심적 역할을 했음을 보여주는 것이다. 책은 자신을 성찰하고 자신에 대해 정의를 내리는데 핵심적인 역할을 하였다. 여성들은 여성의 시련과 승리를 바탕으로 한 이야기를 씀으로써 사회 관습상 제한적일 수 밖에 없었던 자신들의 경험 저편에 있는 도전을 꿈꾸었다. 소설의 등장인물들은 여성들의 삶에 존재하는 실제 친구들과 친척들처럼 실제적이며 영향력을 갖는 것처럼 보이곤 했다. 독서는 급속도로 변하는 미국사회의 딜레마와 새롭게 형성된 여성의 복잡다단한 정체성을 탐구할 수 있는 환경을 제공해주었기 때문에 단순한 오락으로 치부하기에는 적절치 않았다. 남북전쟁의 위기, 남부 사람들의 삶에 생긴 변화, 여성에 대한 전통적인 관념에 대한 도전은 이런 문제들을 더욱 뚜렷하게 인식하게 했으며, 동시에 여성들의 삶에 적지 않은 고통과 괴로움을 주었다. 그 결과, 독서의 즐거움과 교훈은 남부 연합 여성들에게 전쟁 전보다도 한층 더 중요한 의미를 갖게 되었다.[4]

책은 남편과 연인을 빼앗기고, 음식과 옷도 충분하지 않으며, 친인척의 행방과 생사에 관한 소식마저 제대로 접할 수 없던 여성들에게 남은, 얼마 안 되는 즐거움 중의 하나였다. 버지니아 프렌치는 1865년 새해 첫 날에 "우리의 인생은 즐거움이 결여되고 인내심으로 얼룩져 있다. …지금 내가 진정으로 즐길 수 있는 유일한 것은 따뜻한 불과 재미있는 책이다."라고 했다. 만약 버지니아 프렌치가 또 다른 즐거움이 가득했던 시절을 회상할 수 있었다면, 사우스캐롤라이나의 엠마 르콩트_Emma LeConte는 너무 어려서 그런 기억을 별로 되살리지 못했다. 프렌치가 위의 글을 쓴 것과 같은 달에, 르콩트는 전쟁 중에 청소년기를 보내며 자신이 잃어버린 모든 것을 곰곰이 생각해보았다. "만약 책이 없었더라면 분명 견디기 더욱 힘들었을 것이다. 그러나 나는 책과 함께 살았고, 그 안에서 가장 큰 즐거움의 원천을 발견할 수 있었다. 나는 주위의 모든 슬픔으로부터 벗어나 책 속으로 피신했다." 르콩트는 독서가 피난처와 같다는 생각을 분명하게 표현했고, 그녀와 같은 계급의 다른 남부 연합 여성들도 대부분 같은 생각이었다. 1865년은 견디기가 너무 힘든 상황이었기 때문에 책이 현실로부터 도피할 장소나 대상이 될 수 없다. 독서는 진정을 시켜주는 약이며 울적한 기분을 풀어 주는 환상이었다.[5]

책은 여성들에게 순수하게 도피처 역할을 하는 경우가 종종 있었다. 1865년, 게르트루드 토마스는 "나는 독서를 통해… 항상 내 마음 한 구석을 차지하고 있는 전쟁이라는 주제를 잊으려고 애썼다."라고 말했다. 엠마 크러처는 부끄러워하며 독서에의 심취가 개인적인 항복 선언, 단독강화와 거의 비슷한 정도라고 말했다. 그녀는 남편 윌에게 "한심한 생각이라는 거, 저도 알아요. 하지만 마치 제가 줄 수 있는 모든 것을 이 나라에 내어주고 지금 진행되고 있는 참사에서 가능한 멀리 피신해 있는 것 같은 느낌이에요. 그리고 제 능력이 닿는 한 시시각각 깊어지던 마음의 상처를 독서로 최소화 하고 있어요."라고 말하였다. 버지니아의 캐롤라인 데이비스는 1863년 여름, 게티즈버그와 빅스버그 전투의 패배 소식에 반응하는 자신의 모습에 어리둥절했다. 평소 재미있는 소설에 '몰입하고' 싶어 하는 마음을 분별없는 짓이라고 여겼던 그녀가 소설에 흠뻑 빠져들어 그 상황을 이겨냈기 때문이다. 그녀는 일기장에 "소설을 읽고 싶어 하는 나 자신에게 놀랐다. 도대체 내가 왜 이러지. 내가 느끼는 감정이 생소하게 느껴진다."고 고백했다. 하지만 그리 놀라운 일은 아니었을 것이다. 그 지역에 사는 여성 수백 명도 그녀와 마찬가지로, 특히 극도로 스트레스가 심한 순간이면 '책 속에 빠져들어 지긋지긋한 현실로부터 도피하고 싶어 했다.'[6]

그러나 독서는 단순한 탈출이나 도피 이상의 역할을 했다. 책은 여성들을 지금의 인생에서 벗어나게 했을 뿐만 아니라 새로운 인생을 향해 나아가게 했다. 엠마 르콩트와 거의 같은 나이였던 버지니아의 루시 벅은 독서를 통해 어떻게 문학적 상상의 세계에 입문했으며 그곳에서 적극적인 참여자가 되었는지를 설명한다. 1862년 5월, 새로운 소설에 기뻐하던 그녀는 일기장에 그 기쁨의 본질에 대해 이렇게 썼다.

> 현실의 인생에 행복은 거의 존재하지 않는 것 같다. 작가의 펜 끝에서 만들어진 모방의 세계 속에 나만을 위한 상상의 인생을 만들 수 있다면 좋을 텐데. 상상의 인물들과 하나가 되어 그들이 느끼는 모든 기쁨을 느끼고, 시련을 함께 견디며 나를 둘러싼 진짜 세계의 추악한 현실을 잊고 싶다. 이것이 정신을 나약하게 만들고 현실 세계에 어울리지 않는 생각이며 결국에는 그 환상의 세계 때문에 엄청난 불행을 맛볼 거라는 것도 알지만, 지금 이 순간은 그 덕분에 서글픈 현실을 잊을 수 있다. 그리고 나는 피할 수도 없고 변화시킬 수도 없는 실망스러운 운명을 생각하고 거기에 안달하는 것만큼 무익한 일은 없다고 생각한다.

이것은 독서의 목적, 그리고 전시 남부에서 여성의 지위와 자신의 관계에 대한 표현으로는 이례적일 정도로 자의식이 강하게 묻어나는 표현이다. '진짜 세계의 추악한 현실'과 이런 상황을 바꾸지 못하는 벅의 무력감이 그녀를 상상의 나라로 도피하게 만들고 있다. '실망스러운 운명'은 '전적으로 필연적인 일이며 돌이킬 수도 없는 일'이다. 전시 남부 여성들은 책을 통해 그들 사이에 만연해 있던 무능하다는 생각에서 오는 좌절감과 슬픔에서 벗어나 즐거운 한 때를 보냈다. 그러나 벅이 설명하는 독서의 과정은 단순한 기분전환과 망각 이상이자, 진통제와 도피처 그 이상이다.

벅도 르콩트처럼 책의 세계에 빠져들어, 독서 때문에 그저 '정신적으로 나약해지는 것' -이것은 19세기 여성들의 소설 읽기를 비판하던 사람들이 자주 언급했던 것으로 벅은 자기변호를 위해 이 말을 되풀이하고 있다.- 이 아니라 독서를 통해 적극적인 사고를 하고자 했다. 벅은 웅변적이며 힘찬 문장과 직접적이며 단호한 표현으로 '하나가 되어', '느끼고', '함께 견디고' 싶다고 우리에게 말한다. 그녀는 자기 자신과 자신이 읽고 있는 책 모두를 다시 창조하며, 그녀가 설명하는 바와 같이 소설의 허구적 세계 안에서 새로운 인생과 그녀를 위한 새로운 정체성을 만들고 있다. 벅은 소설 속에서 도피처를 찾고자 하는데, 현실에서 뿐만 아니라 무능력함의 두려움에서 벗어나 가능성이 있고, 적극적인 참여가 가능한 도피처를 찾고자 한다. 벅은 변화된 인생의 행로를 상상하고 이야기하는 방법, 그녀를 둘러싼 상황의 압박과 사회에서 탈출하는 방법, 상상 속에서 자아와 의식을 변화시킬 수 있는 방법을 발견했다.[7]

다른 남부 연합 숙녀들처럼 벅도 버지니아 주 프론트로얄에 있는 응접실에 자매들과 함께 모여 큰 소리로 자주 책을 읽었다. 책을 소리 내어 읽는 행위는 문학적 생동감과 특징을 부각시키며 동시에 인쇄물이 귀했던 남부 연합에서 책과 신문을 공유할 수 있는 방법이기도 했다. 윈체스터 메리 리의 집에 살고 있던 다섯 명의 여성들은 매일 저녁 한 자리에 모여 다양한 종류의 미국 소설과 유럽 소설을 크게 낭독했다. 이들은 대부분의 남부 여성들과 달리 비벌리 터커_Beverly Tucker, 오거스타 제인 에반스 등의 남부 작가뿐만 아니라 윌리엄 새커리_William Thackeray, 찰스 디킨스, 윌키 콜린스_Wilkie Collins, 영국 탐정 소설의 선구자-옮긴이, 빅토르 위고와 같은 여러 작가의 책을 읽을 수 있는 기회를 가졌다. 리는 독서가 자신과 집안 다른 여성들의 정신과 감정 상태를 평소보다 더욱 고양시키는 '훌륭한 수단'이라는 것을 알게 되었다. 낭독되는 내용을 주의 깊게 경청할 수 있을 만큼 차분할 때면 리는 "책이 모든 생각을 잊게 해준다."라고 말했다. 심지어 그녀의 마음이 어지럽고 근심이 가득할 때마저도 '대화할 필요성을 느끼지 못하게' 하며, 집안의 여성들이 불안한 대화를 통해 서로의 두려움을 배가시키지 않도록 하는 동시에 대화의 부재 시 생길 수 있는 무거운 침묵과 불안감을 없애주기도 했다. 캐롤라인 데이비스와 자매들은 월터 스콧의 『웨이벌리_Waverly』에 빠져들어 시간가는 줄도 모르고 늦은 밤 불이 다 타버릴 때까지 책을 읽었다. 루시 벅과 그녀의 자매들은 위기의 순간을 흥미진진하게 풀어가는 마리온 할랜드의 베스트셀러 소설 『혼자_Alone』에 너무나 몰입한 나머지, 두 명의 양키군인들이 반란군 병사들을 찾으러 방에 불쑥 들어왔을 때 깜짝 놀랐다. 여성들이 함께 책의 세계로 떠날 때면 인생의 어두운 현실은 거의 잊혀졌다.[8]

어떤 여성들은 집안 일과 독서를 병행하며 거의 매일같이 책을 읽었다. 루이자 맥코드 스미드_Louisa McCord Smythe는 많은 여성들이 상당한 연습을 한 후 두꺼운 책을 세워놓고 책을 읽으면서 뜨개질이나 바느질을 동시에 하였다고 회상했다. 그런 기술이 없는 경우 여성들은 정해진 순서대로 책을 읽고, 다른 여성들은 일을 하였다. 마지못해 재봉 일을 하던 미시시피의 앤 마틴은 하루 일과를 "끝없이 이어지는 드레스와 ... 재미있는 책" 이라는 한 마디로 요약했다.[9]

사우스캐롤라이나 캠던_Camden으로 피난을 간 엠마 홈스는 1862년 가을, 자신이 설립한 독서클럽을 위해 더 큰 목표를 세웠다. 해안 저지대의 친구와 친척들과 떨어져 있던 홈스는 찰스턴에 있을 때 알게 된 어떤 클럽을 모델로 삼아 사교적인 행사를 주최하고 싶었다. 젊은 여성들은 매주 목요일과 토요일 두 시간씩 모이는 것에 동의했다. 첫 번째 모임은 대단한 성공을 거두었는데, 책을 읽기로 예정된 사람의 재능이 큰 요인이었다. "샬롯 보이킨_Charlotte Boykin은 책을 재미있게 읽는다. 그녀의 목소리는 매우 낭랑하고 표현력이 풍부하다. 끊임없이 변하는 그녀의 표정도 무척 흥미롭다." 큰 소리로 책을 읽는 일은 혼자만의 행동에서 연극에 버금가는 행사로, 서로 교제하며 사회적 유대감과 여성들의 결속을 다질 수 있는 기회로 탈바꿈했다. 전쟁이 야기한 외로움을 잊게 하기 위해 책이 수많은 남부 연합 여성들에게 상상의 도피처를 제공한 것처럼, 독서를 위한 사회적 모임은 여성들을 지탱할 수 있도록 해 준 상상의 인생을 함께 공유하게 함으로써 고독에 대한 해결책을 제시했다.[10]

정규적인 책 읽기

여성들의 읽을거리는 남부사회와 경제처럼 전쟁으로 붕괴된 문학시장에서 무엇이 통용되고 있느냐에 달려있다 해도 과언이 아니었다. 루이지애나 피난민인 시드니 하딩은 "나는 읽을거리에 굶주려 있다. 하지만 소나무 숲이 울창한 이 형편없는 곳에는 책이 한 권도 없다."고 비난했다. 엠마 홈스에게는 캠던으로 피난을 간 것이 행운이었다. 거주하는 집에 소장되어 있던, 그녀가 '나에게는 이상적인 보물'이라고 한 당대 소설들을 볼 기회를 얻었기 때문이다. 전쟁 전 남부는 북부 출판물에 의존하고 있었으므로, 남부 연합에서 새로운 작품을 구입할 수 있는 기회가 상당히 제한되었다. 매리 체스넛은 영국과 북부 정기간행물을 정기 구독하느라 돈을 쓴 것을 후회했다. 『블랙우즈_Blackwood's』지, 『애틀랜틱_Atlantic』지, 『하퍼스_Harper's』지, 『콘힐_Cornhill』지 등의 모든 잡지가 북의 봉쇄 때문에 끊겼다. 1863년, 『리치몬드인콰이어러』지는 "상당량의 책들이 찰스턴에 성공적으로 밀수입되었지만 운송업자 대부분은 탄약과 포탄과 함께 남부 연합으로 향하는 증기기관차에 그 책들을 실었다."고 알렸다. 텍사스 주의 타일러로 몸을 피한 케이트 스톤은 아무런 할 일도 없는 지루한 시간을 빈약한 읽을거리와 보내느라 고생했다. 그 지역의 어느 여성은 돈을 벌기 위해 일주일에 50센트에 스톤에게 책을 대여해주었지만 새로운 책이 부족한 스톤은 여전히 오래된 책들을 되풀이해서 읽고 있었다. 그녀는 '테니슨_Alfred Lord Tennyson의 시를 거의 다 외울 정도'로 읽은 다음 셰익스피어와 가장 좋아하는 작가 월터 스콧 경의 작품으로 되돌아갔다. 그러나 그녀가 가장 애타게 바라는 것은 『하퍼스』지 한 부를 손에 넣는 것이었을 것이다. "우리에게 있어 북부의 문학작품은 애굽을 탈출해서 광야를 헤매던 이스라엘 사람들에게 음식이 의미하던 바와 같다." 우리는 그것을 열망한다. 조지아의 에밀리 앤드류스는 1864년 무렵, '평화가 찾아오면 새 책들이 밀려들어올' 거라고 두근거리는 마음으로 고대하기 시작했지만, 윌리엄스버그의 해리엇 캐리는 재미있는 책들은 대부분 양키들 나라에서 쓰인 것 같아 '대단히 유감스럽다.'고 했다.[11]

이런 한계에도 불구하고 남부 연합 여성들은 결국 상당량의 읽을거리를 찾아냈는데, 그 중 소설이 가장 인기였다. 여성들은 책을 읽을 때 그들의 두 눈과 지성을 사용하는 것 못지않게 감정까지 동원했기 때문이다. 조지아의 안나 마리아 그린_Anna Maria Green은 독서를 완전히 그만두어야 하는 건 아닐까 생각했다. '한낱 사랑이야기' 에도 "온 몸이 마치 포플러 나무 잎처럼 떨리고 날카로운 고통이 내 등줄기를 따라 지나갔다. 나는 온 몸에 힘이 빠져 손가락 하나도 들어 올릴 수가 없었다."는 것이 이유였다. 아만다 워싱턴은 그녀에게 비참한 느낌을 갖게 한 소설을 고맙게 생각했다. 그녀의 말처럼, 그것이 "나에게 가장 잘 어울리기" 때문이었다. 버지니아의 아만다 차펠리아는 "지난 몇 주 동안의 내 감정 상태와 아주 흡사했기" 때문에 『클리프턴의 저주_The *Curse of Clifton*』을 읽고 흘린 눈물로 카타르시스를 느꼈다. 엠마 홈스는 알프레드 드 비니_Alfred de Vigny, 프랑스 낭만파의 시인이자 소설가로 상징적인 수법의 시를 발표했다.-옮긴이의 소설을 다 읽었을 때 "내 눈에… 눈물이 고였다."고 고백했다. 그 소설이 결말 부분에 이르렀을 때 오랜 친구를 잃은 것 같은 느낌이 들었기 때문이다. 등장인물은 무척 매혹적이어서 "내가 그들과 함께 살고 그들과 함께 생활한 것만 같았다." 홈스도 다른 남부 연합 여성들처럼 1860년대에 출판된 미리암 콜스 해리스_Miriam Coles Harris 의 소설 『러틀리지_*Rutledge*』에 특히 열광했다. 그리고 다른 여성 독자들처럼 등장인물을 통해 남자들에게 자신이 무엇을 기대하는지를, 그리고 구애와 결혼을 생각해보았다. 홈스에게 아서 러틀리쥐_Arthur Rutledge라는 인물은 '결혼하고 싶은 이상적인 남자' 이며, '정복자의 기질을' 가진 '한없이 다정한' 남자를 상징했다. 그녀는 이렇게 썼다. "누구인지 생각나지는 않지만, 남자에게 다정이라는 단어를 사용하는 것에 반대하는 사람이 있다. 하지만 *다정*이라는 단어는 *친애하는* 으로는 표현할 수 없는 의미심장한 뜻을 전달하는 것 같아서 나는 마음에 든다."[12]

만약 러트리지가 젊은 엠마 홈스의 희망을 나타냈다면, 오거스타 에반스가 창조한 러셀 오브리는 간호부장 버지니아 프렌치가 남자와 결혼에 대해 실망했던 요소들이 구체화된 모습이었다. 『마카리아』에서 러셀을 알게 된 후, 그녀는 남편의 결점에 대해 이해하게 되었다. 남부 연합 여성들은 소설에 자신뿐만 아니라 그들의 정서적인 삶을 상당부분 투영하게 됨에 따라 대개의 경우 낮 시간

케이트 스톤. 존 앤더슨(John Q. Anderson)의 필사본, 브로큰번(Brokenburn) (케이트 스톤의 일기-존 앤더슨 편집-옮긴이), 루이지애나 주립대학 도서관의 미시시피 밸리 소장품.

뿐만 아니라 밤 시간도 지낼 수 있었다. 1862년 봄, 맥클러랜_McClellan이 리치몬드를 공격하러 오는 위기의 순간동안 밤새 소설을 읽은 메리 체스넛이 반문했다. "어떻게 잠을 이룰 수 있었겠는가?" 그녀는 소설과 함께 살아남을 수 있었으며, 소설로 참을 수 없는 불안감을 잠재울 수 있었다.[13]

메리 체스넛은 논픽션에서도 위안을 얻었다. 1862년 초, 그녀는 사우스캐롤라이나 콜롬비아에 위치한 도서관에서 빌린 에드워

드 크리시_Edward Creasy, 영국의 역사학자-옮긴이의 『세계사를 바꾼 15가지 주요 전투_*Fifteen Decisive Battels of the World*』를 읽고 그 해 5월 10일에 "오늘 마라톤 전투_Marathon, 기원전 490년 페르시아전쟁 때 그리스군이 페르시아군을 대파한 전투-옮긴이를 다 읽었다."고 썼다. 체스넛은 일종의 역사 실험실로 과거를 돌아보고 그녀가 사는 시대를 이해하는 데 도움이 될 유사점을 발견했다. 그녀는 테르모필레 전투_Battle of Thermopylae. 기원전 480년 페르시아전쟁 때 테살리아 지방의 테르모필레에서 페르시아군과 그리스군 사이에서 일어난 전투-옮긴이와 워털루 전투_Battle of Waterloo, 1815년 6월 엘바섬에서 돌아온 나폴레옹 1세가 이끈 프랑스군이 영국, 프로이센 연합군과 벨기에 남동부 워털루에서 벌인 전투.-옮긴이의 의미를 이해하려고 애쓰고, 알렉산더_Alexander대왕의 리더십의 특징에 대해서도 곰곰이 생각해 보고, 그리스의 소규모 병력에 감탄했으며, 로마제국의 대군을 연방군의 대규모 군대에 비교해 보았다. 존 모틀리_John Lothrop Motley, 미국역사학자-옮긴이의 『네덜란드 공화국의 기원_*Rise of the Dutch Republic*』을 읽으면서는 독립과 대의제도에 관한 식견을 얻으려고 노력했다. 엘리자베스 엘릿_Elizabeth Ellet, 미국의 역사학자-옮긴이의 『미국독립혁명의 여성들_*Women of the American Revolution*』을 매우 좋아한 엘렌 무어는 그 책이 '시대에 부합하는 책' 이라고 생각했다. 그녀는 고통 속에서 승리한 여자조상의 이야기는 "내게 용기를 북돋워주어 어떤 일이든 견디게 해준다."고 흥분해서 말했다. 찰스턴의 엘리자베스 프링글_Elizabeth Pringle도 '교육적인 독서' 를 위해 역사서적에 관심을 돌려서 그녀가 평소 좋아하던 소설과 균형을 맞추었다. 비록 읽는 속도가 '매우 느린' 것처럼 보이기는 했지만 -모틀리의 『네덜란드 공화국의 기원』을 읽는데 거의 7개월이 걸렸다.- 그녀는 네덜란드의 노력과 성공에서 남부 연합의 미래를 위한 희망의 불꽃을 보았다.[14]

프링글처럼, 수많은 남부 연합 여성이 소설과 시에만 국한되지 않은, 앨리스 레디의 표현대로라면 '정규독서과정' 을 밟았다. 리즈 미첼은 미시시피 피난민의 한 사람으로서 어쩔 수 없이 빈둥거리며 보내게 된 상황을 '내 정신을 고양시킬 수 있는 절호의 기회' 로 여겼다. 그녀는 소설을 탐독하는 중이었지만 '다음 몇 달 동안은 역사책만 읽기로 마음먹었다.' 전쟁이 끝난 후 콘스탄스 캐리 해리슨은 자신의 엄격한 지적 훈련을 회상했다. "나는 쉬지 않고 읽고, 또 공부했다. 우리에게는 심심풀이용 읽을거리가 거의 없었기 때문에 고전문학의 좁은 길을 걸어가는 것 외에는 달리 옆길로 샐 여지가 없었다… 단 하루라도 무엇인가를 쓰지 않고 지난 날이 없었다." 캐서린 에드먼드스턴은 역사와 철학책을 비판적으로 읽으며, 읽고 있는 책의 저자들의 신념과 자신의 신념을 비교하기도 했다. 그러한 과정을 통해 지적인 열의를 고양시키기도 하고 그녀의 지성에 대해 겸허한 태도를 가질 수도 있었다. '규칙적으로 매일매일' 프랜시스 베이컨의 수필을 읽은 후에 "가끔씩 어떤 생각이나 의견이 떠오를 때 나는 그것들이 나한테서 나온, 나만의 고유한 생각이라 자부했다. 그런데 거기에 간결하고, 완벽하고, 분명한 형태로 어느 대가의 손자국이 찍혀있다는 것을 깨달았을 때… 한숨을 내쉬며 재빨리 나의 소유권을 양도했다."[15]

전쟁은 특권계층 여성들마저 뜨개질과 바느질을 하고, 음식을 조달하고 준비하며, 노예들을 감독하고 아이들을 보살피면서, 보수가 좋은 일자리까지 찾게 만드는 등 모든 계급의 많은 남부 연합 여성들에게 생소한 일을 떠맡겼지만, 동시에 많은 여성들을 나태하고 하는 일 없이 지내게 만들기도 했다. 친구들이나 친척들과 함께 생활하는 피난민들은 정해진 집안 일이 없는 경우가 많았다. 많은 남자들이 없는 상황에서 젊은 숙녀들과 사춘기 소녀들은 연애를 할 기회가 부족했다. 만일 정상적인 상황이었다면 이성과의 연애가 이들의 시간 대부분을 차지했으리라. 그리고 최전선에서 멀리 떨어진 곳에서는, 때로는 기혼의 부인들마저도 시간을 보내기에 충분할 만큼 일이 많지가 않았다. 평화시 였다면 그 시간은 남편과 함께 보내거나 여흥과 접대의 연속으로 채워졌을 것이다. 1861년 가을, 『드 바우스 리뷰_De Bow's Review』지에 실린 글은 노예제도가 백인여성들에게 특별한 기회를 제공한 방식에 대해 사람들이 관심을 갖게 만들었다. "여성들에게 특별히 호의적인 환경입니다. 우리 사회는 다른 나라의 여성들에게 지워진 육체노동에서 우리 여성들을 해방시켜주었고, 결과적으로 문학적 활동을 위한 충분한 시간이 마련되었습니다." '충분한 시간' -할 일이 없었기에 결과적으로 지루한 시간들- 과 무엇인가 유익한 것을 원하는 여성들의 열망이 하나가 되어 대다수의 상류층 여성을 지적인 활동으로 몰아갔다. 어떤 여성들에게는 이런 활동이 '정규독서과정' 이상의 의미를 지녔으며, 자기발전을 위한 유용한 시간이었다. 그러나 다른 여성들은 그보다 훨씬 더 웅대한 야망을 품고 있었다.[16]

글쓰기의 자유

그러한 확대된 야망에는 필연적으로 독서만이 아니라 글쓰기도 포함되었고, 야망이 완전히 실현된 형태는 19세기 글 나부랭이를 끼적대는 여성들 -남부 여성들은 호손이 붙인 모멸적인 호칭을 자랑스럽게 받아들였다.- 무리에 합류하는 것이었다. 남북전쟁은 모든 계급을 망라한 수천 명의 백인 여성들을 작가로 만들었다. 여기에는 출판된 노래와 시, 소설의 창작자는 물론이려니와, 중요하고 역사적인 사건을 기록하는 신문 기사의 작성자, 편지를 쓰는 사람 모두가 포함된다. 전쟁은 이런 식으로 우리가 그 시대

와 그 시대 여성들을 이해하는 데 가장 중요한 자료가 되는 여성들의 견해를 보존할 수 있게 하였다.[17]

그러나 글쓰기가 그저 변화된 삶과 중대한 시기를 반영하기만 한 것은 아니다. 저술 과정 자체가 여성의 새로운 자아의식을 키우는 데 밑거름이 되었다. 조지아의 어느 여성은 일기를 시작하자 평화 시와 전시를 통틀어 거의 9년 동안 계속 썼다고 하는데, 그녀는 "일기를 계속 쓰는 것은 수업을 정규적으로 참여하는 것과 같은 효과가 있을 것이라고 하였다. 또한 우리 자신을 점검하고, 과거의 잘못으로부터 교훈을 얻을 수 있다."고 주장하였다. 비록 감리교도로서 자신의 견해를 표현하기는 했지만 그녀는 정신적, 감정적으로 성장할 수 있는 도구로서 일기의 광범위한 역할을 이해하고 있었다. 누군가의 경험을 기록하기 위해서는 특정 인생의 다양한 사건이 갖는 목적과 방향을 이야기로 구성해야 하는 의무뿐만 아니라 개인이자 주체로서의 자아성찰이 필요하며 자신을 인정할 수 있어야 한다. 글쓰기는 불가피한 폭로의 행위이다. 자전적 글에는 반드시 자아에 대한 이해와 탐구가 뒤따라야 한다. 글을 쓴다는 것은 자아를 묘사하는 과정이기도 하지만, 자아를 창조하는 과정이기도 했다.[18]

우리가 살펴본 것처럼, 아내들과 집을 떠난 남편들 사이의 편지왕래는 전에 없는 친밀감과 생소한 솔직함을 드러내게 되고, 자아인식을 심화시키고, 스스럼없이 자신을 드러내게 했다. 전쟁 전에 그들은, 줄리아 데이비슨이 남편 존에게 말한 것처럼 "서로가 서로에게 얼마나 사랑스러운 존재인지 거의 모르고," 있었다. 그들은 전시의 편지왕래를 통해 자기 자신과 서로에 대해 알게 되었다. 역사학자 카렌 리스트라_Karen Lystra는 연애편지 쓰는 방법을 배우려면 내면의 존재와 글 쓰는 이의 주체성에 대한 고찰과 새로운 인식이 필요하다고 주장한다. 그녀는 낭만적 사랑의 관습에 필요한 의사소통의 과정을 통해 19세기 남성과 여성들이 '자신의 자아를 좀 더 분명하게 인식' 하게 되었다고 말한다. "다양한 형태의 개인적인 표현은 아마도 내면의 실체를 발전시키고 유지하는 가장 중요한 수단이었을 것이다. 현실을 구성하는 언어의 힘이 주어진 상황에서, 외부의 사건과 내면의 느낌 모두를 포함한 나의 인생을 다른 사람에게 편지로 전하는 것 자체가 문화적으로 중요한 결과를 낳았을 것이라는 것은 의심의 여지가 없다. 연애편지에서 구체적으로 표현된 자아성찰과 자신을 드러내는 친밀한 행동은 자신을 더욱 많이 인식하도록 고무하였으며, 여성의 자기희생과 자기부정을 강조하는 사회 속에서 성장한 여성들이 그들 자신과 그들의 느낌이 갖는 가치와 중요성에 새로운 관심을 갖게 했다.[19]

남편과 떨어진 여성들은 가장 소중한 관계를 유지하기 위한 주요수단으로 글쓰기를 시작할 수밖에 없었고, 난생 처음으로 여러 가지 다른 종류의 편지를 쓰게 되었다. 관습적으로 여성의 영역인 가정을 벗어나 한때는 개인의 문제로 여겨지던 것들 즉, 개인의 생존과 안전, 사랑하는 사람들의 안녕에 정부가 관심을 가져달라며 정부 관리들에게 탄원하고 간청했다. 이때 여성들의 글쓰기는 새로운 자아의 성장과 더불어 공적인 목소리와 정치적 정체성에 대해 보다 분명하고 대담하게 주장하는 것을 의미하였다. 남부 연합 당국자들에게 편지를 보낼 만큼 대담한 많은 여성들은 글을 쓰는 행동을 전통적인 여성의 행동에서 벗어나는 것으로 이해하였다. 제퍼슨 데이비스나 공무원들에게 보낸 여성들의 편지는 관례에 따라 편지 내용이 담고 있는 부적절한 자기주장에 대한 사과와 그런 의미로 하는 말이 아니라는 부인으로 시작되었다. 아델리아 에서리지_Adelia Etheridge는 남부 연합 대통령에게 보내는 편지에서

"이렇게 편지를 쓰는 저를 용서해주세요."라는 간청으로 시작했다. 루시 화이트는 제퍼슨 데이비스 대통령에게 자신이 편지를 쓰게 된 것을 사과하며, 보통 때라면 집안의 남자가 했을 일이지만, 지금은 모두가 전장에 나갔다고 설명했다. 토마스 워맥_Thomas Womack 부인은 노스캐롤라이나의 주지사 밴스에게 편지를 쓰는 '무례'를 '용서'해달라고 하며, 그렇지만 그녀의 어려운 상황으로 말미암아 이것이 주지사에게 간청할 수 있는 유일한 방법이었다고 말했다. 마할라 헌들리_Mahala Hundley는 밴스에게 도움을 청하려고 편지를 쓰면서도 자신이 처한 절망적인 상황을 설명하는 것조차 불편해할 정도였다. 그녀는 "이것이 매우 고통스러운 일임은 분명하지만 저는 당신에게 편지를 쓸 수밖에 없었습니다."라고 썼다. 여성들이 이런 편지를 불편해하고 사과할 필요성을 느꼈다는 것은 펜을 들어 국가 공무원이나 주 정부에 청원하기로 한 결정의 의미를 여성들이 은연중에 깨닫고 있었음을 보여준다. 그 행동의 본질이 개인적인 자기주장이었기 때문에 여성들은 신중함과 예의바름을 내세우며 여기에 균형을 맞출 수밖에 없었다. 이 편지들이 상징하는 여성의 공공연한 자기주장은 여성으로서 그들에게 기대되는 행동과 부합되는 것이 아니었다. 그러나 궁핍과 절망감이 여성들로 하여금 새로운 남부 연합 여성상을 구체화 하는 언어를 사용하고 그러한 글을 쓰지 않을 수 없도록 하였으며, 이러한 남부 연합의 새로운 여성상은 환영받지도, 온전히 이해받지도 못했다.20

만일 편지가 여성들이 그 의미를 부분적으로 이해하고 있던 자아 변환의 수단이었다면, 일기는 자의식을 더 많이 일깨우는 것이었다. 남부 연합 여성들은 일기를 쓰는 동기를 분명하게 드러냈는데 일기는 편지를 쓰는 것에 비해 목적이 분명한 수단이 아니었기 때문일 것이다. 공무원들에게 보낸 청원서에는 남편과 아들의 군 면제를 요구하거나 식량과 필수품을 공급해달라는 구체적인 목적이 명시되었다. 그리고 멀리 떠난 사랑하는 이에게 쓰는 편지는 여성의 봉사와 희생에 관한 개념과 잘 어울리는 자애로운 행동으로 풀이될 수 있었다. 그러나 일기에는 어딘지 모르게 방종과 자아도취의 기미가 보였고, 여성들은 자신의 행동을 정당화하고 설명해야 할 필요성을 느낄 때가 많았다. 새라 모건은 '내 감정의 배출구로' 일기를 썼고, 주디스 맥과이어는 '흥분과 불안'을 일기로 달래었다. 1862년 무렵, 모건은 이렇게 썼다. "일기는 나에게 없어서는 안 될 존재가 되었다… 이 나라가 처한 슬픈 상황에 대한 생각으로 불안하고 비참해질 때…그리고 의기소침해지려할 때면 나는 펜을 움켜쥐고 단숨에 여섯 줄은 써내려간다…금방! 내 자신으로 돌아온다! 펜과 책이 나에게 얼마나 큰 힘이 되는지 모른다!" 모건은 '감정을 표현할 수단도 없이 죽게 될까봐' 두려워했다. 클라라 솔로몬은 일기를 절친한 친구처럼 여겨서 빌레몬_Philemon, 성경에 등장하는 인물로 로마 옥중에 있는 바울에게 많은 기쁨과 위로를 주었다.-옮긴이이라는 적절한 이름으로 부르며, 일기장에서 '위로의 천사'와 '기분 좋은 교제'를 나누었다.[21]

메리 리의 일기장 또한 '조용한 친구'가 되어주었다. 그녀가 불만을 털어놓을 수도 있고, 어쩐지 돌봐주어야 할 책임감이 느껴지는 함께 사는 젊은 여성 네 명에게는 감히 내색할 수 없던 절망감과 나약함을 보일 수 있는 친구였다. 하지만 그녀는 감정을 발산하기보다 억제하는 수단으로 일기를 이용한다고 밝히며, '글 나부랭이를 끼적대는 것'은 별 영양가 없는 일이지만 행복하지 않은 현실을 잊기 위해 글을 쓴다고 했다. 그녀에게 가장 중요한 규칙은 "일어난 일에 대해 기록하되, 감정은 기록하지 않는다."였다.

비슷한 목적으로 일기를 썼던 캐서린 에드먼드스턴도 개인적인 문제보다는 사회문제를, 집안에서의 생활보다는 '지금 우리사회에 일어나고 있는 흥미로운 사건'을 더 많이 다루었다. 일기장을 의인화시킨 그녀는 일기장을 대문자로 쓰고, 2인칭대명사를 사용하여 ' 너 '라고 불렀다. 그럼에도 불구하고 에드먼드스턴은 일기장에게 이렇게 경고했다. "혹여 내 상담상대라는 생각을 꿈에라도 하지 않았으면 좋겠어. 너한테 말하는 건 내 생각의 절반도 안 되니까." 엠마 홈스는 일기작가로서의 결의가 역사적으로 중요한 일이라고 느꼈다. 1861년 6월, 그녀는 '수년 후'에 자신의 일기가 '우리 영광스러운 남부 연합의 성립과정과 성장을 보여주는 사건들의 기록'으로서 '얼마나 가치가 높아질' 것인가 하는 생각에 잠기곤 하였다.[22]

일기를 쓰는 남부 연합 여성 대부분은 국가의 투쟁과정에서 연대기 작가로서 자신이 맡았던 역할을 내세우고 싶어 했다. 루이지애나의 리즈 미첼은 "누군가 지금 이 전쟁에 대해서 기록하게 될까?"라며 궁금해 하는 사람들을 자주 보았다. 그러나 1862년 8월, 그녀는 "나에게는 그 질문이 더 당혹스럽다. '누가 그것을 기록하지 않을 것인가?'"라며 빈정댔다. 아마 이들 역사 일기작가 지망생들 중에서 가장 자의식이 강하고 야심만만한 사람은 메리 체스넛이었을 것이다. 그녀의 전시 기록 중 남아있는 7권은 우드워드_C. Vann Woodward가 뛰어난 통찰력으로 검토하고 설명을 덧붙였다. 체스넛은 우드워드가 '그녀의 일지'라고 부른, 당대 사건의 기록을 전쟁 동안 간직했는데 이것은 전쟁 후 메리 체스넛의 경험을 훌륭하고 눈부신 솜씨로 재현하는데 기초가 되었다. 체스넛은 전쟁이 시작되었을 때부터 자신을 작가라고 생각했다. 그녀는 1861년 10월, "나는 글을 끼적이는 것을 굉장히 좋아한다. 나는 이야기를 쓰겠다는 정신 나간 생각을 하고 있다."고 고백했다. 그리고 전쟁이 끝난 후, 바로 그 말대로 했다. 자신의 전쟁 연대기를 조심스럽게 손보았을 뿐 아니라 소설 원고 세 개를 완성한 것이다. 그러나 체스넛은 자신이 본받으려고 노력했던 19세기의 인기 여류소설가들과는 달리, 평생 동안 자신의 작품에 대해 보답을 받는 행운은 누리지 못했다. 1883년에 10달러를 받고 『찰스턴 뉴스 앤 쿠리어_*Charleston News and Courier*』지에 짧은 단편 하나를 팔았을 뿐이었다.[23]

많은 여성들이 체스넛과 같은 문학적 열망을 지니고 있었다. 전후에 성공한 여류소설가들은 대부분 여성이었던 독자들의 관심을 한 몸에 받았고, 여성작가는 감탄과 선망의 대상이 되었다. 일례로, 조지아에 있는 기숙학교의 한 젊은 여성은 1863년 교사 중 한 명이 어느 단명한 남부 연합 잡지에 글을 기고했던 '진짜, 실제로 살아있는 여류작가' 라는 사실을 알게 되자 흥분을 감추지 못했다. 글을 쓰는 것은 야망이 크지만 남의 이목을 의식하는 여성들에게 가장 매력적이고 그럴듯한 직업으로 여겨지게 되었다. 그것은 집에서 할 수 있고 많은 수입이 생길 가능성도 있는 -최소한 마리온 할랜드나 사우스워스, 해리엇 비처 스토우와 같은 사람들에게는 그랬다.- 일이었다. 게다가 도덕적, 정신적으로 최고의 목적을 가진 일이 될 수도 있었다. 그 결과 여성들은 그들 주위를 둘러싼 세상과 고유의 문화가 필요한 새로운 남부 연합 국가에 어떻게 이바지할 것인가를 고심하는 동안 주로 문학적인 시도에 집중하게 되었다. 미시시피의 한 여성작가는 제퍼슨 데이비스가 대통령에 취임한지 몇 주가 지났을 때 "이제 남부가 혼수상태에서 깨어나 남부 문학의 진가를 인정할 시기가 도래한 것이리라."라고 말했다.[24]

남자들이 전쟁터에서 명예와 명성, 인생의 목적을 발견했다면, 여성들은 문학의 세계에서 이와 유사한 만족감을 얻을 수 있었다. 테네시의 내니 하스킨스는 젊은 여성으로서 문학적 야망의 매력을 이해했지만 자신은 그런 일에 도전하기에 적당하지 않다고 생각했다. 그녀는 1864년 9월, 그 사실을 인정하며 이렇게 썼다. "나는 여성에게 어울리는 뭔가 가치 있는 일을 하고 싶다. 하지만 내가 무엇을 할 수 있으랴? 나는 소설을 쓰는 재능도 없지만, 설령 그렇다 한들 내가 쓰는 글은 조금씩만 형태를 달리하여 이미 수천 번이나 세상에 나온 이야기를 반복하는 꼴 밖에는 안 될 것이다. 나는 회고록을 쓸 수도 없다. 모든 18세의 소녀들에게 있는 기억이 나에게는 없기 때문이다. 여행기를 쓰지도 못한다. 내 고향을 벗어난 적이 없기 때문이다." 그녀는 자긍심과 서운함을 갖고 이렇게 결론 내린다. "나는 한나 무어_Hannah More도, 샬롯 브론테도, 스탈 부인_Anne Louise Germaine Necker, 스위스 작가이며 일반적으로 Madame de Stael로 알려져 있다.-옮긴이도 아니다. 나는 내니 하스킨스다."[25]

조지아에서 교사로 일하던 애비 브룩스는 성공에 대해 그와 비슷한, 하지만 좀 더 현실적인 열망을 품었다. 그녀는 "나는 독자들을 놀라게 하고 감동시키는 문장을 쓰는 걸출한 작가가 되고 싶다."고 고백했다. 그러나 현실을 이해하고 있었다. "세상에는 엄청나게 많은 잡문가들이 있다. 그들 모두가 유명 인사나 위대한 작가가 될 수는 없다. 어떤 사람들은 작은 것에 만족해야 한다." 그 어떤 사람들은 분명 애비 브룩스나 내니 하스킨스일 것이다.[26]

아니면 엠마 홈스일지도 모른다. 그녀는 "어떤 방법으로든 유명해지기를… 내가 남긴 작은 돌 하나가 인간의 지성이 쌓아올린 위대한 구조물의 일부가 되어, 나의 인생이 완전히 헛된 것은 아니라고 느끼게 되기를… 오랫동안 염원해 왔다." 그러나 자신의 능력에 대해 확신이 없었다. “나는 창조적이지 않다는 것을 알고 있다.” 그녀가 내린 결론은 그녀의 “천직은 번역과 가르치는 일” 즉, 그녀 자신의 것을 창조하기보다는 다른 사람들의 작업을 전달하는 일이었다. 그녀는 “허영심 때문에 나의 능력 밖의 일을 동경하기보다는” 목표에 한계를 두는 편이 낫다고 생각하였다. 전쟁 전에 꽤 많은 책을 출간한 버지니아 프렌치마저 좀처럼 자유시간이 나지 않는 집안에서 글을 쓰려고 노력하는 동안 자신의 능력에 믿음을 잃어갔다. “내가 무엇인가를 완성할 가능성이 있는지 절망적이다. 할 일이 너무 많고, 내 머릿속은 생계를 꾸리기 위한 걱정으로 가득하다.” 그러나 그녀가 자신감을 상실한 원인이 그저 도전적인 환경을 인식한 데서 비롯된 것은 아니었다. 1864년 2월, 그녀는 이렇게 말한다. “비록 엄청난 노력과 고통 속에 책을 완성한다고 하더라도 그 책이 성공을 거두지 못한다면… 도대체 무슨 소용이란 말인가? 내 인생에 어떤 목적이 있었음을 알리는 흔적 하나 남기지 못하고 몇 년 후 인생을 마감하게 될까봐 두렵다. 어린 시절부터 중요한 사람이 되고 싶어 하고, 훌륭하고 위대하며 잊혀 지지 않는 어떤 일을 하기를 간절히 원했던 나는… 아무런 흔적도 남기지 못한 채 죽을지도 모른다.”[27]

캐서린 에드먼드스턴이 문학적 야심을 억누른 이유는 자심감이 없어서가 아니라 -자신감이 심히 부족하기는 했다.- 여성이 하기에 적절하지 않은 일이라 생각했기 때문이었다. 그녀는 시를 한 묶음이나 썼지만 신문이나 잡지에 보낸 적은 한 번도 없었다. 그녀의 시가 ‘평범’ 하다거나 ‘시인의 코너Poet’s corner, 영국 웨스트민스터 사원에 있는 유명한 시인들과 작가들의 무덤-옮긴이에 한 자리를 차지할 만큼 훌륭하지 않다’ 고 생각해서가 아니라 ‘여성의 영역 밖으로 발을 내딛는’ 데 대한 조심스러움이 원인이었다. “너는 여성에게 최고의 명예인 겸손함을 잊게 될 거야. 여성이 작품을 발표할 필요는 없지. 그렇게 야심적인 일은 남부 여성에게는 어울리지 않아."[28]

메리 리는 아마 이 말에 동의했을 것이다. 그녀는 익명으로 하려고 했던 편지가 이름이 밝혀진 채 신문에 실리자 경악하였다. 그러나 높은 사회적 지위에 있는 많은 여성들은 전통적인 견해에 동의하지 않는다는 뜻을 나타내기 위해 문학적 야망을 분명히 드러냈다. 자기희생과 자기부정이 여성의 미덕이라고 생각하던 남부사회에는 적합하지 않은 행동이었다. 심지어 에드먼드스턴 같은 여성들도 자부심을 느끼고 싶은 욕망을 인정하기는 했지만, 그녀들은 관습에 따라 자제했다. 저술이 그들의 성별에 적합하다고 생각하는 여성들이 많아졌다는 것은 남북전쟁 때 남부에서 의미심장한 새 출발이 있었다는 의미이다. 전쟁 전의 상류계급 여성들은 자신의 노래나 시, 동화, 그리고 소설까지도 출판하기를 간절히 원했던 수천 명의 남부 연합 여성들보다는 에드먼드스턴이나 리의 모습에 훨씬 더 가까웠다. 1810년, 캐롤라인 길먼이 자신의 허락도 받지 않고 자신의 시가 출판되었을 때 자신을 사로잡았던 괴로움에 공감할 여성은 이제 거의 없었다. "나는 목 놓아 울었다. 그리고 마치 남자 옷을 입은 것이 발각되기라도 한 것처럼 불안해졌다." 저술과 관련된 권위는 점차 남녀 모두의 것이 되었다.[29]

남자들이 군사문제에 몰두해 있는 동안 남부 연합 문화의 상당 부분은 여성의 영역이 되었다. 신문은 여성작가들 덕분에 정기적으로 감상적인 시 –주로 전쟁과 관련된 주제였다.– 를 실었고, 남부 연합 잡지를 메우던 기사들의 주요 출처는 여성들이었다. 버지니아의 귀족으로 제퍼슨 데이비스의 비서관과 결혼한 콘스탄스 캐리 해리슨은 꾸준히 『서던 일러스트레이트 뉴스_Southern Illustrated News』지, 『매그놀리아_Magnolia』지, 『리치몬드 이그재미너_Richmond

Examiner』지에 기고했지만, '레퓨지타_Refugitta' 라는 필명을 사용하여 상류사회의 예법을 지켰다. 그녀는 전쟁이 끝날 무렵 소설을 완성했으나 1865년, 양키군이 리치몬드를 점령했을 때 출판사 사무실을 뒤덮은 불길에 원고가 소실되었다. 클라라 다간 맥린_Clara Dargan MacLean은 전쟁 중 대부분의 시간을 사우스캐롤라이나에서 가정교사로 일했지만 시간이 날 때마다 『서던 필드 앤 파이어사이드_*Southern Field and Fireside*』지에 기고했던 단편소설로 상을 받았다. 남부 연합 계관시인 헨리 팀로드_Henry Timrod는 그녀를 두고 '펜의 자매' 라고 불렀다.[30]

『서던 리터러리 메신저_*Southern Literary Messenger*』지의 소중한 투고가였던 에이미 클라크_Amy Clarke는 편집자에게 편지를 써 원고를 잠시 쉬겠다고 말했다. 클라크의 남편은 군인이었고 그녀는 아버지와 자매들과 함께 지내기 위해 사우스캐롤라이나로 이사를 했었다. 부상당한 군인들을 간호할 생각으로 기차를 타고 군 야영지로 향하던 클라크는 여행 중 「매너서스 전투_*The Battle of Manassas*」라는 제목으로 시를 한 편 썼다. 한 장교가 우격다짐으로 그녀의 글을 가져가 부대원들에게 읽어준 다음, 『리치몬드 인콰이어러_*Richmond Enquirer*』지에 작품을 발표하게 해달라고 요청했다. 그 후, 『랄리 스탠다드_*Raleigh Standard*』지의 편집자가 그 시를 소책자로 발행해서 모든 수익금을 병든 군인들을 치료하는 데 보탰다. 그녀는 "그때부터 남부 연합 전 지역으로부터 그와 같은 요청이 쇄도하고 있으며, 『뉴올리언스피커윤_*New Orleans Picayune*』지의 편집자가 뉴올리언스에서 같은 형식으로 시를 출판하기로 했습니다."라고 썼다. 그녀는 리치몬드의 출판업자에게 비슷한 일을 부탁하려고 편지를 쓰는 중이었다.[31]

남부 사회가 여성작가에게 보인 우려는 간호사나 교사에 비하면 미미했다. 저술작가라는 직업은 가정생활의 이상적인 목표와 많은 점에서 일치하는 것처럼 보였다. 여성들은 그 일을 위해 집을 떠나거나, 사회적 지위에 위협이 될 수 있는 품위를 떨어뜨리는 육체노동을 할 필요가 없었다. 비록 그들의 글이 노출되고 때로는 이름이 대중에게 알려지기는 했지만, 실제 인물은 가정의 영역 내에서 보호되었다. 새로운 국가의 문화적 욕구와 여성들의 정신적, 경제적 필요가 결합하여 전시 남부에서 여성들의 글쓰기가 권장되었으며, 대중언론은 이 전국적인 열기를 반영했다. 1861년 가을, 『오거스타 위클리 컨스티튜셔널리스트_*Augusta Weekly Constitutionalist*』지는 남부 연합 잡지에 작품이 실린 여성들에게 찬사를 보냈다. 메리 브라이언_Mary Bryan은 '남부의 독보적인 여류시인'이었으며, 애니 블런트_Annie Blunt의 소설은 그녀에게 '불후의 명성'을 안겨주었다. 글을 쓰는 일은 현실도피의 일환으로 마음속에 있는 상상의 세계에서 새로운 인생을 창조하게 할 뿐 아니라 현실에서도 여성들이 저술을 통해 명예와 부를 맛볼 수 있는 기회를 얻었고, 언론의 주목과 환호를 받았는데, 이는 남자들만의 특권으로 보였던 것이다.[32]

소설 쓰기와 소설 읽기

남부 연합 베스트셀러 소설이 전시에 창작되고 출판되어 나타난 반응은 글쓰기와 독서가 남부 여성들의 삶에 어떤 의미를 띠는지 잘 보여준다. 1864년, 『마카리아, 혹은 희생의 제단_*Macaria; or, Altars of Sacrifice*』을 출판한 오거스타 제인 에반스는 그 책을 남부 연합 군대에 바쳤다. '천막을 친 전장의 불멸의 영광과 위험에서 제외된' 한 여성이 '친애하고 사랑하는 이 나라 남자들의 애국심과 숭고한 자기희생' 에 바치는 보잘 것 없는 존경의 표시였다. 1835년에 유서 깊고 저명한 남부 가정에서 태어난 에반스는 남부의 열렬한 애국자였다. 그녀는 몽고메리 주의회의사당에서 열리는 앨라배마 연방탈퇴 축전에 참가하기 위해 자신이 살고 있던 모바일을 서둘러 떠났으며, 수 많은 애국적인 행동이 동반된 전쟁발발을 환영했다. 또한 여성들을 규합하여 모바일 방어를 위해 모래자루를 꿰매기도 하고, 병원과 고아원을 설립했으며, 남자형제들의 반대에도 불구하고 간호사로 봉사하기도 했다. 그러나 그녀 역시 대다수 남부 연합 여성들과 마찬가지로 국가적 위기 속에서 느끼는 상대적인 무력감에 좌절하여 괴로워했다. 그녀는 "내 조국을 위해 군대에 들어가고 검을 휘두르는 것이 나에게는 명예로운 일이 아니다."라고 말하며 애석해 했으며, '문명세계의 관심이 최고조로 집중된 가장 중대한 상황' 에서 여성에게 허락된 것이라고는 '몇 가지 활동과 하찮은 역할뿐"이라는 사실이 '안타까워서' 견딜 수가 없었다. 사랑하는 우리 남부 연합이 위대한 목적을 이루기 위해 벌이는 투쟁에서 그 딸들도 도움이 될 수 있다는 것을 증명하기 위해 에반스는 그녀가 에둘러서 '연약하고, 여성스러운 펜' 이라고 부른 방향으로 관심을 돌렸다. 그러나 1859년에 출판된 『뷸라 *Beulah*』의 작가로서 에반스가 대단한 성공을 거두었다는 사실은 그녀의 겸손한 자세로도 감출 수가 없었다. 전쟁이 시작되었을 때 그녀는 이미 국가 전체에서 상당한 명성을 지닌 베스트셀러 작가였다. 따라서 글을 쓰는 것은 그녀의 좌절된 애국적 야심에 잘 어울리는 논리적인 배출구였다.[33]

헌정사에서 밝히고 있듯이 『마카리아』는 명백하게 남부 연합에 대한 찬가로 쓰인 글이지만, 동시에 전시 동안 에반스 자신의 역할 찾기 그리고 남부 여성들의 투쟁의 상징이자 삶의 표상인

'여자의 가치'에 대한 탐구를 반영한 것이기도 했다. 부상당한 병사들 옆에 앉아 종잇조각 위에 글을 쓰던 에반스는 남부 연합의 위대한 목적에 공헌할 수 있는 방법을 찾는 여성들에게 역할모델을 제시하는 글을 쓰기로 마음먹었다.

소설의 제목은 작품을 일종의 자기희생으로 삼으려는 에반스의 의도와 여성이 등장하는 전쟁 이야기의 오랜 전통을 암시한다. 고전문학 속의 마카리아는 스스로의 신의 제단에 제물이 됨으로써 적군 아르고스의 침공으로부터 아테네를 구했다. 마카리아라는 이름의 신화 속 인물처럼, 소설의 주인공 아이린 헌팅던_Irene Huntingdon도 자신을 '희생하려는 야심'이 있었다.(260) 그러나 목표를 향해 전진하던 그녀는 극복해야 하는 장애물들을 맞닥뜨리고 나서야 '신의 위대한 일터'에서(414) 일하는 것이 '평생의 과업'임을(255) 깨닫는다. 그녀는 아버지가 남편감으로 선택한 사촌 휴_Hugh의 끈질긴 청혼만이 아니라, 만일 자신에게 복종하지 않으면 상속권을 박탈하겠다고 위협했던 아버지에게도 저항해야만 한다. 그러나 그것은 애정이 없는 결혼을 거부하는 것보다 훨씬 더 힘든 일이었으며, 진정으로 사랑하는 러셀 오브리가 전쟁과 죽음을 향해 떠나기 직전에야 가족 간의 오래된 불화 때문에 숨겼던 애정을 밝힌다. 결국 그녀는 남부 연합의 대의를 위해 아버지와 러셀 모두를 희생시켜야 하는 것이다.

에반스도 19세기 대부분의 여성 소설가들처럼 여주인공 두 명을 함께 등장시킨다. 엘렉트라 그레이_Electra Grey는 다소 중요도가 덜하고 주인공만큼 눈에 띄는 인물은 아니지만, 친구 아이린과 거의 흡사한 인생 궤도를 걷는다. 아이린의 논리성과 지성에 필적하는 상상력과 예술적인 창의력을 지닌 엘렉트라 역시 애정 없는 결혼에 저항하며, 결국 남부 연합을 돕기 위해 자신을 바치고 심지어는 여성의 영웅적인 행위를 스릴 넘치게 묘사하려는 에반스의 의도대로 북군의 봉쇄를 뚫고 공문서를 운반하기까지 한다.

아이린과 엘렉트라의 투쟁은 전체적으로 볼 때 책의 구성 중 주요 갈등에 해당된다. 캐롤린 하일브런_Carolyn G. Heilbrun은 여성의 글쓰기에 대한 최근의 연구에서 예로부터 남성의 소설과 여성의 소설에서 나타난 줄거리를 분류했다. 그녀는 일반적으로 남성의 소설은 '무엇인가를 추구하는' 이야기이며 여기서는 실제로 그것을 찾는 행동이 감정의 변화보다 우선한다고 말한다. 이와 대조적으로 여성의 소설은 사랑의 완성을 향한 여주인공의 행적을 따라가며, 19세기 가정소설에서는 이것이 결혼의 축복으로 귀결된다. 그러나 『마카리아』에서는 전쟁이라는 상황 때문에, 마치 에반스 본인이 소설을 다른 방식으로 구성할 수 있는 가능성을 마주했던 것처럼, 아이린 본인이 추구하는 인생을 살 것인지 아니면 사랑을 택할 것인지 결정할 수 있는 예외적인 선택권이 그녀에게 주어진다. 『마카리아』의 근본적인 갈등은 이 두 가지의 이야기 구성방식 사이에, 그리고 여성의 인생을 계획하는 두 가지 방법 사이에 존재한다. 아이린과 엘렉트라는 결혼하지 않겠다는 의견을 고수할 것인가? 에반스는 이전 소설 『뷸라』에서 모순을 해결하기 위해 어쩔 수 없이 사용했던 낭만적인 해결책에 저항할 것인가? 문학자인 앤 굿윈 존스_Anne Goodwyn Jones는 에반스가 여주인공을 평소와 딴판으로 행동하게 만든 다음에야 『뷸라』가 전통적인 결말에 이를 수 있었다고 말했다. 에반스는 엘렉트라와 아이린에게는 그런 몹쓸 짓을 하지 않았다. 러셀이 출정하는 순간 최소한 편지왕래는 허락해 달라고 간청했을 때 아이린은 그 자리에서 그의 사랑과 편지로 사랑을 속삭이는 것, 두 가지 모두를 거절한다. "저는 서로에 대한 덧없는 그리움으로 당신과 저의 인생이 시들어가는 것은 원치 않아요."(326) 일반적인 소설 속 남자 역할과 눈에 띄게 다른 러셀은 자신의 "야망이… 당신의 사랑 앞에서는… 희미해진다."(323)는 것을 알게 되었다. 그러나 에반스는 그의 낭만적인 목표가 결실을 맺게 내버려두지 않는다. 세속적인 성공을 원하는 남성과 사랑을 원하는 여성의 역할을 뒤바꾼 에반스는 아이린으로 하여금 자신과 러셀 모두 각자가 추구하는 바에 전념해야 한다고 주장하게 만든다.[34]

전쟁이 발발하기 몇 십 년 전에 출판된 이 소설에서는 처음부터 끝까지, 아이린과 그녀의 변형된 자아인 엘렉트라가 독립하기 위해 투쟁하는 모습을 볼 수 있다. 전통적인 소설 속 여주인공답게 어머니가 없던 두 여성은 정신적 자립뿐만 아니라 경제적으로도 자립하기 위해 노력했다. 아이린은 어린 아이일 때조차 노예가 교과서 드는 것을 허락하지 않는다. 그녀는 "나는 갓난아이처럼 귀여움을 받거나 인형 노릇은 하지 않을 것이다… 나는 힘이 세서 책 정도는 가지고 다닐 수 있다."(14)라고 선언한다. 엘렉트라도 자신의 능력을 내세우며 사촌인 러셀의 재정적인 도움을 거절했다. "저는 저 자신에게 의지해야만 해요."(70) _그리고 새로 발견된 유산도_ "저는 젊고 강하니까 제 힘으로 생계를 꾸리고 싶어요."(104) 두 여성은 부르주아의 개인주의적인 언어로 자기 자신을 표현하며 주체의식과 자기결정권을 강조했다. "당신은 내 것이오."라고 주장하는 사촌 휴에게 아이린은 "그렇지 않아요! 나는 신과 나 자신의 것이에요."(23)라고 대꾸한다. 아버지의 노골적인 결혼 명령에도 불구하고 그녀는 아버지에 대한 의무 그리고 자기 자신과 조물주에 대한 의무를 저울질했다. 그녀는 "나는 오직 내 행동에만 책임을 진다."라고 말했다. "나는 자유로운 미국인이다… 오직 나만이 내 미래를 결정할 수 있다."(200) 독립을 선언한

『마카리아』의 저자 오거스타 제인 에반스. 몽고메리의 '앨라배마 역사기록보관소' 소장

아이린은 “짜릿한 기쁨에 도취되었다. 나는 족쇄를 벗어던지고 자유의 몸이 되었다”(202).

아이린은 개인적인 자립을 축하하지만 에반스는 이것이 완전히 제멋대로인 개인주의에서 기인한 이기심이라고 비난한다. 그녀의 이런 우려는 19세기 중반 미국사회에서 확산되고 있는 지배계급의 자유주의 원리를 겨냥한 날카로운 비판을 내포하고 있기도 하다. 에반스는 자아성취가 가족과 공동체의 유기적인 관계와 밀접하게 연결되어야 한다고 생각했는데, 이들은 대체로 서로 반대선상에 있는 것처럼 보였다. 그녀는 자아실현을 위해서는 반드시 스스로에게 진실해야 한다는 것을 깨닫는다. 마치 아이린이 “운명 지어진 모습 그대로 훌륭하게 성장”(40)한 것처럼 말이다. 그러나 진정한 자유라고 하는 자아실현은 의무감과 소속감으로 연결된 사회적 공동체를 벗어나서는 얻을 수 없다. 아이린은 의존적인 ‘더부살이’ 인생을 비난했지만, 한편으로는 친구이자 스승인 하비 영_Harvey Young 목사의 충고를 이해하고 있었다. “사람들은 너무나 외롭고, 너무 많은 개인적 권리와 흥미, 향락에 둘러싸여 있다. 이 시대를 살아가는 사람들은 오직 나, 나, 나에 대한 생각뿐이다… 우리는 우리 자신보다 다른 사람들을 위해 살아야 한다”(85).

아이린의 독립선언은 결과적으로 자아발견을 위한 투쟁의 서막이 되었다. 개인적인 학문추구, 그리고 아버지와 가족들이 잠든 동안 했던 심오한 천문학 관측에도 불구하고 아이린은 공허감을 느꼈고, 남부 사회의 사교계 생활은 아무런 의미도 없다는 것을 깨달았다. “모든 사람은 이 세상에 도움이 되는 존재이지만, 나는 다른 식물에 기생해 자라면서 아무 일도 하지 않고 쓸모도 없는 겨우살이처럼 느껴진다.” 그녀는 참된 행복을 추구하는 모든 사람은 '어떤 식으로든 일을 해야 한다.'는 것을 깨달았다.(51) 엘렉트라도 거의 동일한 감정을 토로하며, 인생에서 무엇을 추구하고 싶은지 분명히 밝혔다. "나는 사람들이 '저 여성은 인생을 헛되이 살지 않았다. 그녀가 이 땅에 태어나고 노력함으로써 세상은 더욱 좋아지고 행복해졌다.'라고 찬양하게 될 어떤 일을 성취하고 싶다." 엘렉트라는 거리낌 없이 원대한 포부를 드러내며 '살아 숨쉬는 동안'(213) 세상에 이름이 알려지기를 바랐다.

아이린이 "쓸모 있는 사람이 되고 싶어"(316), 라며 눈물을 그치지 않는 장면에서, 그 눈물은 에반스의 인생만이 아니라 현존하는 거의 모든 남부 연합 여성들의 일기에서 표현된 감정을 반영하고 있다. 그리고 전쟁이 여기에 대한 뜻밖의 해결책으로 다가오게 된다. 아이린과 엘렉트라는 남부 연합의 독립에서 진정한 개인의 독립과 만족을 찾는다. 아이린의 이름이 상징하듯이_아이린은 그리스 신화 속 평화의 여신이다.-옮긴이 그들은 전쟁을 통해 궁극적인 정신적 평화에 이르는 길을 발견한다. 에반스는 여성들이 그저 맥없이 주저앉아 전쟁을 견디기만 할 것이 아니라 다시없는 자아실현의 기회가 찾아온 것으로 축하해야 한다고 말했다. 남부 연합을 향한 애국심으로 인해 여성들이 진정한 자신의 모습을 발견하는 기회가 될 것이다.

1864년, 남부 백인남성의 거의 절반이 죽거나 다치게 되자, 많은 여성들에게 독신생활은 피할 수 없는 것이 되었다. 에반스는 이러한 상황을 바람직한 것으로 만들 수 있다고 생각하였다. 필요는 발명의 어머니라기보다는 허구적인 발명의 적자였다. 그리스어로 '축복받은'이라는 뜻을 가진 『마카리아』는 독신생활을 칭송하며 끝을 맺는다. 아이린은 '혼자 살 용기가 있는' 여성은 분명히 "애정 없는 결혼"에 동의한 여성보다 "더 용감하고, 더 고결하며, 더 훌륭한 사람" 이라는 것이다.(413) 그러나 더욱 중요한 것은 미혼여성들이 직업을 갖고, 봉사하고, 성공할 잠재력이 있다는 것이다. 에반스도 인정하듯이 결혼한 여성이 표면적으로는 더 행복해 보일지 모르지만, '독신여성은 어느 누구에게도 매여 있지 않고 고통 받는 모든 인간에게 마음을 쓸 수 있기 때문' 에(413) 분명 독신여성이 훨씬 더 도움이 되는 존재였다. 에반스와 마찬가지로 아이린도 "군대의 영웅적인 행동에 못지 않게 여성들의 고결함과 헌신, 애국심이 우리 국가의 생존을 좌우한다."(414)는 것을 깨닫는다. 그리고 에반스가 그랬듯이 아이린 자신도 부상당한 군인들을 간호하고 고아원을 설립하는 데 헌신했다.[35]

그리스어로 '독신' 을 뜻하는 엘렉트라도 독신에 대해 비슷한 견해를 갖고 평생 동안 남부의 국가적 위대함을 표현할 수 있는 예술형식을 만드는 데 전념한다. 엘렉트라는 아이린의 재정적인 후원을 받아 전쟁의 위기로 자신 밖에는 의지할 사람이 없게 된 야심찬 여성 예술가들을 위한 디자인 학교를 떠맡게 된다. 놀랍게도 에반스는 20세기 후반에 등장한 평등의 가치에 대한 개념과 비슷한 견해를 피력하며 여성의 역할 확대를 주장한다. 그녀는 다음과 같이 기록했다. "똑같은 기술을 요하는 일이더라도 여성이 하는 일에 제공되는 보상은 남성의 보상에 훨씬 못 미친다… 따라서 여성의 지위를 향상시키려면 여성들이 독립적인 생산 활동에 접근할 수 있는 가장 유용한 방법을 제공하고, 여성들에게 적합한 직업의 범주를 확대해야 한다."(410) 에반스는 『마카리아』에서 여성들을 폐쇄적인 가정생활에서 해방시키고 그들이 새로운 국가의 공적영역에서 중대한 역할을 맡게 함으로써 여성의 본분에 대한 오랜 통념을 약화시키고 변화시켰다.

그럼에도 엘렉트라는 그릇된 환상은 꿈꾸지 않았으며 여성에게 허용된 것이 여전히 상당히 '제한적' 이라는 것을 알고 있었다. "그녀들은 그저 짧고 좁은 길, 거실 끝에서 문까지 걸어갔다가 다시 되돌아 올 뿐이다"(368). 실제로 에반스가 여성들에게 전하려 한 말은 한정된 범위 내에서 여성에게 걸맞은 직업을 찾아야 한다는 것이었다. 『마카리아』에서는 이런 계속되는 제약을 직접적으로 비난하지 않는다. 대신 소설에서 작가는 여성 고유의 본분에 대한 일반적인 생각을 다시 확인하고 북부의 페미니즘과 여성의 투표권을 노골적으로 비난한다. 아이린은 "남부 여성들에게 입법권을 침해하고자 하는 뜻은 추호도 없다. 그들에게 적합한 일은 국가의 도덕과 예절을 형성하는 것이다"(368) 라고 말하며 소설의 독자들을 납득시킨다. "남성들은 공문서와 기계공장, 칼, 해군, 육군, 정치경제학, 농예화학에서 편안함을 느끼지만, 그에 반하여 여성들은 간소하고 실용적인 평상복의 재료가 되는 조악하고 칙칙한 직물에 수를 놓는데 숙련되어 있다"(184).

에반스가 자유로운 개인주의적인 표현을 사용하지만 그녀는 개인적인 편지에서처럼 소설에서도 사회질서에 관한 계급주의적 견해를 적극 지지하며 모든 사람이 인종과 사회적 지위, 성별에 따라 정해진 자리에서 자신의 역할을 다 해야 된다고 생각했다. 그녀는 자신 자신에 대한 소유권을 자랑스럽게 내세우는 아이린의 주장과 책 전체에서 배경역할을 하는 노예의 종속 사이에 존재하는 명백한 모순은 보지 못한다. 러셀의 설명처럼, 의무에 대한 명령은 "정도의 차이는 있지만, 우리 모두가 무엇인가에 종속되어 있다."(221)는 의미이다. 이와 동시에 아이린은 "가족들의 귀족주의적 우월감이 갖는 어리석음을… 경멸한다."(14)고 선언했다. 그녀도 에반스처럼 모든 사람들이 참정권을 갖는 것에 단호히 반대했다. 아이린의 개인주의와 소설 처음부터 끝까지 아이린과 엘렉트라가 주장하던 개인의 독립에 대한 신념이 『마카리아』가 지지하던 계급주의적 사고와 공존하기란 쉽지 않았다. 에반스가 가정소설의 형식을 파괴하고 무엇인가를 추구하는 남성소설의 줄거리를 여성소설에 도입한 점이, 여성 소설 특유의 줄거리에 포함되어 있으며 동시에 여성의 지위에 관한 그녀의 관점에 이미 존재하는 모순을 심화시켰다.

에반스는 『마카리아』에서 이런 모순을 내버려두지 않는다. 에반스는 자신과 자신이 만든 여주인공들이 직면한 모순 그리고 수많은 남부 연합 여성들의 경험에서 빼놓을 수 없는 자아실현과 자기부정의 모순을 풀기 위해 종교로 눈을 돌려서 허용 가능한 범위 내에서 소설의 파격 성을 유지하려고 애쓴다. 에반스는 아이린과 엘렉트라의 자아성취 중심에 있는 활동을 신성한 예배라는 특별한 형태로 다시 정의한다. 화가인 엘렉트라에게 "미학은 천국의 사다리… 순수한 사고와 성스러운 열망이 신으로부터 내려오고, 신에게 도달하는 곳이다."(357) 아이린의 천문 관측은 "우주의 헤아릴 수 없는 높이와 깊이, 무한함과 장대함과 아름다움을 상기시켜 준다… 그리고 그 곳, 다른 곳이 아닌 바로 그 곳에서, 나는 엎드려 겸손하고 진실되게 말할 수 있다. 오, 주님! 제 뜻대로 마옵시고, 당신 뜻대로 하옵소서."(378) 예술적이고 학문적인 목표 추구에 잠재된 자기주장은 이렇게 종교적 복종이라는 더 넓은 맥락 속에 포함되었다.

이 책과 제목의 핵심이라고 할 수 있는 희생의 주제를 희석시키려는 목적에서 반복적으로 자아실현이라는 단어를 사용하고 있지만, 신의 도움을 요청하면서 희생의 개념을 규정하고 그럼으로써 이야기 구성상의 모순을 해결한다. 아이린과 엘렉트라, 심지어 러셀까지 임종의 순간에 모두 복음주의로 개종하며, 신의 뜻 안에서 완전한 성취와 자신에 대한 포기를 달성하게 된다. 모든 등장 인물들이 신에 대한 복종 안에서 완벽한 자유를 찾게 되고, 에반스는 양쪽 모두를 만족시킬 수 있는 방법을 발견한다. 엘렉트라는 한때 "예술가적 명성이 내가 이루고 싶은 모든 것 이라고 말한 적이 있다."(413)고 설명한다.이제 그녀는 화가로서 세속적일뿐만 아니라 영적으로도 불멸의 명성을 추구하면서 인생을 보내고 싶다고 한다. 그녀의 세속적인 성공은 더 이상 어리석은 야망을 향하는 것이 아니라 성스러운 봉사로 향한다. 아이린처럼 그녀의 자아추구는 순례여행이 되었다. 에반스는 이렇게 썼다. "이리하여 슬픔에 젖은 두 명의 여성이 기묘하고 험난한 가시밭길을 거쳐 넓고 평탄한 의무의 길에 도달했으며, 손을 맞잡고 그들을 위해 준비된 신성한 목적, 여성의 유용함을 향해 나아갔다."(380) 이 여성들의 인생에는 남자 대신 신이 자리하고 있었다. 그들이 비록 미혼으로 남기는 했지만, 거의 책 전체를 통해 주장된 그들의 독립은 결말부분에서 다시 한 번 무사히 해결되었다. 결국 에반스는 자신의 반란을 스스로 진화시켰다.

『마카리아』가 남부 연합에서 환영받았다는 사실은 남부 사람들이 그 주제에 공감했으며 책에서 다뤄진 모순이 그 사회에서 뿌리 깊었음을 분명히 보여준다. 그 소설의 인기는 예상 가능한 것이었다. 에반스는 인정받는, 아니 사랑받는 작가라 할 수 있었다. 『마카리아』는 전시에 남부에서 원문 그대로 출판되어 사람들이 접할 수 있는 몇 안 되는 소설 중 하나였으며 남부 연합에 관련된 내용과 애국심이 그 책의 적시성과 매력을 더욱 돋보이게 했다. 사우스캐롤라이나의 메리 레그는 심지어 『마카리아』가 출판되기도 전에 해티 팔머에게 열광적으로 이렇게 말했다. "에반스 양이 다른 작품을 쓰고 있대. 그 책이 너무나 기다려져. 나는 『뷸라』를 무척 좋아하거든." 뷸라라는 이름의 애완동물을 가진 코델리아 스케일스와 벨 에드먼슨_Belle Edmonson 같은 여성들도 에반스의 신작을 손꼽아 기다렸다.36

일기나 편지에 독서에 관한 이야기를 쓰는 거의 모든 남부 연합 여성들이 『마카리아』를 언급했다. 어떤 여성들은 책을 구하지 못하자 실망감을 감추지 못했고, 운이 좋은 사람들은 소설에 대한 감상을 기록했다. "오늘 『마카리아』를 읽기 시작했다. 내 마음에 쏙 드는 책이다." 1864년 10월, 내니 하스킨스는 "나는 에반스양이 오늘 날 가장 뛰어난 작가(여류작가)라고 생각한다."라고 썼다. 좀 더 나이가 있고 비판적이었던 메리 리는 소설 도입부가 '현학적인 말 투성' 이라고 불평했지만 '전쟁에 관한 마지막 부분' 은 훌륭하다고 말했다. 게르트루드 토마스도 소설에서 전쟁이 시작되기 전 부분이 마음에 들지 않았다. "우리가 살고 있는 인생과 비교해 볼 때 평범한 인생은 너무나 지루하고 단조롭게 보인다." 그러나 전쟁이 시작된 이후의 이야기를 읽게 되었을 때, 그녀는 에반스의 '마법의 주문' 에 사로잡히고, "여성의 유용함"을 강조하는 그녀의 메시지에 압도당했다. 토마스는 이렇게 기록했다. 『마카리아』 덕분에 "부상병들의 신음소리를 듣게 되었다… 그 동안 고통 받고 있는 우리의 남성들에게 내가 얼마나 냉담하고 무관심했는지 뒤돌아보는 동안, 내 뺨은 부끄러움으로 달아올랐다. 그리고 다음 날 저녁, 나는 병원을 방문했다! 에반스양의 소설이 갖는 긍정적인 영향력에 대한 최고의 논평이다." 러셀 오브리는 수 많은 『마카리아』 독자들의 가슴속에 가장 많은 영향을 미치는 인물이 되었고, 그의 이름은 남부 연합 사람들의 대화에서 일상적인 표현이 되었다. 병동에서 재미있는 사건이 많이 있어나는가에 대한 질문에 한 젊은 간호사가 미소를 지으며 대답했다. "러셀 오브리 같은 사람은 거의 없답니다."[37]

『마카리아』를 향한 남부의 열렬한 반응은 대중여론이 그 책을 다루는 방식에서도 명백하게 드러났다. 에반스가 가정소설의 구성을 변화시켰다는 점이 주목 받았고, 남부 연합 여성들이 직면한 갈등을 생생하게 표현했다는 점에 남부 전역의 독자들은 열광적으로 반응했다.『리치몬드 에이지_Richmond Age』지에 실린 한 장황한 평론은 에반스가 "우리의 기대를 저버렸다."고 불평했다. 그 평론가는 사실 『마카리아』는 남부 연합 시민들이 지금 경험하고 있는 시대가 낳은, 외견상 새로운 형식의 소설일 뿐이라고 말했다. "비록 사랑 이야기가 작품의 주를 이루고 있지만, 높은 애국심을 고취시키려는 목적에서 이야기를 시작하고 있다는 것이다."『마카리아』에서는 여성들이 대담하게도 개인적인 문제보다 공적인 문제에 관심이 있다. 그 평론가는 아이린이 아버지의 손님들을 대접해야 하는 순간에 불가피한 일들에 대해 고심한 점, 자신의 집에 있기보다 남성들로 가득 찬 병원에서 시간을 보낸 점, 어머니가 될 기회를 포기한 점, 그리고 무엇보다 독신이 '고독하고 불안한' 것이 아니라는 '잘못된 견해' 를 받아들인 점이 마음에 들지 않았다. "에반스가 인물묘사에는 뛰어날지 모르지만 이야기를 구성하는 재능은 없다."라는 것이 평론가의 결론이었다. 전쟁과 빈곤, 죽음으로 삶이 붕괴된 수천 명의 남부 연합 여성들의 경험과 다를 바 없는 아이린의 인생이 전통적인 소설 속 인물의 인생이나 예상했던 것과는 너무 많이 달라서 그 평론가로서는 납득할 수가 없었다. 가정소설의 형식에 생긴 변화는 실제 인생과 마찬가지로 잡음과 불안감을 초래했다. 테네시의 벨 에드먼드슨도 그 책에 거의 같은 의견을 보였다. "책의 시작 부분은 재미있었지만, 마지막 몇몇 등장인물들의 운명이 별로 마음에 들지 않는다." 그러나 에드먼드슨의 운명도 아이린과 엘렉트라의 운명과 별반 다를 것이 없게 된다. 전쟁 중 남부 연합의 스파이와 밀사 역할을 했던 그녀는 1873년 독신으로 생을 마감했다.[38]

『모바일 이브닝 뉴스_Mobile Evening News』지에 실린 『마카리아』에 관한 인상적인 평론은 원래 '피델리아'라고 자신을 소개한 한 여성이 미시시피 주 옥스퍼드의 한 지역문학회를 위해 쓴 에세이였다. 그녀는 남부 미혼여성들 중에서 음울하고 매력적인 러셀을 거부할 사람은 없을 거라고 주장했다. 피델리아는 '평범하지 않은 아이린'을 좋아한다고 고백했지만 또한 자신의 의견을 분명한 어조로 밝혔다. "파니 켐블_Fanny Kemble을 좋아하는 사람들도 많을 것이다. 하지만, 우리에게 파니 켐블은 한 명으로 족하다." 만일 아이린과 같은 여주인공들이 여럿 등장한다면, "세상은 남성들과 여성들, 아이린으로 새로운 분류를 해야 할 것이다." 피델리아는 거침없이 남부를 비판한 아이린을 영국 여배우 파니 켐블을 연결 지었는데, 파니 켐블은 조지아 사람인 남편 피어스 버틀러_Pierce Buteler와 이혼함으로써 여성 독립의 위험성을 상징하는 것으로 유명하였다. 그러나 가장 의미심장한 것은 『마카리아』가 일반적인 남녀의 본분에 도전했다는 점에 피델리아가 주목했다는 것이다. 아이린은 어느 쪽에도 어울리지 않았기 때문에 -여자로도, 남자로도 분류할 수 없었다.- 아이린이라는 인물의 특성이 분명하고 뚜렷한 남녀의 역할에 이의를 제기하는 것처럼 보였다. 그녀의 존재 자체가 남성과 여성의 특성이 서로 뒤바뀔 위험에 처한 것처럼 보이게 했다.[39]

오거스타 제인 에반스는 자신을 페미니스트라고 생각했다. 그러나 『마카리아』의 독자들은 양성화된 여주인공을 창조하기 위해, 그리고 남부사회의 본질을 바꾸기 위해 예외적인 유형의 여성을 내세워서 성별과 관련된 관습을 훼손시켰다며 작가를 비난했다. 『마카리아』가 남녀 정체성의 본질에 의문을 제기하고 교란시켰음에도 불구하고 소설이 야기한 논란에 대해 충분한 해답이나 해결방법을 제시하지 않았다는 것이다. 『마카리아』의 구성과 인물묘사는 작가가 전쟁기간이라는 기회를 이용해서 -자신의 인생과 소설 속에서- 가능성과 상상의 한계를 넘었음을 보여준다. 그러나 적어도 일부 독자들이 보인 반응을 보면 에반스가 그 경계를 너무 많이 벗어났다는 것을 알 수 있다. 『마카리아』는 '새로운 시도'로서 대중 앞에 선을 보였지만 여러 사람들의 기대를 심각할 정도로 저버린 작품이다.

작가로서 에반스의 선택 그리고 소설의 토대를 이루고 있는 전제를 의미심장한 방법으로 변화시키려는 그녀의 움직임은 문학적 행동, 즉 그녀처럼 병원 간호사로서 이전에는 남성에게 속했던 다양한 역할을 책임지게 된 남부 연합 여성들의 사회적 행동과 똑같은 하나의 문학적 행동으로 보였을 것이다. 아이린을 묘사하는 동안 에반스는 피델리아가 비난한 새로운 성별만이 아니라 새로운 장르를 창조했다. 그러나 에반스는 사회적 보수주의 즉 남부 특권계급의 백인 여성들을 지배하던 전통의 힘이 지속되고 있음을 보여주었다. 심지어 『마카리아』에서도 에반스는 명백하게 상반된 메시지를 전하며 진정한 여성의 독립을 찬양하던 입장에서 뒤로 물러섰다.

전후의 생활과 집필과정에서 에반스는 마찬가지로 뒤로 물러서 있었다고 할 수 있다. 애포머톡스_Appomattox, 남북전쟁에서 남군이 항복한 곳.-옮긴이 협정 직후 에반스가 세운 야심 찬 계획은 또 다른 전쟁소설을 쓰는 것이었다. 이번에는 여성의 본분에 얽매이지 않고 가정 소설의 한계를 모두 뛰어넘을 작정이었다. 그녀는 남북전쟁 때 남부의 정확한 역사를 구성하고, 남부 연합이 후세에까지 살아 숨쉴 수 있는 글을 쓰고 싶어 했다.

에반스는 결코 목표를 달성하지 못했는데, 1867년에 그 이유를 설명한다. 그녀의 이례적인 설명에 의하면, 남부에서 여성의 야망이 직면한 운명은 -공손함과 자기주장의 공존, 순종과 억압된 분노의 공존으로의 전환- 이라는 것이다. 에반스는 남부 연합의 전임 부통령 알렉산더 스티븐_Alexander Stephens이 남부 연합의 역사를 쓰려고 계획하자 그의 뜻을 존중해서 자신의 계획을 포기했다. "나는 겸손하게 남부 연합의 크세노폰_Xenophon이 되겠다는 대담한 계획을 손에서 놓았다… 그 사랑스러운 꿈을 포기하느라 모진 고통을 겪어야 했음을 고백하는 바이다… 그러나 능력 있는 손이 연약한 나의 여성스러운 손에서 그것을 구출하고, 나에게 더 겸손한 노동의 길로 가라고 신호를 보냈다."40

에반스의 야망은 간접적으로 남성의 권력에 의해 산산조각 -목졸림- 이났다. 그러나 실제 살인은 그녀 자신이 하였다. 에반스는 자신이 숭배하던 희생의 제단에 스스로를 제물로 바치고, 자신의 모순에 의한 마지막 희생자가 되었다. 1867년, 그녀는 가정소설이라는 '더 겸손한 노동의 길'로 돌아가서 『세인트 엘모_*St. Elmo*』를 출판하였으며, 이 책으로 엄청난 인기를 얻게 되는데, 여주인공의 인생과 줄거리가 전통적인 결혼생활로 대미를 장식하였다. 1868년, 33살의 에반스는 37살의 남성과 결혼했다. 전쟁과 『마카리아』와 독신생활은 끝이 났다.

『마카리아』를 일종의 실험이라고 불렀던 『리치몬드에이지』지의 평론가는 남북전쟁 때 남부 여성들의 독서와 글쓰기의 의미를 살펴볼 수 있는 중요한 정보를 제공했다. 여성들은 책, 특히 소설에서 새로운 인생을 창조할 수 있었고, 새로운 자아와 새로운 정체성, 새로운 의미, 생각만으로도 두려움에 몸을 떨었던 문학적 환상 너머 바깥세상에서 새로운 모습을 상상할 수 있었다. 독서와 글쓰기 모두 자기반성과 자아발견의 계기가 되었다. 그 두 가지는 근본적으로 '자기본위적' 인 행동을 나타내며, 그 안에서 여성들은 적어도 방종과 자아성찰의 순간은 일시적으로나마 여성의 금욕과 희생에서 자유로워질 수가 있었다. 독서와 글쓰기가 주는 위안은 상당했다. 그러나 문학적 행위는 지배계급 여성들이 완고하게 고집하는 전통을 와해까지는 아니더라도 여기에 혼란을 일으키거나 의문을 제기하는 경우가 많았다. 종교도 이와 유사하게 양면의 칼날과 같은 역할을 했다.

CHAPTER EIGHT

Though Thou Slay Us

WOMEN AND RELIGION

제8장

신이 우리를 멸하실지라도
여성과 종교

1861년 4월 12일, 찰스턴의 엠마 홈스는 포트섬터에서 발포된 대포 소리 때문에 잠에서 깨어났다. 새로운 남부 연합 국가의 미래가 어떨지 걱정하느라 몇 주를 보낸 터였다. 그랬기에 지금 일어난 전투가 오히려 시름을 덜어주는 것만 같았다. 그날 오후 늦게 홈스가 자리에 앉아 일기를 쓰고 있을 무렵에는 남북전쟁이 시작된 지 거의 12시간째 접어들고 있었다. 그러나 홈스는 "거의 모든 사람들이 침착하고 근엄해 보였다."고 기록했다. 찰스턴 사람 대부분은 "우리의 목적이 가진 정당성에 깊은 감명을 받았기 때문에 전쟁의 신을 전적으로 신뢰"했다."[1]

전쟁이 시작된 그 날부터 남부 연합 사람들은 종교에서 명분과 위안을 찾았다. 정부 당국자들과 교회 지도자들 모두 남부 연합의 시도에 신성한 목적이 있다는 믿음을 공고히 다졌다. 성공회 주교인 스티븐 엘리엇_Stephen Elliott은 남부 연합이 '이 땅에서 신의 일을 하는 국가' 임을 천명하는 한편, 남부 연합 주 의회는 의도적으로 새로운 국가의 좌우명으로 'Deo Vindice' -신이 우리를 보호하신다- 를 선택했다. 목사들은 애국심에 대해 설교하고, 정치가들은 종교적인 취지를 내세웠다. 정치적 민족주의와 종교적인 사명은 거의 불가분의 관계에 있는 것 같았다.[2]

종교와 정치, 성스러움과 속세의 만남은 전시의 남부 여성에게 중요한 의미를 띠었다. 공적인 일을 할 수 있는 새로운 명분을 얻었기 때문이다. 오랫동안 여성의 영역을 형성하는 중심 요소로 여겨졌던 종교는 정치와 공적 행동이라는 남성의 세계로 향하는 길을 열었다. 이와 동시에 종교는 개인의 인생에서 매우 중요한 자리를 차지하게 되었고, 지성과 감성의 공급원 역할을 했으며, 전쟁의 시련을 이해하고 극복하기 위한 관점을 제시하기도 했다. 여성들은 종교적 표현과 신념을 통해 그들이 마주한 무시무시한 새로운 환경을 이해하는 한편, 믿음을 근간으로 하는 힘과 위안을 얻었다.

고통으로 죄를 씻다

엠마 홈스와 마찬가지로 많은 여성들은 '승리에 대한 확신은 신을 믿음으로써 얻게 되는 당연한 결과' 라고 생각하며 침착하게 전쟁을 맞이했다. 테네시의 케이트 카니_Kate Carney는 1861년 초, "우리의 명분이 얼마나 약한가는 문제가 되지 않는다. 하느님과 정의가 우리 편이라면, 우리는 결국 승리할 것이다."라고 주장했다. 케지아 브레바드_Keziah Brevard가 낙천적일 수 있던 이유는 전적으로 성경 덕분이었는데 그녀는 시편 118편에서 위안을 주는 한 구절을 골라 일기장에 적었다. “여호와는 내 편이시라 내게 두려움이 없나니 사람이 내게 어찌할꼬.” 그녀는 이 국가적 전투에서 하느님이 분명히 우리 편이라고 확신했다. 남부 연합의 계관시인 헨리 팀로드는 그가 쓴 민족주의 송시 ‘민족의 기원_Ethnogenesis’ 에서 “전쟁의 결과를 의심하는 것은 신을 믿지 않는 것이다.”라고 단언했다.[3]

남부인들은 언론과 성직자들이 신의 은총에 대해 대담한 선언을 하는 것을 접하고는 고무되어, 자신들을 신에게 선택받은 사람들로 생각하고, 국가적 상황을 이해하는 데 도움이 될 예언과 상징을 성경에서 찾았다. 리치몬드의 『크리스찬 옵저버_*Christian Observer*』지는 남부 연합은 “신에게 선택받은 사람들이 될 것이다.” 라고 선언했다. 현 시대의 타락이 만연하고, 재물의 덫에 빠진 북부는 악을 상징하기 때문에 남부가 이곳과 분리된 것은 현명한 일이었다. 엠마 홈즈는 조심스럽게 자신의 일기장에, 찰스턴 목사가 남부 연합이 북에서 분리되는 것과 이스라엘 사람들이 ‘르호보암의 압제 아래 유대 국가를 떠난 것’ 에는 똑같은 의미가 있다는 주장을 기록하였다. (르호보암의 강압 정책에 반발한 이스라엘 사람들이 왕국을 세움으로써 이스라엘은 북이스라엘과 남유다로 분열되었다.-옮긴이) 다른 목사들은 남부의 독립을 가장 잘 뒷받침하는 성서의 사건으로 이스라엘 사람들이 애굽을 탈출한 이야기나 다윗이 사울에게서 도망간 이야기를 인용했다. 많은 신도들이 설교 구절로 인기가 있는 예레미야 1장의 신비로운 표현에서 용기를 얻었다. “나 여호와가 말하노라 내가 북방 모든 나라의 족속을 부를 것인즉 그들이 와서 예루살렘 성문 어귀에 각기 자리를 정하고 그 사면 성벽과 유다 모든 성읍을 치리라. 그러나 그들은 너를 당해 내지 못할 것이다” “내가 너와 함께 하리이다.” 신께서 남부 연합의 승리를 약속하신 것과 다름이 없었

다.[4]

4월, 섬터에서의 무혈승리와 8월, 엄청난 수의 군사를 상대로 한 매너서스 전투에서의 기적적인 승리는 신의 섭리에 대한 이런 믿음을 더욱 강하게 만들었다. 이를테면, 버지니아 주 오거스타 카운티의 낸시 에머슨_Nancy Emerson은 성경에 나오는 예언의 말씀을 빌려 남부 연합의 초기 승리와 그녀의 낙관론을 설명했다. "하느님을 기만한 것에 대해 북부를 향한 하느님의 심판이 시작되었다… 우리는 독립을 쟁취할 것이며, 만약 올바른 길로 인도된다면 숭고한 목적을 달성하여 이전보다 더욱 번성할 것이다. 전투가 시작된 이후로 단 한순간도 결과를 의심해본 적이 없다."[5]

그러나 국가적 손실만이 아니라 개인의 손실 또한 늘어가자 전쟁의 예표론_typology, 豫表論을 수정하여 사라져가는 자신감을 되살릴 필요가 있었다. 죽음 그리고 전투에서의 패배는 남부 연합이 그저 하느님의 축복을 받기 위해 선택된 것이 아니라 마치 욥과 같이, 고난을 이기고 궁극적으로는 믿음을 공고히 하고 정화시키기 위해 선택되었음이 분명해졌다. 엠마 홈스는 1861년 12월, 찰스턴의 설교를 듣고 욥이 아내에게 한 말을 떠올렸다. "우리가 하느님께 복을 받았은즉 재앙도 받지 아니하겠느뇨." 테네시의 새라 에스테스는 "주께서 사랑하시는 자를 징계하시고"라는 구절을 명심하려고 노력했으며, 로라 니스벳 보이킨_Laura Nisbet Boykin은 '모든 슬픔과 고통의 물결'이 어떻게 '해안가의 진주와 보석'을 만드는지를 상기시키는 설교에서 큰 위안을 얻었다. 그녀는 "나는 고통이 죄를 씻는다는 것이 사실이라고 믿는다."고 말했다.[6]

상상조차 못했던 전쟁의 공포가 모습을 드러내자 여성은 종교에 의지해 번민을 달래고 인내할 수 있는 용기를 얻었다. 사우스캐롤라이나의 애니 다든은 1861년 여름에 "공명정대하신 하느님이 인간의 사악한 마음을 다스리시어 이 잔혹한 전쟁을 그만두게 하실 것이다."라고 적었다. "그러나 그 분은 우리에게 시련을 더 하시는 것이 최선이라고 생각하신다. 나의 구세주시여, 주님의 뜻이 이루어지리 이다. 주님께서 우리를 멸하실지라도 주님을 믿고 따르겠습니다. 오직 주님의 힘 외에는 그 무엇도 성난 폭풍우를 잠재울 수 없다는 것을 저희가 알기 때문입니다." 기독교에서 약속한 고통이 헛된 것은 아니었다. 올바르게 다뤄진다면 더욱 신실한 믿음과 궁극적인 구원에 이를 수 있었다. 전시의 종교적 가르침은 형벌에는 개혁이 필요하다는 점을 강조했다. 남부 연합은 자신의 죄를 회개해야 전쟁의 시련이 끝날 수 있을 것이다. 잠시 동안의 패배와 실패라는 형태로 나타난 신의 형벌은 최후의 승리가 불가능하다는 뜻은 아니었다. 그 대신 패배는 남부 사람들이 사악함과 불경함을 씻어내고 그들 자신과 그들의 세계를 변화시켜 하느님의 은총을 구해야 한다는 경고로 보아야 했다.[7]

남부 전역의 설교단에서 흘러나온 그러한 메시지는 남부 연합이 하느님의 말씀을 귀담아 듣는 한, 고난과 패배 -포트 헨리와 도넬슨, 안티에텀에서의 패배-가 더욱 위대한 승리로 가는 길일 뿐이라며 남부 사람들을 안심시켰다. 애비 슬로콤_Abby Slocomb은 노스캐롤라이나의 주교인 토마스 앳킨슨_Thomas Atkinson의 '훌륭한 설교'를 기록했다. 설교의 내용은 회중들에게 '국가의 죄악'을 초래한 원인을 그들 안에서 찾아야 하며 그것이 하느님께서 그들을 벌하시는 이유라고 주장하는 것이었다. 조지아의 매티 시워드_Mattie Seward는 신의 분노를 사는 원인으로 투기꾼과 남의 재산을 강탈하는 자를 지목하고 그들을 비난하는 설교를 듣고 기뻐했다. 그녀 역시 이익을 취하는 일에 몰두하는 것이 전쟁으로 파괴된 사회구조를 위협한다고 믿었기 때문이다. 줄리아 데이비슨도 사회악에 관한 시워드의 의견에 동의하며 비슷한 표현으로 의견을 표명했다. "사랑하는 조니, 우리는 더 겸허해져야 돼요. 우리에게는 부와 명예와 권력에 대한 욕심이 너무 많고, 모든 사람들이 부자가 되려고 기를 쓰고 있어요. 우리는 이 전쟁이 끝나기 전에 우리 자신을 낮추어야만 해요." 하느님의 선택된 자들인 남부 사람들은 시련과 형벌을 통해 목적한 바를 이루는 데 더욱 적합한 사람이 될 것이다. 케이트 포스터는 "우리는 시련을 이기고 순수하고 완전해질 것이며 하느님이 우리에게 명하신 선한 일을 위해 싸울 것이다. 남부 연합의 사람들에게는 하늘에 계신 우리 아버지의 권세를 지키는 숭고한 사명이 주어졌기 때문이다."라고 말했다.[8]

전쟁의 고난을 형벌과 개혁과 구원으로 설명함으로써 성직자들은 남부사람들이 재앙 한가운데서도 힘과 확신을 갖고 버틸 수 있는 기반을 마련해 주었다. 이와 같이, 전쟁의 고난이 종교적인 경험으로 바뀌자 종교는 남부 연합 여성들에게 근본적인 위로의 원천이 되었다. 리지 오즈본은 지미에게 이렇게 썼다. "만약 우리에게 성경이 없었다면 우리는 무엇을 했을까요? 지금 성경은 저에게 가장 큰 위로가 되고 있어요." 뉴올리언스의 젊은 엄마는 멀리 있는 남편에게 "종교가 저를 지탱해주지 않았다면… 저는 스스로 목숨을 끊었을 거예요."라며 훨씬 더 단정적으로 말했다. 종교는 살아남는 데 없어서는 안 될 것처럼 여겨지기 시작했다. 제인 빌_Jane Beale의 가족들은 포탄이 주변에 떨어졌을 때 프레데릭스버그 지하에 모여 시편을 암송했다. "군대가 나를 대적하여 칠지라도 내 마음이 두렵지 아니하며…" 남부 연합 군대가 서쪽에서 세 번의 역습에 성공했을 때 사우스캐롤라이나의 앨리스 레디는 그 세 번의 후퇴를 '우리의 자만 때문에 신이 내리신 벌'이라고 부르며 마음의 짐을 덜었다. 그녀는 어떤 패배는 예상된 것이었다며 자기 위안을 했다. "만일 우리가 패배를 단 한 번도 경험하지 않았다면 역사상 유례가 없는 전쟁이 되었을 것이다. 나는 전혀 낙담하지 않았다. 나의 믿음은 더욱 강해졌다. 나는 우리가 결국 하느님의 도움으로 승리해야 하며, 승리할 것이라고 생각한다."[9]

전쟁이 끝난 후의 줄리아 데이비슨. 조지아 주 애틀랜타의 애틀랜타 역사센터 소장.

국가적 시련과 마찬가지로 기독교인에게 죽음은 구원과 영생이라는 더 위대한 영광으로 향하는 도중에 만난 고난일 뿐이었다. 사랑하는 사람의 죽음은 군사적 패배와 마찬가지로 신의 계획 중 일부로 받아들여야 했으며, 심지어는 영원한 생명을 얻게 되었음을 축하해야만 했다. 감리교 주교의 딸인 로라 헤이굿_Laura Haygood은 기숙학교에서 슬퍼하는 친구에게 편지를 썼을 때 이것을 잘 이해하고 있음을 보여주었다. "하느님께서 죽음을 통해 우리에게 가르치시는 교훈을 가슴으로 받아들인다는 것이 얼마나 힘든지 알고 있어. 하지만 우리가 그리했을 때, 사탄의 암흑의 길이 천국으로 향하는 광명의 길이 될 거야." 새라 에스피의 스물네 살 된 아들이 군대에서 죽었을 때, 그녀는 천국을 상상해봄으로써 슬픔을 억제할 수 있었다. "우울하고, 지루하고, 골치 아픈 군대에서 기쁨이 넘치는 천국으로 가다니 이 얼마나 대단한 변화란 말인가! 나는 내 아들을 위해 슬퍼해서는 안 된다고 생각한다. 이런 비참한 시대에서 행복하게 해방되는 것이기 때문이다." 전쟁의 위험성을 몸소 경험한 많은 여성들처럼 사우스캐롤라이나의 메리 호트_Mary Hort도 친구나 친척들의 죽음과 자기 자신의 죽음에 대한 두려움을 대하는 방법을 종교에서 찾았다. 한 양키 군인이 총칼로 그녀를 위협했을 때 그녀는 침착하게 말한다. "당신이 나를 죽이면 나는 곧장 천국으로 갈 겁니다. 나는 기독교인이거든요."[10]

가장 중요한 일

'천막을 친 전장'에서 제외된 여성들은 전쟁의 명분을 위해 기독교적 믿음을 공고히 함으로써 신의 뜻을 따를 수 있다고 생각하였다. 미시시피의 애니 하퍼는 "우리는 우리가 할 수 있는 것보다 훨씬 더 많은 일을 하기를 원했다. 전능한 힘에 호소하여 우리가 하지 못했던 일을 하는 것은 큰 기쁨이었다."고 회상했다. 앨리스 레디의 좀 더 직접적인 표현을 빌리면 '숙녀들은… 기도를 할 수 있었다.' 기도는 국가에서 전쟁에 부여한 기독교적 의미를 굳히는 데 크게 기여를 했다. 정중하게 애국적인 남부 여성들에게 바쳐진 당대 유행가는 "여성들이여, 기도하라!"였고, 1864년 리치몬드에서 낱장악보로 출판되었다. 만약 대규모 군대보다도 순수한 믿음이 승리에 더 많은 영향을 미친다면, 여성들의 활동은 중요한 것이었다. 로라 코머_Laura Comer는 "이 전쟁으로 얻은 가장 큰 이익은 모든 사람들이 선을 행하는 특권과 기쁨을 허락받았다는 것이다."라고 기록했다.[11]

그러나 전통적으로 제도화된 종교는 남부 연합 후방에서 번성하지 못했다. 많은 교회들이 성직자들의 출정 때문에 문을 닫거나 예배드리는 횟수를 급격하게 줄였다. 셀 수 없이 많은 남부 사람들이 미시시피의 열한 살 된 소녀 벨 스트릭랜드_Bell Strickland와 같은 경험을 했다. 그녀는 1865년 1월 일기장에 이렇게 적었다. "오늘 교회에 갔는데 아무도 없었다." 때때로 여러 교파들은 서로의 차이를 무시하고 한 자리에 모여 남아 있는 목사 한 명이 주재하는 예배를 함께 드려야만 했다. 그러나 예배가 열릴 때에도 교통수단이 부족한 탓에 신도들은 쉽게 참석할 수 없었다. 그들의 말과 노새, 마차는 전쟁에 징발되었다. 피난민이었던 새라 에스테스는 거처를 자주 옮겼기에 교회에 출석할 수가 없었다. 그녀는 "나는 거의 불신자가 될 것이다."라며 걱정했다. 전쟁터 근처의 교회들은 병원으로 변했으며 정기적으로 종교의식을 갖기란 거의 불가능했다. 많은 교회가 심각하게 손상되거나 파괴되었다. 빅스버그가 포위되었을 동안 어느 목사는 여성 교구민 단 두 명의 주장에 못 이겨 예배를 드렸는데, 그녀들은 손상된 건물의 일부였던 벽돌과 회반죽, 유리 한 가운데서 앉을 곳을 찾지 못해 애를 먹었다. 적군에게 점령된 지역의 사람들은 예배에 불참하는 일이 많았다. 양키 군인들과 섞여 예배를 드리고 미연방 대통령을 위한 기도를 참아야만 했기 때문이다. 테네시가 점령당했을 때 메리 벨_Mary W. M. Bell은 남편에게 보내는 편지에 이렇게 썼다. "우리는 교회에 갈 수가 없어요. 목사님들이 링컨을 위해 기도해야만 하거든요. 그래서 저는 3년 동안 교회에 가지 않고 있어요."[12]

종교 부흥 집회가 1862년부터 전쟁이 끝날 때까지 남부 연합 군대를 휩쓸었지만, 후방에서는 신의 은총에 감사하는 행사가 개최되는 것 같지 않았다. 『비블리컬 레코더_Biblical Recorder』지에 의하면 "어쩔 수 없이 군대에 있는 사람들이 후방에 있는 사람들보다 신앙심이 깊다고 믿을 수밖에 없다"는 것이다. 그러나 남부 연합 시민들이 무심하고 불경하다는 비난은 남부 연합 후방 특유의 종교적 표현 방식이라는 테두리 내에서 살펴보아야 한다. 군부대와 비교해서 정규 예배가 감소하고 눈에 띄는 신앙부흥 집회가 거의 없었다는 사실이 반드시 종교적 헌신과 신앙심의 상실을 의미하지는 않는다. 후방에서의 종교적 형식은 안수목사들이 이끄는 교회중심의 예배와 의식에서 여성들이 이끌고 대부분의 참석자도 여성인, 가정 중심의 행사로 바뀌었다. 일반 교인들 중에서 여성이 차지하는 비율이 많아짐에 따라 종교적인 관행도 공적인 것에서 가정적인 것으로, 남성의 영역에서 여성의 영역으로 변했다.[13]

여성들은 남부 전역의 도시와 마을에서 정기 기도모임을 결성하는 한편, 예배 시간을 조절하여 기도의 효과를 높이려는 노력을 하기도 했다. 집안의 가장으로 새롭게 취임한 여성들은 흑인가족과 백인가족들의 단결을 도모하고 자신들의 새로운 집권을 정당화하기 위한 수단으로 자주 정식 기도모임에 의지했다. 홈스의 가족이 찰스턴에서 내륙으로 피난을 갔을 때, 엠마의 어머니는 가족들로 구성된 기도모임을 아침, 저녁으로 가졌다. 엠마는 "우리는 그런 모임을 한 번도 열어본 적이 없다."고 적었다. 윈체스터에 있는 자신의 집에서 초창기 대규모 종교 집회를 가졌던 메리 리는 숙녀 수십 명을 상대로 목사 역할을 하는 것이 어색하게만 느껴졌다. 그래서 '예배를 이끄는' 사람이 그녀였음에도 불구하고, 오직 기도서에 쓰인 기도만을 읊조렸다. 그녀는 하느님의 말씀을 전할 준비는 되었지만, 온전히 자신만의 표현으로 기도를 할 준비는 되어있지 않았다. 버지니아의 한 병원에서 간호사와 간호부장으로 일하던 케이트 로랜드_Kate Rowland와 그녀의 어머니는 이윽고 종교적인 책임까지 떠맡게 되었다. 그들은 정기주일예배 때 회복기 환자들에게 성경을 읽어주는 일 외에도 치료한 보람이 없이 세상을 떠난 환자들을 위해 기독교 장례식까지 진행했다. 케이트는 "겨울 내내 목사님이 안 계셨기 때문에 우리는 스스로 부족한 부분을 메워야 했다."고 설명했다.[14]

군대 전도사들도 인정했듯이 전쟁이 있기 전 교회의 토대를 형성한 사람은 여성이었다. 『릴리져스 해럴드_*Religious Herald*』지에서도 논평한 바와 같이 전쟁이 시작될 무렵 개종하지 않고 교리를 지키지 않는 사람들, 주변에서 말씀과 교리를 전하는 사람들에게 부분적으로 혹은 완전히 눈과 귀를 막고 있는 사람들은 대부분 남성들이었다. 군대에 모인 사람들은 목사들에게는 가장 탐나는 목표였는데, 그들은 지금까지 '목사의 영향이 가장 미치기 어려운' 사람들이었기 때문이었다. 이미 신자였던, 가정에 있는 여성들은 더 이상의 수확을 기대하기 힘든 밭이나 마찬가지였다. 그렇기 때문에 전시 여성들의 신앙심에서 중점적인 것은 기독교인 병사들에게 하듯이 개종시키려는 것이 아니었다. 그 대신 민간 종교가 그러하듯이 가족과 가정 내에서 예배를 드리게 됨에 따라 예배 관행과 지도력은 가족중심이 되었다.[15]

남부 연합 군대막사의 종교적 열기 중 최소한 일부는 지상에서만이 아니라 영원히 남편을 잃게 될까봐 두려워하는 후방의 여성들에게서 시작되었다. 여성들은 신의 노여움을 살지도 모르는 자신의 죄악을 살피는 동안, 남편에게도 같은 일을 하도록 권유했다. 조직화된 교회단체들은 자기 내면에서 죄악을 찾아야 한다는 이런 여성들의 메시지에 담긴 힘을 이용하는 한편, 가장 인기 있는 여러 종교 소책자에 여성들의 메세지를 포함시켜 전쟁동안 군인들에게 나눠주기도 했다. 1862년 말에는 각 종파 지역 협회가 『마더스 파팅 워즈_*A Mother's Parting Words*』 15만부를 남부 연합 군대에 배포하여 이 땅의 모든 남자들은 '신앙심을 가질 필요'가 있다는 점을 군인들에게 상기시키는 한편, 전쟁 전 대부분의 교회신도가 여성들이기는 했지만 '신앙심 때문에 여성적이 되거나 겁쟁이가 되는 일은 없을 거라며' 군인들을 안심시켰다.[16]

전쟁이 있기 전에는 남편의 믿음이 부족해도 여성들이 크게 개의치 않았지만, 전투의 위험이 엄습하자 불신은 더 이상 간과할 수 없는 것이 되었다. 개종하지 않은 남편의 죽음은 영원한 이별을 뜻하는 동시에 내세에 축복받은 재회가 불가능함을 의미했다. 줄리아 데이비슨이 조니에게 물었다. "하느님과 화해했다고 느끼세요? 사랑하는 조니, 당신이 영원의 세계에서 기대하는 것이 무엇인지 말씀해주세요." 줄리아는 종교적인 것이 "지금 우리에게 가장 중요한 당면과제이며 다른 모든 것에 우선 한다"고 확신했다. 남편과의 전면적인 대립을 감수할 만큼 자신의 믿음이 강하다고 생각한 레이첼 크레그헤드_Rachel Craighead는 남편에게 교회에 가야한다고 주장했다. 남편은 그녀가 뻔뻔스럽게 자신을 지배하려 한다며 화를 냈다. 이처럼 남편의 분노에 비참한 기분이 들었어도 그녀는 자신에게 영감을 주신 하느님께서 자신이 단호할 수 있는 권한을 주셨다고 느꼈다. 마가렛 휴스턴_Margaret Houston은 군대에 있는 아들에게 보내는 편지에 기독교인 병사로서 그의 상황과 관련이 있는 성경구절을 써 보냈다. “이 구절 전부를 암기할 계획을 세우면 좋겠다.” 매일 매일 신약성경을 읽기 위해 계획을 세우는 것도 현명한 생각으로 보였다. 마가렛은 야보고 15장에서 명했듯이 찬송가를 부를 의무를 아들에게 상기시켜주었다. 승리하기 위해서는 신앙심이 반드시 필요했고, 용기를 얻은 여성들은 승리를 쟁취하기 위해 종교적으로 상당한 영향력을 행사했다. 레일라 캘러웨이가 말하길 “만일 우리가 신을 경외하는 군사들이라면, 나는 패배를 두려워할 필요가 없다.”고 했다.[17]

전쟁은 우리를 무디게 만들었다

그러나 신이 약속한 그 모든 것에도 불구하고 전쟁이 시작된 후 달이 바뀌고 해가 바뀌고, 사랑하는 사람을 잃은 고통이 참을 수 없을 지경에 이르자 의혹을 떨치기가 쉽지 않았다. 1864년, 콜롬비아에서 부상당한 아들을 간호하고 있던 슬로콤_C. A. Slocomb 부인은 낙담과 되살아난 믿음 사이에서 갈팡질팡하는 심경을 묘사했다. “나는 가끔씩 평화에 대한 희망이 요원해 보일 때면 매우 의기소침해지며 우리의 적들이 너무 강한 것은 아닌지 걱정스럽기까지 한다. 반면, 우리 자비로우신 아버지가 우리의 적으로 판명된 저 야만스러운 사람들의 세력에 무릎을 꿇도록 우리를 내버려두실 리는 없다는 생각이 든다… 나는 이 모든 시련이 우리를 이롭게 하며 우리의 국가를 깨끗케 하기 위함이라고 믿는다." 슬로콤은 서두에 마음속 의혹을 표현하였지만 형벌과 구원에 관한 이야기를 하며 근심을 해소했다. 그러나 그녀 역시 여성들의 확신을 약화시키는 불안과 초초함을 드러내기도 했다. 앞선 세대의 수많은 기독교인들처럼 전시의 남부 연합 여성들도 공명정대하시고 전능한 하느님께서 악의 존재를 허락하신 이유를 설명하는 데 대한 어려움, 즉 신정론_theodicy.神正論.이라는 골치 아픈 문제에 부딪혔다. 때로는 여성들에게 지워진 고통과 역경이 신의 뜻이라는 사실이 믿기지 않았고, 또 때로는 더 이상의 고통은 감내하지 못하겠다는 생각이 들기도 했다.[18]

전에 없이 늘어가는 사망자수는 여성의 감수성에 엄청난 영향을 미쳤다. 전쟁 중반 무렵, 여기서 자유로울 수 있는 가족은 거의 없었다. 1863년 9월의 어느 날, 친구들을 방문 중이던 캐서린 에드먼드스턴은 게티즈버그와 빅스버그 전투의 결과인 잔혹한 여름을 직접 대면하게 되었다. 여덟 집을 방문한 그녀는 모든 가정이 남편이나 남자형제, 또는 아들의 상중이라는 것을 알았다. 케이트 스톤은 그 해 말 "거의 모든 가정이 사랑하는 사람을 잃고 슬퍼하고 있다."고 기록했다.[19]

전쟁이 시작된 지 얼마 지나지 않았을 때부터 애도는 절대적으로 여성들의 일이었다. 군인들은 강압적인 군사적 명령으로 정신이 없었다. 검은색 옷을 입고 슬픔 속에 고인의 장례식을 치른 것은 여성들이었다. 전사한 군인을 애도하는 일은 군인의 죽음에 기독교적인 의미를 부여하는 것이며, 정치적 희생에 고귀한 정신적 목적을 불어넣는 것이었다. 여성들의 눈물은 남성들의 죽음을 신성하게 만들고, 종교적 · 정치적으로 불후의 명성을 약속하며, 모든 희생자들이 남부 연합의 승리뿐만 아니라 기독교인의 순교라는 한층 더 숭고한 개념에 기여한 것이라고 인정되었는데, 기독교인의 순교와 남부 연합의 위대한 목적은 서로 혼동되곤 했다. 애도는 일반적으로 생각하는 여성만의 고유한 특성과 잘 어울렸다. 기독교의 슬픔에는 무엇보다 체념과 순종, 전능한 아버지의 뜻과 권세 앞에서의 자기부정이 포함된다. 현세에서 그런 태도에 익숙해 있던 여성들이 이런 특성을 지닌 종교적인 일에 안성맞춤이었다. 전시의 애도 중에 남부 연합 여성들은 지상의 목적과 신의 목적을 위한 것이라는 의미로 개인적인 상실을 받아들여야 한다고 단호히 말했다. 남편과 형제, 연인과 아들은 죽었을지 모르나 국가의 뜻과 하느님의 뜻은 이루어졌다. 여성들의 애도는 정치적, 종교적인 의미를 내포한 여성의 종속과 복종을 당연시할 가능성이 있었다.[20]

여러 가지 방법으로 여성들에게 자신감을 심어주었다는 점이 전시동안 〈라타네의 장례식_*The Burial of Latané*〉이 엄청난 인기를 끌었던 이유일 것이다. 윌리엄 워싱턴_William D. Washington이 1864년에 완성한 이 그림은 여성들이 종교적 의식에서 새롭게 맡은 중요한 역할 못지않게 애도에 대한 특별한 의무를 찬양한다. 원래 리치몬드에 있는 화가의 작업실에 걸려있던 가로 4피트_121.92cm 세로 3피트_91.44cm 크기의 작품은 '엄청난 수의 방문자들' 을 끌어들였고, 후에 국회의사당 건물로 옮겨졌다. 그림 아래에는 양동이가 놓여 있는데, 남부 연합 대의에 기여하기 위한 기부금을 모았다. 그림은 국가적 상징물이 되었다.

〈라타네의 장례식〉은 1862년 7일간의 전투 동안 목숨을 잃은 한 젊은 남부 연합 중위의 장례식을 묘사하고 있다. 적군의 전선 후방에서 이방인들과 남부 시민들 사이에 남겨진 윌리엄 라타네_William Latané의 시신은 여성들 손에 맡겨진다. 마지막 의식에 목사와 가족들을 부를 수 없었기에 대신 여성들과 노예들이 모여 죽음을 맞이한 영웅을 매장한다.

분명 역사이야기 형식의 그림인 라타네는 기독교인의 희생과 국가적 승리에 대한 이야기를 하고 있으며, 동시에 여성을 성스럽고 정치적인 의식의 진행자로 묘사하고 있다. 성직자가 아닌 기혼 여성이 의식을 이끌지만, 윈체스터의 메리 리처럼 그녀도 신과 기도서에 의지해 말을 한다. 삽에 몸을 기댄 노예들과 백인 여성들은 남부 연합의 위대한 목적을 지지하는 후방의 민간인들의 상징

'라타네의 장례식', 윌리엄 워싱턴이 1864년에 그린 유화. 판사 존 디하딧(John DeHardit)의 소장품.

이다. 워싱턴이 암시하는 것은 의례화 된 슬픔이 하나가 되고 신성해지는 것이다. 〈라타네의 장례식〉은 애도에 대한 여성의 문화적 책임을 묘사하며 그것을 찬미하고 있다.[21]

전쟁 초기에 전사자의 죽음은 정교한 의식으로 치러졌다. 1861

년 7월 26일, 첫 번째 매너서스 전투에서 전사한 시신들이 찰스턴으로 돌아왔을 때 도시 전체의 업무가 중단되었고, 3개 기병 중대가 철도역에서 시청까지 시신들을 호위했다. 죽은 영웅들이 안장되기 전, 천 명이 넘는 군인들이 세인트 폴 교회, 그리고 마지막으로 매그놀리아 묘지까지 전송했다. 그 후 1년 남짓 지났을 때, 콘스탄스 캐리는 리치몬드의 헐리우드 묘지에서 진행된 상반된 장례식 장면을 보고 마음이 아팠다. "입을 크게 벌린 구덩이가 예닐곱 개의 관을 모두 함께 삼키고 서둘러 메워졌다. 그것이 남부 연합의 대의를 위해 희생한 그들에게 보답하기 위해 국가가 줄 수

슬퍼하는 여인들. '뉴올리언스의 묘지'. 1863년 4월 15일, 신문에 실린 프랭크 레슬리(Frank Leslie) 그림.

있는 모든 것이었다.” 1862년 말, 어느 여성은 리치몬드에서 수십 명씩 죽어가는 부상병들을 관 하나당 네 명씩 묻는 반면, 전장의 전사자들은 그냥 도랑에 던져지고 있다고 기록했다. 미시시피 주 옥스퍼드의 한 육군병원 간호사는 영원의 세계로 가는 여정을 위해 기도해 줄 목사도 없이 군인들이 ‘마치 죽은 닭처럼 무더기’로 매장되었다고 기억했다.[22]

이렇게 달라진 행동은 사고방식에서 중대한 변화가 생겼음을 의미했다. 조지아 어느 병원의 간호 부장이었던 파니 비어스_Fannie Beers는 죽은 이들을 향한 자신의 행동에 생긴 변화를 언급했다. 처음에 그녀는 전사한 군인 모두의 장례식에 참석하고 그들의 무덤에서 장례를 위한 예배를 가졌다. “그러나 그것은 불가능한 일이 되었다. 죽은 사람들은 도움이 필요 없고, 살아있는 사람들에게는 언제나 도움이 필요하다.” 전쟁이 끝나기 전 마지막 1년가량은 관이 거의 품귀현상을 빚었고 상복 구하기도 하늘의 별 따기였다. 케이트 스톤은 1864년 4월에 이렇게 기록했다. “사람들은 죽은 사람들에 대해 이전처럼 슬퍼하지 않았다. 모든 사람들이 오직 지금 이 순간, 그저 하루하루 살아가는 것처럼 보인다. 그렇지 않았더라면 많은 사람이 제정신이 아니었을 거라고 생각한다.” 슬픔뿐만 아니라 죽음 자체도 새로운 의미를 갖기 시작했다. 1863년, 캐리 프라이즈_Carrie Fries는 “1년 전과는 완전히 다른 관점에서 죽음을 대하고 있어요.”라고 약혼자에게 말했다. 케이트 스톤도 “죽음은 예전의 절반만큼도 끔찍해 보이지 않는다.” 고 동의했다. 1864년 여름, 젊은 내니 하스킨스는 “전쟁이 우리를 무디게 만들었다.”고 했다. 무감각은 불가해한 상실과 고통에 대해 보호막과 방어막을 제공했다. 케이트 포스터는 남자 형제의 죽음에 대한 감정적 변화의 원인을 깨달았다. 그가 떠난 후 “나의 심장이 돌처럼 굳어졌다. 지금은 누군가를 너무 많이 사랑하게 될까봐 두렵기까지 하다." 그러나 그러한 부정은 그 자체만으로도 끔찍한 또 다른 종류의 상실인 감정의 메마름, 감수성의 마비를 나타내는 것이기도 했다. 메리 리는 이렇게 말했다. "전시에는 나를 매장하지 말라. 지금은 모든 사람이 아무것도 느끼지 못한다."[23]

체념에 관한 기독교 교리는 정신적 마비와 부정의 과정을 뒷받침하는 것처럼 보였지만, 사별의 고통을 받아들이려고 몸부림치는 사람들에게 하느님의 뜻을 인정하고 거기에 순종하는 일은 여전히 가혹한 시련이었다. 모든 새로운 상실과 새로운 두려움은 그 보호막을 깰 우려가 있었다. 여성들은 고통과 슬픔을 이기고, 이 세상의 걱정근심을 잊으려고 노력하는 가운데 종교적 가르침과 성경을 거의 마법의 주문처럼 의지했다. 뉴올리언스의 그리마_A. Grima는 전방에 있는 아들을 걱정하며 "신의 뜻에 자신을 내맡기고 우리에게 주시는 고난을 받아들여야 한다… 나는 복종하고 기도하고 믿음을 가져야만 한다._Il faut se résigner à la volonte de Dieu et accepter les croix qu' il nous envoie...Il faut me soumettre et prier et espérer."고 적었다. 여성들은 신명기 33장 25절을 반복해서 읽었는데, 이것은 설교와 묵상을 위한 인기 구절이었다. "네 사는 날을 따라서 능력이 있으리로다." 시련과 인내를 적절히 헤아리시고 그분의 자녀들에게 불가능한 일은 요구하지 않으시겠다는 하느님의 약속이었다.[24]

그러나 포기와 자기 부정에는 한계가 있었다. 줄리아 데이비슨은 사라지지 않는 고통에 대해 습관적으로 자기 자신을 비난했다. "만일 내가 신실한 기독교인이고 하느님에 대한 믿음이 부족하지 않았다면 내 인생이 평온하게 지나갔을 것이다. 모든 것이 잘 될 거라고 말할 수 있었을 것이다. 오, 그랬다면 얼마나 좋았을까. 그랬다면 내 운명이 어떠하든간에 포기하고 받아들일 수 있었을 것이다. 하지만 슬프게도 나의 본분을 다하지 못했구나." 수잔 콜드웰은 '반항적인 마음을 억누르고 *주님 뜻대로 이루어지리 이다* 라고 말하지 못하는' 자신의 부족함을 여러 차례 한탄했다. "오! 순종이란 얼마나 힘든 일이란 말인가." 종교에 의지하였음에도 불구하고 콜드웰은 "더 이상의 고통은 견디지 못할 것이다."라고 생각했다. 그녀는 독실한 기독교인이 되기를, 천국에 갈 수 있도록 살기 위해 그리고 천국에 가서 안식을 찾게 될 거라는 확신이 들기를 간절히 바랐다. "그러나 쉬운 일이 아니라는 것을 알았다. 나의 마음은 너무나 불온하다." 텍사스의 어느 여성은 "나는 '주님 뜻대로 이루어지리 이다'를 이해하려고 노력하고 있다."라고 적었다. 방금 남편이 게티즈버그에서 전사했다는 소식을 들은 한 여성은 "오, 주님 저에게 은총을 베푸사 '내 뜻대로 마옵시고 아버지 뜻대로 하옵소서.'를 이해하게 하옵소서."라고 간청했다. 인생의 현실이 가혹해지자 여성들은 기독교를 의지하여 '이 세상을 가벼운 의복처럼 걸치고자' 했다. 한 익명의 여성이 『애틀란타 뉴스페이퍼*Atlanta Newspaper*』지에 시를 기고하였는데, 믿음에 대한 자신의 의문을 개조하고 "불경한 눈"에 초점을 맞추어 시로 표현하였다.

나는 눈물을 흘릴 수도, 감히 기도를 할 수도 없다.
우울하고 불온한 생각
오늘 나의 외로운 영혼을 흔든다
밤은 평안을 가져다주지 않는다.

어찌하여 권력은 정의를 짓밟고
죄를 범한 자가 결백한 자를 짓밟으며,
슬픔의 밤, 쉼 없는 열렬한 기도는
아무런 보답을 받지 못하는가?

그러나 자신의 괴로운 마음을 표현한 후, 시인은 하나님에 대한 도전을 멈추고 신의 전능함 앞에서 자신이 정당하게 주장할 수 있는지 반문하였다.

그러나 나의 불경한 시선을
저기 저 눈부신 천국으로 돌린다
나는 천국의 빛나는 별들이 전하는
고요한 대답에 복종한다

거대하고 장엄한 수많은 세상들
그 모두가 태양 주위를 돌고 있다
그리고 나는 감히 조물주의 능력을 의심한다
이들 중 하나의 세상이라도 현명하게 다스릴 수 있으신가요?

겸손하고 경외하는 마음으로 무릎을 꿇는다
이 세상이 그저 위대한 창조물의 사슬에서
한 부분에 불과할 때
나는 얼마나 연약하게, 얼마나 하찮게 보일 것인가 [25]

의혹은 여성의 자기비하와 감히 의문을 제기하였던 '나' 자신을 낮춤으로써 해결되었다. 여기서 신의 정당성은 확실히 그의 자비심이 아니라 그의 권력에서 비롯된 것이었다. 신의 지혜로움의 증거로 시인이 인용한 것은 신의 힘이며, 그녀는 자신의 경배가 처음부터 사랑이 아니라 겸손함과 경외심, 나약함에서 비롯된 것이라고 설명했다.

그러나 어떤 여성들은 패배와 대학살을 겸허히 받아들이지 않았다. 오빠의 죽음과 남부 연합의 연이은 패배에 큰 충격을 받은 내니 하스킨스는 이전에 썼던 일기를 읽으면서 깜짝 놀랐다. “나는 마치 주님에 대해 불평이라도 하듯이 썼다.” 그녀는 재빨리 하느님의 계획에 거스르는 듯한 생각은 아주 작은 것 하나까지도 모두 철회했다. “어찌되었든 모두가 우리에게는 잘된 일이다.” 남부 연합의 사상자에 대한 소식에 슬퍼하던 클라라 솔로몬은 마음을 추슬렀다. “자, 이제 그만하자. 우리는 거룩한 하느님을 원망하고 있다. ‘주님께서는 모든 일에 능하시다.’” 남부 연합의 패배라는 차마 입에 담을 수 없는 일을 생각하던 앨리스 레디는 이렇게 고백했다. “그 분의 명령에 반항하고 싶지는 않다. 하지만 나의 믿음이 오늘 밤처럼 약해진 적은 없었다.” 1861년 헨리 팀로드가 전쟁의 결과를 의심하는 것은 신에 대한 믿음이 부족한 것이라고 썼을 때, 그는 남부의 확고한 신앙심에 의지해서 남부 연합의 애국심을 강화하려는 목적을 갖고 있었다. 그러나 그는 예기치 않았던 방식으로 예언을 하였다. 남부 연합에 대한 확신이 약해지자 종교적 확신도 흔들리기 시작했다. 메리 게이_Mary Gay는 “어떤 여성들은 우리가 전쟁에 패한다면 기도에 응답하신다는 신에 대한 믿음을 모두 잃게 될 거라는 뜻을 노골적으로 드러냈다.”고 기록했다.[26]

새라 에스테스는 1862년 말, “가끔씩 당치않게도 신이 우리를 버리셨다는 느낌이 들 때가 있다.”라고 실토했다. 남편을 잃고, 집도 없고, 궁핍했던 윈체스터의 코넬리아 맥도날드는 불신과 절망이 가득 찬 끔찍한 시간동안 내내 소파에 누워 에스테스와 마찬가지로 하느님에게 버림받은 느낌을 묘사했다. 그러나 점차 그 분의 선량함에 대한 기억이 생각나자 그녀는 “‘비록 그가 나를 죽이실지라도 나는 그 분을 믿노라’ 라고 결심하기에 이르렀다.” 메리 게이의 경우, 오빠의 죽음이 믿음에 대한 시험이었음이 밝혀졌지만 그녀가 통과하지 못한 시험이기도 했다. “나는 오빠가 죽는 것이

하느님의 뜻임을 믿지 않았으며, 거룩한 분에게 '당신 뜻대로 이루어지리 이다.' 라는 말도 할 수 없었다."[27]

분명, 더 이상 전쟁의 고통을 순순히 받아들일 수 없었던 일부 여성들은 세상에서 자신의 안위를 꾀하려 하였다. 루이지애나의 아이다 윌컴_Ida Wilkom은 운명을 포기하고 순종적으로 받아들이는 대신에 1862년 남부 연합의 국방장관에게 정치적 표현을 담은 편지를 보냈다. 그녀의 글은 위안을 주기로 유명한 신명기 구절의 의미를 완전히 바꾸었다. 하느님께서는 '네 사는 날을 따라서 능력이 있으리로다.' 라고 약속하셨다. 그러나 아이다 윌컴은 남편을 군에서 제대시켜줄 것을 요구하며 "저는 묵묵히 신의 뜻을 따르기 위해 제가 할 수 있는 최선을 다했습니다. 하지만 저는 인간의 육체가 허락하는 만큼의 고통만 감당할 수 있다는 것을 깨달았습니다."라고 말했다. 윌컴은 여기서 인간 고통의 한계를 세속적이고 비종교적인 의미로 규정했다. 그녀의 인내하는 능력은 신성을 지닌 것이 아니라 인간의 것이었으며, 신은 고통을 덜어주겠다는 약속을 지키지 않았다. 그녀의 사는 날 동안 마주한 고통은 그녀가 감당할 수 있는 한계를 넘어서고 있었다.[28]

수 많은 회의론자들에게 남아있던 신학적, 관념적인 반항은 구체적인 형태로 나타날 가능성이 있었다. 아이다 윌컴의 경우와 같은 행동주의는 종교와 정치가 혼합된 남부 연합에서 필연적인 결과였다. 만일 전쟁이 단순히 보다 중요한 종교적 문제의 상징이나 표상이었다면 여성들은 윤리적 의미를 찾기 위해 현재 일어나고 있는 사건을 한층 더 주의 깊게 바라볼 수 있었을 테고, 사회의 움직임에 대해서도 합리적인 판단을 내릴 수 있었을 것이다.

지상의 권력제도는 신에 의한 통치가 연장된 형태였다. 하느님은 자신의 권력을 지상의 대리인인 백인 남자들에게 위임하셨으며, 백인여성과 흑인 노예들에게는 복종을 명하셨다. 여성들이 보기에는 이런 개념이 최고 지배자인 하느님을 포함한 권력 사슬을 만들었다. 하느님은 이 지배체제에서 제퍼슨 데이비스보다 한 단계 위에 계신 우두머리였다. 탄원하는 모든 계급의 여성들은 이런 개념을 나타내는 표현으로 데이비스를 부르는 일이 자주 있었다. 여성들은 편지에서 숭고한 영역에서는 행동하고 표현하는데 익숙하지만 정치적인 일에 관여하는 것은 생소하다는 점을 보여주었다. 노스캐롤라이나의 어떤 여성은 남편의 제대를 요구하며 "저는 어떻게 부탁을 드려야 하는지 잘 모르지만 그래도 이렇게 시도해 보려고 합니다. 저는 확신을 가지고 무엇인가를 청하고 그것이 이루어지리라 믿는다면 제가 그것을 얻게 될 것이라고 배워왔습니다. 저는 지금 지상의 아버지인 당신에게 당신의 힘으로 해줄 수 있는 것 한 가지를 부탁하려 합니다." 버지니아 주 체스터필드 카운티의 어느 여성은 정부 공무원에게 쓰는 편지가 새로운 출발을 상징한다고 순순히 인정했다. "저는 조물주를 제외한 다른 누군가에게 간청하는 일에 익숙하지 않습니다." 모바일의 안나 맥코넬_Anna McConnell은 '우리 국가의 구세주'인 데이비스에게 애원했고, 헨리에타 맥도날드는 아들의 군 면제를 위해 애쓰는 동안 '내 영혼을 구원해달라고 하늘에 계시는 하느님께 기도하듯이' 데이비스에게 간청했다. 정치적 탄원을 위해 거룩한 기도의 전통과 관습 그리고 표현까지 동원하였다.[29]

천국의 지배자와 지상의 지배자는 동일하게 보였다. 힐스보로우_Hillsborough의 젊은 여성인 엘리자베스 콜리어_Elizabeth Collier가 그 관계를 명확하게 이해하고 있었다. "최후에 모든 것을 맡길 수 있는 사람은 하느님이시다. 하지만 남성에 대한 의존이 여성의 필연적인 본성임을 여성들이 깨달았을 때야 그 분에게 의지하는 것이

숙명이라는 사실을 알 수 있다." 신학과 정치에서는 의존과 복종이 요구되었다. 그러나 전쟁이 끝나던 해 말, 그들이 약속했던 보호는 오간데 없었고 의존은 위험한 일로 판명되었다. 하느님도, 제퍼슨 데이비스도 여성들의 간절한 요구에 귀를 기울이지 않고 있었다. 여성들은 이제 홀로 자신을 돌보기 위해 투쟁해야 했고, 새롭고 강요된 자율성을 위해 비싼 대가를 지불했다. 괴로운 환경에서 구제해 달라며 여성들이 보낸 감동적인 탄원서를 데이비스의 직원이 서류로 처리한 것처럼, 하느님도 진심이 담긴 기도와 애원에 귀를 닫고 있는 것처럼 보였다. 고통은 점차 복종이 아닌, 신과 주 정부를 향한 분노로 바뀌었다.[30]

남부 연합이 항복하자 남부 여성들은 남부에서의 삶의 방식과 지난 4년 간 남부 연합의 목적을 위해 치른 값비싼 희생에 대한 믿음에 의문을 갖기 시작했다. 분노와 배신감으로 가득 찬 어떤 여성들은 비록 일시적일지라도, 노골적으로 신을 부정했다. 1865년 5월, 그레이스 엘모어는 곰곰이 생각했다. "나는 신에게 의탁할 수 없다. 나의 주님에 대해 비판적인 생각이 든다. 그 분의 정의와 자비심에 대한 의문을… 떨칠 수 없다." 여성들은 오랫동안 그들을 위로해 주었던 고통과 구원에 관한 기독교의 이야기를 현실과 조화시키려고 안간힘을 썼지만 이치에 맞지도 않았고 이해할 수도 없었다. 엘모어는 "모든 침묵의 순간마다, 낮과 밤으로 나는 이 끔찍한 사실의 의미를 이해하려고 노력했다."라고 말했다. 버지니아 프렌치는 현재 그녀의 믿음 체계 안에서 이해할 수 없는 것을 이해하기 위한 방법을 찾으려 한 이야기를 기록했다. "이것이 내가 지금 이해하려고 애쓰고 있는 것이다. '껍질 속에 어떤 황금열매가 숨겨져 있는지' 알아내고 싶은 마음이 간절하다…나는 우리가 그것을 보게 될 거라 믿는다. 지금이 아니면 내세에서라도 말이다.” 메리 리는 “완전히 당황했었다.”고 실토했다. 그녀는 “나침반도 안내인도 없는 바다 위의 배와 같았다.” 그들의 영혼과 정체성이 놓여있던 믿음과 사회체제의 위계질서는 무너졌다. 오랫동안 안내자라 믿어왔던 신도, 제퍼슨 데이비스도 그들이 타고 있는 배의 안내자가 아니었다. 기독교도, 남부 연합의 애국주의도 더 이상 나침반 역할을 하기에는 적당하지 않아 보였다.[31]

전쟁은 기독교의 논리에, 그리고 알게 모르게 여성의 복종에 관한 논리에도 큰 타격을 가했다. 동시에 전쟁으로 인해 종교와 정치가 결합됨으로써 보다 공적인 영역에서 여성이 연관되는 것에 대해 정당하다는 분위기가 조성되었다. 남북전쟁 전 북부의 개혁은 믿음과 행동이 일치함으로써 일어난 것이었다. 그러나 남부 여성들은 수많은 북부 여성들이 전쟁 전에 경험했던 종교적, 사회적 권한을 나눠 갖지 못했었다. 남부 여성들에게는 선택이 아닌 필요가 변화의 원천임이 입증되었는데, 그들은 이것을 “발명의 어머니”라고 부를 것이다. 남부 백인여성들은 남부 연합에서의 인생의 현실을 통해 신과 남자에 대한 의존의 위험성을 뼈저리게 느꼈다. 신과의 거리감, 단절이라는 새로운 느낌은 그들이 그토록 오래 의지했던 남자들에 대한 불신과 뒤섞여 남부 연합 여성들이 전쟁이 끝난 후 세상에서 새로운 독립을 향해 나아가도록 하였다. 여성들은 스스로 안내자와 나침반의 역할, 두 가지 모두를 해내야 할 필요성을 느꼈다.

CHAPTER NINE

To Relieve My Bottled Wrath

CONFEDERATE WOMEN AND YANKEE MEN

제9장

억눌린 분노를 표출하다
남부 연합 여성과 양키 군인들

전쟁동안 여성들은 노골적으로 분노를 표현하였는데, 그들의 분노는 침입하는 양키들을 향한 오래된 적개심에서 비롯된 것이었다. 북부 언론은 남부 여성이 흔히 상상하는 품위 있고 우아한 숙녀와는 거리가 멀 뿐 아니라 악녀에다 잔인하고 독설에 능하며 심지어 점령군에게 신체적인 공격을 가하기도 한다고 공공연하게 비난했다. 『뉴욕월드_*New York World*』지의 한 통신원은 "내가 일찍이 본 적이 없는 신랄함과 복수심, 원한이 도를 넘었다."고 독자들에게 보고했다. 또 다른 기자는 그들은 분명 남자들보다 '훨씬 지독한 반란군' 이라고 했다. 백인여성은 언어와 몸짓, 요강 을 이용하거나 때로는 권총으로 적군을 공격했고 많은 남부 사람은 이것이 여성의 용기와 애국심을 증명하는 영웅적인 행동이라며 환호했다.[1]

그러나 여성의 분노에는 단순히 정치적 충성의 표현보다 더 많은 의미가 담겨있었다. 북부 군대를 향한 남부 숙녀들의 행동은 성별과 계급이 존재함을 확인하는 것이자 그에 대한 도전을 상징했다. 여성의 행동은 여성의 지위와 권력과 관련된 전통적인 통념이 여전히 존재하며 또 한편 붕괴되었음을 보여주는 것이었다. 여성들은 오랫동안 소중히 여겼던 정체성과 사랑하는 사람들이 위협당하는 것에 대한 적개심이 전에 없던 분노와 호전성 –가끔 이것에 대해 스스로 놀라기도 했다.– 으로 대신 나타난 것이라고 생각했다.[2]

여성의 힘

남부 연합 여성 가운데 연방 군인들과 직접적으로 마주친 사람은 많지 않았다. 그러나 북부가 군사적 장악을 확실하게 하기 위해 남부에 우선 정복군을 보내고, 그 다음에는 점령군을 보냄에 따라 수많은 백인여성이 적군의 직접적인 지배를 받게 되었다. 버지니아, 테네시, 루이지애나, 미시시피 일부 지역 등 남부 연합 국경지역의 시민들이 미연방의 지배를 받게 됨에 따라 남부 숙녀들은 북부 군인들과 날마다 마주 대하게 되었다. 뉴올리언스나 내슈빌에 있는 여성은 그곳에서 사로잡힌 상태에 있었고, 쉐넌도어 계곡_Shenandoah Valley에서는 북부군과 남부군이 계곡에서 우위를 점하려고 싸우는 동안 그 지역에 머물러 있을 수밖에 없었다. 그러나 아마 가장 충격을 받은 사람들은 조지아와 캐롤라이나 여성이었을 것이다. 전장에서 멀리 떨어졌다는 사실을 위안으로 삼았던 그들은 1864년, 셔먼이 일반시민들 혹은 그들의 소유물과 사기조차도 군사적 목표가 될 수 있다고 선언함에 따라 이전에는 몰랐던 전쟁의 잔혹한 측면과 마주하게 되었다.

많은 남부여성이 적진 배후에서보다 후방 전장터로 바뀌는 근대전으로 인해 후방에서 전쟁을 경험했다. 캐서린 코크란_Catherine Cochran은 그녀가 사는 버지니아 마을에 적군이 도착한 후에 인상적인 말을 했다. "우리는 마침내 세상이 어떤 것인지 알게 되었다." 여성들은 당연히 이전에는 상상도 못한 이런 상황에 어떻게 반응해야 좋을지 몰라 당황했다. 오랜 관습에 의해 '텐트를 친 전장'에 발을 들여놓는 것이 금지되고, 사회적으로 노여움과 호전성을 억누르고 폭력은 삼가라고 교육받았다면, 전쟁터를 마주하게 되었을 때 그들은 무엇을 할 수 있었겠는가? 1862년 초, 윈체스터를 점령한 양키군을 향한 공격적인 기분에 깜짝 놀라고 거의 당황하다시피 한 메리 리는 집을 떠나있는 친구에게 간청했다. "애국심을 비롯해서 기독교 정신과 내가 여성임을 잊지 않도록… 나를 위해 기도해줘." 그녀가 자기 것으로 흡수한 종교와 여성의 역할은 어이없게도 그녀가 남부 연합 사람으로서 새로운 정치적 의무라고 생각했던 것과는 어울리지 않아 보였다. 의식하지 못하는 사이에 전쟁으로 인해 공적 영역으로 들어가게 된 메리 리는 40년이 넘는 세월동안 가꾸어 온 그녀의 가정적 미덕이 훼손되는 것은 아닐까 염려했다.[3]

1862년 3월, 한 연방 장교가 리의 집을 찾아와서 그녀의 집에 숨겨져 있다고 소문이 난 남부 연합 깃발을 넘기라고 요구했다. 만약 병사들이 그 집을 수색하게 될 경우 자기로서는 그들을 제지할 도리가 없다고 그가 위협했을 때, 리는 격노하여 대답하였다. 익숙하고 당연한 남자들의 보호를 받는 대신에 그녀는 이제 위협과 맞섰다. 그녀는 "내 인생에서 그런 기분을 느껴본 적은 처음이다. 너무나 화가 났고 분노로 온몸이 떨렸다."고 기록한다. 리는 자신의 사회적 지위와 성별이 자신을 보호해야 하며, 보호할 거라고 생각했다. 그녀는 적이기 이전에 여성, 아니 그 이상으로 숙녀였다. 그 장교의 위협은 특권에 대한 이런 생각에 정면으로 도전하는 것이었기 때문에 리를 분노케 했다. 양키군과 자신만의 3년간의 싸움을 시작한 메리 리는 여성으로서의 권리를 확보하려고 노력하는 동시에 여성의 특권을 이용해서 남부 연합의 이익을 위해 행동했다. 갈등 초기에 리는 연방의 헌병사령관과의 인터뷰를 요청하였고, 그에게 여성이 합법적으로 기대할 수 있는 점에 대해 교육시키고자 하였다. "나는 알렉산더 사령관에게… 우리 모두가 반역자이기는 하지만 문명화된 전쟁 관습에 따라 시민으로 대우해 주기를 바라며, 여성으로서, 모든 숙녀가 신사들에게 기대할 권리라고 할 수 있는 예의범절을 요구한다고 말했다." 그녀라는 사람 자체를 존중한 것인지 그녀의 주장에 담긴 정당성을 존중한 것인지는 모르겠지만, 그는 "고개를 숙이며 내 의견에 동의했다." 두 달 후, 밀로이_Milroy 장군이 리의 집 응접실과 식당에 군인들을 숙박시키겠다고 위협했을 때, 그녀는 장군 앞에 나타나 의도적으로 부드러운 태도를 취하며 "모든 여성은 모든 남자들로부터 보호받을 권리가 있다고 주장했다." 알렉산더 사령관이 동의했던 것처럼, 밀로이도 마음이 약해져서 그녀의 주장에 암암리에 동의했다.[4]

리와 마찬가지로, 남부 전역의 여성들도 비록 서로 간에 차이가 있을지언정 백인 여성의 특권에 대한 남부와 북부 사람들의 사회적 통념이 근본적으로 동일할 거라는 기대 속에서 위안을 얻었다. 남부 연합 숙녀들은 성별의 갑옷이 그들을 지켜줄 것이라는 믿음으로 스스로를 위로하였다. 전쟁 초, 북부군의 진군을 생각하던 앨리스 레디는 "그들이 가까워졌는데도 거의 놀라지 않는 나 자신에게 깜짝 놀랐다. 헤일_Hale 대령은 '진정한 여성은… 그들의 사악한 의도를 무력화시킬 수 있다.' 라고 말했다…나는 그 말을

사바나(Savannah)의 남부 연합 여성과 양키 남성. '미합중국 병참부로부터 원조를 받는 사바나(Savannah) 지역의 부인들과 딸들과 예의바른 남성들'. 1865년 2월 25일자 신문에 실린 프랭크 레슬리의 그림.

믿는다."고 말했다.

그러나 그녀는 잠깐 동안 권총이 더 확실한 안정감을 주는 것은 아닐까 하는 생각을 했다. 헤일 대령처럼 조지아의 페디 역시 여성의 정신적 힘과 사회적 지위에 의지해서 스스로를 방어하라고 아내인 케이트를 격려했다. 그는 편지에 "여보, 군인 수천 명이 집에 닥치더라도 당신이 고결한 숙녀로서의 위엄을 지킨다면, 그 겁쟁이들은 당신의 흔들림 없는 시선 앞에 무릎을 꿇을 것이오." 라고 썼다. 테네시의 버지니아 프렌치는 단도직입적인 말로 매서운 눈빛이 갖는 힘을 증폭시켰다. 어느 양키 약탈자가 그녀를 밀치고 집으로 들어가려 했을 때, "나는 그의 어깨에 손을 올리고 그 눈을 똑바로 바라보았다… 그리고 물었다. '당신은 남자인가요?'

그는 잠시 머뭇거리며 내가 감히 끼어든 것에 놀란 눈치였다. '그렇소.' '당신은 신사인가요?' 그는 대답하지 못했다… 나는 '만일 당신이 신사라면 이 집에서 나가는 것으로 그것을 증명할 수 있을 거예요.' 라고 말했다." 양키군인들이 여성의 가장 내밀한 부분은 침범하지 않을 거라고 확신한 프렌치는 망토 아래에 있는 주머니에 보석을 숨겼다. 엠마 르콩트와 포위당한 다른 수많은 여성처럼, 그녀는 "그들이 우리 몸을 수색할 가능성은 거의 없을 것이다."라고 생각했다.[5]

여성으로서의 특권은 사실 남부 연합 여성에게 대단한 보호막을 제공했으며, 또한 자신들의 투쟁을 과시하기 위한 근거가 되기도 했다. 양키 군인 대부분은 남부 백인여성, 특히 중류계급이나 상류계급의 숙녀들처럼 보이는 여성에게는 가급적 위해를 가하려 하지 않았다. 연방 장교들은 그런 여성들에게 제대로 경의를 표하지 않는 사병들을 제지하거나 질책하는 일이 많았다. 심지어 전쟁 후반에 초토화정책으로 여성들의 자산-그들의 생존을 위한 최후의 보루가 위협받았을 때도, 여성들이 신체적 공격을 당했다는 보고는 거의 없었다. 백인여성들, 특히 최상류계급 여성들은 침략한 군인에게 성폭행의 희생자가 되는 일이 거의 없었다. 연방 군인들이 군사 정복에 따르는 전통적인 권리를 주장했을 때, 흑인여성들은 아마 불운한 성적 전리품이 되었을 것이다.[6]

물론 예외도 있었다. 기습작전과 게릴라전이 성공한 지역에서는 규율의 통제를 받지 않는 남자들이 '문명화된 전쟁'의 관행을 무시했다. 일례로 역사학자 마이클 펠먼_Michael Fellman은 미주리의 게릴라들조차 최소한 이론적으로라도 '여성과 아이를 해치는 것'은 삼가라는 관례를 지켰다고 주장하지만, 미주리 지방에서의 폭행에서 백인여성이 완전히 배제되지는 않았다. 펠먼은 "숙녀들 앞에서 자신들이 신사라고 믿고 싶어 하는 마음은 오히려 비정규군이 연방 군인들보다 더 간절했다."고 썼다. 노스캐롤라이나 서쪽이나 테네시 동쪽처럼 연방군과 남부 연합군 중 어느 쪽을 지지할 것인가를 놓고 시민들이 분열되어 전쟁 내내 다투었던 지역에서는 백인여성들도 전쟁에 참여하는 것처럼 보였기 때문에 일반적이지 않은 전투에서는 공격목표가 될 가능성이 있었다. 남편의 숨은 곳을 밝히라며 부인들을 엄지손가락만으로 매달아 놓거나 울타리에 묶어 놓았다는 보고가 있었다. 그러나 이런 상황에서 희생된 여성이 노예를 소유한 특권계급의 여성이었던 적은 거의 없다. 남부 상류층인사들은 이러한 산악 지대에 수적으로 많지 않았고, 어떤 경우에라도 피난민이 되어 눈앞에 닥친 사회적 혼란에서 벗어나고자 하는 열의도 있었고 수단도 있었다.[7]

남부 연합 여성은 일반적으로 백인여성에게 폭력사용이 금지되었다는 점을 이용해서 남부남자들에게는 허용되지 않은 기회와 또 자유를 얻을 수 있었다. 1862년 4월, 메리 리는 "지금은 분명 여성이 힘을 가진 시기이다. 남자들은 무엇을 말하거나 행하는 것을 두려워하여 우리에게 모든 것을 맡겼다."고 기록했다. 아만다 차펠리아_Armada Chappelear는 "여자들은 남자들처럼 자신의 감정을 표현하는 것을 두려워하지 않는다."며 확인시켜 주었다. 미주리의 어느 노예소유주는 "숙녀는 자신의 말에 책임지는 것에 익숙하지 않다."고 말했다. 윈체스터의 코넬리아 맥도날드는 소유재산을 부수고 집을 차지한 양키 군인들에게 대놓고 욕설을 퍼부었고, 메리 리는 그러한 자신의 이웃을 남부군을 대신해 적군에게 맞서 '용감하게 말하는 남부의 여장부'로 묘사했다. 맥도날드의 호전성에도 불구하고, 군인들은 그녀를 손도 대지 않았다. 그러나 그들의 질문을 받은 그녀의 십대 아들이 자랑스럽게 자신이 '연방탈퇴자'라고 선언했을 때, 연방 군인들은 그 기회를 놓치지 않고 아이를 때리고 발로 걷어찼다. 케이트 카니_Kate Carney의 어머니도 비슷하게 고비를 넘겼다. 그녀가 용감하게 말을 빼앗으려는 양키군인들에게 저항하자, 한 성난 군인이 "만일 그녀가 남자였다면 분명히 매질을 했을 것이다."라고 말했다. 종종 계급의 보호막은 젠더의 보호막을 보강해 주었다. 메리 리는 윈체스터의 침략자들이 품위 있는 남부여성의 매력에 사로잡혔다고 믿었다. "양키들은 당당하고 위엄 있는 태도에 완전히 압도당했다. 그들은 버지니아 상류층 가족들을 진심으로 존경하고 있으며 우리들에게 친절한 말을 듣기 위해서라면 무슨 일이든 할 것이다."[8]

여성들은 재빨리 여성으로서의 특전을 이용했다. 양키군이 보복할 거라는 공포에서 자유로워진 여성들은 숙녀라는 이유로 그들을 옭아매던 남부사회의 속박에서도 벗어난 것처럼 보였다. 그들이 보기에 양키군인들은 예의범절과 상냥함과 관련된 모든 제약의 바깥에 존재하는 것 같았다. 메리 리는 "나는 그들이 인간이라는 것을 실감하지 못하기 때문에 그들을 철저히 경멸한다."라고 적었다. 여전히 여성 본연의 품행을 생각하며 마음의 갈등을 겪던 앨리스 레디는 적군과 직접적으로 말하게 되는 일이 없기를 바랐다. "내 혀를 제대로 간수하지 못할 것 같다… 그들에게 침을 뱉고 그들을 개라고 부를 것 같다."는 것이 이유였다. 레디는 "마음에서 만들어져 입으로 표현되는 나의 소원을 생각할 때면 가끔씩 스스로에게 놀랄 때가 있다."는 것을 시인했다. 통제력 상실은 많은 여성들이 침략자들에게 보이는 가장 핵심적인 반응이었다. 양키군인들의 존재는 남부 숙녀들이 관습적으로 엄격하게 통제하도록 되어있는 감정을 발산해도 된다는 증명서처럼 보였다. 캐롤라인 브라운은 "나는 추한 말을 입에 자주 올렸다."고 시인했다. 샐리 먼포드_Sallie Munford는 "양키들에게 내가 느끼는 격렬한 감정에 놀랐다."고 했다. 버지니아의 캐서린 코크란도 이와 비슷하게 자신의 입에서 나온 무례한 말에 질겁했다. "그들과 말다툼할 수밖에 없었다. 그것이 내 화를 식혀주는 것 같았다." 사우스캐롤라이나의 엠마 홈스는 셔먼의 군대를 조롱하면서 대단한 만족감을 느꼈다고 고백했다. "억눌렸던 분노를 표출할 수 있어서 얼마나 즐거웠는지 모른다." 4년 동안의 전쟁에서 비롯된 홈스의 좌절감은 거의 아무런 위험부담이 없는, 적군에게 내뱉는 욕설로 해소되었다.9

여성은 양키 군인들을 도발하는 그들의 교묘한 솜씨를 자랑스럽게 기록했으며, 때로는 그들이 말로 얻은 승리를 입증하는 장황한 대화를 적기도 했다. 1862년 반도전투후 맥클렐런_McClellan의 지배 기간 동안 처음으로 버지니아 주 윌리엄스버그에서 젊은 여성이 모였다. 이때 해리엇 캐리는 "당연히 *대담한 말대꾸*의 사례를 화제로 삼아 서로 많은 이야기를 주고받았다. 그 밉살스러운 악당들 때문에 그런 기회가 자주 생기기 때문이다."라고 썼다. 케이트 카니는 한 장교와 말싸움을 하는 동안 그의 사병들을 자기편으로 끌어들인 것 같아서 기분이 좋았다. 한 병사가 말참견을 하며 적군이 피츠버그에 상륙하기 전 양키군이 달아난 사실을 자신의 지휘관에게 잊지 말고 물어보라고 설득했을 때 그녀는 연방군이 샤일로와 불런, 리치몬드에서 비겁하게 후퇴했다며 '신랄한 말로' 연방장교를 몰아세웠다.10

북부 사람들의 침략에 저항하는 전투에서 자신이 무능력하다고 느낀 여성들은 그러한 대결을 통해 적군을 향한 공격에 직접 참여하는 듯 한 만족을 느꼈다. 남부 연합 여성들에게 '무력한 분노'에 지나지 않았던 것이 연방 군인들과의 대면에서 탈출구를 찾고 공격목표를 발견한 것이다. 남부여성들은 루이지애나의 새라 모건이 '여성의 무기' 라고 부른, 혀를 사용할 기회를 놓치지 않았다. 해리엇 캐리와 친구들이 서로 용기를 북돋운 것처럼, 적어도 안전이 보장된 말싸움의 영역 안에서는 여성들도 '용감' 해질 수 있는 기회, 남자들의 배짱과 겨룰 수 있는 기회가 있었다. 연방군대가 자신이 사는 테네시에 가까워지는 동안 앨리스 레디는 이렇게 말했다. "지금 야심이 귀에 속삭이는 말은 아마도 '네가 여걸이 될 시간이다.' 라는 것일 것이다." 남부남자들을 고무시켰던 전쟁의 영광에 대한 비현실적인 생각에 도취된 여성들은 한 양키 장교의 눈에 '여걸이 되고 싶은 비현실적인 욕망' 을 지닌 것처럼 보였다.[11]

여성들이 말다툼만으로는 만족하지 못할 때도 있었다. 조지아주 롬의 한 중등 여학교 학생들은 창문 아래에 있는 군사들 위로 요강을 비웠다. 테네시의 엘리자베스 맥캐미_Elizabeth McKamy는 조카에게서 딱딱한 빵 한 조각을 빼앗은 어떤 양키 군인에게 폭력으로 응수했을 때, 그런 자신에게 깜짝 놀랐다. "내가 무엇을 하고 있는지 깨닫기도 전에, 난로용 나무 막대기로 그 양키의 어깨를 내리치기 시작했다." 어느 아칸소 여성은 죽은 오빠의 옷을 빼앗으려고 그녀와 옥신각신하던 군인을 계단 아래로 밀었고, 또 다른 아칸소 여성은 여섯 명의 연방 군인들이 저녁을 먹으러 식탁에 앉았을 때 삽으로 난로의 재를 한 가득 퍼서 식탁 위에 쏟아 부었다. 그 군인들은 싱긋 웃으며 자리를 떠났다. 심지어 열일곱 살의 벨 보이드가 치마에서 권총을 꺼내어 어머니의 버지니아 집을 뒤지겠다고 위협하는 양키 군인을 쏘았을 때도 벨은 처벌을 면했다.[12]

무기를 지닐 권리

남부여성 가운데 여성의 영웅적 행동을 위한 야심을 위해, 양키 군인들을 향한 분노를 표현하기 위해 군인이 되려는 사람은 거의 없었다. 처음에 여성들은 전쟁의 영광을 수확하기 위해 떠나는 남자형제들과 남편을 부러운 눈으로 바라보며 남자가 되어 장엄한 전투에 참가하는 환상에 빠졌었다. 어떤 여성들에게 이 환상은 현실이 되었다. 북부와 남부여성 400명 정도가 변장을 하고 군에 입대했다. 1863년 1월, 『찰스턴 머큐리』지는 가장 유명한 여성 군인인 에이미 클라크에 관한 기사를 실었는데, 그녀가 지원병이 된 이유는 남편과 같이 있으려는 목적이었다고 설명했다. 남편이 샤일로에서 전사한 후에도 그녀는 전투를 계속하며 두 차례 부상을 입고, 나중에는 양키 군인에게 포로로 잡혔고 여성이라는 사실이 들통 났다. 그러나 양키 군인들은 "그녀가 여성의 옷을 입은 후에야 남부로 돌아가도록 허락했다."고 『머큐리』지는 전했다. 이 상황은 무장하지 않은 포로만을 석방하던 관습을 보여준다. 클라크와 같은 행동은 매우 예외적이어서 그런 행동이 여성의 역할을 둘러싼 일반적인 통념에는 거의 영향을 미치지 못했다. 잔 다르크처럼 세상을 뒤흔들 가능성은 없었던 것이다. 특히 클라크의 경우처럼 입대한 동기가 아내로서 헌신을 하기 위한 것으로 해석될 경우라면 더더욱 그러했다. 그럼에도 불구하고 에이미 클라크의 이야기와 거의 흡사한 여성의 모험담을 이야기하던 『밀리지빌 서던 페더럴 유니온』지는 "입대 동기가 이 용감한 여장부의 명성과 훌륭한 인품에 해가 되었다는 이야기는 전혀 들리지 않는다."고 독자들에게 말하지 않을 수 없었다고 하였다. 그녀의 동기는 군대

추종자들의 동기와는 뚜렷이 구별되어야 했다.[13]

군인으로 복무하던 여성보다 더 일반적인 이야기는 고향을 지키기 위해 지역보병중대를 조직한 여성들에 관한 것이었다. 전쟁 초기에 이런 노력은 대체로 현재 진행 중인 전쟁이라는 연극에 참여하고 싶은 여성의 욕망을 나타내는데, 남성들의 삶과 비교해 볼 때 무용하다고 느껴진 자신들의 삶에 목적을 부여하기 위한 것이었다. 예컨대 조지아 주 메이콘_Macon에 위치한 웨슬리안 여자대학_Wesleyan Female College의 학생들은 스스로 중대를 조직하고 군사훈련과 열병식을 행했다. 그러나 전쟁의 후반기에 지켜줄 남자들이 집에 거의 남아있지 않게 되자 여성들은 스스로를 지켜할 필요성을 절감했다. 조지아 주 라그랑주_LaGrange의 여성들은 단결하여 육군중대를 형성한 다음, 미국혁명동안 영국 장교들을 함정에 빠뜨린 용감한 그 지역 여장부의 이름을 따서 자랑스럽게 낸시 하트_Nancy Hart라 명명했다. 경험이 풍부하기는 하지만 불구가 된 군인을 선생님으로 맞아 라그랑주의 '거의 모든 젊은 여성들'이 행군과 사격 훈련을 시작했고, 들판에서 연습을 하며 그럭저럭 죄 없는 암소 몇 마리를 죽일 수 있었다. 양키군이 마을 가까이 왔을 때, 도망가던 남부 연합 군인들은 소집해 있는 낸시 하트 부대에게 집으로 돌아가 있으라고 명령했지만, '그런 군인답지 않은 요청에 귀를 기울인' 사람은 아무도 없었다. 마을에 도착한 연방 기병대는 그들을 맞이하는 사람들이 무장한 여성군인들이라는 것을 알았다. 적에게 환심을 사는 것이 좋은 방법이라고 믿은 낸시하트부대의 한 장교는 양키 군인들을 초대해서 차를 대접했다. 라그랑주는 화염의 불길에서 벗어날 수 있었고 연방군 사령관은 이후 낸시하트의 일원 중 한 명과 결혼했다.[14]

전쟁이 끝난 후 군사경험을 기록하던 레일라 모리스_Leila Morris

는 그것을 유쾌한 모임으로 묘사했다. 여성의 비상함과 용기에 관한 그녀의 이야기에는 두려움이나 분노의 어두운 기색은 전혀 보이지 않았다. 침입자를 향한 적개심과 여성들의 진지한 목적의식 모두가 전쟁 후 낭만적인 화해의 분위기 속에서 거의 사라졌다. 그러나 버지니아 해리슨버그_Harrisonburg의 여성 28명은 사뭇 다른 마음가짐으로 연대를 조직했다. 1864년 12월, 남부 연합 국방장관에게 보내는 편지에서 애니 사무엘스_Annie Samuels와 아이린 벨, 그리고 그들의 동료들은 "불운한 남부 연합의 일부 여성들에게 고향을 방어하는 데 필요한 무기를 소지할 권리를 달라"고 요청했다. 그들은 가장 최근의 징병 법안이 "16세에서 60세 사이의 모든 '만물의 영장'을 앗아갈 것"이라고 말했다. 지켜줄 거라 믿었던 남부 연합 군대의 무능함 때문에 이미 '모든 가능한 분노와 고통'을 겪은 이 여성들은 스스로 행동을 취하고자 했다. 자신들을 방치하고 보호하지 못한 남편들에게 화가 난 해리슨버그의 숙녀들은 연방군대로부터 자기 자신을 지키기로 마음먹었다. 국방장관은 냉소적으로 대답했다. "우리는 전장에서 숙녀들에게 도움을 요청할 준비가 전혀 되어 있지 않습니다." 하지만 그는 여성들이 원하는 대로 그들을 보호할 준비도 되어있지 않았다.[15]

여기서 여성들의 분노는 남부 연합과 양키 남자들 모두를 향한 것이었다. 남부 연합 남자들의 경우는 그들의 무능력이, 양키군들은 그들이 야기한 실제 위협이 그 이유였다. 비록 국방장관이 숙녀들의 군사적인 야망을 조롱하기는 했지만, 남부 연합에서의 일반적인 발언들과 마찬가지로 그는 양키 적들에게 맞서 분노를 표하는 여성을 존경했다. 그는 아마 해리슨버그 여성들의 불만이 무능력한 남부 연합 남자들보다는 침략자들에게 초점이 맞춰지는 편이 훨씬 더 낫다는 것을 눈치 챘을 것이다. 숙녀들에게 익숙하지도 않고 어울리지도 않는 분노에 관습을 타파할 수 있는 어떤 가능성이 내재되어 있었든지 간에, 사회적으로 그들의 분노가 용인될 수 있는 유일한 대상은 양키 군인들이었다. 양키군은 자칫하면 가정과 가족, 사회적 질서로 향했을지도 모르는 여성들의 분노가 마음껏 표출될 수 있는 안전판의 역할을 하였다. 여성들의 분노와 여성들의 통제력 상실은 양키 군인들을 상대할 때만 표출됨으로써 안전한 채널에 억제되었으며, 사실상 여성들 자신과 남부의 여성성과 관련된 보다 광범위한 관습에는 거의 아무런 영향도 미치지 않았다.

신중함이 더 낫다

최소한 일부 여성들은 다른 여성들의 공격적이고 호전적인 태도에 찬성하지 않았으며, 그런 적대적인 행동이 여성들의 안전과 여성의 품위에 해가 되지는 않을까 우려했다. 어떤 면에서 그런 의견 차이는 나이 차이와 관련이 있는 것처럼 보였다. 좀 더 나이가 많은 여성들은 지독한 적개심이 불러일으킬지 모르는 위험에 신중한 태도를 취했고, 예의를 지키며 자제하려고 노력했다. 메리리는 양키 군인들이 나중에 윈체스터에서 가장 노골적으로 적의를 보였던 여성들의 집을 태우지는 않을까 염려했다. 또한 경솔한 행동이 여성들의 기질과 덕성에 궁극적으로 미치게 될 영향을 걱정했다. “우리가 다시 한 번 상냥하고 품위 있는 숙녀들이 되어 부드러운 말투로 대화를 하고, 경쾌하게 길을 걷고, 따뜻한 표정을 지을 수 있을까? 경멸과 멸시는 습관적인 표현이다. 나는 그런 표현이 보다 품위 있는 표현에 자리를 내 줄까봐 걱정이 된다.” 그녀는 여성들의 호전적인 행동을 “저속하다. 냉소적이고 경멸적인 침묵이 더 짜증나게 한다."고 생각했다. 논쟁에 넌더리가 난 그녀는 일기에 속마음을 털어놓았다. "여자들은 내 의견에 가장 신랄한 대답으로 응수할 것이다."[16]

리는 대립보다는 교묘하게 일을 처리할 것을 주장하며 연방군의 감시에도 불구하고 자신이 비밀리에 완수한 모든 일을 자랑스럽게 생각했다. 윈체스터 주변의 시골에서 남부 연합 군인들을 위한 옷과 장화, 필수품을 모으고, 북부 의사들을 설득해서 윈체스터의 숙녀들이 남부 연합 부상병들을 간호하고 음식을 먹일 수 있게 했으며, 그녀의 집과 재산을 몰수하겠다는 양키군의 계속된 협박을 슬쩍 받아넘긴 메리 리는 '남자를 다루는 자신의 능력에 우쭐했다.' 마치 남부여성이 치마를 이용해 귀중품을 감추었던 것처럼, 리도 여성이라는 점을 이용해서 자신의 반역행위를 감추었다. 메리 리는 양키군들의 기사도 정신을 이용하고 그들을 조심스럽게 대했다. 그녀는 폭력을 동반한 저항이 감정의 해방과 만족감을 줄지는 모르지만, 남부여성의 품위를 떨어뜨리는 비싼 대가에 비해 남부 연합의 목적에는 거의 도움이 되지 않는다고 말했다.[17]

루이지애나의 새라 모건은 같은 남부여성들 일부의 '무례하고 예의 없는 행동'에 혐오감을 느끼며 전쟁의 목적을 다시 생각해보았다. "우리 남부남성들의 용맹과 기사도정신이 우리국가를 구할 수 없다면, 일부 숙녀들의 거친 언사와 거침없는 감정표현으로 자유를 얻느니 나는 차라리 용감한 집단에게 정복당하는 쪽을 택할 것이다… 단지 미연방의 제복을 입었다는 이유로 신사들의 얼굴에 침을 뱉는 여성들을 나와 대등한 동료로 여겨야 한단 말인가?" 모건에게는 계급과 성별 정체성의 명령이 국가의 명령보다 우위에 있었다. 케이트 커밍도 공공연한 모욕보다는 침묵이 한층 더 설득력 있고 품위 있다는 생각에 동의했다. 그녀는 "'신중'은 용

기의 핵심부분이다."라는 말을 지지했다.[18]

신앙심이 깊은 남부여성은 지독한 증오와 적의가 숙녀답지 않을 뿐만 아니라 비기독교적인 태도라고 생각했다. 앨리스 레디는 자신의 격렬한 증오심에 충격을 받아 "나는 가끔씩 내게 있던 모든 자비심이 사라지는 것 같아서 두렵다."고 고백했다. 열아홉 살이었던 미시시피의 아만다 워싱턴은 오빠를 죽인 양키군에 대해 마음 속 깊이 자리한 복수심을 억누르지 못해 괴로워했으며, 이런 마음 때문에 오빠와 천국에서 재회하지 못할 것이라고 생각했다. 메리 리와 에이다 바콧은 혐오감을 극복하고 용감한 남부 연합 군인들 옆에 입원해 있는 연방군 부상병들을 간호하려고 애썼다. 바콧은 "다른 사람들을 보살피듯이 그들을 보살피기란 쉽지 않을 것이다. 하지만 그것이 나의 의무라는 것을 안다."고 털어놓았다. 메리 리는 그녀의 애국심이 기독교인으로서의 의무감을 약화시킬까봐 걱정하였다. 새라 모건은 여성의 마음속에 존재하리라고는 믿지 않았던 '사악하고 독기어린 느낌'에 간담이 서늘해졌다. 머리끝부터 발끝까지 기독교인의 유순함으로 가득 찬 독실한 여성들은 '미친 듯이 욕설'을 퍼부으며 전염병과 열병, 기근이 양키 군인들을 덮치기를 기원했다. 새라는 이렇게 외쳤다. "추악한 폭력에 빠진 여성들이여! 그대들은 신성한 사명의 품위를 떨어뜨렸다."[19]

수많은 기독교인 친구들이 위선적이라고 생각한 피비 레비 펨버는 유대인으로 태어났다는 사실에 기뻐했다. 유대교는 용서를 부르짖는 것이 아니라 그녀의 표현대로 '눈에는 눈'을 신봉하는 종교였기 때문이다. 각별히 '독실한' 기독교인 여성들과 함께 저녁시간을 보내던 그녀는 일부 여성들이 유별날 정도로 원한을 품었다는 사실을 알게 되었다. 한 여성은 양키군인의 뼈를 마당에 진열했다. 또 다른 여성은 보석함으로 쓸 양키군의 두개골을 찾고 있었다. “나는 그들에게 전쟁이 끝나기 전에 유대교회에 출석해서 용서며 평화며 선의 대신에 주님의 칼을 믿어보는 것이 어떻겠냐고 제안했다.”[20]

여성스러움과 기독교정신의 영향을 받은 일부 여성은 연방 군인들에게 예의바르게 행동했다. 특히 연방군이 점령한 지역에서 연방 군인들을 자주 접한 여성들은 그들이 친절하다는 사실을 알게 되었고, 수많은 여성들이 이들에게 도움을 청하고 우정을 나누었다. 여성들이 우호적으로 행동한 이유는 개인적인 편의를 위해서이기도 했지만 친절을 중요시하는 남부의 전통적인 예법이 이유이기도 했다. 여성들이 노골적으로 적개심을 드러내기 유명한 윈체스터에서조차 1863년이 끝날 무렵에는 한 두 가정을 제외한 모든 가정에서 양키군인들은 환대한다며 메리 리는 실망스러워했다. 가난한 가정의 주부들은 생계를 유지하기 위해 북부 하숙인들을 받았다. 리는 “거의 모든 여성들이 그들을 받아들여 수입을 올리고 있다.”고 썼다. 연방 장교들은 하숙비만 낸 것이 아니라 전쟁으로 황폐화된 마을에 장작과 식품과 같은 필수품과 귀한 물품을 가져왔다. 리가 ‘양키들에 맞서 말하는 여장부’ 라고 부른 코넬리아 맥도날드는 밤의 장막 속에서 관대한 양키 군인들을 자주 찾아가 음식을 가져왔다. 그들은 아홉 아이를 부양하느라 고생하는 맥도날드를 동정했다.[21]

남부 숙녀들은 비슷한 사회적 계급 출신의 북부 남자들과 자신들 사이에는 다른 점보다 공통점이 더 많다는 사실을 알게 되었다. 노스캐롤라이나의 메리 브라운은 의붓아들에게 이렇게 말했다. “내가 신사와 만날 때는 그가 나와 의견을 달리할지라도 그를 신사로서 존경한단다. 나는 애슈빌_Asheville의 일부 사람들이 연방

군들에게 냉소적인 태도를 취하는 것이 어리석은 일이라고 생각해." 이런 종류의 친교는 점령당한 나체즈에서 정점에 달했을 것이다. 미시시피의 타운은 구 남부의 부유한 목화 농장주들이 살고 있는 곳으로, 이 곳의 많은 시민들은 연방탈퇴를 받아들이기에는 잃는 것이 너무 많다고 생각하였다. 1863년 여름, 그들을 정복한 양키군에게 정중하게 대할 수 있었던 배경에는 분명 이런 정치적인 이유가 깔려 있었다. 애니 하퍼는 이렇게 회고했다. "마을 여성들은 종종 우리가 그들을 집으로 받아들여야 할 것인지, 그것이 전장에 있는 우리 군인들에게 배신이 되지는 않을 것인지를 의논했다. 하지만 많은 사람들이 우리의 적들에게 더 이상 몰인정하게 굴 수는 없으며, 우리가 받은 헤아릴 수 없는 은혜와 친절에 보답할 수 있는 최선의 방법은 그들을 친절하게 대하는 것이라는 데 동의했다." 하퍼는 나체즈 사람들과 적군인 북부군 사이의 친밀한 교제는 독특한 경우라고 할 수 있는데, 이에 대한 설명과 변명은 나체즈의 거의 모든 주민이 독특하게도 귀족이라는 점 때문이라고 생각하였다. "최고의 교양과 품위를 가진 사람들만이 이런 예외적인 상황에서도 명예를 지킬 수 있다. 나체즈는 바로 그런 사람들이 있는 곳이다."[22]

케이트 포스터는 나체즈의 많은 젊은 여성들이 양키 군인들의 "관심표현을 받아들이는 것"을 보았을 때 마음이 심란했다. 그것이 군에 있는 친지들과 친구들을 배신하는 것처럼 보였지만, 그녀는 연방 군인들에게 훌륭한 점이 많다는 것을 인정했다. "연방군이 처음 이곳에 왔을 때는 그들 중에 신사는 없을 거라고 생각했었다. 그러나 나는 분명히 최고의 친절함과 정중함을 경험했다." 연방군의 장군 크로커_Crocker는 적군이라기보다 친구처럼 보였으며, 군사들의 행동은 적어도 하퍼가 "신사들만 나체즈로 보내졌다."고 생각할 만했다. 군대의 명령 체계에 변화가 생기고 '정중한' 군인들이 '품위가 없는 부류의 남자들'로 교체되자 시민들과 군대와의 우호적인 관계는 끝이 났다. 사회적 태생이 자신들과 다른 북부 군인들을 대면하게 되자 나체스의 숙녀들은 마침내 '적군의 수중에 떨어진다는 것이 무엇인지' 알게 되었다.[23]

여성들 (자신을 숙녀로 부르는)

나체즈 점령 기간 중 처음 몇 달이 남부 연합 시민들과 그들의 정복자들 사이의 친교 가능성을 상징했다면, 북부 육군소장 벤자민 버틀러의 지배를 받게 된 뉴올리언즈는 그것과 정반대의 경우를 보여주었다. 남부에서 가장 큰 도시가 1862년 4월, 연방군에게 함락되었을 때 버틀러는 지독한 적개심을 품은 시민들을 다스리는 과제에 직면했다. 패배한 사람들에게서 기대할법한 복종의 기색이 거의 없던 뉴올리언즈 주민들은 최근에 도착한 연방군대의 명령을 따르지 않았고, 성난 군중들이 떼로 모여 버틀러와 그 군대의 안전을 위협하기도 했다. 무력과 위협으로 지배할 수밖에 없게 된 버틀러는 더 이상 화해를 시도하는 듯 한 태도를 취하지 않았다. 해산하기 싫어하는 군중을 맞이한 것은 연방군의 대포였다. 양키군인들과의 거래를 거부한 상점 주인들의 가게는 압류되어 팔렸다. 연방군의 기를 훼손한 남자에게는 교수형이 선고되었다. 미합중국 대통령을 위해 기도하지 않으려 하는 목사들은 북부로 추방되었다. 버틀러는 "오래지 않아 우리 군사들은 상류계급의 여성들을 제외한 다른 사람들에게는 더 이상 야만적인 행동을 하지 않게 되었다."고 기록했다.[24]

남자들과 달리 가혹한 처벌에서 면제되었다고 생각한 뉴올리

미시시피의 남부 연합 여성과 북부 남성. '미시시피에서의 전투-식량을 받으러 미합중국 병참부로 오고 있는 남부 여성들' 1863년 10월 10일자 신문에 실린 프랭크 레슬리의 그림.

언즈의 숙녀들은 양키군인들을 계속 경멸적으로 대하였다. 남부 여성들은 교회나 시내전차에 북부 군인들이 보이면 뛰쳐나가고, 버틀러의 병사들 머리에 요강을 비우거나 침을 뱉으면서 자신들의 정복자를 모욕하려고 했다. 버틀러는 이런 적대적인 행동에 어떻게 반응해야할지 몰라 당황스러웠다. 그는 이런 행동을 하는 사람들이 보통 젊은, 그것도 '예쁘고 매력적'이며 사회적으로 상류계급 여성들로, 만일 가혹한 처벌의 희생자가 될 경우 관심과 동정을 받을 그런 부류의 사람이라는 것을 알았다. 그러나 이와 동시에 그들의 행동을 통제해야 한다는 것도 알고 있었다. 왜냐하면 '그 도시 사람들에게 그러한 행동을 허용할 만큼 통치가 잘 되지 않는 상태라고 말 할 수 있기 때문이다.'[25]

5월 15일, 버틀러는 악명 높은 일반명령 제28호를 공포했다. 그것은 계급과 성별에 관한 일반적인 사회통념을 교활하게 이용한 것으로 뉴올리언즈 여성들이 적개심을 표출하지 못하게 하려는 의도에서 만들어진 것이었다.

> 일반명령 제 28호
>
> 미연방 장교들과 병사들이 뉴올리언즈 여성들(스스로를 숙녀라 칭하는)로부터 계속되는 모욕을 당한 바… 앞으로 말로든, 몸짓으로든, 행동으로든 미 연방 장교나 병사들을 모욕하고 경멸하는 모든 여성들은 시내에서 직업을 갖고 있는 여성들과 같은 취급을 받게 될 것이다.[26]

버틀러의 명령은 남부 백인여성들의 정체성에 담긴 모순의 본질을 건드렸다. 그는 숙녀들이 특권과 사회적 지위가 갖는 무조건적인 권리에 의해서가 아니라 그들의 행동에 따라 대접받게 될 것이라고 강조했다. 예컨대 매춘부와 같은 천박한 행동을 하는 여성은 매춘부처럼 다뤄질 터였다. 만약 그들이 여성에게 어울리는 품위와 온화함을 포기한다면, 숙녀에게 주어지는 보호가 거부되는 셈이었다. 다른 많은 양키 사령관들과는 달리 버틀러는 여성의 특성을 교묘하게 이용하는 여성에게 농락당하지 않으려고 하였다. 그는 "나는 전쟁과 관련된 일은 감상적으로 처리하지 않는다."고 말했다. 그러나 버틀러의 예상은 정확했다. 거의 모든 남부 여성이 '숙녀'의 범주에 속하기를 원했으며, 매일매일 여성과 씨름하지 않고도 버틀러가 원하던 결과가 나왔다. '시내 여자' 로 취급받는 것에 대한 두려움은 엄청나고, 명예를 잃는다는 것은 상상조차 할 수 없는 일이었기에 양키 장교들은 실제로 명령에서 협박한 바를 행할 일이 없었다. 버틀러가 현명하게 예상한바대로 처벌 방법 '그 자체만으로도 처벌이 되었다.' 사회적, 도덕적으로 가장 지위가 낮은 여성들로 분류될지도 모른다는 가능성에 충격을 받은 뉴올리언즈의 여성들은 스스로 행동을 조심했다.[27]

버틀러는 남부에 체화된 계급과 성별의 정체성을 노골적으로 교묘하게 이용하여 남부여성을 통제했다. 아니, 더 정확히 말하면 그들 스스로 자기 자신을 통제하게 만들었다. "뉴올리언즈의 모든 숙녀들은 품위 없는 여성으로 취급받고 싶어 하지 않았기 때문에 우리 군대를 모욕하는 것을 삼가고 있다. 하층계급의 모든 여성들은 숙녀로 대접받고 싶어서 우리 군대를 모욕하는 일을 삼가고 있다. 그리고 그 두 계급 여성 모두가 이 도시의 연방 탈퇴론자들이다." 라고 버틀러는 설명하였다. 더욱 중요한 것은 그가 전시동안 여성의 역할과 지위에 생긴 변화를 이야기하고 있었다는 것이었다. 일반명령 제28호는 여성들에게 공공장소에서의 행동에 책임을 지게 하였다. 버틀러는 여성들이 정치적 책임이나 보복에서 제외되는 것을 허용하지 않았다. 그러한 입장을 취함으로써 버틀러는 여성들이 정치적으로 영향력이 있다는 사실을 인정했다. 깃발 흔들기, 침 뱉기, 말대꾸 등 그들의 상징적인 행동에는 현실적인 의미가 담겨 있었다. 1862년 여름 후반에, 버틀러는 모든 뉴올리언즈 시민들에게 미 연방에 대한 충성을 맹세하도록 요구하였고, 그 명령의 범위에 여성들을 포함시켜 다시 한 번 놀라움과 분노를 불러일으켰다. "여성 명령"과 마찬가지로 품위 있는 남부 사람들을 대할 때에는 기사도 정신을 발휘해야 한다는 통념과 배치된다는 점에서 비난 받은 일반명령 제 78호는 이전 명령과 완전히 일치했다. 여성들의 정치적인 힘과 책임 두 가지 모두를 인정한 것이다.[28]

뉴올리언즈 여성은 '이 땅의 여성들에게 전쟁을 선포한 버틀러'에 분개했다. '숙녀들은… 자신의 말에 책임지는 것에 익숙하지 않다.'고 말한 어느 미주리 여성처럼, 그들은 새롭게 허용된 권리를 책임지려하지 않았다. 뉴올리언즈 여성들은 일반명령 제28호가 불가침한 여성의 순결함을 공격한다고 비난하면서, 여성에 대한 전통적인 관념을 옹호하는 전 세계의 모든 사람들의 지원을 등에 업고 그러한 대립상황을 위협적인 전시 변화에 저항할 수 있는 기회로 이용했으며, 가장 전통적인 여성의 지위구조를 다시 확인했다. 사우스캐롤라이나의 메리 체스닛은 그 성명서가 그저 군인들에게 뉴올리언즈 여성들을 넘겨주는 것에 지나지 않는다고 생각했다. 뉴올리언즈의 전임 시장은 군인들에게 순결한 여성들을 대상으로 사상최악의 난폭한 행위를 저지르라고 명령을 내린 것과 다를 바 없다고 했다. 『모바일 애드버타이저 앤드 레지스터』지에서 지적했듯이 일반명령 제 28호는 "숙녀들에게 경고하려는 목적으로 만들어졌지만 사실은 뉴올리언즈 여성들이 위반을 하도록 부추기게끔 군인들에게 주어진 허가증"이나 마찬가지였다. 『뉴욕타임스』지에서는 그 법안에 대해 이의를 제기했으며, 런던의 언론과 영국의회도 버틀러의 만행이 도를 넘었다는 데 동의했다. 그 장군은 짐승이 되었다.[29]

비록 일반명령 제 28호는 루이지애나 여성들 개개인과 양키 군인들 사이의 직접적인 대립을 없애는 데 효과적이었으며 덕분에 버틀러가 우려한 희생자도 생기지 않았지만, 그 명령은 남부 여성들에 대한 연민을 불러일으키고 사람들의 분노를 초래하였다. 명령의 취지와 표현 사이의 모순과 국제사회가 그것을 바라본 시각은 성별문제를 넘어서, 전시동안의 갈등을 이해할 수 있는 중요한 열쇠를 제공하였다. 그 명령을 여성의 성적순결을 위협하는 것으로 받아들였다는 것은, 남부 연합의 담론에 여성이 나약하고 의존적이라는 이데올로기가 내재해 있다는 것이고 여성이 성적 폭력에 무기력하다는 뿌리 깊은 가정을 전제로 만들어진 여성의 복종에 대한 이론적 근거도 이러한 담론에 내재해 있다는 것을 재확인해 주었다고 할 수 있다. 뉴올리언즈의 여성들이 시작한 것이든 여성의 연약함을 호소한 정부와 언론에 여성들이 가세한 것이든 간에 버틀러가 사회질서를 통제하려는 목적으로 발표한 명령은 의미심장한 성적 무기력과 관련된 문제로 빠르게 변질되어 갔다. 일반명령 제 28호는 본래 직접적으로나 간접적으로 군인들의 성적 폭력을 조장하지 않았다. 어찌되었든 시내의 여성들은 흥정해서 성을 매매했고 그것은 공공연한 성폭력보다 훨씬 더 복잡한 여성의 역할의 문제를 안고 있었다. 버틀러의 법령은 뉴올리언즈 여성들에게 책임과 권력을 이양하고 그들을 정치적 행위자로 인정한 것이었다. 그 명령에 반발하는 적대적인 반응 때문에 여성들은 생물학적 특징에 의한 피해자로 보이게 되었다. 버틀러의 명령은 성별에 관한 것이었으며, 사회적으로 형성된 남녀 간의 차이와 모든 문화에 존재하는 남녀 역할의 이념적인 근거를 강조하는 것이었다. 일반명령 제 28호는 여성의 정체성과 행동에 대한 사회적 인식은 본래 변하는 경향이 있으며, 전시 상황이 그 특성을 더욱 두드러지게 한다는 점을 파악했음을 보여준다. 그러나 그를 비판하는 사람들은 타고난 신체적 특성 때문에 여성이 의존하는 것은 당연하며 그렇기 때문에 변하지 않는 진실이라고 역설했고, 이들의 목소리에 가려 버틀러가 혁신적이며 이례적으로 여성들을 정치적인 존재로 만들었다는 사실은 거의 주목받지 못했다. 게다가 버틀러를 향한 비난은 사회, 문화적으로 분류된 성별이 아니라 신체적 차이에 기초한 성별에 관한 것이며, 관념적인 차이가 아니라 생물학적인 남녀의 차이에 대한 통념에서 비롯된 것이었다. 뉴올리언즈 여성들과 세상 사람들이 버틀러의 명령에 항의하기 위해 선택한 용어에서 뉴올리언즈 여성들은 남녀 간의 확고한 역할구분과 여성의 복종은 필연적이며 불변하는 것이라는 전통적인 가르침을 지지하고 있음을 보여주었다. 다른 많은 사례들에서와 마찬가지로, 남부여성들은 여기서도 주어진 권력의 책임에서 달아나 안전을 보장해 주는 전통의 피난처 속으로 몸을 숨겼다.[30]

그러나 아마도 여성이 자신의 행동에 책임을 져야한다는 버틀러의 표현 방식이 그러한 과잉반응을 일으켰을 것이다. 일반명령 제28호는 전시에 예절 문제가 정치적인 문제로 변질될 수 있음을 보여준 것이었다. 여성들은 불가피하게 공적 영역으로 내몰리게 되었다. 그렇지만 상징적인 정치도 역시 정치였다. 버틀러는 이런 변화를 인식하고 있었으나 그의 언어는 여성들의 정치적 행동을 경멸적으로 표현했다. 일반명령 제 28호는 공적 영역에 여성이 새롭게 등장했음을 인정했지만 그와 동시에 사회적 활동을 하는 여성은 매춘부와 다를 바 없다는 인식을 불러일으킴으로써 그 가치를 훼손시켰다. 따라서 버틀러가 여성들에게 제시한 선택의 기회란 그가 그것을 표현한 방식을 볼 때 진정한 선택과는 거리가 멀었다. 여성들의 적대적인 행동을 알게 된 그는 여성들이 책임과 권력의 영역으로 들어갈 수 있도록 허락했지만, 동일한 표현으로 그는 그들이 쉽게 떨쳐버리지 못하는 고상함을 이용해서 그들을 다시 사적인 영역으로 내몰았다.

버틀러 장군이 성명서를 발표하기 전 뉴올리언즈의 숙녀들, 일반명령 제28호의 반향. 1862년 7월 12일자 『하퍼스위클리』지

버틀러가 시민들을 진정시키느라 곤란을 겪는 가운데 외국인들의 권리에 대한 위기까지 더해지자 1862년 12월 나다니엘 뱅크스_Nathaniel Banks가 그의 후임으로 오게 되었다. 풍랑이 이는 도시를 우호적인 태도로 다스리려고 한 뱅크스는 곧 그의 관용을 나약함으로 생각한 주민들의 저항에 부딪혔다. 여성들은 다시 양키 군인들을 모욕하고 남부 연합에 충성할 것을 맹세하기 시작했다. 1863년 2월말 지속적으로 적의를 표하던 여성들은 사건을 터뜨렸고, 그 사건은 '손수건 전투(Battle of the Handkerchiefs)' 라는 유명한 전설로 포장되었다. 사로잡힌 남부 연합 장교 집단이 포로 교환을 위해 베이튼루지(Baton Rouge)로 보내질 때, 뉴올

버틀러 장군이 성명서를 발표한 후

리언즈 숙녀들은 용감하게 남부 연합을 향한 변함없는 지지를 표명했고 부두에 모여 떠나는 영웅들을 응원했다. 연방군대는 군중을 통제하려고 했지만, 그들의 시도는 양산과 손수건을 휘두르며 해산하지 않으려 하는 여성들의 반역적인 행동과 맞닥뜨렸을 뿐이다. 그 소란가운데 몇몇 여성들은 경미한 부상을 입기도 했다. 한 남부 신문에 실린 시는 숙녀들의 용기를 찬양하며 군인들의 어리석음을 조롱했다. 그러나 더욱 중요한 사실은 뱅크스가 여성들은 본래 정치적 책임과 정치적 보복 바깥에 존재하는 사람들이라고 생각했던 버틀러 시대 이전으로 복귀했다는 것이다. 손수건 전쟁에서 여성들이 '승리'를 거둘 수 있었던 이유는 양키 남자들이

여성들과 싸우려 하지 않았기 때문이다.[31]

전쟁이 여성들에게 정치참여의 기회를 열어주었다는 생각을 인정하지 않으려했던 많은 연방 장교들은 명민한 일부 남부 연합 여성들에게 남부 연합에 공헌할 수 있는 일생일대의 기회를 제공한 셈이다. 후기 전쟁에서의 게릴라들처럼 이 여성들은 정치적 행동에서 자유롭고 그에 대한 책임을 지지 않아도 된다는 점을 이용해 자기 자신과 반역적인 행동을 숨기고, 남부 상류계급을 상대할 때 부드러운 태도를 견지하고 싶어 하는 양키 군인들의 허를 찔렀다. 여성에게 허락된 역할인 간호사와 교육자로 일하던 메리 리는 윈체스터가 점령당한 동안 편지와 정보, 일용품을 비밀리에 남부 연합 군대에 전하며 끊임없이 반역적인 역할을 수행했다. 그러나 전쟁이 막을 내릴 무렵에는 '남자들을 다루는' 그녀의 능력이 더 이상 그녀를 보호하지 못했다. 셰리든_Sheridan계곡의 전투가 몰고 온 새로운 난국으로 그녀는 집에서 쫓겨나 남부 연합 경계선 너머로 추방되었다. 그러나 리는 1865년 초토화정책 한 가운데서도 총에 맞거나 감옥에 갇히지 않았으며 어떤 신체적 상해도 입지 않았다. 연방군이 그녀를 유능하고 영향력 있는 남부 연합의 빨치산으로 인정하자 그녀 자신도 놀라고, 분노하였지만 그녀는 사실 빨치산이었다. 전쟁이 막바지에 이르렀을 때 남부 여성들에게 충성에 대한 맹세를 요구할거라는 소식을 듣자 리는 격노했다. 그녀는 이렇게 말한다. "마치 우리가 남자이기라도 하다는 듯, 우리를 남자들과 똑같이 중요한 존재로 취급하는 것은 불합리하지 않은가." 메리 리는 자신의 행동이 전통적인 남녀 역할의 경계를 넘었다는 사실을 온전히 이해하지 못했고, 이해하려 하지도 않았다.[32]

사랑과 전쟁은 모든 것을 정당화 한다

점령당한 지역에서는 셀 수 없이 많은 남부 여성이 리가 보여 준 것처럼 남부 연합 군대에 있는 남편과 아들, 형제들을 도우려고 날마다 저항활동을 했을 것이며, 충성이 의심된다는 이유로 양키군이 남부 경계선 밖으로 추방한 여성 수가 수백 명에 달하는 것으로 추정된다. 그러나 남부 연합의 전설적인 여성 스파이, 벨 보이드_Belle Boyd처럼 사명감을 가지고 반역 활동을 한 여성은 극히 적었다. 주로 1865년에 출판된 그녀의 자서전을 통해 알려진 보이드의 공적과 전쟁 후의 극적인 여행은 터무니없이 날조된 이야기로 치부되곤 했다. 그러나 1940년대 연구를 시작한 루이스 시고드_Louis Sigaud에 의하면 군사기록과 그 밖의 기록들 그대로 보이드가 자신의 인생에 대해 진술한 대부분의 세부적인 내용들을 뒷받침한다고 한다. 그러나 우리에게 중요한 것은 그 행동의 사실여부가 아니라 1864년, 마침내 쫓기듯 유럽 망명길에 오르기 전 그녀의 활동전략과 얼마나 많은 일들을 처벌받지 않고 해냈는가에 관한 것이다.[33]

보이드는 여러 면에서 전형적인 남부 연합 여성이라기보다는 예외적인 여성이었다. 그녀가 양키군인들에게 이용한 책략은 스펙트럼의 맨 끝에 있는 것이었다. 일부 남부 여성들이 일반적으로 생각하는 여성의 특성을 이용해 여성적인 것과는 거리가 먼 목표를 달성한 사례와 비교해 볼 때 보이드가 이용한 방법은 가장 극단적인 -아마도 그렇기 때문에 가장 눈에 띄고 자극적인- 경우에 해당한다. 보이드가 스파이로서 성공한 이유는 성별에 관련된 관습을 교묘하게 이용해서 스파이 활동을 했기 때문이다. 그녀는 여성이라는 점 때문에 남성적 영역에서 빨치산으로 군사적이고 정치적인 투쟁을 한 자신의 활동을 감출 수 있었다. 이런 의외성을 무기로 벨은 남부 연합 군대를 위해 귀중한 정보를 얻고 전달하는 데 성공했고, 스톤월 잭슨은 그녀를 대위로 임명하고 명예 보좌관으로 삼았다. 그러나 결백한 여성이라는 본인의 주장이 자신의 악명으로 무색해진 후에도 보이드는 양키군에게서 특별한 보호를 받았으며 스파이로서 한 모든 일에 관련해서 책임이 면제되었다.

보이드에 비하면 메리 리는 남자를 다루는 데 한 수 아래였다. 벨 보이드는 1844년 버지니아 주 윈체스터 북쪽의 마틴스버그_Martinsburg에서 태어났고, 그 지역에서 잘 알려진 노예소유주의 딸이었다. 그녀는 발티모어 외곽에 위치한 유명한 중등 여학교에서 교육받았으나 어릴 적부터 고집이 세고 예측할 수 없는 아이라는 말을 들었다. 한번은 어른들 모임에서 제외된 것을 항의하기 위해 말을 타고 응접실에 들어가기도 했다.

보이드는 1861년, 그녀의 나이 17세 때 처음으로 사람들의 주목을 받았다. '상상할 수 있는 가장 모욕적인 표현으로' 엄마에게 욕설을 퍼부었다는 이유로 양키 병사를 총으로 쏴 죽인 것이다. 그의 동료 병사가 보이드의 집에 불을 지르겠다고 위협했지만 그 문제를 조사한 장교들은 벨이 '절대적으로 옳은 행동을 했다'고 결론 내렸다. 그들이 생각하기에 그녀는 모욕에 저항하여 자신의 권리를 행사한 숙녀였다. 그 병사는 신사다운 행동을 하지 못했기 때문에 죽어 마땅했다.[34]

이 사건이 일어난 지 1주일이 채 지나지 않아 양키군들은 보이드가 연방 군인들과 시시덕거리며 이야기를 하는 동안 정보를 수집해서 이를 남부 연합 장교들에게 전달하고 있다는 사실을 알았다. 부대 지휘관이 그러한 행동은 사형에 처해진다는 것을 명시한 군법을 그녀에게 읽힘으로써 일을 일단락 지었기 때문에 보이드는 다시 한 번 목숨을 건질 수 있었다. 보이드의 성공적인 스파이 경력은 시작되었다.

그 다음 3년 동안의 공적은 그녀가 설명했듯이, 거의 모든 성공이 여성에 대한 양키군의 믿음을 이용해서 순진한 적을 속인 데 기인한 것이었다. 보이드의 말이 마틴스버그 근처의 북부 경계선

벨 보이드. 명함판 사진. 버지니아 주 리치몬드의 남부 연합 박물관 소장. 사진 복사는 캐서린 웨즐

너머로 달아났을 때 그녀를 체포하고 있는 양키군에게 집으로 돌아가게 해달라며 비참한 모습으로 애원했다. 여성에게 친절한 양키 기병대원들은 경계선을 지나 집으로 돌아갈 수 있도록 수행하겠다고 제안했고 그녀는 그 제안을 기꺼이 수락했다. 그러나 그들이 남부 연합 전초부대에 도착했을 때 보이드는 연방 군인들을 포로로 넘겼다. 양키군의 호의 덕분에 안전하게 돌아왔지만 그녀는 그들에게 똑같은 친절을 베풀지 않았다. 그녀는 "나는 '사랑과 전쟁은 모든 것을 정당화한다.'며 스스로를 달랬다."고 설명하였다.[35]

1862년 5월, 프론트로얄에서 연방군과 남부 연합군의 충돌이 불가피해 보이자 보이드는 계곡 아래에 있는 잭슨의 군대에게 정보를 전달하려 했다. 그러나 그녀는 연방군이 점령한 프론트 로얄을 지나야 했다. "필브라운_Fillebrowne 대령이 언제나 약간의 아첨과 세심한 배려에 기뻐한다는 사실을 알았기 때문에 나는 꽃가게로 가서 무척 아름다운 꽃다발을 골랐다. 그리고 안부인사와 함께 꽃다발을 대령에게 보내, 혹시 그가 친절을 베풀어 내가 프론트로얄에 돌아가도록 허락해줄 수 있는지를 물었다." 프론트 로얄은 삼촌과 숙모를 방문하기 위해 그녀가 자주 방문하던 곳이라고 했다. 그 다음 날 한 일이 아마 그녀의 일화 중 가장 유명한 일일 것이다. 벨은 잭슨에게 정보를 전하기 위해 서둘러 마을을 빠져나갔고 잭슨의 군대는 프론트로얄을 차지하고 윈체스터를 향해 진군할 수 있었다. 전설적인 한 이야기에 따르면 젊은 여성이 다가오는 남부 연합군 한 가운데 서서 모자를 흔들며 양키군의 움직임을 큰 소리로 알렸다고 한다. 연방군의 대참사에 대한 물음에 필브라운 대령은 벨의 선물을 가리키며 이렇게 말했다. "저 꽃다발이 모든 재난의 원흉이오. 저것을 보낸 사람이… 이 모든 불행에 책임이 있소."[36]

분명히 연방정부는 벨 보이드에게 정치적 책임을 묻지 않음으로써 치르는 대가가 엄청남을 깨닫기 시작했다. 어느 분개한 연방 소령이 그녀에게 솔직한 심경을 말했다. "당신은 남자들 절반보다 우리에게 더 많은 해를 끼칠 것이오." 그러나 보이드는 여전히 여성이라는 유리한 입장을 이용하고 여성으로서의 권리를 강조했다. 프론트 로얄 전투의 여파로 북부 언론이 그녀의 처벌을 요구했을 때, 벨은 언론 때문에 고통을 받고 있다며 부당한 '공격'을 불평했다. "그들은 한 명의 결백한 젊은 여성을 모욕하는 일이 남자다움을 증명하고 애국심을 보일 방법이라고 생각하는 것 같다."[37]

살인과 반역, 정탐활동을 저지른 후 자신이 결백하다는 보이드의 진술은 아무런 죄가 없다는 그녀의 주장을 따라가보면 의미가 통한다. 그녀는 자신의 젊음과 성별 때문에 정치적 행동에 책임을 지지 않는다는 이유로 자신이 결백한 젊은 여성이라고 주장했다. 오늘날 우리가 누군가의 광기를 이유로 그 사람이 결백하다고 하는 것처럼, 보이드는 나이와 여성성을 이유로 결백함을 주장했다.

그러나 보이드는 무시하기에는 너무나 위험한 인물임이 입증되었다. 1862년 7월, 연방 장교들이 워싱턴에 있는 올드캐피탈_Old Capitol 감옥에 그녀를 감금했다. 편안한 잠자리와 훌륭한 음식을 제공받은 벨은 감금되어 있을 때조차 특별대우를 받았다. 감옥에서 2개월을 지내는 동안 그녀는 동료 수감자와 약혼을 하게 되었고, 또한 그녀의 매력에 매혹되어 그녀가 출소한 후 그녀를 위해 혼수용 옷을 구입한 감독관은 휴전을 의미하는 백기를 단 배에 옷을 실어 리치몬드에 보냈다. 남부로 돌아온 보이드는 곧 다가올 결혼에 대해 일언반구 말이 없었다. 그러나 아마 남부 연합 여성들 중 가장 독특한 존재였을 그녀는 어쨌든 새 옷이 주는 즐거움을 맘껏 누렸을 것이다.

남자들을 교묘하게 이용하는 보이드의 눈부신 능력은 그녀의 다음 연애사건에서도 볼 수 있다. 다시 한 번 감옥에 갇혔다가 풀려난 보이드는 1864년 봄 자신의 재능을 유럽에 서신을 몰래 전달하는 일에 이용하기로 결심했다. 그러나 연방 해군함선이 밀항선 그레이하운드를 붙잡았다. 그 배는 보이드가 노스캐롤라이나주 윌밍튼에서 타고 온 배로 항구를 떠난 지 얼마 되지 않았다. 그 배가 연료보급을 위해 뉴욕에 도착했을 때는, 벨이 이미 그레이하운드를 지휘하던 양키 장교의 마음을 사로잡은 뒤였다. 함선이 마지막 목적지인 보스턴을 향해 출발하기 전, 그녀와 사무엘 하딘지_Samuel Hardinge 대령이 쇼핑을 하고 극장에 가는 모습이 목격되었다. 그러나 메사추세즈로 가는 도중 그 배의 함장, 이제는 전쟁 포로가 된 남부 연합 함장이 비밀리에 탈출했고, 의혹의 눈길은 하딘지에게 향했다. 나중에 하딘지는 결국 군사법원에 회부되어 그 사건에 연루되었다는 이유로 감옥에 갇힌다. 그러나 그의 운명이 결정되기 전 하딘지는 벨을 따라 런던으로 망명했고, 그곳에서 두 사람은 결혼했다.

하딘지의 마지막 운명은 수수께끼에 싸여있다. 그는 미국으로 돌아와 그레이하운드에서의 행동을 책임졌지만, 1865년 2월, 포트델라웨어_Delaware에서 풀려난 후 런던에서 다시 벨과 재회했는지의 여부는 확실하지 않다. 어떤 사람들은 그가 감옥에서 얻은 병으로 죽었다고 하고, 또 다른 사람들은 바다에 빠져 죽었다고 주장한다. 오늘날도 벨이 그의 실종과 죽음에 어떤 역할을 했을 것으로 추정하는 사람들이 있다. 그레이하운드의 함장과 벨이 붙잡혔을 때는, 하딘지가 그 둘에게 도움을 주었지만, 그 후 벨은 더 이상 그의 도움이 필요하지 않았다. 1865년, 전쟁이 끝났을 때 벨은 겨우 스물한 살이었으며, 과부이자 하딘지와의 사이에서 낳은 어린 아이의 어머니였다. 생계를 유지해야 했던 그녀는 연기의 길로 들어섰는데, 이 분야는 그녀가 이미 전문가나 다름없던 분야였다.

벨 보이드는 여전히 수수께끼 같은 인물이면서 이상하게도 별로 주목을 받지 못한 인물이다. 몇몇 진지한 역사학자들만이 그녀에게 합당한 관심을 기울이고 있다. 그러나 그녀의 비범한 공적은 여성의 무기를 이용하되 여성의 규칙에 따라 게임을 하지 않은 남부 연합 여성 수백 명이 터득한 계략과 야심이 가장 극단적인 형태로 나타난 것이다. 남자를 다루는 데 오랫동안 전문가였던 남부 연합 여성들은 전시동안 이 기술을 새로운 목적을 위해 사용했다. 벨 보이드는 아마 자신의 여성성을 교묘하게 이용하는 데 가장 열정적인 사람이었을 것이다. 의도적으로 북부의 적을 습격하려는 계획을 세우고 음모를 꾸민 여성은 거의 없었고, 대부분 회의적이었으며 자책감에 괴로워했다. 그러나 보이드가 성별에 관한 통설을 이용했다는 점은 남북전쟁 시대동안 남성과 여성사이의 관계를 지배하던 여러 근본적인 원칙들을 분명하게 보여주며, 북부와 남부사람들 모두가 여성은 강인해질 수도 있고 한 연방 장교가 벨에 대해 말한 것처럼, 위험해질 수도 있다는 사실을 깨닫는 계기가 되었다. 여성의 '나약함'은 여성이 소유한 힘의 원천이 되었다. 그러나 벨의 이야기에서 가장 눈여겨봐야 할 것은 어떤 의미에서 벨을 남성과 여성으로서, 남성과 여성의 세계에 동시에 살 수 있게 해 주었다는 점에서 확고한 통설이 위태로워다는 것이다. 벨 보이드는 숙녀용 드레스를 입고 숙녀의 태도를 유지했지만, 그 행동이나 의도는 남자들의 것이었다. 보이드와 리와 같이 어떤 식으로든 양키군을 방해한 다른 수백 명의 남부 연합 여성들은 그들 나름의 방법으로 세상을 배우고 결국 텐트를 친 전장에 입성했다.

그러나 그들은 이런 극적인 변화를 환영하지도 않았으며 제대로 인정하지도 않았다. 벨 보이드는 분명히 말했다. "나는 여성의 권리를 지지하려고 일어선 것이 아니다. 나는 자신의 감정을 공공연히 드러내기보다 가까운 친구들에게 털어놓는 얌전한 숙녀로 보였으면 좋겠다." 보이드는 여성의 본분을 다할 것을 주장했는데, 그것이 그녀의 힘의 원천이었기 때문이다.[38]

스파이들이 성공을 거둔 이유는 그들이 스파이처럼 보이지 않아서였다. 범상치 않았던 벨 보이드는 이런 의미에서 실질적으로, 또 비유적으로 일반적인 남부여성을 상징했다. 전쟁동안 남부여성들은 보이드처럼 변장을 하고 화려한 옷차림을 하고 전쟁 전의 모습과는 어울리지 않는 역할을 했다. 벨 보이드는 그런 모순을 이용하는 데 성공했다. 다른 여성들은 그것을 기회라기보다 짐으로 여겼다. 그러나 거의 모든 여성들이 자기 자신과 자신의 여성성을 새로운 눈으로 보게 되었다. 여성스러움은 점차 누군가의 중요한 신체의 일부가 아니라 마치 옷과 같이 수선하거나 심지어 바꿀 수도 있는 것이 되었다.

CHAPTER TEN

If Were Once Released

THE GARB OF GENDER

제10장

내가 만일 풀려난다면 젠더라는 의상

1862년 여름, 루이지애나의 새라 모건은 전쟁터에 가고 없는 오빠의 옷을 입어볼까 생각중이라고 일기장에 적었다. 지미의 옷을 자신의 옷장에 걸어놓은 지 6주가 지났을 때, 그녀는 마침내 용기를 내어 지미의 옷을 꺼내기로 결심했다. 그녀는 "나는 용기를 내어 그것을 침대위에 올려놓았다."고 했다. 그런 다음 그녀는 얼굴을 돌려서 애완용 새를 방 밖으로 가지고 나갔다. "나는 너무 부끄러워서 카나리아에게조차 내 모습을 보일 수가 없었다." 그녀가 방으로 돌아와 신사복을 한 번 더 생각했을 때 "용기가 사라졌다." "변장을 하려는 나의 처음이자 마지막 시도는 그때 끝이 났다. 나는 수많은 여성들이 남자 옷을 입는다고 자랑하는 이야기를 들었다. 어디서 그런 용기가 생기는지 모르겠다."[1]

의복은 남부 연합 여성들에게 중요한 의미를 지니게 되었다.

가장 눈에 띄는 것은 직물 부족과 그에 따른 결핍이 부의 감소와 상류계급 숙녀들의 사회적 지위의 상실을 보여준다는 것이다. 그러나 그보다 더 의미심장한 것은 의복 선택과 패션의 변화가 여성의 정체성과 지위에 대한 인식이 바뀌고 있음을 표현하고 있으며, 젠더 범주가 유동적이고 불안정하며 변덕스럽기까지 하다는 점을 나타내고 있다는 것이다. 옷은 전쟁이 야기한 개인적 변화와 사회적 변화, 문화적 변화를 남부 사람들이 고찰하고 이해하는 데 사용되는 표현수단이 되었다.[2]

새라 모건과 같은 많은 여성에게 의복은 욕망과 두려움의 상징이자 가능성과 불가능의 상징이기도 했다. 그녀는 이렇게 외쳤다. "내가 남자였더라면! 이곳의 모든 여성은 페티코트를 입어야 하는 자신의 불행을 한탄하고 있다. 어째서 우리는 남자들처럼 싸워서는 안 되는 것인가?" 옷과 성별을 비유적으로 같은 선상에 놓은 모건은 옷을 여성의 속박을 상징하는 것으로 상정하였다. 페티코트는 여성의 종속을 상징하는 것이며, 그것을 구체적으로 표현한 것이기도 했다. 그러나 이렇게 표현한 것은 젠더의 의미와 여성의 삶을 바꿀 수 있다는 가능성을 강력하게 암시하는 것이다. 여성들은 자신들의 성별에 지워진 '불운'을 극복하기 위해, 그리고 아마도 남자들과 함께 싸우기 위해서는 페티코트만 바꾸면 된다. 만일 이성의 옷을 입는 것이 그러한 책임을 수용하는 것이라면, 모건이 지미의 옷을 입을 엄두를 내지 못한 것도 무리는 아니다. 전쟁의 현장에서 성별과 그에 따른 보호, 특전, 기회, 책임은 복장에 의해 결정될 뿐이었다.[3]

구할 수 있는 것이라면 무엇이든지

남부 연합의 경제적 취약성은 전시에 남부 여성들이 의복을 구하는 문제와 의복의 스타일에 직접적인 영향을 미쳤다. 우리가 살펴본 것처럼 남부는 전쟁 전에 북부 직물에 의존하고 있었기 때문에 흑인과 백인, 부유한 사람과 가난한 사람 할 것 없이 모든 남부 사람들이 의복 때문에 곤란을 겪었다. 부활된 가내생산은 부족함의 일부만 간신히 메울 뿐이었으며, 가정에서 만들어진 직물은 대개 거칠기 마련이어서 남부 백인여성들이 '검둥이 옷감'이라고 부르던 직물과 비슷했다. 1865년 엠마 르콩트는 "우리의 속옷은 거칠고 표백이 안 된 홈스펀_집에서 짠 옷-옮긴이으로 우리가 예전에 검둥이들에게 주던 것보다 더 거칠다. 사회적 지위와 편안함이라는 두 가지 이유로 상류계급 여성은 여러 가지 다양한 방법을 모색해서 자신에게 어울리는 적당한 옷차림을 유지하며 홈스펀을 기피했지만 성공하지 못한 경우도 자주 있었다. 최상류계층의 여성들은 이따금 밀수업자들을 통해 북부나 유럽에서 최신 유행중인 의류를 구했지만, 그런 행운을 누릴 수 있는 사람은 소수에 불과했다. 노예소유계층의 여성들은 거실 커튼을 드레스로 만든 소설 속 인물 스칼렛 오하라_『바람과 함께 사라지다(*Gone with the wind*)』의 여주인공-옮긴이처럼 독창적인 방법을 고안해서 직접 만들어 입는 것이 보통이었다. 커튼뿐만 아니라 집안에 있는 흰색 천, 식탁보, 침대보 또는 낡은 옷이나 폐기처분한 옷이 속옷이나 페티코트, 심지어 무도회용 드레스로 바뀌었다.[4]

버니지아의 메리 리는 "나는 예법을 개의치 않고 손에 넣을 수 있는 옷은 뭐든지 입는다."고 썼다. 상중이기는 했지만 그녀는 주

름장식이 있는 얇은 모슬린으로 된 치마를 입고 외출해야만 했으며, 겨울옷이 몇 벌 없었기 때문에 10월 추위에도 불구하고 거의 11월이 다 될 때까지 여름옷을 입었다. 그러나 패션의 유혹이 완전히 사라진 것은 아니었다. 양키 점령군이 북부의 유행 소식을 가져왔고 리는 용감하게 최신 유행을 따르려고 시도한 일에 대해 썼다. 그녀는 "오늘 아침 뉴욕 최신유행에 맞춰 드레스 소매를 고쳤다."라고 일기에 적었다. 앨라배마의 파서니아 헤이그_Parthenia Hague는 표백하지 않은 시트를 나무껍질과 가지로 염색해서 짙은 갈색 드레스 옷감을 만들고, 검정색 실크 조각, 붉은색 모직물 약간, 낡은 푸른색 스카프 자투리 같은 오래되고 낡은 옷 조각으로 집에서 만든 평범한 옷감에 장식했다. 피난민이었던 케이트 스톤은 가난한 이웃 주민에게서 중고 드레스를 구입했는데 '그것이 우리가 구할 수 있는 전부' 였기 때문이었다. 그러나 그녀는 '다른 사람이 입던 약간 낡은 듯 한 옷을 입는 일이 우습다고 생각했다. 마가렛 프레스톤은 독창적으로 옷을 만들기보다 새 옷 없이 지내는 쪽을 택했다. 전쟁이 시작된 지 1년이 지났을 때 그녀는 "마음을 굳게 먹고 단 한 벌의 옷도 사지 않았다."고 자랑스럽게 기록했다. 이와 비슷하게 자제력이 강한 앨라배마의 조 길리스는 옷이나 장신구에는 관심이 없는 척했기 때문에 집안의 모든 재료가 목사인 남편이 입을 옷으로 변했다. 가죽은 매우 귀한 물품이어서 여성들은 옷감이나 종이로 신발을 만들었고 아이들은 맨발인체 내버려두었다. 1864년 5월, 리지 네블렛은 열한 살이던 딸 메리가 몇 달 동안 신발을 신지 않았다고 기록했다. 노스캐롤라이나 러더퍼드_Rutherford 지역의 여성들은 주지사인 제뷸런 밴스에게 "숙녀들 절반이 신발이 없어서 교회에 가지 못한 채 집안에만 머물러 있다."고 호소했다.[5]

리지 네블렛은 전쟁 전 옷이 부족하지도 않고 살 여유도 있었을 때 좀 더 아름답게 차려입지 않은 것을 후회했다. 1864년 무렵, 옷장이 거의 비게 되자 그녀는 몇 년 전 한 노예에게 주었던 드레스를 되사야만 했다. 그 드레스는 '옥양목으로 된 예쁜 옷으로 새 것처럼 훌륭했고', 리지는 3달러 50센트를 주고 구입한 물건에 몹시 기뻐했다. 감격한 그녀는 자신이 버린 옷을 노예에게서 재구입했다는 아이러니와 그것이 의미하는 신분 하락은 염두에 두지 않는 것처럼 보였다. 메리 체스넛은 특권의 근간을 이루는 것에 생긴 변화를 좀 더 통찰력 있고 분석적인 눈으로 바라보았다. 체스넛이 냉소적으로 '예전에는 부유했던 백인 숙녀들' 이라고 부른 리치몬드의 많은 친구들처럼 그녀 자신도 수도에 있는 자유로운 신분의 흑인들을 상대로 가게를 운영하는 흑백 혼혈 여성들에게 정기적으로 드레스를 팔았다. 연방 군대가 진군하는 지역의 남부 백인여성들은 자유의 몸이 된 노예 여성들이 여주인으로부터 강탈한 장신구를 자신들의 새로운 지위에 대한 상징으로 자랑삼아 보이고 다녔다. 케이트 스톤은 자신의 가족이 루이지애나 농장에 버리고 온 노예들이 그녀 어머니의 옷을 입고 신이 나서 주위를 뛰어다니며 여주인 노릇을 하고 있다는 이야기에 대경실색했다. 화려한 무늬를 짜 넣은 값비싼 천과 비단으로 차려입은 흑인 여성들은 사치를 규제하는 남부의 불문율을 어겼다. 남부 지배계급을 약화시키는 힘을 이야기하는 연극 '혼돈의 세상' 에서 그들은 의복이라는 언어를 이용해서 새라 모건이 감히 성별 체계에 도전하려고 했던 것과는 비교할 수도 없을 만큼 대담하게 인종 간의 위계질서에 이의를 제기했다.[6]

사라지고 있는 후프 스커트

남부 연합 패션에 나타난 놀랄만한 변화의 원인은 전시의 물자 부족일 것이다. 후프 스커트는 1850년대 초에 등장해서 1861년 전쟁이 발발할 때까지 계속해서 여성의 실루엣을 주도했다. 후프는 정교하게 만든 버팀대로 강철에 천을 씌워서 만들었으며 끈으로 허리에 고정시켰다. 드레스 아래에 입어, 복식의 역사를 연구하는 한 학자의 표현대로라면 '참으로 경이로운' 크기로 스커트를 부풀게 하는 것이 후프의 역할이었는데 때로는 스커트 지름이 5피트_152.4cm-옮긴이가 훨씬 넘기도 했다. 우리는 그런 스타일의 매력과 문화적 의미를 그저 추측만 해볼 수 있을 뿐이다. 하지만 후프의 등장은 대체로 가정적인 것을 강조하는 빅토리아적 이상형의 출현과 분리된 여성적 영역이라는 이데올로기의 승리와 일치한다고 할 수 있는데, 이러한 개념을 후프가 외형적으로 구체화하였다고 할 수 있다. 후프를 입은 숙녀는 닫힌 자신만의 사적인 공간을 확보하고 있는 것이다. 폭이 넓은 스커트는 여성이 보호받아야 할 범위를 상징했다. 게다가 중류, 상류 계급 여성들의 성욕을 부정하고 억누르던 빅토리아 문화에서, 후프는 여성의 신체를 숨기고 새로운 실루엣을 만들었다. 20야드_18.28미터-옮긴이 정도의 옷감이 필요한 후프 스커트는 성별만이 아니라 계급을 상징하기도 했다. 후프를 만들려면 상당한 양의 직물을 사용해야 했고, 격렬한 육체노동을 수행하는 사람들은 입을 수 없는 옷이었기 때문이다. 그런 의상을 입고 제대로 움직이기란 거의 불가능했다. 그렇기 때문에 그 스타일은 보호받고, 특권을 누리며, 품위 있게 아낌없이 소비하는 것이 인생의 의무인 중류, 상류 계층의 수동적인 여성들을

후프를 이용해 남부로 키니네(quiniine, 말라리아 특효약으로 알려짐-옮긴이)를 몰래 들여오려다 붙잡힌 남부여성. '후프와 키니네'. 1862년 11월 22일자 신문에 실린 프랭크 레슬리의 그림.

나타내는데 적합하였다.[7]

전시 남부에서 후프를 입는 일이 줄어들자 남성과 여성 모두가 관심을 보였다. 1862년, 모건 캘러웨이가 리치몬드에서 아내 레일라에게 알렸다 "후프가 점차 사라지고 있고, 아예 입지 않는 숙녀들도 있소." 미시시피의 엠마 크러처는 남편 윌에게 '유행에 따라 후프를 벗었지만', 실내에서만 그런 차림을 한다고 말하며, 격식을 갖춰 옷을 입을 때에는 어쩔 수 없이 예전 복장으로 돌아가야 한다고 고백했다. 케이트 스톤은 1863년 여름, 후프를 완전히 포기했다고 선언했다. 전시의 부족이나 궁핍과 어울리지 않는 사치인 것 같다는 것이 이유였다. "거대한 후프를 입은 여성이 맨발로 걸어가는 것보다 더 우스운 모습도 없다."고 그녀는 평하였다. 많은 여성들은 후프 위에 입을 스커트에 필요한 옷감과 후프 자체를 만드는데 사용되는 재료를 줄이기 위해서 후프 입기를 포기하였다. 대부분의 옷감은 구할 수가 없었고, 단순한 옥양목조차 귀할 뿐만 아니라, 1864년 무렵에는 전쟁 발발 당시의 가격보다 10배가량 치솟았다. 이렇게 되자 가장 부유한 가정들마저도 이 문제로 촉각을 곤두세우지 않을 수 없었다.[8]

단단한 버팀대와 끈으로 만들어진 후프도 드레스처럼 낡았고, 때로는 미시시피의 젊은 여성 아만다 워싱턴에게 일어난 것과 같은 난처한 사건이 일어나기도 했다. 1862년 어느 봄날 아침, 교회에 가기위해 집을 나선 그녀는 노란색 드레스를 입은 자신의 모습이 만족스러웠다. 그러나 예배를 마치고 교회를 나서는 순간, 그녀의 후프가 벗겨지기 시작했다. "거의 아무와도 이야기를 나누지 못한 채 나는 마차로 뛰어갔고 그 몹쓸 것이 바닥에 떨어지기 전에 가까스로 마차에 오를 수 있었다. 나는 정신이 아찔했다."[9]

파서니아 헤이그와 같은 여성은 폐품 조각들로 새 후프를 만들었다. 미시시피의 앤 마틴과 같은 여성들은 50센트라는 거금을 들여 후프를 새로 하나 구입했다. 리지 하딘 같은 여성들은 필사적으로 후프를 찾아다녔지만, 노력한 보람이 없었다. 1863년 초, 군대가 펜실베이니아로 향할 거라고 예상한 엘렌 무어는 남편 사무엘에게 쇼핑 목록을 보냈다. 거기에는 새 후프가 가장 갖고 싶은 물건으로 분류되어 있었다. 패션에 대한 애착은 강렬했고 쉽게 사라지지 않았다. 집안에서는 기꺼이 후프를 포기하던 엠마 크러처는 후프 없이 외출하는 것이 꺼림칙했다. 버지니아의 캐서린 코크란은 후프를 계속 입는 것은 여성의 연약함을 보여주는 증거라고 인정하면서도 후프에 집착하고 있었다. "나는 마음이 약해서 후프 없이는 오랜 친구들 앞에 나서지 못한다." 그녀가 후프를 사회적 지위의 상징, 낮은 지위의 여성들이 여전히 탐내는 것으로 인식하고 있었기 때문에 옷차림에 더욱 강한 애착을 느꼈을 것이다. 버지니아 서부를 여행하던 코크란은 산에 사는 어느 가족의 집에 머물렀다. 손님들 모두가 침대에 들기 위해 옷을 갈아입은 후에 여주인이 코크란의 후프를 한 번 입어 봐도 되겠냐고 간절하게 부탁했다. 패션에 대한 여주인의 갈망에서 코크란은 여성의 '허영심'에 대한 분명한 징표를 보았다. 숟가락도 하나뿐이어서 테이블 주위에 있는 모든 사람들에게 돌아가면서 쓰도록 할 정도로 생활에 꼭 필요한 물건이 그렇게 많이 부족한 상태에서도 "그녀가 이 세상에서 가장 원하는 것은 후프 한 벌이었다." 나약함과 허영심의 징표인 후프는 심지어 코크란의 부와 지위가 전쟁으로 심각한 타격을 받은 후에도 코크란과 여주인 사이의 사회적 경계선의 역할을 하였다.[10]

그러나 경제적, 현실적 문제 때문에 후프를 고집하기가 점점 힘들어졌다. 패션에 민감한 십대인 뉴올리언즈의 클라라 솔로몬은 1862년 6월 후프를 전체적으로 손보기 시작했는데 '가능한 한 작게' 만들기로 마음먹었다. 자의든 타의든, 원해서건 구입하기 어려워서건 간에 다른 사람들도 후프를 완전히 포기했다. 후프가 사라지기 시작하자 여성들의 실루엣이 한결 자연스러워졌다. 하류계급 여성들과 상류계급 여성들의 차이는 다소 모호해지고 숙녀들은 전시의 새로운 임무를 수행하는 데 필요한 활동의 자유를 얻었다. 전쟁의 전반적인 사회현실과 일치하는 의복의 역할이란 의미에서 볼 때 여성들은 그들의 여성적 영역의 분리가 불분명해지고 그들의 몸을 둘러싼 안전한 공간의 크기가 줄어드는 것을 경

험했다.[11]

군인처럼

전쟁은 여성들의 의복형태만이 아니라 머리에도 변화를 가져왔다. 젊은 숙녀들은 짧은 머리를 선호하기 시작했고, 나이가 든 사람들은 여기에 당황하고 충격을 받았다. 드레스와 마찬가지로 이 새로운 유행에는 타당한 이유가 있었다. 공을 들인 긴 머리모양은 유지하는데 상당히 조심해야 했고, 빗질하고 핀으로 고정시키는 일도 만만치 않았다. 그 일은 주로 노예들이 책임지고 했는데 해방이 가까워지면서 이들의 도움을 받기가 점점 힘들어졌다. 양키군이 뉴올리언즈를 점령한 후 클라라 솔로몬은 자신의 노예인 루시가 얼마나 더 오랫동안 머리를 손질해줄 것인가 생각하였다. 1862년 6월 어느 날 아침, 여느 때처럼 머리 손질을 기다리던 클라라는 걱정스러웠다. "나는 얼마나 의존적인 사람이란 말인가. 만일 몸단장을 할 때 루시가 도와주지 않는다면 나는 아름답게 보일 수도 없을 것이다." 사실 클라라와 자매들은 머리를 잘랐다. 로사의 머리는 머리 깎은 군인처럼 보일 정도로 짧았는데, 그것이 '그녀가 원한 머리길이' 였다. '싱글 컷_shingling, 밑을 짧게 친 단발-옮긴이' 이라고 불린 머리모양은 남부 전역에서 유행했고, 어느 사우스캐롤라이나 여성은 훗날 전시를 돌아보며 그 머리모양에는 단순히 실용적인 것 이상의 의미가 있었다고 설명했다. "짧은 머리는 일부 젊은 숙녀들 사이에서 유행이었다. 그들이 남자 형제들과 전쟁터로 나갈 수 없다면, 적어도 군인처럼은 보여야했다." 열여덟 살이었던 테네시의 내니 하스킨스는 친구 두 명과 함께 1864년 6월 이 새로운 흐름에 동참했다. "우리 셋 모두 싱글 컷을 했다. 머리를 단발로 자른 나는 마치 상처자국이 있는 토끼처럼 보인다. 엄마는 이것 때문에 나한테 화가 나셔서 오늘 아침까지 거의 말을 걸지 않으셨다." 피난민인 시드니 하딩이 머리를 짧게 잘랐을 때도 마찬가지로 적대적인 평을 들었다. 그녀는 "모두들 계속해서 내 머리 얘기만 했다."고 일기장에 적었다. 그러나 한 나이 든 퇴역장교의 말은 가치가 있다고 생각했는지 자세하게 기록했다. 그는 짧은 머리 때문에 "내 모습이 위압적으로 보인다며 여성들로 군대를 조직해서 전쟁에 참여해야 한다고 말했다." 의복 형태와 마찬가지로 남녀의 머리 모양도 그 차이가 점차 모호해졌다.[12]

여성들의 삶과 의무가 변하기 시작했을 때, 그들에게 필요한 옷의 형태와 그들의 입고 싶어 하는 옷에도 변화가 생겼다. 바닥에 떨어질 뻔 한 후프 때문에 짜증이 났던 아만다 워싱턴은 1863년 여름, 집에 있는 식료품이 바닥을 보이자 정기적으로 낚시를 해서 음식을 보충했다. 그러나 물고기를 낚는 데 옷이 큰 방해물이라는 것을 깨달았다. 그녀는 "진흙투성이가 되지 않고 낚시를 할 수 있도록 내가 입을 짧은 바지를 만들기 시작했다."고 일기에 썼다. 집을 나설 때마다 권총을 챙기는 코델리아 스케일스는 안전을 위해 남자처럼 옆 가르마를 타고 게릴라처럼 옷을 입었다. 남부 연합에서 출판된 몇 안 되는 소설 중 하나가 크로스 드레싱_이성의 옷차림을 하는 것-옮긴이을 낭만적이고 멋진 줄거리의 주제로 삼았다는 것도 주목할 만하다. 이성의 옷을 입는 남성과 여성들의 이야기인 『캐스틴: 매혹의 로맨스_*Castine: A Charming Romance*』는 남북전쟁의 격전지를 남녀의 역할의 실험과 혼란의 장으로 탈바꿈시켰다. 그러나 대단히 감상적인 그 이야기의 과장되면서도 힘 있는 필치는 실제 사회 동향과 불안을 묘사한 것이다. 우리가 살펴본 것처럼, 비범한 여성 수백 명이 실제로 군인 행세를 하기 위해 변장을 했고,

전형적인 남부 연합 여성 수천 명은 남자들에게 속한 특권과 보호, 책임을 공유하려는 노력의 일환으로 남성의 의복 형태를 차용했다.[13]

다른 여성들은 별 의미 없이, 가볍고 일시적인 형태로 시험 삼아 새 옷을 선택했다. 전시의 연극들, 특히 큰 인기를 끈 활인화에 점잖은 여성들을 격려해서 신사의상을 입게하고, 생전처음 무대에 오르도록 했는데, 그 곳에서는 역할과 신분이 허구로 만들어지고 바뀌기도 하였다. 의상은 연기를 위한 표지였으며, 극장에서뿐만 아니라 인생에서도 자아를 확립하고 다시 정의내릴 수 있는 가능성을 열어주었다. 엠마 크러처는 어느 날 밤 빅스버그에서 공연된 활인화에 참가하지는 않았지만 성별과 역할 변화라는 신기한 경험을 하였다. 공연이 끝난 후 의상들을 한데 모아 다음 날 아침 반납한다는 사실을 알게 된 그녀는 한 시동의 바지를 입어보고 싶어서 견딜 수가 없었다. 남성의 옷을 입고 느낀 흥분은 예상외로 강렬해서 그녀는 남편 윌에게 의복이 어떻게 여성의 신체만이 아니라 여성의 삶까지 결정짓는가를 이야기했다. "여자들은 치렁치렁하고 다리에 휘감기고 거추장스러운 스커트를 벗을 때 날아갈 것 같은 기분이 들어요. 제가 일단 한 번이라도 스커트에서 자유롭게 되면 마치 발레리나처럼 뛰어다니려는 제 발을 주체하지 못해서 애를 먹을 거란 생각이 들어요." 그러나 갑자기 어린아이 같은 옷 갈아입기 놀이가 부끄러워진 그녀는 다시 평소 입던 옷으로 갈아입었다. 그렇지만 최소한 옷이라는 영역 안에서 경험한, 선택과 기회가 주는 느낌 그리고 그녀를 거추장스럽게 하던 것과 거기서 해방된 느낌은 잊지 않았다.[14]

1864년 버지니아의 피터스버그_Petersburg에서는 젊은 여성들이 극장이라는 제한된 장소를 한참 벗어난 곳에서 남장을 하고 연기

놀이를 했다. 그들은 다시는 결혼하지 않겠다는 한 과부의 맹세를 시험하기로 결정하고 친구 중 한 명을 부추겨서 '바람난 난봉꾼' 역할을 맡게 했다. 남장을 하기로 결정된 여성은 남자들의 옷장을 채우는 온갖 소품과 콧수염까지 이용해서 그 과부의 마음을 얻는 데 성공했다. 그 짓궂은 여성들이 비밀을 밝힌 후에야 결혼 계획이 중단되었다. '두 여성 모두 도시에서 유명하고 사회적으로 높은 신분을 가진 숙녀들' 이라고 독자들에게 알린 『리치몬드인콰이어러』지는 그 괴상한 구애가 '한 숙녀를 거의 유부남으로 만들 뻔했다' 고 말했다. 새로운 남부 연합의 이상한 세상에서는 여성들이 남자가 될 수 있는 것처럼 보였다. 성별 정체성은 불확실하고 끊임없이 변화를 거듭했기 때문에 몹시 놀라고 당황한 『리치몬드인콰이어러』지의 편집자가 그것에 관해 언급할 만도 했다. 남부인들은 인종 간의 범주가 바뀔 수 있다는 것을 오래전에 이해했기 때문에 확고한 성별에 관한 이원론 역시 바뀔 수 있다고 보았다.[15]

여성의 옷을 입고

남북전쟁 때 남부에서 의복으로 이런저런 시도를 한 사람들은 여성들이었지만 사실 남부 연합에서 크로스 드레싱으로 가장 유명해진 -꾸며낸 이야기일지라도- 사람은 남자였다. 1865년 5월, 전쟁 말미에 제퍼슨 데이비스가 붙잡혔을 때 그를 체포한 사람이 그가 여장을 하고 있었다고 보고했다. 분명 데이비스는 망토 -아마 아내의 것이었겠지만-로 얼굴을 가리려고 했을 테고, 이것 때문에 길게 늘어지는 여자 옷을 입고 있는 것처럼 보였을 것이다. 그러나 언론과 대중들의 상상에 의해 살이 붙여진 완전히 다른 이야기가 만들어졌다. 시사만화와 판화들은 자리에서 물러난 대통령이 후프스커트, 페티코트, 모자 등 여성의 의복으로 머리끝부터 발끝까지 차려입은 모습으로 묘사했다. 역사학자인 니나 실버_Nina Silber는 그 이미지가 '북부 남성들 사이에 만연한 남부 남성을 조롱하고 싶어 하는 욕구' 라고 생각한다. 그러나 남부사람들은 이런 묘사에 대해 다른 견해를 갖고 있었다. '페티코트를 입은 데이비스' 와 관련된 악의적인 묘사는 분명 남부사람들의 창작물이 아니었지만 애포머톡스에서의 패배 후 몇 달이 지나지 않아 『레슬리스_Leslie's』지와 같은 유명한 대중잡지와 전단지, 낱장으로 된 악보를 통해 남부사람들 눈에 띄게 되었다. 말할 것도 없이 남부 사람들은 이런 표현을 북부의 승리의 전리품의 일부분이며, 패배한 적에게는 참기 힘든 굴욕으로 여겼다. 그러나 그와 동시에 남부인들은 그 이미지를 전쟁동안 그들이 행하던 크로스드레싱이라는 맥락에서 이해할 수밖에 없었다. 제퍼슨 데이비스는 남부 연합에서 여성

페티코트를 입은 제퍼슨. 전단지. 1865년. 『아메리칸 뉴스 컴퍼니 오브 뉴욕(American News Company of New York)』지가 십만 장을 인쇄하며 장당 10센트에 판매했다. 필라델피아 도서관(the Library Company of Philadelphia) 소장.

의 옷을 입은 모습이 목격된 첫 번째 남자라고 할 수 없었다.[16]

아직 전투가 끝나지 않은 앨라배마에 살고 있던 로웨나 웹스터_Rowena Webster는 예기치 않은 북부 군대의 출현으로 남부 연합 남자들의 탈출을 도와야 할 때면 여성들이 정기적으로 여자 옷을 마련해주었으며 남자들은 스파이 역할을 하기 위해 여성으로 분장했다고 말했다. 남부 연합 남자들은 정치적 목적으로, 또한 공연을 목적으로 여자 옷을 입었다. 헬렌 가너_Helen Garner는 그녀가 살고 있는 미시시피 근처에서 야영하던 루이지애나 연대가 콜럼버스의 마을 사람들을 위해 연극공연을 했던 것을 떠올렸다. 마을 숙녀들에게서 드레스를 빌린 군인들은 힘이 넘치는 공연으로 주민들을 즐겁게 했다. 가너는 "주연을 맡은 숙녀는 육안으로도 식별이 가능한 콧수염이 있었다."라고 기억했다. 여성들의 경우와 마찬가지로 전시의 극장은 남자들에게 연극의 재미를 목적으로, 또 우스꽝스러운 행동 -사실은 중요한 의미를 담고 있는- 을 목적으로 다른 성별의 역할을 경험해볼 수 있는 기회를 제공했다. 피터스버그의 숙녀가 거의 유부남이 될 뻔했던 것처럼 주연 여배우도 얼굴의 수염을 장난스럽게 보일 수 있었다.[17]

군인들의 연극은 축제의 성질을 띠고 있었으며 이것은 남부 연합 남자들이 여성의 옷차림을 하고 행한 다른 행동에서도 확인할 수 있다. 1863년 새해 첫 날, 사우스캐롤라이나 스파턴버그_Spartanburg에 있는 어느 대학의 남학생들이 여자 옷을 입고 마을 주위를 달렸다. 이런 행사는 세상이 뒤죽박죽이 되었다는 사실을 인정하는 것 즉 전복의 특성을 내포하고 있으며, 역사적으로 있어 왔던 새해의 전형적인 축제이자 노예제도가 붕괴되고 있는 남부에 어울리는 행사였다. 그러나 그런 행동은 남부 연합에서 또 다른 의미를 가졌다. 근대전이 벌어지고 전방과 후방의 차이가 불분명해진 남부 연합에서는 남성과 여성의 본분은 엄격하게 구분되어 있다는 관념이 크게 흔들리게 되었다. 그 남학생들도 거의 모든 젊은 남자들이 전쟁터로 나간 사회에서 학생이라는 다소 예외적인 입장에 대해 어떤 식으로든 입장표명을 했음이 분명하다. 1861년, 텍사스 여성들은 군복무를 하지 않는 남자들에게 후프스커트를 보냈다. 이 캐롤라이나 남자들도 이와 같은 방식으로 보호받는 자신들의 입장에 대한 무의식적인 갈등과 죄책감을 표현했던 것 같다.[18]

남부 연합 여성들은 전쟁이 초래한 전통적인 옷차림과 역할 변화에 따른 두려움과 욕망을 솔직하게 표현했다. 여성들만큼 분명하게 드러내지는 않았지만 남성들도 분명 호기심과 반감을 동시에 느끼고 있었을 것이다. 여성과 패배를 연상시키는 제퍼슨 데이비스의 이미지는 전통적인 성별의 역할이 혼란스러워진 것과 관련해서 사회적 지위를 잃게 될 가능성과 굴욕에 대한 반감의 요소들이 구체적으로 표현된 것이었다. 그러나 남부 연합 남자들은 여성의 특성과 여성들에게 주어진 보호막 또한 공유하고 싶은 마음이 간절했을 것이다. 가장 분명한 것은 남부여성들이 군복무에서 제외되었다는 것이다. 전쟁터에서 목숨을 바치라는 요구를 받지도 않았고 그렇게 기대하는 사람도 없었다. 처음에는 남자들의 특권으로 보였던 것이 사망자수가 증가함에 따라 점차 무거운 짐이자 부담이 되어갔다.

자주 회자되는 남부 연합의 한 일화를 보면 전장에서 제외된 여성들을 향한 군인들의 태도가 변해가는 모습을 엿볼 수 있다. 전투대기중이던 한 보병이 저 유명한 노래 '어머니, 저를 잠재워 주세요._Rock Me to Sleep'를 따라 부르기 시작했다. 그 노래는 전쟁에서 도망쳐 어린 시절과 어머니의 안전한 품으로 돌아가게 해달라는 애원을 담고 있다.

> 오, 시간이여! 뒤를 돌아 과거를 향해 흘러가다오
> 다시 한 번 어린아이가 되게 해다오, 오늘 밤만이라도
> 어머니, 대답 없는 물가에서 돌아와
> 예전처럼 저를 다시 품에 안아주세요.

합창이 끝날 무렵 그 군인은 갑작스럽게 노래를 멈추고 감정을 실어 불쑥 이런 말을 내뱉는다. 다시 한 번 어린아이가 된다면 이번에는 여자아이가 될 것이라고 말이다. 이른 바 제퍼슨 데이비스의 여장 이야기도 남성의 의무와 위험에서 달아나고 싶은 거의 비슷한 욕망을 표현한 것이다. 전통적인 남녀 역할에 따르는 속박과 의무를 새로운 눈으로 바라보고 의복이라는 표현수단을 이용해서 옷차림이 바뀌고 역할이 변화되는 데서 오는 흥분과 두려움을 표현한 것이 비단 여성들만은 아니었다.[19]

남자의 마음과 여성의 몸

때로 여성들은 복장과 관련된 논의에서 벗어나 정체성과 외양의 부조화에서 오는 강렬한 감정을 토로했다. 기존의 여성적 행동과 정서에 부적합한 것으로 간주된 느낌 때문에 곤혹스러워한 여성들은 자신의 몸에 맞지 않는 옷을 입고 잘못된 몸에 갇힌 듯 한 느낌을 받았다. 리지 네블렛은 하느님께 빌었다. "주님, 저를 여자로 만드셨다면 어찌하여 저에게 이런 반항심과 사악한 감정을 주셨나이까? 저는 왜 불쌍하고 열등한 노예들처럼 순종적인 사고와 감정을 소유할 수 없는 건가요? 주님은 저에게 생명을 주셨지만,

제가 감당할 수 없는 시련 또한 주셨습니다." 거의 동일한 표현을 쓴 새라 모건은 주위 남자들에게 부족한 용기를 보여주게 되자, 전시에 등장한 남녀 역할의 전환에 대해서도 언급했다. "어찌하여 나는 남자의 마음과 여성의 몸을 가지고 태어났는지, 그리고 수염 달린 창조물들은 왜 마법에라도 걸린 것 마냥 그렇게 안절부절 못하는지 오직 하느님께 물을 수 있으리."[20]

일기를 쓰는 거의 모든 남부 연합 여성들은 어느 시점에선가 일기에 남자가 되고 싶은 마음을 표현하고 있었다. 새라 모건은 "아, 내가 남자였더라면 바지를 입고 결연하게 적들을 죽일 수 있었을 텐데!"라고 외쳤다. 벨 에드먼드슨은 1864년 3월 "오늘 아침에야 내가 남자이기를 바랐다."고 썼다. 엘리자베스 콜리어는 "신은 왜 나를 남자로 만들지 않으셨는지"라며 애석함을 토로했고 엠마 월튼도 같은 생각이었다. "내가 남자로 태어났더라면!" 샐리 먼포드는 "나는 가끔씩 남자가 되고 싶은 마음이 간절하다."고 털어놓았다. 이런 감정은 혁명적인 동시에 보수적이고, 관습에 반하지만 결국 진부한 것이기도 했다. 어떤 면에서 그 표현들은 제한된 여성의 역할에 대한 새로운 인식이 고개를 들고 그에 대한 불만이 표출된 것이었다. 전쟁이 말기에는 여성들의 좌절에, 지금 남자들이 하고 있는 것보다 남자들의 임무를 더욱 훌륭하게 수행할 수 있을 거라는, 분노에 찬 확신이 더해지는 경우도 많았다. 버틀러의 뉴올리언즈 만행을 듣게 된 애비 슬로콤은 같은 도시에 있었어도 뉴올리언즈 숙녀들을 지키지 못한 '남자들의 비겁함이 무척 실망스럽고 혐오스럽다'고 단호히 말했다. 엘시 브래그_Elsie Bragg도 비슷한 환멸을 느꼈다. 남부 연합이 서쪽에서 연이어 패한 후 그녀는 이렇게 썼다. "만약 우리 군인들이 지금처럼 불명예스러운 행동을 계속한다면, 우리 여성들이 대신 전쟁터에 나가고 남자들은 집으로 돌려보내 닭이나 치게 하는 편이 나을 것이다." 여성들은 빅스버그에서 후퇴하고 돌아온 군대를 이런 말로 맞이했다. "당신들한테 정말 실망했어요!" 윈체스터의 여성들은 남부 연합 기병대의 말고삐를 움켜쥐고 적군에게 마을을 넘겨주는 수치스러운 일이 일어나지 않게 하려고 했다. 애포머톡스_남군의 리 장군이 북군의 그란트 장군에게 항복한 곳-옮긴이는 백인 남자의 마지막 실패라고 할 수 있다. 그들은 이미 흑인을 통제하는데 실패하고, 가족들을 먹이지도 입히지도 지킬 수도 없게 된 것이다.[21]

그러나 여성들이 남자가 되고 싶어 하거나 남자들로 하여금 남자답게 행동하게 만들려고 노력하자 여성들의 불만은 마치 현 체제를 강력하게 지지하는 몸짓으로 해석되었다. 전쟁동안 남부 백인여성들은 여성에게 기대되는 것과 그들 자신의 욕망과 바람 사이의 간극이 크다는 것을 깨달았다. 그러나 그들은 자신의 좌절감을 분명하게 표현하여 의미 있는 변화를 일으키려 하지 않았고, 아마 할 수도 없었을 것이다. 새라 모건은 불만을 내색할 수 없어서 화가 났다. "정체를 알 수 없는 이 목마름을 해소하지 못한 채 죽어야 한단 말인가? 이것이 무엇인지 설명할 수는 없지만… 만족스럽지가 않다! 나는 만족스럽지가 않다!" 다른 많은 여성처럼 그녀도 남자가 되는 상상을 하기 시작했다. 남자가 되어 -혹은 남자가 되겠다는 욕망으로- 불만을 해소하는 것은 진정한 변화가 아니다. 그것은 여성의 복종을 강요하는 사회체제에 정면으로 부딪히기보다 거기에서 달아나려는 시도이며, 여성의 역할을 확대하려는 움직임이 아니라 여성에게 지워진 현재의 속박이 타당함을 새삼 확인하는 것이다.[22]

전쟁 내내 남부 연합 남성들과 여성들은 서로의 성별의 행동을 바꿔서 하는 개념을 활용하였는데, 이러한 개념에는 새로운 여성의 역할과 책임감에 잠재된 혁명성이 내포되어 있었다. 여성들이 공격적이고, 강인하고, 독립적으로 행동하기 시작할 경우 그들의 행동은 여성의 행동 범주를 벗어난 예외적인 것으로 간주되었기 때문에 여성의 특성과 관련된 일반적인 인식에는 아무런 영향을 미치지 않았다. 사바나의 한 판사는 식량폭동을 일으킨 여성들의 재판에서 이런 행동에 대한 의견을 분명히 밝혔다. "여성들이 폭도가 되었을 때," 그는 여성들이 폭력에 의지했다는 것이 전례가 없는 중요한 의미를 담고 있다는 사실을 인정하지 않으려 했다. "그들은 여자이기를 포기한 것이다." 그는 여성들이 난폭한 행동을 할 수도 있고 하게 될 것이라는 사실도 부인하려 했으나 은연중에 여성들의 외양과 겉으로 보이는 여성이라는 신분이 그들의 행동을 예측하는 지표가 될 수 없다는 사실도 깨닫고 있었다. 여성의 옷차림을 하고 여성의 몸을 가졌지만, 그럼에도 그들은 남자처럼 행동했다.[23]

명석한 여성들은 종종 남성의 지성을 소유했다고 말을 하였다. 마리아 허바드의 자매 루시는 '유별나게 머리가 좋아서' 그녀의 지성은 '거의 남성'에 가까웠고, 메리 체스넛도 재능 있는 친구인 루이자 맥코드가 '남성의 지성'을 소유했다고 생각했다. 클라라 맥린 역시 최근에 간호사 신분으로 전장에 나간 이웃 엘리자 맥키의 힘이 센 점에 대해서 똑같은 방식으로 해석했다. 그녀는 그런 용기와 자신감이 '거의 남자처럼' 보인다고 누누이 말했다. "사실 나는 그녀가 병원에서 그녀와 함께 여성만의 은밀한 주제에 관한 이야기를 하는 것이 불편하게 느껴진다고 그녀에게 말하곤 했다. 나는 그녀가 여성으로 변장했다고 밖에 생각할 수 없다."[24]

맥린은 의상과 연극과 관련된 일반적인 상징을 이용해서 전쟁 중 그 경계가 모호해지고 놀라움의 대상이 된 남녀의 역할 변화를 강조하였다. 그러나 그녀는 여성의 본질에 관한 메리 체스넛이나 사바나의 판사의 의견에 동의했다. 여성들은 강하거나 명민하지도, 대담하지도 않으며 그렇게 보이는 여성들은 진짜 여성일 리가 없었다. 그저 여장을 한 남자였다. 남성과 여성의 범주가 유동적이고 이동 가능해지자, 대부분의 상류계급 여성들은 사실 익숙한 생각과 역할에 더욱 집착했다. 메리 체스넛의 경우처럼 새로운 책임을 못마땅하게 여겨서 그녀가 변화에 저항한 것이 아닌가 의심된다. 유능한 간호사가 되기 위한 능력과 용기가 부족했던 그녀는 맥코드의 성공에 위협을 느꼈고 그래서 그들의 성공을 단순히 놀라운 것이 아니라 여성의 본성에 어긋나는 것이라고 말했다.

다른 여성들은 게르트루드 토마스가 '대부분의 남부 여성들을 특징짓는 관습주의' 라고 칭한 것에 대해 보다 의식적으로 비판하였다. 캐서린 에드먼드스턴은 "숙녀들의 머릿속에 있는 그런 생각은 대들보에 박힌 오래된 못과 같아서 부러뜨리거나 안으로 밀어 넣을 수는 있지만 절대로 제거하지는 못한다! 당신이 그 못들을 제거했다고 생각했을 때 그 못들은 그곳에서 고집스럽게 녹슨 채로 남아 있다."고 말했다. 그러나 토마스와 에드먼드스턴의 비난에는 그녀들 자신도 포함되었다. 점차 자신의 존재를 자각하게 된 여성들은 자아를 변형시킬 수 있는 무시무시한 가능성에 맞서 싸움으로써 여성의 역할과 책임에 변화를 야기하는 전시 위협에 대응했다. 엠마 크러처는 생각에 잠겼다. "일단 한 번이라도 여성의 옷, 여성의 역할에 의한 속박에서 자유로워지면 마치 발레리나처럼 뛰어다니는 내 발을 주체하지 못해서 애를 먹을 것만 같다." 의복의 변화, 전통적인 여성성의 포기는 실제적으로 또 비유적으로 그녀의 인격을 위태롭게 했다. 그녀의 확고한 정체성과 행동과 자아를 통제하던 것이 마치 중력이 없어지기라도 한 듯 사라졌다.

옷을 갈아입듯이 인생이 변할 수도 있다는 생각이 끔찍해 보인 것도 무리는 아니다. 새라 모건이 오빠 옷을 입을 엄두를 내지 못한 것도 당연하다. 남부 백인 숙녀들이 인종과 계급의 특권을 기반으로 한 자아 정체성과 지위 그리고 다소 모호한 특혜와 여성으로서의 불이익까지도 앗아갈 위험이 있는 변화에 가까이 다가갔지만 결국 회피하고 저항하기까지 한 것도 전혀 놀라운 일이 아니다.[25]

CHAPTER ELEVEN

Sick and Tired of This Horrid War

PATRIOTISM, SACRIFICE, AND SELF-INTEREST

제11장

이 지긋지긋한 전쟁에 지쳤다
애국심과 희생 그리고 이기심

기존의 특권과 익숙한 신분을 고수하려는 노력에도 불구하고 남부 지배계급 여성들은 변화와 싸우고 역경으로 시련을 겪었다. 전쟁이 끝날 조짐이 보이지 않은 상태에서 수년이 지나는 동안 그들은 감정적, 물질적 결핍으로 말미암아 심리적인 타격을 받았다. 절망이 고개를 들고, 보호를 의탁할 수 있을 거라 믿었던 사람들에 대한 확신은 희미해지고, 자신의 인내력에 대한 의혹이 고개를 들기 시작하자 여성들은 그들 세상의 근간을 이루는 관념을 다시 생각하게 되었다. 그들은 여성으로서 오랫동안 다른 사람을 먼저 생각하도록 교육받았다. 그러나 지독한 전쟁의 시련과 마주하고 자기 한 몸을 지키는 기본적인 일마저 여의치 않게 되자, 어쩔 수 없이 자기 자신을 생각하기 시작했다. 자기희생의 개념과 실천, 애국심이 요구하는 끝없는 인내는 점차 개인적인 생존마저 위협하는 것 같았다. 전쟁이 끝날 즈음, 고통과 상실을 경험한 여성들은 자기 자신과 사회의 관계를 새롭게 인식하기 시작했다. 고통은 의무와 책임만이 아니라 개인적 욕구와 이해관계, 권리를 가진 개인으로서의 자신을 새롭게 돌아보게 했다. 개인적이며 정신적으로 시작된 이런 변화는 결국 남북전쟁 말 남부의 사회와 정치에 상당한 파장을 미쳤다.[1]

정신적 균형을 잃다

베트남 전쟁 이후, 우리는 전쟁에 참여한 사람들에게 가해진 심리적 충격을 똑똑히 목격했다. 하지만 이 오래되고 사라지지 않는 상처에 대한 인식이 크게 높아지기는 했어도 거의 전투에 참가한 군인들에게만 초점이 맞춰져있다. 아마도 미국의 사상자와 희생자가 대부분 군인이었기 때문일 것이다. 고통은 침략한 국가보다 침략당한 국가에서 더욱 광범위하게 확산되며, 일반 시민들은 때로 군복을 입은 군인들보다 더 지독한 약탈과 만행에 시달린다. 베트남 사람들은 남부 연합 사람들과 마찬가지로 전쟁의 이런 측면을 너무나 잘 이해하였다. 수많은 베트남 참전군인들 사이에서 확인된 외상 후 스트레스 반응은 남부 연합 군인들과 남부 시민들, 특히 엄청난 공포와 파괴, 상실을 마주한 남부 여성들 사이에서도 나타났을 것이다.[2]

여성들은 수년간에 걸친 오랜 전쟁이 자신들의 정서적 안정에 영향을 끼쳤음을 알게 되었다. 앨라배마의 메리 제인 쿡 차딕은 앞으로 몇 달 내에 다가올 어려움을 예상하며 1865년 일기를 쓰기 시작했다. 영원히 계속될 것만 같은 남편과의 이별, 대가족을 돌봐야 할 책임, 어두운 경제 · 정치 전망 등 그녀가 직면한 괴로운 상황들을 적어 내려가면서 그녀는 “지금 막 신경성 발작이 진정되었다. 최근 들어 더 빈번해지고 있다.”고 적었다. 테네시의 버지니아 프렌치도 비슷한 운명으로 괴로워하는 것 같았다. 신경성 발작이 점점 심각해지고 자주 일어난다. “신경을 내리누르는 이 긴긴 긴장과 불안 아래 결국 무너져가는 것 같아서 두렵다.” 버지니아의 엠마 돕슨_Emma Dobson은 “나는 가끔씩 발작을 일으킨다. 솔직히 말하자면 괴로움 때문에 이따금 극심한 히스테리가 도진다.”고 시인했다. 궁핍함과 절망을 불평하던 린치버그_Lynchburg의 애니 업셔_Annie Upshur는 “거의 미치기 일보직전이다.”라고 말했다.[3]

거의 전쟁 내내 윈체스터의 교전 중인 마을 최전선에서 전쟁을 겪은 용감한 메리 리는 1865년 무렵 ‘정신이 이상’해지는 것 같다고 느꼈다. 그녀는 스톤턴_Staunton에 있는 버지니아 정신병원에 새로운 수많은 환자들의 입원이 허가되었는데, 그들은 “전쟁 때문에 머리가 이상해졌으며, 여자들이었다.”고 기록하였다. 나는 “그 사실에 놀라지 않았다.”고 회고하였다. 1865년 6월, 남부 연합의 시도가 실패로 돌아가자 메리 리는 “정신적으로 완전히 무너졌다.”고 말하였다. 테네시의 캐서린 쿠퍼도 정신적 안정을 잃게 될까봐 두려워했는데 그녀의 사정을 보면 그리 놀랄 일도 아니었다. 연방군과 남부 연합 군대의 전투로 황폐해진 지역에 살고 있던 쿠퍼는 아들 열 명과 손자 다섯 명을 군대에 보냈다. 아들 중 다섯 명은 죽고 넷은 부상을 입고 돌아왔다. 열 번째 아들이 병에 걸렸다는 소식에 그녀는 “미칠 것만 같다. 나는 가끔씩 나의 시련이 내가 감당할 수 있는 것보다 훨씬 더 거대하다고 생각한다.”고 적었다. 전쟁이 끝나던 달, 노스캐롤라이나의 에밀리 해리스는 계속해서 자신이 미쳐가고 있다고 걱정했다. 전쟁이 시작되던 때부터 그녀는 어린 아이들을 보호하기 위해 ‘슬픔을 가슴 속에 묻어’ 두는 것이 자신의 의무라고 생각했다. 그녀는 "사실 내게는 슬퍼할 시간도 없었다고"고 말했다. 그러나 이런 식으로 부인하는 것은 좋지 않은 결과를 낳았다. 1864년 무렵, 그녀는 그렇게 노력하는 목적에 대해 의문을 갖기 시작했다. "인생은 그 자체를 위해서가 아니라 나의 도움이 필요한 사람들을 위해 살 가치가 있는 것이다." 그녀는 "나는 미쳐가고 있다. 얼굴에 주름이 잡히기 시작하고, 머리가 백발로 변해가는 것을 느낄 수 있을 정도다."라고 기록했다.[4]

많은 여성들이 신체적 상태와 정신상태 사이의 관계를 이해하고 있었다. 어떤 여성들에게는 물질적인 결핍이 정신적으로 큰 영향을 미쳤다. 윈체스터의 코넬리아 맥도날드는 아홉 명의 아이들을 부양하기 위해 안간힘을 썼다. 그녀는 아이들의 배고픔을 달래느라 자신은 음식 구경도 못하는 날이 많았다. 그녀는 '점점 여위고 쇠약해져가며' 또한 '소심' 해졌다. "감정을 주체할 수가 없다… 나는 저항할 힘과 자제력을 모두 잃었다." 그녀의 우울증은 매우 심각해서 기꺼이 세상에게 '안녕' 을 고할 수도 있을 정도였다. 그러나 여성들의 신체적 쇠약함은 정신적 긴장의 결과인 경우가 많았다. 여성들은 걱정하느라고 진이 빠져서 먹지도 자지도 못한다고 묘사했다. "이 끔찍한 전쟁 때문에 모든 사람들의 마음이 불안한 상태이다." 메리 리는 사우스캐롤라이나에 사는 친구 해티 팔머에게 보낸 편지에서 이렇게 말했다. "가끔 정신적으로 너무나 많은 짐이 지워졌을 때 우리 몸이 무너지는 것은 이상한 일이 아니야."[5]

일부 여성들은 끊임없는 스트레스에서 자신을 보호하기 위해 감정적 무감각이라는 방법을 택했다. 조지아의 애비 브룩스는 애포머톡스 전투가 있기 며칠 전에 '고통과 시련' 이 그녀를 무감각하게 만들고, 감정을 마비시켰다고 적었다. "나는 어떤 사람 혹은 어떤 것에도 거의 신경을 쓰지 않는다. 나는 아무것도 즐길 수 없고, 슬프지도 기쁘지도 않다."

메리 그린하우 리. 버지니아 주 윈체스터의 윈체스터 프레데릭 카운티 문서보관소(Winchester-Frederick County Historical Society) 소장.

버니지아의 어느 여성은 슬픔이 “많은 지인들을 무기력하고 낙담하게 만들었다.”라고 말하였다. 버지니아의 새라 프라이어는 “지독한 불행을 겪은 모든 사람들이 이상하게 감정이 마비되었다는 것을 알아챘을 것이다.”라고 기록했다. 무감각하다는 말은 많은 여성들이 자신의 마음상태가 변한 것을 묘사하기 위해 선택한 단어였다. 리지 네블렛을 남편 윌에게 편지를 보내 “가끔씩 제 마음이 시든 것처럼 느껴져요. 예전처럼 뭔가를 느낄 수가 없어요.”라고 말했다.[6]

감정의 억압은 고통의 무거운 짐과 남부 연합 군대의 사상자가 늘어나는 것을 무기력하게 지켜봐야하는 상황에서 비롯된 정신적 우울과 허무함을 동반할 때가 많았다. 벨 에드먼드슨은 이렇게 자문했다. “나는 무엇을 위해 살고 있는가? 나는 왜 아무런 행복도 없이 하루하루 목숨을 부지하고 있는가?” 또 다른 여성은 화를 내며 자문하였다. “나는 왜 지금까지 살아남아 이런 고통을 지켜보고 있단 말인가?” 건강과 정신이 위협받는다고 느낀 여성들의 관심은 점차 국가와 공동체, 남편과 가족으로부터 멀어져 자기 자신과 자기 자신의 생존으로 향했다. 버지니아 프렌치는 연방 군대가 테네시 대부분을 차지한 후에 이렇게 기록했다. “지금 나의 건강상태와 심경으로는 솔직히 말해 애국적일 수가 없다. 내가 건강할 수만 있다면 전쟁이 어찌되든 상관없다.” 그녀는 확신했다. “나는 너무 기분이 침울해서 남부 연합이나 남부 연합의 어느 누구에 대해서든 조금도 신경 쓰지 않는다.” 에밀리 해리스는 이렇게 말했다. “남부 연합이라니! 나는 그 단어를 증오할 정도다.”[7]

군대에서 집으로

여성들이 1861년 열광적으로 받아들였던 애국심은 점차 무의미해지고, 끊임없이 요구되는 희생 앞에서 무너지기 시작했다. 1863년 여름의 패배 후, 줄리아 데이비슨은 남편 존에게 "제발 이 전쟁이 빨리 끝나기만을 바라고 있어요. 만약 양키가 승리할 거라면, 서둘러 그렇게 해주었으면 좋겠어요."라고 말했다. 게트루드 토마스도 "끝났으면 좋겠다고 참기 힘들다"고 비슷하게 표현하였다. 뉴올리언즈의 어느 어머니가 군대에 있는 아들에게 쓴 것처럼 "오직 희생과 파괴와 파멸과 비참함과 희생자만 있을 뿐, 얻은 것은 없구나._je ne vois que des sacrifices, des victimes, la ruine, la misère, rien de gagné." 1864년 무렵에는 전쟁이 더 이상 영광스럽지 않고, 그저 '목적 없는 대학살일 뿐이었다._massacres sans résultat.' 기꺼이 자신을 희생하고, 자기 자신보다 국가를 먼저 생각하던 여성들의 모습은 사라지기 시작했다. 국가를 위한 초기의 헌신은 전쟁의 시련을 견디는 그들의 인내력과 남부 연합의 미래를 위한 희망, 희망은 빠른 속도로 사라지고 있었는데, 이 두 가지에 좌우되었음이 입증되었다. 부상당한 사촌을 찾기 위해 세븐파인스_Seven Pines의 전쟁터로 떠난 그녀는 '사방에 팔다리가 잘린' 남자들이 있었다고 기록했으며 "전쟁만큼 무가치한 것은 없다!"고 확신했다. 마가렛 정킨 프레스턴은 의붓아들과 아들의 몇몇 친구들의 죽음을 맞으면서 항의하였다. "이제 승리 따위 아무렴 어떠랴!" 새라 제인 샘스는 "너나 할 것 없이 이 궁핍을 견디려고 애쓰는 것도 넌더리가 난다."고 공공연히 말했으며, 1862년 줄리아 르 그랜드는 "이런 희생만큼 무가치한 것은 없다."고 믿을 정도가 되었다.[8]

극도의 피로와 절망에서 나온 실리적인 평화주의가 전쟁 초기에 특권계급 여성들을 사로잡았던 낭만적인 국군주의 분위기를 대신했다. 이런 새로운 견해에 대한 가장 인상적이고 흥미로운 표현이 1864년 랠리에서 출판된 마린다 브랜슨 무어_Marinda Branson Moore의 『남부 맞춤법_*Dixie's Speller*』에 나온다. 무어는 전쟁동안 남부 연합 어린이들을 위해 입문서, 읽기, 맞춤법 시리즈를 썼다. 1864년에 나온 맞춤법이 이 시리즈의 마지막이며, 이 책의 22장은 열렬하게 애국적인 내용을 담은 앞서 출판된 책들과는 상당히 다른 의견을 표명하고 있었다. 알기 쉽게 말하자면, 무어는 남부의 정치적 가치 대신에 남부의 정치적 결정이 인간의 고통에 초래한 대가에 대해 이의를 제기하며 날카로운 반대의 목소리를 남부 연합 어린이들에게 들려주었다.

> 이 슬픈 전쟁은 나쁘다.
> 우리 아빠는 군대에 갔고, 거기서 돌아가셨다.
> 우리 큰형도 군대에 갔고 거기서 죽었다. 폭탄이 형 머리에서 터졌다.
> 우리 숙모는 아들이 세 명인데, 모두 군대에서 죽었다. 이제 숙모랑 딸들이 먹고 살기위해 일해야 한다.
> 나는 우리 엄마랑 누이들을 위해 일할 것이다.
> 내가 군대에 갈 나이가 되면 전쟁이 없었으면 좋겠다.
> 만약 내가 어른이 되어 법을 만들 수 있다면, 가능한 한 전쟁은 절대로 하지 않을 것이다.
> 남자애들이 싸우면 어른들은 혼을 낸다. 하지만 남자 어른들이 싸우면 "용감하다!" 고 말한다.

무어의 교재는 어린 남부 소년의 언어로 남부 연합 여성의 정서를 표현했다. 그러나 20세기를 살고 있는 사람들에게는 위의 시가 제1차 세계대전과 전쟁의 여파에 관한 책에서 우리가 느끼는 모순과 동떨어짐과 냉담함을 다시 반복하는 것에 지나지 않는다.9

남부 연합 여성들이 전쟁을 논할 때, 그들은 차츰 '가치', '얻다'와 같은 단어를 사용했으며, 비용과 이익에 대한 새로운 관심 그리고 남부 특권계급 사람들 대부분에게 익숙지 않은 빈곤과 상실에서 비롯된 자기중심이라는 새로운 개념으로 그들이 처한 상황을 주의 깊게 관찰했다. 국가의 대의를 향한 헌신은 무한정 계속되는 것이 아니라 대차대조표를 통해 계산되어야만 했다. 대차대조표에서는 앞으로의 고통이 가져올 짐과 패배할 가능성이 커지고 있는 것으로 나타났다. 전쟁의 시련이 커지는 것을 경험한 버지니아의 한 노부인은 남부 연합의 시도에 점점 회의적으로 변하고 있다고 고백했다. "나도 모르게 비애국적이 되고 때로는 약간 이기적이 되기도 한다." 그녀는 의미심장한 말을 덧붙인다. "그리

적군을 마주한 남부 연합 여성들. '남부 한 농장주의 집에 도착한 연방 군대', 1863년 4월 4일자 『하퍼스위클리』

고 옛 연방 하에서 우리가 누렸던 평화와 안정이 그립다." 1864년 10월, 노스캐롤라이나의 살 마브리_Sal Mabry는 남편 로버트에게 물었다. "다시 연방에 합류하는 것에 대해 어떻게 생각하세요? 남부 연합 남자들이 모두 죽는 것보다 그게 나을 거라고 생각지 않으세요?… 저는 가끔 만일 내가 강화를 제의할 수 있다면 얼마나 빨리 당신과 사랑하는 사람들 모두와 함께 할 수 있게 될까' 라는 생각을 해요."[10]

전쟁이 끝날 무렵, 고통과 결핍에 시달리던 사람들은 숭고함과 희생보다는 자기 자신을 가운데 놓기 시작했다. 이 이기심은 개인의 욕망과 필요 그리고 행복할 수는 없더라도 최소한 생존하기 위해서 필요한 것이 무엇인지 새롭게 눈을 뜬 결과였다. 남부 연합의 전반적인 부패는 광범위한 투기와 착취 문제에서 명백하게 드러났다. 이 문제들은 대중적 관심을 상당히 끌고, 주와 국가의 법률제정을 부추겼으며, 남부의 사라지지 않는 죄악으로서 종교적인 주목을 받기도 했다. 그러나 여성들은 주로 소비자의 역할로 시장에 참여했기 때문에 경제적, 도덕적 범죄에 있어 가해자이기보다는 피해자인 경우가 대부분이었다.[11]

여성들은 남부 연합 군대에 계속해서 사랑하는 사람들을 보내는 것에 대해 불편한 심기를 드러내며 자신을 우선시하며 이기적인 모습을 드러내보였다. 전쟁이 시작될 당시, 여성들은 남편과 형제들에게 군대에 갈 것을 강권했지만, 전쟁이 끝날 즈음에는 사뭇 다른 태도를 보였다. 심지어 1862년에서 1863년 사이 남자들의 첫 번째 병역임무가 만료되었을 때, 많은 아내들이 그들의 남편은 국가를 위한 의무를 이미 충분히 수행했다고 주장했다. 노스캐롤라이나의 메리 벨은 1862년 6월, 알프레드에게 터놓고 말했다. "이 전쟁에서 당신 몫은 다 했다고 생각해요." 군사적 영웅주의를 동반한 초기의 낭만적인 열정은 순식간에 사라지고 전쟁의 위험을 냉정하게 인식하게 되었다. 조지아의 루이자 라이스는 1862년 말, 남편 재커리아_Zachariah에게 군대를 떠나 병역의 의무를 지지 않아도 되는 일자리를 얻으라고 설득했다. "당신은 오래 복무하셨으니까 좀 쉬셔도 돼요." 텍사스로 피난을 갔던 메리 윌리암스 퍼그_Mary Williams Pugh는 1862년 가을, 남편에게 그녀와 노예들에게는 그가 필요하다고 말했다. 이제 남편이 다른 사람들에게나 스스로에게 부끄럽지 않을 만큼 의무를 다했을 뿐만 아니라, 그녀도 참을성 있게 그리고 기꺼이 남편의 부재를 견뎠기 때문에 어느 정도의 보상은 받을 자격이 있다고 판단했다. 퍼그는 남편에게 군복무 대리인을 구하거나 1862년 10월에 제정된 노예 감독관 면제 법률을 이용하는 것이 어떻겠냐고 권했다. "지금 저는 착하게 행동하려고 최선을 다하고 있어요. 만약 제게 좀 더 밝은 미래가 보이지 않는다면 더 이상은 착하게 행동할 수 없을 것 같아요." 게다가 노예들이 말을 잘 듣는 유일한 이유가 당신이 곧 돌아올 것으로 생각하기 때문이라고 했다. "그러니까 당신이 반드시 집으로 돌아오셔야 해요." 같은 해 플로리다에서는 옥타비아 스티븐스가 남편 윈스턴_Winston에게 '아직 목숨이 붙어있을 때 군대에서 나오라고' 재촉했다. 그녀에게는 고향과 국가를 지키겠다는 말이 어리석게 보였다. "지금 손을 쓰기에는 너무 늦었어요. 그러니 너무 늦기 전에 이제 그만 포기하세요." 그녀에게는 전쟁에서 패하고 남편을 지키는 것이 두 가지 모두를 잃는 것보다 훨씬 더 수지가 맞는 장사였지만, 윈스턴은 군대에서 2년을 더 보냈고 결국 옥타비아가 가장 두려워하던 일을 현실로 만들었다.[12]

징집명령을 받는 사람들이 늘어나면서 처음에는 이를 기피하던 어머니들과 아내들, 누이들이 이후에는 반발을 하게 되었다.

버지니아의 어느 여성은 "월터에게 매달려 가지 못하게 막고 싶은 심정이다. 용기가 모두 사라졌다. 나는 전쟁이 지겹다. 학살도 진절머리가 난다. 고통과… 두려움이 지긋지긋하다." 에밀리 해리스는 양키뿐만 아니라 남편을 군대에 머무르게 하려는 남자들과도 맞서 싸우고 싶다고 하였다. 사우스캐롤라이나의 마가렛 이스터링_Margaret Easterling은 애국심과 자신의 소원을 저울질하다가 단호하게 후자의 손을 들어주었다. 아들 두 명을 군대에 보낸 그녀는 제퍼슨 데이비스에게 편지를 썼다. "당신에게 국가에 대한 저의 헌신과 지금까지의 저의 희생 그리고 기꺼이 감수했던 그 밖의 수많은 것들에 대해서 말씀드릴 필요는 없겠지요. ...다만 저는 제 큰 아들이 집에 돌아오길 바랄 뿐입니다." 막내아들의 군 입대가 코앞으로 다가온 메리 스케일스는 남부 연합 국방장관에게 감동적이며 솔직한 편지를 썼다. "우리의 조국이 우리의 자녀들을 원한다는 것을 알고 있습니다. 그리고 저는 조국의 명령에 복종할 수 있다고 생각했고, 조국을 위해 나의 기도와 시간과 부와 아이들을 바쳤습니다. 하지만 우리 안의 마지막 양마저 데려가려 하는 지금 저는 조국에 충성하는 남부 사람이기 보다는 한 명의 어머니이자 무기력한 여성입니다."[13]

메리 스케일스는 애국적 의무의 공적인 영역에서 한 발 물러서 여성의 인생에서 가정과 사생활과 의존이 중요하다고 거듭 주장했다. 스케일스는 '무기력'과 복종이 보살핌과 보호와 교환되는 남녀 사이의 정신적 경제활동이 회복되기를 희망했으며, 그녀의 소망과 가족과 식구들이 국가의 필요보다 우선하는 세상으로 돌아갔으면 했다. 메리 치체스터_Mary Chichester도 북부 군사 감옥에 있는 아들에게 편지를 쓰면서 비슷한 소망을 나타냈다. "네가 포로로 송환될 때, 국가를 위한 의무는 지나간 시간으로 충분하며 너에게는 네 도움과 보호가 필요한 가족이 있다는 것을 생각하기 바란다. 다른 사람들이 그러하듯이 말이야." 게르트루드 토마스는 국가에 대한 충성과 가족에 대한 헌신사이의 갈등과 그 해결책을 명확히 알고 있었다. "남부 연합이 애틀랜타를 차지하는데 내 남편을 보내야만 하는가? 그럴 수는 없다. 천부당만부당한 일이다." 14

어떤 면에서 여성들의 애국심 약화는 여성들이 다시 전통적인 여성의 관심사로 돌아가고 싶다는 것, 거의 반동적으로 개인적인 생활과 가정의 중요성을 역설하고, 여성들에게 강요된 정치적이고 공적인 짐을 거부했음을 의미했다. 그러나 이와 동시에 개인의 권리와 정체성, 자기애를 표명하는 것과 관련된 여성들의 새로운 시각은 상당히 진보적인 의미를 담고 있었다. 그들이 공적인 영역에서 멀어진 원인의 상당부분은 남부 연합 정부의 이익과 그들의 이익이 반드시 일치하는 것은 아니라는 인식에서 비롯된 것이다. 남부 연합 때문에 사랑하는 사람들의 목숨이 위험해지고, 삶에서 기본적인 것들을 빼앗겼으며, 고집 세고 반항적이고 두렵기도 한 노예들을 감독해야만 했기 때문이다. 여성들의 정치적 목소리가 정당하다는 것을 깨닫지 못한 정부는 여성들이 원하는 것을 충분히 헤아리는 데 실패했다.

전쟁 전, 남부 특권계급 여성들은 자신들이 유기적인 사회체제에 속해 있으며, 그 안에서는 여성들의 복종에 대한 보답으로 보호와 원조가 제공된다고 생각했다. 그러나 전시에 백인 남성들에게서 신체적 안전과 기본적인 생존을 보장받지 못한 여성들은 이 세상과 사회체제에 의문을 갖게 되었다. 의심의 여지가 없던 사회적 지위의 관계 그리고 당연시되던 우월한 집단과 열등한 집단과의 관계는 사회학자들이 사회계약적 관계라고 부르는 것으로 변했다. 여성들은 그들의 희생과 복종이 더 이상 당연한 것이 아니라 남자들이 주어진 역할을 완수하는지의 여부에 따라 결정되는 것이라고 생각하게 되었다. 여성의 권익은 남자들에 의해 지켜진다던 "명목상"의 정치적 대표_"virtual" political representation_ 미국이 독립하기 전 영국의 식민지로 있을 당시 영국이 미식민지에 과세를 하자 미식민지가 이에 반발하여 미국이 대표를 뽑아 영 의회에 직접 파견_actual representation하지 않았기 때문에 영국이 미 식민지에 과세할 수 없다는 주장을 하였고, 이에 대해 영국은 영 의회는 미 식민지인이 직접 뽑지 않았어도 미국 식민지의 대표가 될 수 있다는 virtual representation이론을 내세우며 과세권을 주장한 사건을 빗대어 쓴 표현–옮긴이 주장이 공허한 것임이 드러났다. 여성들은 가족과 국가와는 별개로 자신만의 권익을 깨닫고 그것을 보호하는 한편, 자기 자신을 의무와 책임 그리고 동시에 권리와 정당한 욕망을 가진 개인으로서 바라보기 시작했다.[15]

전쟁으로 인한 여성들 자아인식의 변화는 미국 정치에서 일어나는 더 큰 변화, 즉 많은 학자들이 19세기 초반과 중반 동안 일어난 공화주의적 형태와 가치로부터 자유주의적 형태와 가치로의 전환이자, 덕과 공동체가 이기주의와 당파로 대체된 것이라 말하는 변화와 맥을 같이 한다. 남북전쟁동안 남부 여성들의 관점이 달라진 것은 우리에게 정치적 변동의 심리적인 요인을 상기시킨다. 여성들이 자기 자신을 다른 사람에게 종속된 존재가 아니라 사회적 활동을 하는 중요한 존재로 새롭게 바라보게 됨으로써 자신의 사회적 지위를 새롭게 인식했기 때문이다.[16]

거의 견디기 힘든 감정적, 물질적 결핍 가운데서 개인적인 필요와 욕구를 인식한 남부 연합 여성들은 새로운 권리와 자아를 발견했다. 그러나 여성들과 전쟁에 대한 수많은 논의에서 언급되는 것처럼 간호사나 교사나 농장 관리자로서의 새로운 성취와 업적이 여성들의 자부심을 높여준 것은 아니다. 이 새로운 자아 인식은 성공이 아니라 살아남고자하는 기본적이고 필사적인 욕구에서 비롯된 것이었다. 남부 연합 여성들이 자주 되풀이했던 것처럼 '필요'는 이런 의미에서 진정한 '발명의 어머니'였다. 줄리아 데이비슨이 남편 존에게 썼듯이, 오직 '필요에 의해서만 또 다른 여성이 될 수 있었다.'[17]

전쟁 종결까지 한 달 정도 남았을 무렵에는, 많은 여성들, 특히 중·하류 계급의 여성들이 군복무를 미루기만 할 것이 아니라 아예 이행하지 말라며 남편과 형제들을 적극적으로 설득했다. 의무 이행에 따른 위험과 도피에 따르는 불명예도 전장에서 다치거나 죽을 것이 분명한 상황 앞에서는 충분히 감수할 가치가 있는 것으로 보였다. 남부 연합 지도자들은 여성들이 남편을 설득해서 근무지를 포기하도록 영향력을 행사하고 있음을 알게 되었다. 한 장교는 국방장관에게 편지를 검열해야 한다고 촉구할 정도로 극단적이 되었다. 그는 "우리나라에서 현재 일어나고 있는 탈영과 개혁에 반대하는 사악한 무리의 근원은 군대로 보내는 편지다."라고 주장했다. 노스캐롤라이나의 한 남부 연합 관리는 "탈영이 일어나는 이유는 탈영을 조장하기 때문이다… 숙녀들은 그 사실을 인정하려 하지 않겠지만 그럼에도 군대의 탈영과 이 나라의 방종은… 그들에게 책임이 있다."라고 공개적으로 비난했다. 사회적 지위를 막론하고 모든 여성이 제 나름의 방식으로 남부 연합의 군사적 쇠퇴에 일조하고 있었다.[18]

여성들의 애국심 결여를 공공연하게 한탄하는 목소리가 남부 연합 신문의 단골 기사가 되었다. 1864년 여성들이 남부 연합의 대의를 위해 헌신하지 않는다며 개탄하는 글이 『몽고메리 데일리 애드버타이저』지에 실렸다. 미카레_Micare라는 이름을 쓰는 익명의 투고자는 여성들이 처음에는 "애국적인 헌신으로 남성들과 경쟁했다… 그러나 계속되는 변화에 그들의 희망과 꿈이 빛을 잃었다. 구호단체는 사라지고 지금은 그저 하나의 이름에 지나지 않는다. 자기희생도 사라졌다. 기혼여성들과 독신여성들은 이제 남편과 연인들을 위험한 의무에서 구하는 데에만 전념하고 있다." 여성들의 군대 신병모집 방해를 거론하며 글을 시작한 미카레는 그 다음으로 전쟁 중 여성들이 저지른 잘못에 관해 글을 썼는데, 많은 사람들이 비난한 부분에 관한 내용이었다. "파티가 이렇게 셀 수 없이 많이 열렸던 적도… 극장과 그 밖의 여흥을 목적으로 하는 장소에 이렇게 많은 사람들이 드나들었던 적도 없다…드레스에 대한 열광, 보석 과시, 값비싼 의복, 과소비와 어리석음은 잠시 동안의 절제 이후 더욱 심각해졌다."[19]

방종과 흥청거림

1864년 말, 오거스타 제인 에반스도 이와 비슷하게 남부 연합 여성들을 신랄하게 비판한 글을 『모바일 레지스터』지를 통해 발표했다. "지나가는 모든 산들바람이 죽어가는 영웅들의 미사곡을 부르는 동안 사교계에는 축제 속 환락과 무분별한 흥청거림이 존재할 수 있는 것인가?… 남부여성들은 애국심과 자비를 완전히 잊었던 말인가? 절대적인 도움이 필요한 이런 시대에, 자유를 위한 무적의 전사들이 피투성이 참호 안에서 몸을 떨고 얼어붙은 영광의 들판에 뻣뻣하게 굳은 채 누워있는 동안 그들은 경박하게 춤을 출 수 있단 말인가?" 에반스는 남부 연합 전사자들의 유령들에게 그녀와 함께 여성들의 배신을 한탄하고 이렇게 부르짖자고 호소했다. "부끄럽지도 않은가! 당신들의 타락이 부끄러운 줄 아시오!"[20]

1864년부터 65년까지, 남부 연합 특권계급에 만연한 경박한 언행을 비판한 사람은 에반스 혼자가 아니다. 여성들의 자기본위적인 행동은 방종으로 변질되어 갔다. 희생은 그 정반대의 무절제로 대치되었다. 앨라배마 한 장로교회의 장로회의에서는 1865년 대부분의 성실한 신도들을 질책하고 현재 유행하고 있는, '특히 교회 신도들 중 일부 여성들 사이에 만연한 흥청거림을 비난' 할 필요성을 느꼈다. 버지니아의 새라 프라이어는 위험과 고통의 시기에 흥청거리는 이런 성향이 '일시적인 이상 현상' 이라고 생각했지만, 사우스캐롤라이나의 그레이스 엘모어는 현재의 즐거움에 몸과 마음을 완전히 내맡기면 우리를 둘러싼 공포를 잠시 잊을 수도 있다고 생각했다. 괴로움이 가중되자 도피는 더욱 바람직한 것으로 보였다. 게르트루드 토마스는 오랜 전쟁이 여성들의 감정을 다소 무감각하게 만들었기 때문에 다른 사람들의 고통에 둔감해졌다는 말로 자신이 살고 있는 조지아 마을의 환락을 설명하려 했다. 제임스 체스넛은 아내 메리의 동정심이 결여된 것을 염려했고, 끊임없는 파티와 경박한 행동을 그만두려 하지 않는 그녀를 두고 '방탕하다' 고 말했다. 그러나 메리는 전쟁 말기, 수도에 만연한 계속되는 사교적 행사에 공헌한 리치몬드 안주인 수십 명 중 한 명에 지나지 않았다. 가장 유명한 사람은 겨울동안 각종 연회에 3만 달러 이상을 썼다고 소문이 난 로버트 스태너드_Robert Stannard부인이었는데, 그 동안 가까운 마을에 주둔해 있는 남부 연합 군대는 입에 풀칠하기도 어려운 상황이었다.[21]

1864년 2월, 『리치몬드 인콰이어러』지는 사순절이 돌아오면 '이번 겨울 리치몬드를 분별없이 경거망동하게 한 시기, 부정한 쾌락의 축제' 가 막을 내릴 거라는 기대감을 나타냈다. 신문은 수도에서 쉴 새 없이 이어지는 파티와 무도회가 '수치스럽게도 국가적 큰 재난에 대한 무관심이 드러난 것이며 이 땅을 뒤덮은 불행과 슬픔을 조롱하는 것' 이라고 비판했다. 남부 연합의 반대쪽 끝, 텍사스에서는 '갤버스턴의 숙녀들' 이 항구도시에 주둔한 장교들을 위해 한겨울 무도회를 계획했다. 그러나 흥청거림과 큰 술잔치가 있을 거라는 예상에 박봉과 음식부족에 시달리는 사병들의 심기가 불편해졌고, 이들은 산해진미가 차려진 식탁을 습격하기로 모의했다. 이들의 계획을 알게 된 남부 연합 장교들은 기병대에게 반란을 모의한 사병들의 행동에 대비하라고 명령했다. 그러나 기병대는 그런 역할을 맡게 된 것에 난색을 표하며 숙녀들의 연회를 취소하라고 청했다.[22]

전쟁 마지막 달, 남부 연합 전체의 주의와 주목을 끌었던 경거망동은 급속도로 무너지는 계급적 특권을 주장하고 그 붕괴에 저항한 것이다. 비난의 대상이었던 환락에 빠진 여성은 과소비를 감당할 수 없었던 하류계급이 아니었다. 더 가난한 형편이 어려운 여성들은 희생의 이데올로기로 대해 이견을 표현하였고 빈곤의 현실에 대한 불만을 전쟁 말에 남부 전역을 휩쓴 식량 폭동이라는 방식으로 표현했다. 사바나, 모바일, 하이포인트_High Point, 피터스버그, 밀리지빌, 콜롬비아, 그리고 수도 리치몬드에서도 절박한 여성들이 함께 모여 당연한 권리라고 믿는 식량을 요구했으며, 도심에서 더 멀리 떨어진 지역에서는 여성 약탈자들 무리가 농지를 급습하여 추수할 때가 된 농작물들을 훔쳐갔다. 상류계급 여성들의 경거망동과 하류계급 여성들의 폭력은 서로 관계없는 현상처럼 보이지만, 두 가지 모두 가부장적인 사회체제 안에서 백인 여성들의 기대를 저버린 남부 연합을 향한 여성들의 반응을 상징했다. 식량 폭동과 무분별한 흥청거림, 이 두 가지는 새롭게 등장한 여성의 자아인식이 구체적으로 표현된 것이며 여성의 욕망을 강력하게 주장하는 동시에 희생의 이데올로기를 분명하게 거부한

것이었다.[23]

특권층 여성들과 하류층 여성들이 서로 상반된 형태로 불만을 표출한 원인은 경제적 형편과 계급의 차이 그리고 인생에서 허락된 기회의 차이로 인한 것이었다. 상실과 분노라는 공통분모에도 불구하고 이 두 여성 집단은 서로를 거의 이해하지 못했고, 서로 상대의 행동을 수치스럽게 여겼다. 가난한 여성들은 특권계급 가족들이 예전만큼의 부를 유지하는 동안에도 형편이 어려운 사람들에 대한 책임을 저버렸다고 비난했다. 사회적 지위가 있는 중·상류 계층 여성들은 하류계층 여성들의 비참한 처지에 동정심을 느끼면서도 정중한 태도와 예의를 져버린 폭도들의 행동에 놀라고 충격을 받았다. 게르트루드 토마스는 "이제 우리는 공공의 적뿐만 아니라 우리 내부의 타락한 군중들도 두려워해야 되는 시기가 빨리 다가오고 있다."며 걱정했다. 이기심은 애국심을 무너뜨렸던 것처럼 노블레스 오블리주_높은 사회적 신분에 상응하는 도덕적 의무-옮긴이도 약화시켰다. 버지니아 주 스폿실바니아_Spotsylvania의 가난한 여성들이 대통령에게 배고픔을 호소하는 편지를 썼다. "가난한 엄마들이 이 주변 부유한 사람들에게 도움을 청한다는 건 어리석은 일이 아닐 수 없습니다. 그들은 굶주리는 아이들에게 음식을 주느니 개들에게 던져줄 것입니다."[24]

남부 전역의 백인 여성들은 전쟁으로 여러 가지 비슷한 희생을 치렀다. 군대는 남자들로 채워지고 후방에는 여성들의 수가 압도적으로 많아지고, 모든 계급의 남자들을 막론하고 군입대자와 사상자의 수가 늘어난 것은 모든 남부 백인여성들의 전시 경험에서 중요한 공통점이었다. 그러나 계급 간의 차이는 남부 연합 여성들이 같은 여성으로서 결속하는 것도 방해했다. 전쟁 말, 코넬리아 맥도날드는 전쟁이 부유한 사람들과 가난한 사람들에게 미친 영향을 곰곰이 생각했다. 그녀는 생각에 잠겨 이렇게 말했다.

> 지난 몇 달 사이에 사라진 정부만큼 독재적인 정부는 없을 거라는 생각을 자주 한다. 상류사회의 경우이기는 하지만, 정부는 교육과 부유함 때문에 생기가 넘치고, 자존심을 위해 참고 견디는 사람들에게 전혀 강압적이지 않다. 그러나 가진 것이라고는 그저 볼품없는 집과 가족들이 근근이 먹고 살 양식을 얻는 땅 한 뼘뿐인 사람들, 정부가 바뀌어도 그저 또 다른 통치 아래 놓일 뿐이라는 것을 아는 사람들에게 군에 입대하도록 강요하고, 고통 받는 가족들을 걱정으로부터 자유롭게 해주지 않았다는 것은 억압이다."[25]

간단하게 말하면, 남부 상류계급 사람들은 그들에게 우월한 지위를 부여한 사회제도에 가난한 남부 사람들보다 더 많은 투자를 했다. 노예제도와 남부 연합의 지도력, 개별적인 사람들에 대한 환상이 깨졌음에도 불구하고 특권계급 여성들은 아직 남아있는 특권의 그림자에 집착하고 그것을 거듭 주장하기도 했다. 남부의 백인 상류층 여성들은 전쟁 때문에 애국심이 사라지고 남부 연합이 멸망했을 때조차 자신들을 중요한 존재로 대하는 전통적인 사회적 계급체제를 고집했다. 사실 남부 연합에 대한 그들의 환멸감은 주로 특권을 지키고 유지하는 데 실패하고, 백인 여성들의 권익을 보장하지 못한 데서 기인한 것이었다.

귀부인으로서 남부 여성들은 계급적, 인종적 우월성을 계속 보장받는 대가로 젠더적 복종이라는 개념을 수용했다. 그러나 그들이 이해한 이러한 거래는 전쟁을 겪으면서 근본적으로 달라졌다. 남자들이 보호해줄 것이라는 기대는 사라졌다. 기회가 주어졌다기보다는 필요에 의해 자신들을 새롭게 인식한 여성들은 의존의 위험성과 기세등등한 자율성의 요구 둘 다 위험하다는 사실을 깨닫게 되었다. 자기 자신과 남자들에 대한 불신으로 가득 찬 남부 특권계급 여성들은 새로운 현실주의와 뿌리 깊은 신랄함, 무시무시한 고립감이 존재하는 전후의 세상과 직면했다. 그들이 지키기로 결심했던 사회체제는 형편없는 거래 중에서도 그나마 최선이었다. 남부의 온정주의를 합리화했던 남성의 힘과 능력에 관한 이상적인 관념은 공상에 지나지 않았으며 여성들은 자신들이 남자들의 권력과 권위를 대신하기에는 역부족이라는 사실을 깨달았다. 그러나 백인 여성들은 노예해방의 무서운 현실 앞에서 가부장제의 부활을 그들이 받아들여야만 하는 거래로 생각하게 되었다. 남부 연합의 딸들 협회_United Daughters of the Confederacy와 남부연합기념협회_Confederate Memorial Society, 그리고 사라진 대의를 위한 협회_Lost Cause, 남부 연합 패배 후 남부의 전통적인 삶의 방식을 지지하는 집단.-옮긴이의 여성들이 주최한 남성들의 용기와 전시의 업적을 기리는 전후 행사들은 다시 한 번 전쟁에 정당성을 부여하려는 여성들의 시도를 의미한다. 만일 백인 남성들이 다시 한번 세상을 움직인다면, 남부 숙녀들은 남성의 우월함을 증명하려고 애를 쓰면서 그러한 사회체제가 지당하며 바람직하다는 것을 그들 자신과 다른 사람들에게 납득시키려 할 것이다.[26]

EPILOGUE

We Shall Never ... Be the Same

에필로그

예전과 같지 않다

메리 그린하우 리는 연방군에 의해 윈체스터에서 추방된 후, 다시는 돌아가지 않았다. 그녀는 발티모어에 정착해서 하숙을 치고, 교회 일과 남부 연합의 딸들 협회의 활동에 전념하며 이곳에서 긴 여생을 끝마쳤다. 1865년 말, 그녀는 이렇게 기록했다. "정치적 재건"은 "이제 불가피할 것이다. 하지만 사회적 재건은 우리에게 달려 있으며 우리가 막을 수 있을 것이다."[1]

리지 네블렛은 전쟁이 끝난 후, 그들이 소유한 텍사스의 목화재배지에서 자유민이 된 흑인 노동자들에게 적응하려고 노력하는 동안 남편 윌과 함께 겪었던 '7년간의 투쟁' 을 묘사했다. 네블렛 부부의 부동산 가치는 1870년 무렵에 60%가 하락했고, 노예들이 해방된 상태에서 사유재산은 이전에 비해 $5\frac{1}{2}$%정도 가치밖에 되지 않았다. 1871년 봄, 윌은 임신 5개월인 아내와 세 딸을 남겨두고 폐렴으로 세상을 떠났다. 38세에 과부가 된 리지에게는 살아온 날보다 앞으로 살날이 더 많이 남아있었다. 그녀는 1880년대 금주 관련 칼럼니스트로서 잠시 세간의 주목을 끌었고 1917년에 생을 마감했다. 아이러니하게도 그녀는 전시에 태어나 환영받지 못한 아이였던 둘째딸 베티 오스틴의 가정에서 말년을 보냈다.[2]

앨라배마의 조 길리스는 전쟁이 끝날 무렵, 가족을 부양하기 위해 다시 가르치는 일을 시작했다. 순회목사인 남편의 수입으로는 그의 숙박비조차 충당하지 못했기 때문이다. 그러나 그녀가 가장 힘들어 한 일은 집안일이었다. 그녀는 1866년에 "가끔 요리사가 있을 때도 있지만, 없을 때도 있다. 내가 한 모든 음식은 어림짐작으로 만든 것이다. 나의 무지와 경험 미숙은 엄청난 시련이다."라고 썼다. 그녀는 자신의 불행과 무능력하고 배려할 줄 모르는 남편을 생각하면서 울며 밤을 지새우는 날이 많았다. 조 길리스는 1868년 11월, 둘째 아이를 출산한 뒤 합병증으로 사망한다.[3]

남부 연합이 패한 후, 윌 크러처가 건강문제로 군에서 은퇴한 다음 엠마와 윌은 1863년에 피난을 갔던 산안토니오_San Antonio에서 빅스버그로 돌아왔다. 어린 두 아들의 어머니였던 엠마는 빅스버그에 있는 여자고등학교에서 교편을 잡아 가족 수입에 보탰다.

루이지애나의 케이트 스톤은 1869년, 전시에 만난 남부 연합 장교와 결혼했다. 그녀의 남편은 농장 관리자로 일하기 시작해서 나중에는 자신의 농장을 소유하게 되었다. 그들은 네 아이를 낳았고 그 중 둘은 유년시절에 하늘나라로 보냈다. 케이트는 남부 연합의 딸들 협회와 지역 독서모임에서 적극적으로 활동했는데, 지역 독서 모임에 열심히 참여한 것은 그녀가 전쟁 내내 계속되었던 읽을거리에 대한 갈증을 보여준다.

이제나저제나 전쟁이 끝나기만 기다렸던 게르트루드 토마스는 전쟁 후의 삶이 더 고달프다는 것을 깨달았다. 남편 제프는 경제적으로 무능력하고 무책임했으며, 연이은 사업실패로 얼마 안남은 그녀의 유산까지 탕진했다. 게르트루드는 교사로 일하며 아이들을 부양했다. 19세기 말, 그녀는 새로운 남부 금주운동의 지도자로 부상했고, 조지아의 여성참정권협회_Woman's Suffrage Association

회장과 남부 연합의 딸들 협회의 전국 회계담당자로 선출되었다.[4]

1862년 초, "우리 중 어느 누구도 이전의 모습으로는 결코 돌아갈 수 없을 것이다."라고 말한 루시 벅은 참으로 선견지명이 있었다. 아포매톡스에서의 항복은 구 남부의 지배계급이었던 이 여성들 모두에게 새로운 세상을 가져다주었고, 그들이 예상했던 혹은 꿈꿨던 것과는 다른 인생이 시작되었다. 아마도 가장 두드러진 것은 노예가 없는 세상이라는 점이었을 것이다.

특권의 기반이 되었던 자산인 노예를 잃게 되자 지난날 노예를

전쟁의 여파. 프레데릭스로 돌아오다. 데이비드 잉글리쉬 핸더슨(David English Henderson)이 1865년 그린 유화. 게티즈버그 국립국군공원(Gettysburg National Military Park) 소장.

소유했던 가정의 지위와 부가 위태로워졌다. 그러나 노예해방은 이들 가정의 백인 여성들에게는 개인적으로 더 큰 의미가 있었다.

매일 매일의 가사노동과 백인 여성들의 일상이 자유노동자의 등장으로 급격한 변화를 겪었다. 엠마 모데카이는 군사적 충돌이 중단된 직후부터 "어디를 가나 모든 사람들이 하인에 관한 이야기를 한다."고 기록했다. 1세대가 지난 후에도 남부 여성들은 "하인 문제"로 골머리를 앓고 있었다. 1890년대 초, 밴더빌트_Vanderbilt의 한 사회과학자가 전쟁이 남부 백인여성들의 삶에 미친 가장 큰 영향이 무엇이냐고 물었을 때 노예가 해방되기 전의 '더 행복한 나날들'을 기억하는 어느 캐롤라이나 기혼여성이 주저하지 않고 대답했다. "사교계의 여왕이었던 숙녀들 대다수가 전쟁 후에는 허드렛일꾼으로 전락한 것이지요."[5]

그러나 백인 여성들의 노동이 집안일에만 국한된 것은 아니었다. 노예를 기반으로 한 부가 사라지자 예전에는 부유했던 가정들이 수입 지출을 맞추기가 어려웠고, 가정 밖에서 일하는 여성의 수입에 의존해서 생계를 유지하는 경우가 많았다. 이 여성들 가운데 다수가 엠마 크러처와 조 길리스, 게르트루드 토마스처럼 가르치는 일을 시작했다. 1880년 무렵, 처음으로 남부 학교 선생님 자리의 대부분이 여성으로 채워졌다. 일자리를 찾는 상류층 여성이 많아지면서 남부 사람들은 여성의 교육에 더욱 진지한 관심을 기울였다. 1890년대, 남부 한 여자컬리지의 총장은 졸업생 중 거의 4분의 1이 일을 하고 있다고 말했다. 그는 이런 기대감 때문에 전쟁 전의 학생들보다 지금의 학생들이 훨씬 더 성실하고 근면하게 학업을 수행하고 있다고 설명했다. 1880년대에는 남부대학 서너곳에서 남녀공학이 출현하였고, 툴레인_Tulane의 소피 뉴컴_Sophie Newcomb 같은 여자대학이 설립되어 남자들과 동등한 배움의 기회를 제공했다. 밴더빌트_Vanderbilt의 연구원은 1890년대에는 경제적 필요성 때문에 "자립을 높게 평가"하는 분위기를 감지할 수 있었으며, 그와 인터뷰를 한 한 여성은 "여성의 무기력과 의존을 고결하게 보는 전쟁 전의 믿음"이 사라진 것을 축하한다고 하였다는 것이다.[6]

전쟁을 경험한 남부 여성은 더 이상 무기력함을 찬미하지 않았다. 남자들의 보호가 사라졌을 때 여성의 의존은 그 대가가 너무나 크고, 너무 고통스러운 것임이 입증되었다. 여성들은 노예와 농장을 감독하거나 아이들을 통제하거나, 심지어 부양하는데 필요한 기본적인 일조차 스스로 할 준비가 되어있지 않았었다. 전쟁이 수많은 여성들에게 지운 지독한 비참함은 잊을 수 없는 교훈이 되었으며, 그 교훈은 예전 노예소유계급 여성들의 전후 인생에서 더욱 분명해졌다. 전적으로 모든 책임을 짊어지게 된 과부들은 독립적으로 변할 수밖에 없었지만, 남편이 전쟁에서 돌아온 여성들도 노예를 기반으로 한 부와 정치적 권력의 약화로 남성의 도움에 의존할 수가 없었다. 전쟁 후 백인 여성이 다양한 활동을 하고 노동과 개혁의 공적인 영역에 자주 모습을 드러낸 것은 다시는 전적으로 의존하거나 무기력해지지 않겠다는 결심으로 이해하는 편이 가장 좋을듯하다. 여성들의 교육을 위한 기회 향상, 부부재산법 개혁에 대한 여성들의 지지, 1890년대 나타난 여성 참정권 운동, 이 모두가 여성의 권익을 확실하게 규정하려는 여성들의 노력을 의미한다. 남자들에 대한 불신이 수많은 여성들의 열의에 불을 지폈다.[7]

많은 남부 백인남성들의 절박한 상황 때문에 여성이 의존적이 되는 것은 상당히 위험해 보였다. 전후 상황의 경제적 불안정은 기혼여성들을 위한 재산법 운동에 정당성을 더해주었다. 백인 남성들은 경제적 불안이 심각한 시대에 부부사이의 재산을 분리함으로써 가족을 보호할 수 있었다. 게르트루드 토마스의 경우 자신의 재산을 분리시켜 남편의 채무로부터 제외되도록 했다면 게르트루드와 제프 토마스 모두 훨씬 형편이 나았을 것이다. 이런 이유로 전후의 새로운 여성재산법은 여성참정권론자들뿐만 아니라 보수적인 남자들에게서도 지지를 받았고 이 법은 전통적인 이해와 진보적으로 보이는 이해 모두를 충족시켜 주었다. 그러나 새로운 법률이 가정의 권력과 부부관계에 미친 영향은 의미심장하다고 할 수 있는데, 왜냐하면 역사학자 수잔 렙속_Suzzanne Lebsock에 의하면 그 법은 남성들의 무책임에 대한 새로운 인식을 구체적으로 표현한 것이기 때문이다. 이 법은 여성의 보호자의 역할을 할 수 있도록 남성들의 권리와 의무를 지원하는 관습적인 역할을 하는 대신에 남성으로부터 여성들을 보호하기 위한 정부의 개입을 상징했다.[8]

남부 백인남성들이 처한 어려움은 경제적인 것만이 아니었다. 베트남 전쟁을 계기로 우리는 전쟁의 상처가 얼마나 깊고 오래 남았을 수 있는지를 배웠다. 그리고 이러한 경험은 전후 세대들을 이해하는 데 도움이 될 것이다. 많은 전직 남부 연합 군인들이 애포머톡스 항복 후 수 년 동안 외상 후 스트레스 장애로 고통 받았을 거라는 생각은 터무니없지 않다. 각 집안의 문서에 의하면 남부 백인남성들의 괴로움을 분명히 암시하고 있다. 사우스캐롤라이나의 아만다 심스는 전쟁이 끝나고 거의 2년 동안 그녀의 아버지가 '정신적 육체적으로 기진맥진했다' 고 말했다. 케이트 스톤은 오빠는 '거의 말을 하지 않으며', 할아버지는 '무척 의기소침하다' 고 적었다. 제프 토마스는 스스로를 '정신병원에 어울리는 사람' 으로 묘사했고, 아내인 게르트루드는 알코올 중독과 불같은 성격이 남편의 우울증을 악화시켰음을 넌지시 비쳤다. 전통적인 보호자들의 실패와 무능력을 마주한 여성들이 자신의 권리를 지키는 힘든 과제만 떠맡은 것은 아니었다. 이들은 상처입고 좌절한 남자들 또한 다루어야 했다. 전쟁에서 그 모든 고통을 겪기는 했지만, 여성들은 전쟁터의 참상을 직접 겪지도 않았고, 실패와 패배에 대해 똑같은 책임을 지지도 않았다. 남부 백인남성들이 사회로 복귀하는 일은 전쟁 후 남부 연합 여성들에게 주어진 주요 임무가 되었다.[9]

남부 연합의 딸들 협회와 여성기념협회_Ladies Memorial Associations, '사라진 대의를 위한 협회'의 행사들은 대부분 이 복귀를 돕기 위해 만들어진 것이었다. 여성들은 애포머톡스 항복직후부터 공동묘지, 기념비, 연례 기념일 행사로 전사자들을 기리기 위해 단체를 조직하기 시작했다. 1880년대 남부 연합 딸들 협회는 여성들이 전쟁의 희생자뿐만 아니라 남부 연합의 투쟁을 기념하는 좀 더 일반적인 행사에까지 관심을 갖도록 장려했다. 이런 노력은 개인적이고 심리적인 측면에서 패배한 남부 연합군에게 명예와 용기, 남자다움에 대한 자신감을 심어주며, 실패의 고통을 묻어두고 그것을 숭고한 희생과 궁극적인 정신적 승리로 다시 정의하려는 의도에서 비롯된 것이었다. 그러나 '사라진 대의를 위한 협회'는 남부남성들 개개인의 자아와 더불어 가부장제도적 사회 체제를 되살리는 것이 목적이었기 때문에 사회적, 정치적으로 광범위하게 영향을 미쳤다.[10]

여성들은 남자들의 능력에 회의를 품고 자신의 권리를 지켜야 할 필요성을 깨달았지만, 전후 인종적 대변혁을 마주한 상태에서 백인남자들의 힘과 보호를 완전히, 그리고 영원히 포기하는 것 또한 내켜하지 않았다. 에밀리 해리스는 1863년 휴가를 받은 남편이 전방에서 돌아왔을 때 "나는 집안의 가장으로 남겨지는 일에는 결코 익숙해지지 못할 것이다. 나에게는 나를 보호하고 이끌어줄 사람이 필요하다."라고 적었다. 전시동안 책임이라는 것을 경험하고 기가 꺾인 여성들은 그 무거운 짐 중 일부를 다시 남편과 남자형제, 아들에게 돌려주고 싶어 했다. 더 이상 남자들을 전적으로 신뢰할 수 없다는 것은 알고 있었지만, 적어도 그 모든 책임을 혼자 지는 것은 피했으면 했다. 리지 네블렛의 말처럼 '남자들의 일을 하려고 노력하는 것'은 많은 남부 연합 여성들에게 감당하기 어려운 과제였다. 이와 같이 게르트루드 토마스, 그리고 그녀와 비슷한 많은 남부 여성들은 20세기를 살고 있는 우리들 눈에는 거의 불가사의해 보이는 진보와 보수의 모순 속에서도 아무런 문제없이 여성의 참정권과 '사라진 대의를 위한 협회' 둘다를 지지할 수 있었다.[11]

남부 백인여성들은 전쟁을 경험하면서 여성으로서 자신의 권리와 새로운 자아를 깨달았다. 전후의 새로운 환경은 전쟁 전과는 달리 남부 전역에서 활발히 활동하는 여성 단체를 통해 여성들의 인식이 지속적으로 고양될 수 있는 토대를 마련했다. 숙녀들은 여성 참정권이나 '사라진 대의를 위한 협회'를 지지하는 단체만이 아니라 금주운동, 교육과 시민 개혁 모임, 교회와 선교 조직, 문학 그룹, 여성클럽에서 개인과 사회의 발전을 목표로 다양한 활동에 참여했다. 앤 스콧은 "이 단체들은 내면에 역동적인 힘을 품고 있어서 여성들이 서로 결속하고 사회생활을 하도록 사주하였다."고 말했다.[12]

그러나 여성들의 정체성은 '숙녀'에게 부여된 계급적, 인종적 특권과 밀접한 관련이 있었다. 어디에나 있는 인종문제가 불가피하게 백인남녀를 하나로 묶고, 부권사회에 도전하고자 하는 남부 백인여성들의 의지를 꺾었다. 흑인들의 자유는 숙녀들의 지위와 오랫동안 누려온 특권에 직접적인 위협을 가하는 것처럼 보였다.

이것을 상징적으로 보여주는 시민 집단이 있었다. 예를 들면, 1900년대 초 노스캐롤라이나의 젊은 백인 여성들이 흑인들의 시민권박탈을 공약으로 내세운 한 후보자를 지지하는 행렬에 우리를 보호하라는 글을 쓴 무대차를 타고 나타났다. 특권계급 여성들은 전쟁 중에도 시중을 들어줄 좋은 검둥이 한 명쯤은 꼭 필요하다고 생각했었다. 19세기 후반, 많은 사람들이 이야기하던 '하인문제' 는 본질적으로 노예해방 후에도 백인의 권력과 이익을 되찾겠다는 남부 숙녀들의 결심이 표현된 것이다. 물론 같은 백인 남성들도 이 투쟁에서 중요한 아군 역할을 했다. 이렇게 계급적 특권은 필연적으로 전후 남부에서 여성들 사이의 공통점을 감소시키고, 백인여성과 흑인여성을 분리했으며, 남부 페미니즘의 발달을 저해하고, 여성들이 자신들의 권리를 주장하는 대신 계급적, 인종적 특권을 되찾는 문제에 더욱 집중하게 했다.

1890년대 일부 남부 여성들이 적극적으로 여성의 참정권을 지지하기 시작했을 때, 이 운동은 지역적 특성과 인종차별주의적인 색깔을 띠었다. 그들이 주장하는 여성의 선거권은 여권신장이 아니라 흑인해방에 따른 영향을 최소화하려는 수단으로 특권계급 백인여성들의 참정권을 강조한 것이었다. 이 여성들은 백인남성들과 평등해지는 것보다 흑인남성에 대한 우월감을 더 원하는 것처럼 보였다. 남부여성참정권협의회_Southern States Woman Suffrage Conference의 공식 인쇄문구는 그 지지자들이 자신들의 인종적, 계급적 우월성이 당연하다고 생각하고 있었음을 보여준다. "정부가 가장 미개한 남자들에게 거리낌 없이 준 것을 가장 교양 있는 여성들에게 허락하지 않는다면 정부의 소임을 다하지 못한 것이다." 남부 참정권 집회에서는 한 연설자가 비난의 목소리를 높였다. "역사상 세계 어느 나라도 이전의 노예들을 이전 여주인들보다 정치적 우위에 서게 만들지는 않았다." 백인 남성과 여성의 이익에 부합되는 연합을 만들기 위한 계산된 시도 하에 여성참정권론자들은 하나의 계급적, 인종적 목표를 규정하고, 공통의 백인 우월주의자라는 표현을 채택하여 백인의 연합을 구축하고자 하였다. 엘리트주의적인 사고방식, 백인의 우월성 강조, 여성들을 보호하고 남성들을 회복시키는데 대한 관심을 목표로 하고 있는 여성참정권과 '사라진 대의를 위한 협회' 의 행사는 전후 남부에 존재한 옛 것과 새로운 것 사이의 모순을 구체적으로 보여주었다.[13]

전후 남부의 백인여성들은 새로운 세상에 살고 있는 새로운 사람들이었다. 그러나 구 남부에서 계급과 인종적 힘의 달콤함을 기억하는 사람들에게는 서서히 사라져가는 지위를 붙잡고 싶은 욕망이 강하게 남아있었다. 19세기말 남부 숙녀들은 메리 리가 1865년에 깨달은 것을 이해하고 있었다. "하지만 사회의 재건은 우리에게 달려 있으며 막을 수 있을 것이다." 경제적, 사회적 환경의 변화로 인한 필연적인 결과로, 그리고 4년 동안의 위기에서 얻은 자기인식을 통해 남부 백인 여성들은 옛 엘리트주의적인 관념을 기반으로 하는 새로운 자아를 형성했다.

AFTERWORD

The Burden of Southern History Reconsidered

맺는글

다시 생각해보는 남부 역사의 짐

번영과 성공으로 이루어진 미국에서 남부는 유일하게 빈곤과 실패를 경험한 곳이다. 역사학자 우드워드_C. Vann Woodward는 '남부 역사의 짐'은 남북전쟁에서의 명백한 패배의 비극과 사악함을 이해하는 데서 비롯된다고 우리에게 말하였다. 이 유산은 우리가 살고 있는 이 시대에까지 계속되고 있으며, 남부사람들에게서 "원하는 것은 무엇이든 이룰 수 있다."는 미국적 환상에 대한 희망을 앗아갔다.[1]

남부 역사의 짐은 문화적으로 상당한 영향을 미쳤으며, 과거의 현장이 중심 주제가 되는 남부 문학의 출발점이 되었다. 윌리엄 포크너_미국의 작가로 남부사회의 변천해온 모습을 그림.-옮긴이가 가장 설득력 있게 우리를 일깨우듯이, 남부사람들에게 과거는 결코 죽은 것이 아니며 온전한 과거도 될 수 없다. 모든 남부 백인소년들에게 삶은 언제나 1863년 7월 3일 2시, 피켓의 돌격_Pickett's Charge, 게티즈버그 전투 마지막 날에 남부군이 감행했던 무모한 공격으로 불과 한 시간동안 남측 병사 5천명 이상의 희생자를 냈다.-옮긴이으로 마음속으로 신봉했던 남부는 무적이라는 신화에 치명적인 타격을 가하지기 직전의 순간에 멈춰있다.[2]

포크너가 자세한 정황묘사와 힘 있는 필체로 집요하게 환기시키는 이미지는 20세기 말을 사는 우리로 하여금 자주 거론된 이 남부 역사의 짐에 새로운 질문을 던지게 한다. 우드워드는 자신의 처음 견해를 수정하여 베트남 전쟁이 미국의 성공신화에 던진 질문을 포함시켰다. 그러나 그러한 재고찰은 여기서 논하는 국가와 남부 정체성이라는 개념과 관련해서 군사적 업적의 중요성만을 강조할 뿐이다. 영원히 7월 3일 2시에 멈춰있는 남부사람들처럼, 우드워드가 설명한 과거의 짐을 진 남부사람들은 남부의 백인들이며, 남부 남성이다.[3]

남부 역사의 무게는 여성들에게나 미국 흑인들에게 똑같이 무겁지만 그 원인은 다소 달랐다. 200년 동안 속박되어 살아온 사람들은 미국 흑인의 역사와 문학 속 수많은 민간전승에서 광범위하고 집중적으로 발굴된 탄압과 저항의 잔재를 짊어지고 있다. 이전 페이지에는 남부의 과거에는 남부 백인 여성들만의 독특한 점이 구체적으로 나타나 있으며, 그 짐은 여성의 역할과 정체성 그리고 그 지역에서 여성의 권리와 페미니즘의 미래에 대한 의미심장하고 지속적인 암시도 포함되어 있다는 점을 우리에게 상기시켜 주었다.[3]

내가 이 책에서 다룬 여성들의 남북전쟁 경험은 그들에게 자신의 능력에 대한 깊은 불신과 여성의 독립과 해방이 바람직한 것인가에 대해 심각한 의문을 남겼다. 그러나 전쟁을 겪으며 남자들의 능력에 의혹을 품게 된 남부 백인여성들은 생존을 위해 남성 의존적인 삶에서 벗어나 자신을 스스로 보호하고 싶은 바람도 갖게 되었다. 19세기 말과 20세기에 나타난 여성의 권리 주장에는 대부분 전시 중 나타난 여성의 무능력과 의혹의 짐이라는 이런 모순된 유산이 반영된 것이다. 다른 지역의 여성의 권리운동은 낙천주의와 활력이 특징이었지만, 남부에서는 그렇지 않았다. 일례로, 여성참정권운동 남부 지부의 지도자로 활동하던 많은 특권계급여성들은 남성들에 대한 경멸감과 여성들과 아이들의 권익을 보호하기 위해 자신들에게 필요한 것을 분명하게 표현했다. 필요에 의해 그리고 실망과 절망에서 비롯된 남부여성들의 자기주장은 북부여성들의 경우와는 근본적으로 달랐다. 남부 페미니즘에서 주장하는 바, 그 특징 그리고 범위는 자기 자신의 한계를 인식한 여성들이 만든 것이다. 남부여성들은 남성들과 마찬가지로 승리는 손에 넣기 어려운 것이라는 생각을 하게 되었다. 전쟁을 경험한 그들은 수잔 앤소니_Susan B. Anthony가 자주 인용한 구호 "실패란 있을 수 없다."에 공감하지 못했다.[4]

19세기 후반과 20세기 남부여성들을 제대로 이해하는데 필요한 철저한 조사가 이제 시작단계에 있다. 미국 남부 여성들 역사에 관한 연구는 여전히 초기단계이다. 하지만 우리는 적어도 그 연구가 걸음마를 뗀 것은 축하할 수 있다. 내가 확인한 유형과 내가 설명한 유산은 그저 다른 사람들에게 영감을 줄 수 있을 뿐이다. 그러나 나는 오늘날까지도 그렇지만 남부에서 페미니즘의 영향력이 매우 제한적이라는 사실과 남부여성들은 강하면서 동시에 나약하다는 모순된 사회통념을 잘 포용하는 대중적인 지혜와도 일관성이 있는 듯 보인다. 희생의 제단에서 남부여성들의 긴밀한 유대에 이르는 길은 아직 완전히 검토되지 않았다. 그러나 파괴적인 전쟁 경험이 남부남성들에게 미친 영향과는 다른 의미심장한 방법으로 여성들에게 쉽게 지워지지 않는 엄청난 영향을 미쳤음은 분명하다. 전후 남부의 백인여성들은 그들 나름의 남부 역사의 짐을 지고 있다.

▣ 각주

AVVREVIATIONS USED IN THE NOTES

ADAH	Alabama Department of Archives and History, Montgomery, Ala.
AHC	Atlanta History Center, Atlanta, Ga.
BU	John Hay Library, Brown University, Providence, R.I.
CU	Department of Manuscripts, J. M. Olin Library, Cornell University, Ithaca, N.Y.
DU	Manuscript Department, William R. Perkins Library, Duke University, Durham, N.C.
EU	Special Collections Department, Robert W. Woodruff Library, Emory University, Atlanta, Ga.
GDAH	Georgia Department of Archives and History, Atlanta, Ga.
HC	Fishburn Library, Hollins College, Va.
HFPC	Historical Foundation of the Presbyterian and Reformed Churches, Montreat, N.C.
HL	Winchester–Frederick County Historical Society, Handley Library, Winchester, Va.
LC	Library of Congress, Washington, D.C.
LRCSW	Letters Received, Confederate Secretary of War
LSU	Department of Archives and Manuscripts, Hill Memorial Library, Louisiana State University, Baton Rouge, La.
MDAH	Mississippi Department of Archives and History, Jackson, Miss.
MOC	Museum of the Confederacy, Richmond, Va.
MUO	Special Collections, King Library, Miami University of Ohio, Oxford, Ohio
NA	National Archives, Washington, D.C.
NCDAH	North Carolina Division of Archives and History, Raleigh, N.C.
RU	Woodson Research Center, Fondren Library, Rice University, Houston, Tex.
SCHS	South Carolina Historical Society, Charleston, S.C.
SCL	South Caroliniana Library, University of South Carolina, Columbia, S.C.
SHC	Southern Historical Collection, University of North Carolina, Chapel Hill, N.C.
THNOC	The Historic New Orleans Collection, New Orleans, La.
TSL	Tennessee State Library and Archives, Nashville, Tenn.

TU	Special Collections, Howard-Tilton Memorial Library, Tulane University, New Orleans, La.
UFL	P. K. Yonge Library of Florida History, University of Florida, Gainesville, Fla.
US	Jessie Ball DuPont Library, University of the South, Sewanee, Tenn.
UTA	Center for American History, University of Texas, Austin, Tex.
UVA	Manuscripts Department,Alderman Library, University of Virginia, Charlottesville, Va.
VHS	Virginia Historical Society Richmond, Va.
VSL	Library of Virginia, Richmond, Va.
WC	Archives and Special Collections, Dacus Library, Winthrop College, Rock Hill, S.C.
WM	Manuscripts and Rare Books, Earl Gregg Swen Memorial Library, College of William and Mary, Williamsburg, Va.
YU	Manuscripts and Archives, Sterling Memorial Library, Yale University, New Haven, Conn.

INTRODUCION

1.Lucy Rebecca Buck, *Sad Earth, Sweet Heaven: The Diary of Lucy Rebecca Buck*, ed. William Pettus Buck(Birmingham, Ala.: Cornerstone, 1973),50.

2."Stampede,"quoted in Benjamin Quarles, *The Negro in the Civil War* (Boston: Little, Brown, 1953), 58; *Montgomery Daily Advertiser*, July 1, 1864._지난 몇 십년동안 역사학자들이 역사를 연구하는 데 이용한 인종, 계급, 성별의 카테고리는 처음에는 혁신적으로 그리고 점차 유행처럼 여겨지다가 최근에는 평범하기 이를 데 없는 것으로 취급되고 있다. 동시에 보수적인 비평가들은 인종, 계급, 성별이 소위 '정치적으로 옳지' 않다는 이유로 현대 역사 분류방식을 비난하고 있다. 하지만 나는 이들 카테고리가 1980년대에도 새롭거나 혁신적인 것이 아니었으며 지금의 정치적 견해에서 비롯된 것도 아니라고 생각한다. 오랜 시간동안 지속적으로 사용되었다는 것은 그 카테고리의 기본적인 중요성을 인정한다는 반증이다. 이 책을 메우고 있는 19세기 여성의 목소리에서도 충분히 설명되고 있듯이, 그것은 남부 노예소유주 계층 백인 여성들이 자신의 정체성을 확인하기 위해 만든 카테고리였다. 인종, 계급, 성별의 특징이 한데 얽혀 숙녀들의 특성을 규정했다. 또한 남북전쟁에 의해 해방된 문화적, 사회적 힘이 직접적으로 비난한 통념이기도 했다.

3.For a significant early consideration of the role of slaves in freeing themselves, see Armstead Robinson, "Day of Jubilo: Civil War and the Demise of Slavery in the Mississippi Valley, 1861–1865"(Ph.D. dissertation, University of Rochester, 1976); see also Ira Berlin, Barbara J. Fields, Thavolia Glymph, Joseph P. Reidy, and Leslie S. Rowland, eds., *Freedom: A Documentary History of Emancipation, 1861–1867*, ser. 1, vol. 1, *The Destruction of Slavery (New York:* Cambridge University Press, 1985); Vincent Harding, *There Is a River: The Black Struggle for Freedom in America* (New York: Harcourt Brace Jovanovich, 1981); Leon F. Litwack, *Been in the Storm So long: The Aftermath of Slavery* (New York: Knopf, 1979); and the debate between James McPherson and Ira Berlin in McPherson, "Who Freed the Slaves?," *Reconstruction* 2, no. 3 (1994): 35–40, and Berlin, "Emancipation and Its Meaning in American Life," *Reconstruction* 2, no. 3 (1994): 41–44. On women in the Civil War, see Mary Elizabeth Massey, *Bonnet Brigades: American Women and the Civil War* (New York: Knopf, 1966; reprinted as *Women in the Civil War* (Lincoln: University of Nebraska Press, 1994]), and Francis Butler Simkins and James Welch Patton, *The Women of the Confederacy* (Richmond : Garett and Massie, 1936), for early scholarly treatments; for examples of what is fast becoming an outpouring of contemporary interest, see George C. Rable, *Civil Wars: Women and the Crisis of Southern Nationalism* (Urbana: University of Illinois Press, 1989), and Catherine Clinton and Nina Silber, eds., *Divided Houses: Gender and the Civil War* (New York: Oxford University Press, 1992).

4.George Fitzhug, *Sociology for the South: Or the Failure of free Society* (Richmond: Morris, 1854), 217, 216, 214. On women in the Old South, see Anne Firor Scott, *The Southern Lady: From Pedestal to Politics, 1830–1930* (Chicago: University of Chicago Press, 1970); Elizabeth Fox-Genovese, *Within the Plantation Household: Black and White Women of the Old South* (Chapel Hill: University of North Carolina Press, 1988);Jean E. Friedman, *The Enclosed Garden: Women and Community in the Evangelical South, 1980–1900* (Chapel Hill: University of North Carolina Press, 1988); Catherine Clinton, *The Plantation Mistress: Woman's World in the Old South* (New York: Pantheon, 1982); and Suzanne Lebsock, *The Free Women of Petersburg: Status and Culture in a Southern Town, 1784, 1860* (New York: Norton, 1984).

5.*Milledgeville Confederate Union*, January 17, 1865; Lizzie Neblett quoted in Drew Gilpin Faust, "'Trying to Do a Man's Business': Slavery, Violence, and Gender in the American Civil War," *Gender and History* 4 (Summer 1992): 197; *Montgomery Daily Advertiser,* July 1, 1864.

6.I am discussing here what feminist theorists have called multiple and shifting subject positions and the creation of subjectivities. See, for example, Catherine Belsey, "Construction the Subject; Deconstructing the Text,"in *Feminist Criticism and Social Change,* ed. J. Newton and D. Rosenfelt (London: Methuen, 1985). See also Evelyn Brooks Higginbotham, "African-American Women' s History and the Metalanguage of Race," *Signs* 17 (Winter 1992): 251- 74. On the "co-constructedness"of race and gender, see Ruth Frankenberg, *White Women, Race Matters: The Social Construction of Whiteness* (Minneapolis: University of Minnesota Press, 1993).

7.For comparative examples of women' s conservative reactions to two other wars, see Mary Louise Roberts, *Civilization without Sexes: Reconstructing Gender in Postwar France, 1917-1927* (Chicago: University of Chicago Press, 1994), and Susan Kingsley Kent, *Making Peace: The Reconstruction of Gender in Interwar Britain* (Princeton: Princeton University Press, 1993).

8.On necessity as the mother of invention, see, for example, Clara Solomon Diary. May 18, 1862, LSU; Amelia Pinkind to Isabella Woodruff, August 4, 1862, Isabella Ann Woodruff Papers, DU; and Julia Davidson to John Davidson, September 8, 1863, Davidson Family Papers, AHC.

CHAPTER ONE

1.Title from New Orleans Daily Picayune, June 9, 1861; Lucy Wood to Waddy Butler, January 21, 1861, Lucy Wood Butler Papers, UVA. elite, white, southern women, 이 책의 주제가 남부 특권계급 백인 여성들 elite, white, southern women이기 때문에 나는 이들 그룹을 논할 때 남부, 특권, 백인이라는 용어를 반복하지 않을 것이다. 내가 의미하는 바는 대개 지시 대상이 분명한 대명사처럼 명확할 것이라 생각한다. 내가 다른 그룹의 여성들을 논할 때 차이를 두기 위해 사용하거나 가끔 여성들의 초기 역사에서 다른 계급이나 인종의 여성들과 혼동되거나 그 차이가 간과될 우려가 있는 경우에만 사용할 것이다. 계급과 인종 간 차이의 구성과 재구성은 남부 지배계급 여성들의 전시 경험을 특징짓는 정체성 연구에서와 마찬가지로 이 책에서 내 연구의 중심이다. See Elizabeth Spelman, *Inessential Woman: Problems of Exclusion in Feminist Thought* (Boston: Beacon, 1988); Bonnie Thornton Dill, "Race, Class, and Gender: Prospects for an All-Inclusive Sisterhood," *Feminist Studies* 9 (Spring 1983): 131-50; and

Nancy A. Hewitt, "Beyond the Search for Sisterhood: American Women's History in the 1980," in *Unequal Sisters: A Multicultural Reader in U.S. Women's History,* ed. Vicke L. Ruiz and Ellen Carol DuBois, 2d ed. (New York: Routledge, 1994), 1-19.

2.Lucy Wood to Waddy Butler January 21, 1861, Butler Papers, UVA; Kate Cumming, *Kate: The Journal ofa Confederate Nurse,* ed. Richard Barksdale Harwell (Baton Rouge: Louisiana State University Press, 1959), 39.

3.Lucy Wood to Waddy Butler, January 21, 1861, Butler Papers, UVA. 많은 버지니아 사람들이 우드처럼 흑인 노예무역에 반대했다. 남부 연합 헌법은 이것을 부분적으로 금지했는데 이는 남부 연합 경계에 위치해서 정치적 입장이 확실치 않은 경계주들, 특히 버지니아를 끌어들이기 위한 몸짓이었다.

4.Ada Bacot Diary, December 12, 1860, SCL; Amanda Sims to Harriet Palmer, December 9, 1861, Palmer Family Papers, SCL; Catherine Ann Devereux Edmondston, April 16, 1861, in *Journal of a Secesh Lady: The Diary of Catherine Ann Devereux Edmondston, 1860-1866,* ed. Beth G. Crabtree and James W. Patton (Raleigh: Division of Archive and History, 1979), 50; "Reminiscences of Lucy Bagby," Bagby Family Papers, VHS; Keziah Brevard Diary, January 6, 1861, SCL. See also Amy E. Murrell, "Two Armies: Women's Activism in Civil War Richmond" (senior honors thesis, Duke University, 1993). 엘리자베스 바론(Elizabeth Varon)은 최근 논문에서 전쟁 전의 남부에서는 징병제도를 준수하는 것보다 위반하는 것이 명예롭게 여겨지는 경우가 많았다고 주장한다. 그녀는 학자들이 지금 알고 있는 것보다 훨씬 더 광범위한 버지니아 여성들의 정치적 행동주의를 문서로 증명하고 있다. 그러나 또한 상반되는 이데올로기가 계속 존재하고 있었다는 것도 보여준다. See Varon, "'We Mean to Be Counted': White Women and Politics in Antebellum Virginia" (Ph.D. dissertation, Yale University, 1993). On women and polities generally, see Paula Baker, "The Domestication of Politics: Women and American Political Society, 1780-1920," *American Historical Review* 89 (June 1984): 620-47, and Michael McGerr, "Political Style and Women's Power, 1830-1930," *Journal of American History* 77(December 1990): 864-85.

5.Sarah Morgan, *The Civil War Diary of Sarah Morgan,* ed. Charles East (Athens: University of Georgia Press, 1991). 121, 73-74; Bacot Diary, January 19, 1861, SCL; Samuel Proctor, ed., "The Call to Arms: Secession from a Feminine Point of View," *Florida Historical Quarterly* 35(January 1957): 267.

6.Edmondston, *Journal of a Secesh Lady,* 54, 34.

7.Susan Cornwall Diary, February 4, 1861, SHC; Edmondston, *Journal of a Secesh Lady,* 35. 남부 연합에서 노예를 소유한 가정의 여성들은 분리된 남성과 여성의 영역, 공적인 영역과 사적인 영역을 구분하는데 서로 다른 용어를 사용했다. 이는 전쟁이 가져온 변화에 대한 불쾌감을 표현하며, 그들의 생활에 생긴 변화를 이해하고 극복하기 위함이었다. 우리는 이것이 남부 연합 사람들 스스로 분석적이고 개념적으로 특징을 부여하기 위한 것이라는 점을 알아야 하며, 그들 세상에 대한 우리의 판단과 그들 경험에 대한 그들의 표현을 구분하기 위한 것이라는 점도 이해해야 한다. 전쟁이 계속되는 동안, 남부 연합 여성들은 '영역'이라는 말로 변화에 대한 저항을 정당화하고 또 변화를 모두 부정함으로써 그것이 몰고 온 충격을 덜고자 했으며, 때로는 익숙한 표현으로 변화를 묘사해서 조금이나마 그에 대한 거부감을 없애려고 했다. 이런 식으로 특징을 부각시키는것은 그들의 이상형과 규범을 상징하기 위한 것이었지만, 역사학자들이 보기에 그들의 이상형과 규범은 그들의 행동이나 상황과는 전혀 어울리지 않았다. 정치적 탈퇴와 관련된 남부사람들의 모순된 말과 행동이 처음부터 이것을 분명히 보여주었다. 나는 그들이 자신들의 행동과 삶을 묘사하는데 이런 표현을 사용하는 것이 올바른 것인지의 여부보다는 이러한 표현을 사용함으로써 그들이 나타내고자 하는 이데올로기적, 사회적 의미에 더욱 관심이 있었다. 나는 서문에서 남부에서의 개인적인 삶은 전쟁 발발과 함께 끝이 났다고 명시했지만, 남부 연합 여성들은 서서히, 주저하며, 고통스럽고도 불완전하게 이 사실을 깨달았다. 그들의 전쟁 이야기의 중심은 바로 이런 점진적인 변화에 있다. 여성사가들이 "분리된 영역"이라고 만든 분석적 용어와 19세기의 "남녀의 분리된 영역"의 의미를 구별하는데 실패했는가에 관한 논의는 Linda K. Kerber의 "Separate Spheres, Female Worlds, Woman's Place: The Rhetoric of Women's History" *Journal of American History* 75 (June 1988):39 참조.

8.N. Van Beel to Jefferson Davis, August 14, 1861, LRCSW, RG 109, reel 10, p. 5521, NA; Mary Early Scrapbook, 17, VHS; Edmondston, *Journal of a Secesh Lady,* 44; Fannie Page Hume Diary, April 17, 1861, UVA; Julia Davidson to John Davidson, January 8, 1861, Davidson Family Papers, AHC; Brevard Diary, April 13, 1861, SCL.

9.Margaret Crawford Adams, "Tales of a Grandmother," in *South Carolina Women in the Confederacy,* ed. Mrs. Thomas Taylor, Mrs. A. T. Smythe, Mrs. August Kohn, Miss M. B. Poppenheim, and Miss Martha Washington, 2 vols.(Columbia, S.C.:State Co., 1903), 1:210; Kate Rowland Diary, December 12, 29, 1863, EU.

10.Cumming, *Kate,* 49; letter from Ann Catron, *Winchester Virginian,* May 8, 1861; Sarah Lawton to General Henry Rootes Jackson, September 9, 1861, Sarah Lawton Papers, GDAH; Mother to William Vaught, March 18, 1862, William Vaught Papers, RU; J. M. Fain to Huldah Fain Briant, May 19, 1862, Huldah Annie Briant Papers, DU.

11. Sarah Espy Diary, April 19, 1861, ADAH; Lizzie Ozburn to Jimmie Ozburn, October 14, 1861, Katherine Elizabeth Ozburn Papers, GDAH.
12. William Vaught to Mary Vaught, Auqust 9, 1862, VaughtPapers, RU.
13. Ella Gertrude Clanton Thomas, *The Secret Eye: The Journal of Ella Gerturde Clanton Thomas, 1848–1889,* ed. Virginia Ingraham Burr (Chapel Hill: University of North Carolina Press, 1990), 192; *The Journals of David Golightly Harris,* ed. Philip N. Racine (Knoxville: University of Tennessee Press, 1990), 268; Betty Herndon Maury, *The Confederate Diary of Betty Herndon Maury, 1861–1863,* ed. Alice Maury Parmalee (Washington, D.C.: privately printed, 1938),3–4.
14. Richard B. Harwell, "Louisiana Burge: The Diary of a Confederate College Girl," *Georgia Historical Quarterly* 36(June 1952): 153.
15. Mytra Lockett Avary, ed., *A Virginia Girl in the Civil War, 1861–1865* (New York: Appleton, 1903), 27; Edmondston, *Journal of a Secesh Lady,* 69.
16. Leila W., "Woman A Patriot," *Southern Monthly* 1 (October 1861): 115.
17. 남부 연합에서의 공적 담론과 대중문화에는 미셸 푸코(Michel Foucault)가 '권력의 기술(technologies of power)' 이라고 부른 것을 적용하는 것이 적절할 것이다. 그것은 문화적 변화와 사회적 필요에 의해 인간의 정체성을 재규정해야 한다는 것을 의미하였다. See Foucault, *The Discourse on Language* (New York: Random House, 1971) and *Power/Knowledge: Selected Interviews and Other Writings, 1972–1977,* ed. Colin Gordon (New York: Pantheon, 1980).
18. Theodore von La Hache, *I Would Like to Change My Name: A Favorite Encore Song* (Augusta: Blackmar & Bro., 1863); *Charleston Daily Courier,* August 15, 1861; Davis quoted in unidentified newspaper clipping in George Baby Scrapbook, 2:128, George Bagby Papers, VHS.
19. "Heart Victories," in *Songs of the South* (Richmond: J. W. Randolph, 1862), 68–69.
20. "Our Mothers Did So before Us,"in *ibid.*, 70–71; *Richmond Record of News, History and Literature,* September 3, 1863, 105; *Charleston Daily Courier,* August 19, 1861; "I' ve Kissed Him and Let Him Go," clipping in Bagby Scrapbook, 5:99, George Bagby Papers, VHS.
21. Priscilla Munnikhuysen Bond Diary, June 29, 1862, LSU.

22. Subheading from *New Orleans Daily Picayune,* June 9, 1861.
23. Julia Le Grand, *The Journal of Julia Le Grand, New Orleans, 1862–1863,* ed. Kate Mason Rowland and Mrs. Morris L. Croxall (Richmond: Everett Waddey, 1911), 52; Clara to Jessie Kittredge, May 4, 1863, Warren Ogden, Collector, Miscellaneous Civil War Letters, TU.
24. Sarah Morgan, *Civil War Diary,* 166.
25. Ibid., 411; Alice Ready Diary, April 13, 19, 1862, SHC. For other comments by women wishing to be men, see Emma Walton to J. B. Walton, May 12, July 15, 1863, Walton–Glenny Papers, THNOC; Caroline Kean Hill Davis Kiary, February 13, 1865, VHS; Sarah Lois Wadley Diary, April 21, 1861, SHC; Emma Holmes, *The Diary of Miss Emma Holmes, 1861–1866,* ed. John Marszalek (Baton Rouge: Louisiana State University Press, 1979), 323; Amelia Barr to Jennie, February 15, 1861, Amelia Barr Papers, UTA; Mary Greenhow Lee Diary, June 3, 1862, HL; and Sarah Anne Grover Strickler Diary, May 11, 1865, UVA.
26. Sarah Morgan, *Civil War Diary,* 77.
27. Davis Diary, February 13, 1865, VHS; Kate Stone, *Brokenburn: The Journal of Kate Stone, 1861–1868,* ed. John Q. Anderson (Baton Rouge:Louisiana State University Press, 1955), 24, 17; Edmondston, *Journal of a Secesh Lady,* 611; A. Grima to Alfred Grima, July 23, 1864, Grima Family Papers, THNOC. For other examples of the widespread invocation of uselessness by women, see Wadley Diary, August 20, 1863, SHC; Amanda Chappelear Diary, April 19, 1862, VHS; Holmes, *Diary,* 251, 323. "Activity is a great remedy." French translated by the author.
28. Ready Diary, February 16, 1862, SHC; Bacot Diary, December 12, 1860, SCL.
29. Le Grand, *Journal,* 53; Davis Diary, February 4, 1865, VHS; Stone, *Brokenburn,* 87; *New Orleans Daily Picayune,* June 9, 1861.
30. "Educated Woman – In Peace and War," *Southern Field and Fireside,* April 11, 1863; *Augusta Weekly Constitutionalist,* July 17, 1861; Launcelot Minor Blackford, *Mine Eyes Have Seen the Glory* (Cambridge: Harvard University Press, 1954), 160–61.
31. Sara Agnes (Mrs. Roger) Pryor, *Reminiscences of Peace and War* (New York: Macmillan, 1904), 131, 133. See also Emma Crutcher to Will Crutcher, December 18, 1861, Crutcher–Shannon Papers, UTA; she undertook work for a benefit fair because " I had nothing else to do."

32. Subheading is quoted from Lucy Wood Butler to Waddy Butler, May 2, 1861, Butler Papers, UVA. On the rurality of the South and its impact on women, see Elizabeth Fox-Genovese, *Within the Plantation Household: Black and White Women of the Old South* (Chapel Hill: University of North Carolina Press, 1988), chap. 1; for an argument for women's culture and community in an urban setting, see Suzanne Lebsock, *The Free Women of Petersburg: Status and Culture in a Southern Town, 1784–1860* (New York: Norton, 1984). On women's organizations in the South, see LeeAnn Whites, "The Charitable and the Poor: The Emergence of Domestic Politics in Augusta, Georgia, 1860–1880," *Journal of Social History* 17 (1984): 606–16, and Varon, "'We Mean to Be Counted.'" Anne Scott argues for the extensiveness of women's organizations throughout the nation in *Natural Allies: Women's Associations in American History* (Urbana: University of Illinois Press, 1991), but she makes a far more convincing case for North than South, where her examples seem exceptional rather than typical. On the limitations of female organizations and bonding in the South, see also Jean E. Friedman, *The Enclosed Garden: Women and Community in the Evangelical South, 1830–1900* (Chapel Hill: University of North Carolina Press, 1985).
33. *Charleston Mercury*, January 1, 1863.
34. List of ladies' aid societies, January 1, 1862, Goveronor's Files, ADAH; Lucy Wood to Waddy Butler, May 2, 1861, Butler Papers, UVA. For a similar comment, see Ellen Moore to Samuel Moore, Samuel J. C. Moore Papers, SHC; on ladies' societies, see Francis Butler Simkins and James Welch Patton, *The Women of the Confederacy* (Richmond: Garrett and Massie, 1936), 22, and George C. Rable, *Civil Wars: Women andthe Crisis of Southern Nationalism* (Urbana: University of Illinois Press, 1989), 139–40.
35. Edmondston, *Journal of a Secesh Lady*, 60, 30.
36. Mary Ann Huff, "The Role of Women in Confederate Georgia"(M.A. thesis, Emory University, 1967),22.
37. Stone, *Brokenburn*, 47; Huff, "Role of Women in Confederate Georgia," 18–19; H. E. Sterkx, *Partners in Rebellion: Alabama Women in the Civil War* (Rutherford, N.J.: Fairleigh Dickinson University Press, 1970), 105. See also minutes of relief associations in Taylor et al., *South Carolina Women*, 1:11–12, 36–53; Ladies Defense Association Papers, MOC; Ladies Relief Association, Spartanburg, SCL; Greenville [S.C.] Ladies' Aid Association

Minutes, 1861–65, DU; and E. Merton Coulter, *The Confederate States of America 1861–1865* (Baton Rouge: Louisiana State University Press, 1950), 405–39.

38. Lizzie Ozburn to Jimmie, August 24, 1861, Ozburn Papers, GDAH; *Charleston Mercury,* April 29(poem), March 18, 19, 1862. On dramatic performances encouraging patriotism, see Nettie Fondren to Robert Mitchell, September 18, 1862, Mitchell–Fondren Papers, GDAH.

39. *Mobile Advertiser and Register,* September 25, 1862; Mary Legg to Hattie Palmer, January 15, 1862, September 26 1861, Palmer Family Papers, SCL; Maria M. Hubard Diary, December 15, 16, 1861, VHS; Clara D. MacLean Diary, August 9, 1861, DU. See Mary Megan Chapman, "'Living Pictures': Women and Tableaux Vivants in Nineteenth Century American Fiction and Culture" (Ph.D. dissertation, Cornell University, 1992).

40. *Charleston Mercury,* September 15, 1862; *Milledgeville Confederate Union,* October 18, 25, 1864.

41. Emma Crutcher to Will Crutcher, December 18, 1861, Crutcher–Shannon Papers, UTA.

42. Hubard Diary, December 16, 1861, VHS; Lise Mitchell Diary, April 3, 1864, TU; Sterkx, *Partners in Rebellien,* 157; R. Frombeign to Zebulon Vance, March 16, 1863, Zebulon Vance Papers, NCDAH.

43. *Charleston Mercury,* March 12, 14, 1862. See the letter of Martha Boddie to Mississippi governor John J. Pettus asking him to forward $1,200 worth of her diamonds to a ladies' gunboat society. Boddie to Pettus, February 1862, John J. Pettus Papers, MDAH.

44. *Charleston Mercury,* October 12, March 14, 1862.

45. *Mobile Advertiser and Register,* September 10, 1862.

CHAPTER TWO

1. 남자 노예들은 꽤 많은 수가 남아 있었다. 그러나 백인여성들의 말을 살펴보면, 흑인남자들은 백인으로 추정되는 '남자들' 부류와는 별개로 취급했음이 분명하다. 3장을 보면 노예 남성에 대해 백인 여성이 전시에 어떻게 인식하고 있었는지 포괄적으로 다루고 있다. Subheading and first quotation from Louisa Waltion to Isabella Woodruff, January 3, 1862, Isabella Ann Woodruff Papers, DU; Elizabeth Randolph Allan, ed., *The Life and Letters of Margaret Junkin Preston* (Boston: Houghotn Mifflin,1903), 137,133; Nettie Fondern to Robert Mitchell, December 16, 1862, Mitchell–Fondern Papers, GDAH; Mary Green–how Lee

Diary, June 2, 1862. HL. For examples of similar comments, see Emma Crutcher to Mother, February 19, 1863, Crutcher-Shannon Papers, UTA Sarah White to Judah P. Benjamin, March 9, 1862, LRCSW, RG 109, reel 76, W104, NA; Amanda Worthington Diary, February 4, 1862, MDAH; and Annie Harper Reminiscences, 14, 15, MDAH. On the draft, see Albert Burton Moore, *Conscription and Conflict in the Confederacy* (New York: Macmillan, 1924), and Memory Mitchell, *Legal Aspects of Conscription and Exemption in North Carolina, 1861-1865* (Chapel Hill: University of North Carolina Press, 1965).

2.Nancy Hall et al. to Governor Zebulon Vance, August 11, 1863, Zebulon Vance Papers, NCDAH; Citizens of Randolph County to the Governor, November 28, 1862, Governor' s Files, ADAH; Jonathan Pitts to Governor John Gill Shorter, April 4, 1862, Governor' s Files, ADAH; M. L. Stansel to Governor John Gill Shorter, March 27, 1862, Governor' s Files, ADAH.

3.Elizabeth P. Hardin, *The Private War of Lizzie Hardin; A Kentucky Confederate Girl' s Diary of the Civil War in Kentucky, Virginia, Tennessee, Alabama, and Georgia*, ed. G. Glenn Clift (Frankfort: Kentucky Historical Society, 1963), 226. Her phrase alludes to a popular war ballad, *The Vacant Chair: or, We Shall Meet, but We Shall Miss Him* (Richmond: Davies & Sons, 186-).

4.John C. Calhoun, *The Papers of John C. Calhoun*, ed. Clyde N. Wilson, 22 vols. (Columbia: University of South Carolina Press, 1981), 14:84. See also Stephanie McCurry, *Masters of Small Worlds: Yeoman Households, Gender Relations, and Political Culture in the Antebellum South Carolina Low Country* (New York: Oxford University Press, 1995).

5.Lawrence Jones to John Gill Shorter, March 17, 1862, Governor' s Files, ADAH.

6.See Randolph B. Campbell, *An Empire for Slavery: The Peculiar Institution in Texas, 1821-1865* (Baton Rouge: Louisiana State University Press, 1989), 231-51.

7.Laetitia LaFon Ashmore Nutt, *Courageous Journey: The Civil War Journal of Laetita LaFon Ashmore Nutt*, ed. Florence Ashmore Cowles Hamlett Martin (Miami: Seemann, 1975), 82. Subheading from Sallie to My Dear Sister, May 14, 1862, Mary A. Gash Papers, NCDAH.

8.Sarah Estes Diary, July 15, June 11, November 15, June 19, October 6, 1862, TSL.

9.Sallie to My Dear Sister, May 14, 1862, Gash Papers, NCDAH; Lila Chunn to Willie Chunn, October 25, 1861, November 14, 1864, Chunn-Land Papers, GDAH; Lila to Willie Chunn, December 14, 1863, Willie Chunn Papers, DU.

10.Emma Crutcher to Will Crutcher, March 1, 1862, Crutcher-Shannon Papers, UTA; Lizzie Ozburn to Jimmie Ozburn, Katherine Elizabeth Ozburn Paper, GDAH; Ellen Moore to Samuel Moore, October 8, 1861, n.d. [1861], March 23, 1862, Samuel J.C. Moore Papers, SHC. See also Minerva Bone to Robert Bone, December 19. 1861, Robert Bone Papers, EU.

11.Mary Elizabeth Massey, *Refugee Life in the confederacy* (Baton Rouge: Louisiana State University Press, 1964), 116-18.

12.Ann Marie Stewart Turner to My Dear Mother, September 29, October 17, December 12, 1864, Ann Marie Stewart Turner Collection, RU. See also James Turner to Ann Marie Stewart Turner, August 18, 1863, *ibid.*

13.Elizabeth McKamy Recollections, TSL; Sidney Harding quoted in Massey, *Refugee Life,* 12; Malvina Gist, February 14, 1865, in *Heroines of Dixie: Winter of Desperation,* ed. Katharine M. Jones, 2 vols, (1955; rtp., Saint Simons Island, Ga.: Mockingbird Books, 1975), 2:173; see also Kate Rowland Diary, June 22, 1861, MOC.

14.C. Vann Woodward, ed., *Mary Chesnut's Civil War* (New Haven : Yale University Press, 1981).

15.Massey, *Refugee Life,* 15; Margaret Phelan Scott and Rachel Wilson, "Hollins and the Civil War," *Hollims Alumnae Bulletin,* Spring 1961, 16-18; Hollins Institute, *The Education of Teachers in the South … To which is Attached A Catalogue of the Institute* (Lynchburg: Virginia Power Press, 1864); *Minutes of the Bethel Baptist Association* (Macon, Ga.: Burke, Boykin, 1862-64); Sarepta Gregory to Dear Aunt, February 28, 1865, Sawyer Papers, NCDAH; Robert De Schweinitz to Zebulon Vance July 7, 1863, Vance Papers, NCDAH; Lucy Worth London Anderson, ed., *North Carolina Women of the Confederacy* (Fayetteville, N.C.: Cumberland Printing, 1926): 61; Farmville Female College, broadside, August 10, 1863; see the many newspaper advertisements for girs' boarding schools. e.g., *Richmond Enquirer,* September 5, December 30 1862, June 26, July 3, 1863; Mrs. Wellington Stevenson, Recollections, UDC Collections, 9:84-85, GDAH.

16.Mary Greenhow Lee Diary, March 14, 1865, HL.

17.Subheading is quotation translated by the author from the French,

A. Grima to Alfred Grima, February 14, 1865, Grima Family Papers, THNOC. The classic work on refugees is Massey, *Refugee Life*; see treatments also in George C. Rable, *Civil Wars: Women and the Crisis of Southern Nationalism* (Urbana: University of Illinois Press, 1989), 181–220; Francis Butler Simkins and James Welch Patton, *The Women of the Confederacy* (Richmond: Garrett and Massie, 1936), 100–110; Jean E. Friedman, *The Enclosed Garden: Women and Community in the Evangelical* South, 1830–1900 (Chapel Hill: University of North Carolina Press, 1985), 95–98; and Daniel Sutherland, "Looking for a Home: Louisiana Emigrants during the Civil War and Reconsturction," *Louisiana History* 21 (Fall 1980): 341–59. Massey comments on both the class and gender identities of refugees, in *Refugee Life,* 28, 29. For a discussion of class resentment against refugees, see "Claiborne," "A Dialogue Between a Wounded Soldier and Mr. S. Who Was Running his Negroes to Texas,"[October 1863], clipping in M. L. Lawton Scrapbook, 36, AHC. See also Mrs. Thomas Taylor, Mrs. A. T. Smythe, Mrs. August Kohn, Miss M. B. Poppenheim, and Miss Martha Washington, eds., *South Caralina Women in the Confederacy,* 2 vols. (Columbia, S.C.: State Co., 1903), 1:174–75, and Margaret McCalla, "The Wartime Experiences of Margaret McCalla: Confederate Refugee from East Tennessee," ed. Robert Partin, *Tennessee Historical Quarterly* 24 (Spring 1965):39–53. For a discussion of Sherman's unusual mass removal of working women from factories in Roswell, Georgia, to the North, see Hartwell T. Bynum, "Sherman's Expulsion of the Roswell Women in 1864," *Georgia Historical Quarterly* 54 (1970): 169–82.

18. Nancy to Richard Jett, June 12, 1864, Nancy Jett Papers, EU; Sarah Espy Diary, August 7, December 18, 1863, ADAH.
19. *The Private Mary Chesnut: The Unpublished Civil War Diaries,* ed. C. Vann Woodward and Elisabeth Muhlenfeld (New York: Oxford University Press, 1984), 230–31. These quotations are from the unpublished diaries, written during the war itself and thus do not bear the revised and considered position represented by much of the material Chesnut reworked in the 1880s. Sidney Harding Diary, January 9, August 8, 1863, LSU.
20. Kate Stone, *Brokenburn: The Journal of Kate Stone, 1861–1868,* ed. John Q. Anderson (Baton Rouge: Louisiana State University Press, 1955), 238. See also Anne Shannon Martin Diary, MDAH.
21. Daily Southern Guardian, April 22, 1864.

22. Bill Arp [Charles H. Smith], *Bill Arp, So Called: A Sideshow of the Southern Side of the War* (New York: Metropolitan Record Office, 1866), 103.
23. Sarah Morgan, *The Civil War Diary of Sarah Morgan,* ed. Charles East (Athens: University of Georgia Press, 1991), 481; Sarah Lois Wadley Diary, September 25, 1863, SHC; Lila Chunn to Mrs. Chunn, February 19, 1865, William Augustus Chunn Papers, EU; Malvina Gist, March 17, 1865, in Katharine M. Jones, *Heroines of Dixie,* 2:200.
24. Sarah Morgan, *Civil War Diary,* 211; Margaret Beckwith Reminiscences, 2:28, VHS; Lise Mitchell Diary, April 19, 1864, February 19, 1862, TU.
25. "The bitterness of the exile that weights so heavily upon us" "She is so saddened by the exile that she almost never goes out and has let herself get emaciated." French translated by the author. A. Grima to Alfred Grima, February 14, 1865, and to Felix Grima, January 7, 1865, Grima Family Papers, THNOC.
26. Josephine West to her father, October 6, 1864, and to her mother, October 3, 1864, George W. West Papers, DU.
27. Subheading quoted from title of an article in the *Richmond Enquirer,* January 13, 1863.
28. 레이시 포드(Lacy Ford)는 사우스캐롤라이나의 내륙에서 가내제조의 가치가 1810년과 1840년 사이에 3분의 1 수준으로 떨어졌음을 알게 되었다. 이런 가격하락은 노예소유가정이나 노예가 없는 가정이나 마찬가지였으며 1850년 스파탄버그에서는 노예를 소유하지 않은 가정의 4분의 1 이 가내제조를 전혀 하지 않았다. 그는 농민들은 여전히 가정에서 옷을 만들었지만, 그것이 유일한 공급원이었다고 하기는 어렵다는 결론을 내린다. See Ford, *Origins of Southern Radicalism: The South Carolina Upcountry, 1800-1860* (New York: Oxford University Press, 1988), 82-83. In lowcountry South Carolina, Stephanie McCurry finds continued household production of cloth among yeomen but emphasizes the "continuum of self-sufficiency, interdependency and market engagement" of these families. See McCurry, *Masters of Small Worlds,* chap. 2, n. 76. I am grateful to McCurry for sharing her insights and research notes with me. Steven Hahn's statistics from the Georgia upcountry show dramatic decline in home manufacturing on agricultural units of all sizes between 1850 and 1860. See Steven Hahn, *The Roots of Southern Populism: Yeoman Farmers and the Transformation of the Georgia Upcountry, 1850-1890* (New York: Oxford University Press, 1983), 299, 300, 302. For a more general

discussion of the decline in home manufactures in this era, see Rolla Milton Tryon, *Household Manufactures in the United States, 1640–1860: A Study in Industrial History* (Chicago: University of Chicago Press, 1917), 242–376. Most plantations listed sizable purchases of "negro cloth" in their account books. For a contrasting example, however, see the diary of Minerva Marie Louise Hynes Cook, MDAH, who presided over a domestic cloth-producing operation with a workforce made up chiefly of slave women in the years leading up to the Civil War. Her diary unfortunately ends at that point. See also "Cloth Making during the Civil War" and "Patterns for Weaving Counterpanes," Lena Dancy Ledbetter Collection UTA.

29.*Southern Illustrated News,* December 20, 1862; *Milledgeville Confederate Union,* January 13, 1863; *Richmond Enquirer,* January13, 1863; clippings, n.d., M. L. Lawton Scrapbook, 26, 60, AHC; "The Homespun Dress,"in *Folksongs of Mississippi and their Background,* by Arthur Palmer Hudson (Chapel Hill: University of North Carolina Press, 1936), 265–66. See also Carrie Bell Sinclair, *The Southern Girl with the Home-spun Dress,* broadside, n.p., 186–. The association of political independence with economic independence had its origins in the revolutionary period, with its calls for domestic production, and was reinforced in later appearances of southern nationalism. Calls for homespun accompanied the nullification crusade in South Carolina in the 1820s and 1830s, for example. See McCurry, *Masters of Small Worlds,* chap.2.

30.Mary Speight to Mary W. Bryan, February 19, 1862, John Heritage Bryan Collection, NCDAH; Espy Diary, April 9, 1862, ADAH; Kate Cumming, *Kate: The Journal of a Confederate Nurse,* ed. Richard Barksdale Harwell (Baton Rouge: Louisiana State University Press, 1959), 64; Martha Jane Crossley, "A Patriotic Confederate Woman's War Diary, 1862–3," ed. H. E. Sterkx, *Alabama Historical Quarterly* 20 (Winter 1958): 613; Mary Legg to Hattie Palmer, December 10, 1863, Palmer Family Papers, SCL; Octavia Stephens to Winston Stephens, Bryant-Stephens Papers, UFL; Wadley Diary, March 7, 1865, SHC. See also Stone, *Brokenburn,* 146, and Kate Rowland Diary, November 15, 1864, EU.

31.Will Neblett to Lizzie Neblett, June 17, 1864, and Lizzie Neblett to Will Neblett April 5, February 12, 1864, Lizzie Neblett Papers, UTA; George Peddy to Kate Peddy, February 22, 1864, in *Saddle Bag and*

Spinning Wheel: Being the Civil War Letters of George W. Peddy and Kate Featherston Peddy, ed. George Peddy Cuttino (Macon, Ga.:Mercer Univerity Press, 1981), 216; Amanda Bullock to Robert Bullock, January 30, 1861, Robert Bullock Papers, GDAH. On slave women as textile producers before the war, see Elizabeth Fox-Genovese, *Within the Plantation Household: Black and White Women of the Old South* (Chapel Hill: University of North Carolina Press, 1988), 120-29, 178-85; on textile production by slaves during the war, see Mary Curry to Duncan Curry, November 17, 1862, Curry Hill Plantation Papers, GDAH, and Harper Reminiscences, 16, MDAH. See remarks on how odd it was to see white women spin, Sue Richardson Diary, August 2, 1864, EU.

32.See Mrs. E. Walters to Governor Zebulon Vance, April 17, 1863, and Nancy Key to Governor Zebulon Vance, August 25, 1864, Vance Papers, NCDAH; "Cotton Cards. How Secured for the People of Alabama During the War Between the States," compiled by Clyde E. Wilson, WPA, Governor's Files of Thomas H. Watts, ADAH; Octavia Stephens to Winston Stephens, October 23, 1862, Bryant-Stephens Papers, UFL, and Lizzie Neblett to Will Neblett, April 5, 1864, Neblett Papers, UTA.

33.섬유 생산에 대규모로 관여했다는 현존하는 많은 참고 자료가 전후에 쓰여진 회상록을 근거로 했다는 것은 놀라운 일이다. 전쟁시기의 자료는 기술을 습득하고 원료를 구하고 그런 노력을 하기 위한 동기를 찾는데 직면한 어려움과 투쟁에 관한 기록인 경우가 많다. See Mary Edna Lohrenz and Anita Miller Stamper, *Mississippi Homespun: Nineteenth Century Textiles and the Women Who Made Them* (Jackson: Mississippi Department of Archives and History, 1989), and Anita Miller Stamper and Mary Edna Lohrenz, "Manuscript Sources for *Mississippi Homespun: Nineteenth Century Textiles and the Women Who Made Them,*" *Journal of Mississippi History* 53 (August 1991): 185-218. Stamper and Lohrenz include a description of a fascinating but seemingly highly atypical team of textile workers- a Tennessee woman and her slave who continued their partnership after the war. See the Narcissa L. Black Diaries, MDAH. See also Mary Lohrenz, "Two Lives Interwined on a Tennessee Plantation: Textile Production as Recorded in the Diary of Narcissa L. Erwin Black," *Southern Quarterly* 27 (Fall 1988): 73-93. I am grateful for the opportunity to discuss wartime textile production in a telephone conversation with Mary Lohrenz, June 9, 1994.

34.Mary Green how Lee Diary, May 28, 1863, HL; Mary Ann Harris *Gay, Life in Dixie during the War* (Atlanta: Constitution Job Office, 1892), 42; Taylor et al., *South Carolina Women,* 1:190; Julia Davidson to John Davidson, February 25, 1864, and John Davidson to Julia Davidson, January 28, 1863, Davidson Family Papers, AHC. See also Simkins and Patton, *Women of the Confederacy,* 148–52. On the desperate condition of many lower-class women who sewed to live, see "Oppression," *Childern's Friend,* December 1862, and *Montgomery Daily Advertiser,* June 23, 1864. Emma LeConte Diary, January 6, 1865, SHC.

35.See Mary Elizabeth Massey, *Ersatz in the Confederacy* (Columbia: University of South Carolina press, 1952), and Parthenia Antoinette Hague, *A Blockaded Family: Life in Southern Alabama during the Civil War* (1888; rpt., Lincoln: University of Nebraska Press, 1991), for use of substitutes for unavailable items.

36.Lila Chunn to Willie Chunn, May 23, 1864, Chunn Papers, EU; Susan Middleton to Harriott Cheves, February 22, 1862, Cheves Family Papers, SCHS, quoted in Friedman, *Enclosed Garden,* 98.

CHAPTER THREE

1.Alexander Stephens, *Southern Confederacy* [Atlanta], March 13, 1861.

2.See Elizabeth Fox-Genovese, *Within the Plantation Household: Black and White Women of the Old South* (Chapel Hill: University of North Caronlina Press, 1988), who calls slave management " a political question of the highest order" (206). In general, see also James L, Roark, *Masters without Slaves: Southern Planters in the Cicil War and Reconstruction* (New York: Norton, 1977), and Marli Frances Weiner, "Plantation Mistress and Female Slaves: Gender, Race, and South Carolina Women, 1830–1880" (Ph.D. dissertation University of Rochester, 1985). See also Jonathan M. Wiener, "Female Planters and Planters' Wives in Civil War and Reconstruction Alabama, 1850–1870," *Alabama Review* 30 (April 1977):135–49.

3.*Macon Daily Telegraph,* December 17, 19, 1863, quoted in Clarence Mohr, *On the Threshold of Freedom: Masters and Slaves in Civil War Georgia* (Athens: University of Georgia Press, 1986), 22; James F. Bailey to General H. P. Waston, March 31, 1862, Governor's Files, ADAH. On Confederate conscription, see Albert Burton Moore,

Conscription and Conflict in the Confederacy (New York: Macmillan, 1924), and Paul D. Escott, " 'The Cry of the Sufferers' : The Problem of Welfare in the Confederacy," *Civil War History* 23 (September 1977):228–40.

4. *Macon Daily Telegraph,* September 1, 1862, quoted in Mohr, On the Threshold of Freedom, 221.

5. See *The Statutes at Large of the Confederate States of America, passed at the Third Session of the First Congress* (Richmond: R. M. Smith, 1863), 158, 213–14; James M. Mathew, ed., *The Statutes at Large of the Confederate States of America* (Richmond: R.M. Smith, 1862), 30; *Acts of Congress in Relation to the Conscription and Exemption Laws* (Houston: Texas Book and Job Printing House, 1862), 8(Quotation); *Southern Historical Society Papers* 48 (1941): 104; Moore, *Conscription and Conflict in the Confederacy,* 83–113.

6. Mrs. B. A. Smith to Governor Shorter, July 18, 1862, Governor' s Files, ADAH; A Planter' s Wife to Governor John J. Pettus, May 1, 1862, John J. Pettus Papers, MDAH; see also Letitia Andrews to Governor John J. Pettus, Match 28, 1863. Pettus Papers, MDAH, and Lizzie Neblett to Will Neblett, April 26, 1863, Lizzie Neblett Papers, UTA.

7. Lucy A. Sharp to Hon. John C. Randolph, October 1, 1862, LRCSW, S1000, RG 109, reel 72, M437, NA; Sarah Whitesides to Hon. James Seddon, February 13, 1863, LRCSW, RG 109, reel 115; W136, NA; Catherine Edmondston, *Journal of a Secesh Lady: The Diary of Catherine Ann Devereux Edmondston, 1860–1866,* ed. Beth G. Crabtree and James W. Patton (Raleigh: North Carolina Department of Archives and History, 1979), 240; Frances Mitten to editors of the *Christian Index,* July 6, 1864, Thomas Watts, Governor' s Papers, ADAH; Martha Fort to George Fort, October 7, 1861, Tomlinson Fort Papers, EU; Amanda Walker to Secretary of War, October 31, 1862, LRCSW, RG 109, reel 79, W1106, NA.

8. Keziah Brevard Diary, November 28, 1860, April 4, 1861, December 29, 1860, SCL.

9. C. Vann Woodward, ed., *Mary Chesnut's Civil War* (New Haven: Yale University Press, 1981), 198–99 Ada Bacot Diary, September 21, 1861, SCL.

10. Sarah Espy Diary, July 11, 13, 1861; see also June 3, 1861, ADAH; Reminiscences of Mrs. Ferrie Pegram, Lowry Shuford Collection, NCDAH; Winthrop K. Jordan, *Tumult and Silence at Second Creek: An Inquiry into a Civil War Slave Conspiracy* (Baton Rouge:

Louisiana State University Press, 1992), 271, 288. See also Susan Bagby Diary, January 9, 1861, HC. On poisoning, see, for example, Annie Clark Jacobs Memoir, 59, MDAH; on arson, see Robert May, "Southern Elite Women, Sectional Extremism, and the Male Political Sphere," *Journal of Mississippi History* 50 (November 1988): 266; on murder, see Laura Comer Diary, June 5, 1862, SHC.

11. Laura Lee Diary, March 12, 1862, WM; Bacot Diary, February 27, 1861, SCL; *Mobile Advertiser and Register, September 11, 1862, Richmond Enquirer,* September 9, 1862, Abbie Brooks Diary, July 8, 1865, AHC.

12. Hattie Motley to James Seddon, May 25, 1863, LRCSW, RG 109, reel 103, M437, M430, NA;; Mrs. M. K. Smith to Secretary of War, September 23, 1862, LRCSW, S997, RG 109, reel 72, NA; Nancy Hall et al. to Governor Zebulon Vance August 11, 1863, Zebulon Vancé Papers, NCDAH; Miss Lettie Kennedy in behalf of the Ladies of the N.E. beat of Jas. Country, Miss., September 15, 1862, LRCSW, RG 109, reel 56, K148, NA. See also Lida Sessums to Governor John J. Pettus, October 8, 1862, Pettus Papers, MDAH.

13. Lucy Watkins to Secretary of War Randolph, October 13, 1862, LRCSW, RG 109, reel 79, M1091, NA; Harriet Pipkin to S. Cooper, Adj Gen. and Insp Gen, series 12(LR). Box 18, H2636, NA; Mary Watts to Hon. James Seddon, May 15, 1863, LRCSW, RG 109, reel 116, W315, NA. I obviously disagree with Martha Hodes, who states, "No great tide of sexual alarm engulfed white southerners as white men left white women at home with slave men," in "Wartime Dialogues on Illicit Sex: White Women and Black Men," in *Divided Houses: Gender and the Civil War,* ed. Catherine Clinton and Nina Silber (New York: Oxford University Press, 1992), 239.

14. W. Maury Darst, "The Vicksburg Diary of Mrs. Alfred Ingraham," May 27, 1863, *Journal of Mississippi History* 44 (May 1982): 171; Betty Herndon Maury Diary, April 25, 1862, LC; Darden quoted in *Jordan, Tumult and Silence,* 304; Catherine Broun Diary, May 11, 1862, Broun Family Papers, RU. See also Clara Solomon Diary, May 8, 1862, LSU. On black troops, see also Ellen Moore to Samuel Moore, April 2, 1864, Moore Papers, SHC, and on black Confederate soldiers, Kate Rowland Diary, March 30, 1865, MOC.

15. Mary Greenhow Lee Diary, April 3, 1864, HL.

16. Constance Cary Harrison, "A Virginia Girl in the First Year of the War," *Century* 30 (August 1885); 606; Brevard Diary, November 28, 1860, SCL; Edmondston, *Journal of a Secesh Lady,* 30.

17.Elizabeth Saxon, *A Southern Woman's War Time Reminiscences* (Memphis: Pilcher, 1965), 33; Eugene. D. Genovese, *Roll, Jordan, Roll: The World the Slaves Made* (New York: Pantheon, 1974), 99.

18.Broun Diary, May 1, 1864, RU; Anna Green to Martha Jones, April 16, 1862, Prescott-Jones Papers, GDAH; Leila Callaway to Morgan Callaway, January 22, 19, 1863, Morgan Callaway Papers, EU.

19.Joan Cashin, " Since the War Broke Out' : The Marriage of Kate and William McLure," in Clinton and Silber, *Divided Houses,* 200-212; Maria Hawkins to Governor Zebulon Vance, December 11, 1863, Vance Papers, NCDAH.

20.Edmondstion, *Journal of a Secesh Lady,* 220; see also Octavia Stephens to Winston Stephens, July 15, 1862, Bryant-Stephens Papers, UFL; May, "Southern Elite Women," 255; and Bacot Diary May 3, December 25, 1861, March 17, September 8, 1862, SCL.

21.Espy Diary, March 12, 1862, ADAH; see also arrangements made by Susan Blackford, described in Steve Tripp, "Restive Days: Race and Class Relations in Lynchburg, Virginia, 1858-1872" (Ph.D. dissertation, Carnegie-Mellon University, 1990), 151; Alice Palmer to Hattie Palmer, July 20, 1865, Palmer Family Papers, SCL; and Comer Diary, January 2, 1862, SHC. On this issue, see Fox-Genovese, *Within the Plantation Household,* 63. Catherine Clinton cites an unpublished study by Elizabeth Craven that finds, based on slave narratives and WPA interviews, that only 10 percent of slaves claimed to have been whipped by mistresses and 30 percent to have been ordered whipped by mistresses. Eight percent reported that mistresses had little or no authority. See Clinton, *The Plantation Mistress: Woman's World in the Old South* (New York: Pantheon, 1982), 187, See also, on plantation mistresses and war, Mohr, *On the Threshold of Freedom,* 221-22.

22.Lizzie Neblett to Will Neblett, March 12, 1864, Neblett Papers, UTA; Emily Dashiell Perkins to Belle Edmondson, February 22, 1864, in *A Lost Heroinc of the Confederacy: The Diaries and Letters of Belle Edmondson,* ed. William Galbraith and Loretta Galbraith (Jackson: University Press of Mississippi, 1990), 192-93.

23.Leila Callaway to Morgan Callaway, November 7, 1862, Callaway Papers, EU;Broun Diary, May 24, 1862, RU; Lizzie Neblett to Will Neblett, April 15, 1864, August 18, 1863, Neblett Ppers, UTA.

24.Lizzie Neblett to Will Neblett, August 28, 1863, Neblett Papers, UTA. For a strikingly similar statement of female incapacity,see Carolina Pettigrew to Charles Pettigrew, June 19, 1862, Pettigrew

Family Papers, SHC.
25. Lizzie Neblett to Will Neblett, April 26, 1863, Neblett Papers, UTA.
26. Ibid., August 18, 1863.
27. Ibid., November 17, 1863.
28. Ibid., November 23, 17, 1863.
29. Ibid., November 23, 1863.
30. Ibid., November 29, 1863.
31. Ibid.
32. Ibid., December 6, 1863.
33. Ibid.
34. Ibid., April 26, 1863. On Sarah's eavesdropping on other slaves, see also ibid., November 4, 25, 1863. Lizzie's comments on whipping appear in ibid., undated letter fragment [1864].
35. Ibid., February 12, July 3, June 5, 1864.
36. Ibid., March 20, 1863, letter fragment [1864].
37. Mollie to Dear Sister, September 23, 1864, William Augustus Chunn Papers, EU; Abigail Churlee, "A Study of Texas Slave Plantations, 1822–1865" (Ph. D. dissertation, University of Texas, Austin, 1932), 71. See also, on difficulties of hiring out, Martha Fort to George Fort, December 22, 1861, Tomlinson Fort Papers, EU; Sue Richardson Diary, January 2, 1865, EU; and Leila Callaway to Morgan Callaway, Callaway Papers, EU.
38. I am grateful to John Inscoe for drawing my attention to Mary Bell and the Alfred W. Bell Papers at Duke in a paper he delivered at the OAH in April 1992. My reading of her experience is quite different from his, however. See John Inscoe, "Coping in Confederate Appalachia: A Portrait of a Mountain Woman and Her Community at War," *North Carolina Historical Review* 69 (October 1992):388–413, and "Mary Bell and Her Slave Purchases: Opportunity and Optimism in Confederate Appalachia" (unpublished paper kindly lent by the author). See also Gordon B. McKinney, "Women's Role in Civil War Western North Carolina," *North Carolina Historical Review* 69 (January 1992):37–56.
39. Mary Bell to Alfred Bell, January 30, September 21, May 22, 29, 1862, Bell Papers, DU.
40. Ibid., March 11, 19, November 17, December 8, 1864.
41. Ibid., November 24, 1864..
42. Ibid., November 24, December 16, 1864. See Fox-Genovese, *Within the Plantation Household*, 142, on women's desire for household slaves.

43. Ella Gertrude Clanton Thomas, *The Secret Eye: The Journal of Ella Gertrude Clanton Thomas, 1848–1889,* ed. Virginia Ingraham Burr (Chapel Hill: University of North Carolina Press, 1990), 236; Mary Chesnut quoted in Elisabeth Muhlenfeld, *Mary Boykin Chesnut: A Biography* (Baton Rouge: Louisiana State Universty Press, 1981), 109; Mary Brown to John B. Brown, June 20, 1865, W. Vance Brown Papers, NCDAH;Jane Howison Beale, *The Journal of Jane Howison Beale of Fredericksburg, Virginia, 1850–1862* (Fredericksburg: Historic Fredericksburg Foundation, 1979), 43.
44. Lila Chunn to Willie Chunn, March 18, 1863, Chunn Papers, EU; Sarah Kennedy Diary, August 19, 1863, TSL; Brevard Diary, January 26, 1861, SCL; Mrs. W. W. Boyce to W. W. Boyce, April 12, 1862, quoted in *Letters of Warren Akin, Confederate Congressman,* ed. Bell I. Wiley (Athens: University of Georgia Press, 1959), 4–5.
45. Brevard Diary, January 21, 1861, SCL; Lizzie Neblett to Will Neblett, undated letter fragment [1864], Neblett Papers, UTA.
46. Betty Herndon Maury, *The Confederate Diary of Betty Herndon Maury, 1861–1863,* ed. Alice Maury Parmalee (Washington, D.C.: privately printed, 1938), 89.
47. Beale, *Journal,* June 1, 1862, 47; Eliza Kendrick Walker Reminiscences, 117–18, ADAH.
48. Catherine Cochran Reminiscences, March 1862, vol. 1, VHS; Mary Greenhow Lee Diary, June 29, July 15, 1862, HL; Laura Lee Diary, June 13, 1863, August 18, 1864, WM. See also Sarah Fitch Poates Diary, July 6, 8, 23, November 1, 1863, Asa Fitch Papers, CU.
49. Mary Greenhow Lee Diary, March 22, 1862, HL.
50. Emma Mordecai Diary, May 6, 1865, Mordecai Family Papers, SHC; Genovese, *Roll, Jordan,* Roll, 105–6; Robert Manson Myers, ed., *The Children of Pride: A True Story of Georgia and the Civil War* (New Haven: Yale University Press, 1972), 1274, 1287, 1306.
51. Broun Diary, Christmas 1861, RU; Charlotte Ravenel, March 1, 11, 1865, in *Two Diaries from Middle St. John's Berkeley, South Carolina, February–May 1865: Journals Kept by Susan R. Jervey and Miss Charlotte St. J. Ravenel* (Pinopolis, S.C.:St. John's Hunting Club, 1921), 37;Emma Slade Prescott Reminiscences, vol. 1, p. 10, AHC. See Fox-Genovese, *Within the Plantation Household,* 197.
52. Anne Firor Scott, *The Southern Lady: From Pedestal to Politics, 1830–1930* (Chicago: University of Chicago Press, 1970), 28–32. On this point, see Fox-Genovese, *Within the Plantation Household,*

115, 128. See also Amanda Worthington Diary, April 25, 1863, MDAH.

53.George C. Rable, *Civil Wars: Women and the Crisis of Soutern Nationalism* (Urbana: University of Illinois Press, 1989), 255; Kate Foster Diary, November 15, 1863, DU; Susan Dabney Smedes, *Memorials of a Southern Planter,* ed. Fletcher Green (New York: Knopf, 1965), 223; Lizzie Carter to her sister, March 23, 1863, W. Vance Brown Papers, NCDAH; Martha Horne, "War Experiences," in *Reminiscences of the Women of Missouri during the Sixties,* by Missouri Division, United Daughters of the Confederacy (Jefferson City, Mo.: Hugh Stephens, 192–), 43; Worthington Diary, August 13, 1865, MDAH; Malvina Gist Waring, March 8, 1865, in *Heroines of Dixie: Winter of Desperation,* ed. Katharine M. Jones, 2 vols. (1955; rpt., Saint Simons Island, Ga.,: Mockingbird Books, 1975), 2:197 (Malvina Black Gist was widowed early in the war and remarried to become a Waring after the end of the conflict.); *The Civil War Diary of Mrs. Henrietta Fitzhugh Barr, 1862–3,* ed. Sally Kiger Winn (Marietta, Ohio: Marietta College Press, 1963), 25. See also Annie Harper Reminiscences, 46, MDAH; Emma Holmes, *The Diary of Miss Emma Holmes, 1861–1866,* ed. John Marszalek (Baton Rouge: Louisiana State University Press, 1979), 467; and Sarah Anne Grover Strickler Diary, August 12, 1862, UVA.

54.Amelia Barr to My Dear Jenny, March 3, [1866?], Amelia Barr Papers, UTA; Lizzie Neblett to Will Neblett, August 8, 1863, Neblett Papers, UTA; Matthella Page Harrison Diary, April 28, 1863, UVA.

CHAPTER FOUR

1.Maria M. Hubard Diary, September 10, 1861, VHS. Title quotation is from "A Daughter of Old Virginia"in *Richmond Daily Enquirer,* March 7, 1862.

2.I will rely here on what Claudia Goldin calls the "necessary and significant distinction" between "work for one's family for which neither money nor barter is exchanged, and work that is generally compensated within or outside the home." See Goldin, *Understanding the Gender Gap: An Economic History of American Women* (New York: Oxford University Press, 1990), 13. For economists, it is the market nature of this labor that is critical; for our purposes, the distinctions fo public versus domestic–labor for family versus labor for others–is crucial as well.

3. See Alice Kessler–Harris, *Out to Work: A Historyof Wage Earning Women in the United States* (New York: Oxford University Press, 1982); Elizabeth Fox–Genovese, *Within the Plantation Household: Black and White Women of the Old South* (Chapel Hill: University of North Carolina Press, 1988); Suzanne Lebsock, *The Free Women of Petersburg: Status and Culture in a Southern Town, 1784–1860* (New York: Norton, 1984); Jane H. Pease and William H. Pease, *Ladies, Women, and Wenches: Choice and Constraint in Antebellum Charleston and Boston* (Chapel Hill: University of North Carolina Press, 1990); and Victoria E. Bynum, *Unruly Women: The Politics of Social and Sexual Control in the Old South* (Chapel Hill: University of North Carolina Press, 1992), 7–8.
4. Barnwell quoted by Emma Holmes, *The Diary of Miss Emma Holems, 1861–1866,* ed. John Marszalek (Baton Rouge: Louisiana State University Press, 1979), 102. Lila Chunn to Willie Chunn, March 20, 1862, Willie Chunn Papers, DU.
5. Ella Gertrude Clanton Thomas, *The Secret Eye: The Journal of Ella Gertrude Clanton Thomas, 1848–1889,* ed. Virginia Ingraham Burr (Chapel Hill: University of North Carolina Press, 1990), 237.
6. Subheading quoted from Mary Jane Cook Chadick Diary, September 10, 1864, DU; W. Buck Yearns and John G. Barrett, eds., *North Carolina Civil War Documentary* (Chapel Hill: University of North Carolina Press, 1980), 231, 237; Thomas Woody, *A History of Women's Education in the United States,* 2 vols. (New York: Science Press, 1929), 1:498. Joel Perlman is finding a distinctively lower rate of feminization in southern than northern teaching in this period. Phone conversation, July 5, 1994.
7. Calvin Wiley, "Report of the Superintendent of Common Schools for the Year 1862," in Yearns and Barrett, *North Carolina Civil War Documentary,* 231; *Augusta Daily Constitutionalist,* May 14, 1863.
8. *Central Presbyterian,* September 8, 1864; J. K. Kirkpatrick, "The Duty of Females in Relation to the Future Educational Interests of Our Country," in Yearns and Barrett, *North Carolina Documentary,* 232; Kirkpatrick, *North Carolina Journal of Education* 7 (July 1864)" 88–89. See efforts of North Carolina State Education Association to encourage female teaching, "Proceedings of the 6th Annual Meeting of the State Education Association," *North Carolina Journal of Education* 4 (November 1861): 326.
9. Hollins Institute, *The Education of Teachers in the South⋯To which*

is Attached A Catalogue of the Institute (Lynchburg: Virginia Power Press, 1864), 15; "The Education of Southern Women," *De Bow's Review* 31 (October–November 1861): 382–83. See Rachel Bryan Stillman, "Education in the Confederate States of America, 1861–1865" (Ph. D. dissertation, University of Illinois, Champaign-Urbana, 1972).

10. "Education of Southern Women," 382–83, 381, 385. See Christie Anne Farnham, *The Education of the Southern Belle: Higher Education and Student Socialization in the Antebellum South* (New York: New York University Press, 1994).
11. "Education of Southern Women," 384, 385.
12. "Educated Woman–In Peace and War," *Southern Field and Fireside,* April 11, 1863.
13. James G. Ramsey, *An Address Delivered by Hon. James G. Ramsey, before the young ladies of Concord Female College at Statesville,, May 29th, 1863* (Statesville, N.C.: Iredell Press, 1863), 16; Hollins Institute, *Education of Teachers,* 13–15, 15.
14. *Annual Catalogue of the Trustees, Officers, and Students of the Tuscaloosa Female College* (Tuscaloosa, Ala.: J.F. Warren, 1861), 8.
15. Chadick Diary, September 10, 1864, DU; *Richmond Enquirer,* July 10, 1863.
16. Virginia Daniel Woodruff Diary, May 1, 1862, HC.
17. Abbie Brooks Diary, January 23, 1865, AHC; Mary Stringfield to W. W. Stringfield, March 27, 1864, W. W. Stringfield Papers, NCDAH; Jennie Pendleton Journal, June 15, 1864, Mary E. W. Shell Papers, MDAH; Emily Perkins to Belle Edmondson, in *A Lost Heroine of the Confederacy: The Diaries and Letters of Belle Edmondson,* ed. William Galbraith and Loretta Galbraith (Jackson: University Press of Mississippi, 1990), 7; Sarah Morgan, *The Civil War Diary of Sarah Morgan,* ed. Charles East (Athens: University of Georgia Press, 1991), 153.
18. Quoted in Fox-Genovese, *Within the Plantation Household,* 46; Holmes, *Diary,* 172; Anais to My Dear Husband, April 29, 1863, Warren Ogden, Collector, Miscellaneous Civil War Letters, TU; Margaret Gillis Diary, July 19, 1863, May 30, 1864, ADHH.
19. Caroline Kean Hill Davis Diary, January 2, 1862, February 28, 1863, VHS; Clara D. MachLean Diary, August 11, 1861, DU; Holmes, *Diary,* 315, 410–11, 418; Emma Slade Prescott Reminiscences, vol. 2, pp. 32–33, AHC.
20. Brooks Diary, February 27, March 6, February 1, 1865, AHC, and

Amelia Pinkind to Isabella Woodruff, August 4, 1862, Isabella Ann Woodruff Papers, DU.

21. Subheading quoted from Malvina Gist in *Heroines of Dixie: Winter of Desperation,* ed. Katharine M. Jones, 2 vols. (1955; rpt., Saint Simons Island, Ga.: Mockingbird Books, 1975), 2:199. Elizabeth Richmond to Zebulon Vance, April 5, 1864, Zebulon Vance Papers, NCDAH. See also Delia Jones to Zebulon Vance, January 6, 1863, Vance Papers, NCDAH.

22. Diana Johnston to Jefferson Davis, July 18, 1864, RG 109, Citizens File, NA; Lizzie Yarrington to Jefferson Davis, November 9, 1864, Letters Received, Confederate Secretary of the Treasury, RG 365, NA; Annie Bronaugh to the Secretary of War, March 21, 1863, LRCSW, reel 82, B233, NA; M. H. Syndnor to Jefferson Davis, March 6, 1862, RG 109, Citizens File, NA. See also Kate Rowland Diary, February 5, 1862, MOC.

23. Sue Whiting to Jefferson Davis, April 28, 1864, RG 109, Citizens File, NA.

24. George C. Rable, *Civil Wars: Women and the Crisis of Southern Nationalism* (Urbana: University of Illinois Press, 1989), 131–35, and Janet E. Kaufman, "Treasury Girls," *Civil War Times Illustrated* 25 (May 1986):32–38.

25. Inspection Report, Quartermaster Department, Richmond, August 26, 1864, Inspection Reports, RG 109, reel 7, 22, M935, NA; *Richmond Enquirer,* November 4, 1862; memorandum, John Whitford Papers, NCDAH; J. C. Compton, "The Selma Arsenal," W file, ADAH; Mary Ann Huff, "The Role of Women in Confederate Georgia" (M.A. thesis, Emory University, 1967), 44; Kaufman, "Treasury Girls," 36; *Richmond Enquirer,* March 17, 1863. There was widespread recognition of the injustice of such low salaries for clothing workers. See *Richmond Daily Enquirer,* November 3, 1863, and "Oppression," *Children's Friend,* December 1862. See also Elizabeth Maxwell et al. to Zebulon Vance, October 8, 1864, Vance Papers, NCDAH.

26. Mary DeTreville, "Extracts from the Letters of a Confederate Girl to a Cousin in Virginia," in *South Carolina Women in the Confederacy,* ed. Mrs. Thomas Taylor, Mrs. A. T. Smythe, Mrs. August Kohn, Miss M. B. Poppenheim, and Miss Martha Washington, 2 vols. (Columbia, S.C.: State Co., 1903), 2:181. See also Julia Morgan, who describes her children working at cartridge making. When offered pay, "The girls were too patriotic to take

any money for their services, but the little boys thought they would make a little money for themselves." Julia [Mrs. Irby] Morgan, *How It Was: Four Years among the Rebels* (Nashville: Publishing House of the Methodist Episcopal Church, 1892), 105.

27.MacLean Diary, May 31, 1862, DU; and C. Vann Woodward, ed., *Mary Chesnut's Civil War* (New Haven: Yale University Press, 1981), 350.

28.Adelaide Stuart to her aunt, November 7, September 30, 1864, January 23, 1865, September 30, 1864, John Dimitry Papers, DU.

29.Malvina Gist in Katharine M. Jones, *Heroines of Dixie,* 2:120, 173, 199, 200.

30.Subheading quoted from Mary Chesnut, June 29, 1861, in Woodward, *Mary Chesnut's Civil War,* 85. Susan Reverby, *Ordered to Care: The Dilemma of American Nursing, 1850–1945* (Cambridge: Cambridge University Press, 1987); Charles Rosenberg, *The Care of Strangers* (New York: Basic Books, 1986); Rosenberg, "Florence Nightingale on Contagion:The Hospital as Moral Universe," in *Explaining Epidemics and Other Studies in the History of Medicine* (New York: Cambridge University Press, 1992); Jane E. Schultz, "The Inhospitable Hospital: Gender and Professionalism in Civil War Medicine," (New York: Cambridge University Press, 1992); Jane E Schultz, "The Inhospitable Hospital: Gender and Professionalism in Civil War Medicine," *Signs* 17 (Winter 1992): 363–92; Francis B. Simkins and James W. Patton, "The Work of Southern Women among the Sick and Wounded of the Confederate Armies," *Journal of Southern History* 1 (November 1935): 475–96; Ann Douglas Wood," The War within a War: Women Nurses in the Union Army," *Civil War History* 18 (September 1972): 197–212; Nina Bennett Smith, "The Women Who Went to the War: The Union Army Nurse in the Civil War" (Ph.D. dissertation, Northwestern University, 1981); Evelyn J. Driver, "Confederate Nursing: State of the Art, 1861–1865"(unpublished paper kindly lent by the author); Arlene Keeling, "Supporting the Cause: Nursing Activities of Southern Women during the Civil War" (unpublished paper kindly lent by the author); Sister Mary Denis Maher, *To Bind up the Wounds: Catholic Sister Nurses in the U.S. Civil War* (Westport, Conn: Greenwood, 1989); Rable, *Civil Wars,* 121–28; H. H. Cunningham, *Doctors in Gray: The Confederate Medical Service* (Baton Rouge: Louisiana State University Pres, 1958). On the prevalence of male nursing in the

War of 1812, see Victor Robinson, *White Caps: The Story of Nursing* (Philadelphia: Lippincott, 1946), 140–42.

31.Kate Cumming, *Kate: The Journal of a Confederate Nurse,* ed. Richard Barksdale Harwell(Baton Rouge: Louisiana State University Press, 1959), 135; *Mobile Advertiser and Register,* June 11, 1862; *Milledgeville Southorn Federal Union,* July 22, 1862:6,7.

32.Confederate Baptist, October 15, 1862; "Florence Nightingale and Southern Ladies," *Southern Monthly* 2 (May 1862):6, 7.

33.*Charleston Daily Courier,* August 16, 1861; Ladies Defense Association, June 8, 1861, MOC; *Atlanta Daily Intelligencer,* November 6, 1862, September 27, 1861; *Augusta Weekly Constitutionalist,* September 4, 1861.

34.Mary Rutledge Fogg to Jefferson Davis, September 16, 1861, 5668, LRCSW, RG 109, reel 10, M437, NA; Letitia Tyler Semple to Judah Benjamin, November 19, 1861, 7535, LRCSW, RG 109, reel 15, M437, NA; Letitia Tyler Semple to Edward Joyner, July 17, 1861, 2338, LRCSW, RG 109, reel 5, M437, NA; Mrs. Fielding Lewis Taylor, "Captain Sallie Tompkins," *Confederate Veteran* 24 (November 1916): 521, 524; William Anderson to Juliet Opie Hopkins, September 1, 11, 1861, Alabama Hospital Papers, ADAH; see also Lucille Griffith, "Mrs Juliet Opie Hopkins and Alabama Military Hospitals," *Alabama Review* 6 (April 1953): 99–120; "Florence Nightingale and Southern Ladies, " 5–9.

35.W file, ADAH; Greenville Ladies Association Minutes, January 3, 1863, DU Louise Medway to Jefferson Davis, September 13, 1864, Jefferson Davis Papers, DU; Meta Morris Grimball Diary, October 10, 1862, SHC.

36.J. B. Magruder to Leroy Walker, July 18, 1861, 2686, LRCSW, RG 109, reel 10 NA;Magruder also noted that slave women could be hired for half the cost of a soldier' s salary. On African Americans working in hospitals, see Clarence Mohr, *On the Threshold of Freedom: Master and Slaves in Civil War Georgia* (Athens: University of Georgia Press, 1986), 128–35. Mohr lists statistics of attendants in numerous Georgia hospitals, in Samuel Hollinsworth Stout Papers, UTA; see similar statistics for Montgomery, Ala., December 26, 1862, in W File, Confederate Hospitals, ADAH; *Journal of the Congress of the Confederate States of America,* vol. 1, 1861–65 (Washington, D.C.: Government Printing Office, 1904–5), 726; and U.S. War Department, *The War of the Rebellion: A Compilation of the Official Records of the Union and Confederate*

Armies, 127 vols. and index (Washington, D.C.: Government Printing Office, 1880–1901), series 1, 4:883.

37.Cumming, *Kate*, 16.

38."Journal of the Confederate Congress, First Congress, Second Session," in *Southern Historical Society Papers* (Richmond: Byrd Printers, 1928), 46:237,Senate, September 25, 1862.

39.*Official Records*, series 2, 4:199–200, September 27, 1862. *Confederate Baptist*, October 8, 1862; Rable, *Civil Wars*, 166.

40.Phoebe Yates Pember, *A Southern Woman's Story: Life in Confederate Richmond*, ed. Bell Irvin Wiley (1959; rpt,. Saint Simons Island, Ga.: Mockingbird Books, 1974), 16, 115. Pember's name is also spelled Phebe in some sources. I will use only Phobe in the text but will cite original spelling in the notes.

41. Ibid., 17.

42.Ibid., 15–16; Fannie A. Beers, *Memories: A Record of Personal Experience and Adventure during Four Years of War* (Philadelphia: Lippincott, 1888), 94, 204; Ada Bacot Diary, January 10, 1863, SCL. See also J. Fraise Richard, *The Florence Nightingale of the Southern Army: Experiences of Mrs. Ella K. Newsom, Confederate Nurse in the Great War of 1861–1865* (New York: Broadway, 1914); Emily V. Mason, "Memories of a Hospital Matron," *Atlantic Monthly*, September, October 1902, 305–18, 475–85; Julia Morgan, How It Was; and South Carolina Hospital Aid Association, *Report of the South Carolina Hospital Aid Association in Virginia, 1861–2* (Richmond: MacFarlane and Fergusson, 1862).

43 Pember, *Southern Woman's Story*, 19.

44.Ibid., 34.

45.Ibid., 57; Cumming, *Kate*, 65–

46.Cumming, *Kate*, 124, 208.

47.Ibid., 135.

48.Ibid., 198, 113.

49.Emma Crutcher to Will Crutcher, March 20, 21, 1862, Cruthcher-Shannon Papers, UTA.

50. Ibid., April 7, 8, 1862.

51.Pember, *Southern Woman's Story*, 21. See Sara Crane Reminiscences, Nicolson Family Papers, AHC; Lila to Uncle Tom, July 1864. Tomlinson Fort Papers, EU; Emma Mordecai Diary, May 25, June 17, 1864, Mordecai Family Papers, SHC: Constance Cary Harrison, "Richmond Scenes in '62," in *Battles and Leaders of the Civil War*, ed. Robert Underwood Johnson and Clarence Clough

Buel, 4 vols. (1884; rpt., New York: Castle Books, 1956), 2:445; and Sara Agnes(Mrs. Roger) Pryor, *Reminiscences of Peace and War* (New York: Macmillan, 1904), 182.

52. Pryor, *Reminiscences,* 182–83, 187, 185.

53. Woodward, *Mary Chesnut's Civil War,* 158, 372, 667, 668.

54. Cornelia Peake McDonald, *A Woman's Civil War: A Diary, with Reminiscences of the War, from March 1862,* edited and with an introduction by Minrose C. Gwin (Madison: University of Wisconsin Press, 1992), 38; on amputation, see also Mary Foushee to Juliet Opie Hopkins, August 8, 1861, Alabama Hospitals, ADAH; Cumming, *Kate,* 25; Harriette Cary Diary, May 8, 1862, WM; Mrs. S. E. D. Smith, *The Soldier's Friend* (Memphis, Tenn.: Bulletin, 1867), 53; and Mary Greenhow Lee Diary, November 12, 1862, HL. See also Laurann Figg and Jane Farrell–Beck, "Amputation in The Civil War: Physical and Social Dimensions, "*Journal of the History of Medicine* 48 (October 1993):454–75.

55. Mary Greenhow Lee Diary, September 25, July 11, 1863, HL; Laura Lee Diary, September 20, 1862, WM.

56. Mary Greenhow Lee Diary, September 27, 1862, August 14, 1863, July 29, 1864, May 28, 1862, HL; Laura Lee Diary, September 20, 1864, WM.

57. Mary Greenhow Lee Diary, April 1, November 12, 1862, November 6, 1863, HL; Laura Lee Diary, April 1, 1862, July 11, 1864, WM; Percy L. Rainwater, ed., "The Civil War Letters of Cordelia Scales," *Journal of Mississippi History* 1 (July 1939): 173; Bacot Diary, January 1, 28, February 14, 1862, SCL. See also Catherine Broun Diary, September 13, 1862, Broun Family Papers, RU.

58. Mary Foushee to Juliet Opie Hopkins, August 6, 1861, Alabama Hospitals, ADAH. On sick nurses, see also Cumming, *Kate,* 75, and 262, where she describes Mrs. Newsom's withdrawal from hospital service because of illness, and South Carolina Hospital Aid Association, *Report,* 15.

59. See Charleston *Courier,* July 16, 1863, and Charleston *Mercury,* July 30, 1863.

60. Laura Lee Diary, September 20, 1864, September 27, 1862, WM; see, for another similar example, Susan Caldwell's description of the influx of wounded after Antietam into Warrenton, Virginia, in *"My Heart Is So Rebellious": The Caldwell Letters, 1861–1865,* ed. J. Michael Welton (Warrenton, Va.: Fauquier National Bank, 1991), 155; on Culpeper, Virginia, as a hospital, see Daniel Sutherland,

"Introduction to War: The Civilians of Culpeper Country, Virginia," *Civil War History* 37 (June 1991): 134.

61. Cumming, *Kate,* 99; Smith, *Soldier's Friend,* 80.
62. Emma Crucher to Will Crutcher, February 7, March 21, 1862, Crutcher-Shannon Papers, UTA; Evans quoted in Richard, *Florence Nightingale,* 93; Julia Morgan, *How It Was,* 123-24.
63. Mildred Duckworth to Juliet Opie Hopkins, November 11, 1861, Alabama Hospitals, ADAH.
64. Cumming, *Kate,* 4. See the same sentiments on 191.
65. On destruction of sensibility, see Pember, *Southern Woman's Story,* 114; on limiting compassion, see Cumming, *Kate,* 153; Woodward, *Mary Chesnut's Civil War,* 677, 304; MacLean Diary, March 3, 1862, DU.
66. Woodward, *Mary Chesnut's Civil War,* 85.
67. Coming, *Kate,* 191; Mohr, *On the Threshold of Freedom,* 130-35; report to George William Brent from R. L. Brodie, Medical Division of the West, December 26, 1864, W File, Confederate Hospitals, Montgomery, ADAH; Consolidated Morning Report, January 14, 1864, Helen Thompson Papers, MDAH. This sense of inadequacy and of what one might label "survivor's guilt" is evident in accounts of other nurses' experiences. See Vera Brittain, *A Testament of Youth* (1933; rpt., new York: Wideview Books, 1978).
68. Holmes, Diary, 315; Emma Crutcher to Will Crutcher, March 21, 1862, Crutcher-Shannon Papers, UTA.
69. Woodward, *Mary Chesnut's Civil War,* 350.

CHAPTER FIVE

1. George Peddy Cuttino, ed., *Saddle Bag and Spining Wheel: Being the Civil War Letters of George W. Peddy and Date Featherston Peddy* (Macon, Ga.: Mercer University Press, 1981), 180. For almost identical Language, see Minerva to Robert Bone, January 17, 1863, Robert Bone Papers, EU; Ellen to Samuel Moore, January 22, 1863, Samuel J. C. Moore Papers, SHC; and Octavia to Winston Stephens, November 21, 1862, November 6, 1863, Bryant-Stephens Papers, UFL. Title quotation is from Julia to John Davidson, June 29, 1863, Davidson Family Papers, AHC; subheading quoted from A. Grima to Alfred Grima, November 27, 1863, Grima Family Papers, THNOC. French translated by the author.
2. Emma to Will Curtcher, March 6, January 22, 1862, Crutcher-

Shannon Papers, UTA. See also Lizzie Neblett to Will Neblett, May 30, 1863, Lizzie Neblett Papers, UTA; Mary Bell to Alfred Bell, May 28, January 30, 1862, Alfred W.Bell Papers, DU; and Mary Curry to Duncan Curry, March 31, 1862, Curry Hill Plantation Papers, GDAH.

3. Emma Crutcher to Will Crutcher, January 22, 1862, Crutcher-Shannon Papers, UTA. On dream interpretation, see also Lizzie Ozburn to Em, February 18, 1861, Katherine Elizabeth Ozburn Papers, GDAH.

4. Emma to Will Crutcher, January 4, 1861 [misdated; correct year is 1862], Crutcher-Shannon Papers, MDAH; Ella Gertrude Clanton Thomas, *The Secret Eye: The Journal fo Ella Gertrude Glanton Thomas, 1848-1889,* ed. Virginia Ingraham Burr (Chapel Hill: University of North Carolina Press, 1990), 193; Emma Holmes, *The Diary of Miss Emma Holmes, 1861-1866,* ed. John Marszalek (Baton Rouge: Louisiana State University Press, 1979), 147; Caroline Kean Hill Davis Diary, February 20, 1865, VHS.

5. M. M. Dulany Diary, June 13, 1862, VHS; Lizzie Ozburn to Jimmie Ozeburn, September 12, 1861, Ozburn Papers, GDAH. See, on waiting for news, Davis Diary, July 8, 1862, VHS; on bad news as relief, see Margaret Beckwith Reminiscences, June 1, 1862, 2:6, VHS. Margaret Junkin Person's sister heard of her son's July death in December 1863; see Elizabeth Randolph Allan, ed., *The Life and Letters of Margaret Junkin Preston* (Boston: Houghton Mifflin, 1903), 172. Catherine Cochran observed, "The silence becomes positively appalling," May 15, 1863, in Catherine Cochran Reminiscences, vol. 1, VHS.

6. A. Grima to Alfred Grima, November 27, 1863, Grima Family Papers, THNOC; Richard F. Ridgway, *Self-Sufficiency at All Costs: Confederate Post Office Operations in North Carolina, 1861-1865* (Charlotte: North Carolina Postal History Society, 1988), 50. See also Mary Elizabeth Massey, *Refugee Life in the Confederacy* (Baton Rouge: Louisiana State University Press, 1964), 127. "Separation is always very sad, even with the ability to write freely, but when one is deprived of receiving news from those who are dear, it is horrible to bear." Translation by the author.

7. Emma to Will Crutcher, January 4, 1861 [misdated correct year is 1862], Crutcher-Shannon Papers, MDAH; Fannie Gordon to General John Gordon, May 15, 1864, Fannie B. Gordon Papers, GDAH; see Ellen to Samuel Moore, March 22, 1863. Moore Papers, SHC; Lizzie Nebiett to Will Neblett, May 29, 1864, Neblett Papers, UTA;

Huntsville Democrat, August 21, 1861; Mary Bell to Alfred Bell, May 22, 1862. bell Papers, DU. See also Minerva to Robert Bone, December 23, 1861. Bone Papers EU. On letters, see Steven M. Stowe, *Intimacy and Power in the Old South: Ritual in the Lives of the Planters* (Baltimore: Johns Hopkins University Press, 1987), esp. 50–121.

8.Lizzie Neblett to Will Neblett, June 9, 1863, May 9, 1864, Neblett Papers, UTA; Emma Crutcher to Will Crutcher, March 13, 1862, Crutcher-Shannon Papers, UTA. See Cornelia Noble Diary, October 8, 1862, UTA.

9.George Peddy to Kate Peddy, April 18, 1862, in Cuttino, *Saddle Bag,* 83; David McRaven to Amanda, December 25, 1864 in "The Correspondence of David Olrando McRaven and Amanda Nantz McRaven, 1864–1865." ed. Louis A. Brown, *North Carolina Historical Review* 26 (January 1949): 73; Mary Bell to Alfred Bell, February 11, 1862, Bell Papers, DU.

10.Rose Lewis to her husband, February 22, 1863, Burwell Boykin Lewis Papers, DU; Emma Crutcher to Will Crutcher, February 1, 1862, Cruthcher-Shannon Papers, UTA; Emma Crutcher to Will Crutcher, March 14, 1862, Crutcher-Shannon Papers, MDAH; Julia to John Davidson, June 29, 1863, Davidson Family Papers, AHC. See also Jorantha Semmes, February 7, 1864, Benedict Joseph Semmes Papers, SHC.

11.Sarah Kennedy Diary, December 22, 1862, TSL; Susan Caldwell to Lycurgus Caldwell, December 14, 1862, in *"My Heart Is So Rebellious": The Caldwell Letters, 1861–1865,* ed. J. Michael Welton (Warrenton, Va.: Fauquier National Bank, 1991), 162. See also E. P. Petty to My dear Wife, February 12, 1863, in Elijah P. Petty, *Journey to Pleasant Hill: The Civil War Letters of Captain Elijah P. Petty, Walker's Texas Division,* CSA, ed. Norman D. Brown (San Antonio: University of Texas Press, 1982), 140.

12.John Davidson to Julia Davidson, November 3, 1862, Davidson Family Papers, AHC. "'Seeing the elephant,'" John Phillip Reid has written, meant "to face a particularly severe ordeal…to learn the realities of a situation first hand, or to encounter the unbelievable." The term gained currency in the prewar years as a description for crossing the continent on the overland trail. See Reid, *Law For the Elephant: Property and Social Behavior on the Overland Trail* (San Marino, Calif,: Huntington Library, 1980), ix, x. My thanks to Sarah Gordon for this reference.

13.Cuttino, *Saddle Bag,* 197, 203, 51.

14.Mary Bell to Alfred Bell, August 26, January 30, August 30, 1862, Bell Papers, DU.

15.Lizzie Neblett to Will Neblett, April 15, May 13, 1864, Neblett Papers, UTA.

16.Emma Crutcher to Will Crutcher, February 1, April 8, 1862, Crutcher-Shannon Papers, UTA; Emily Harris Diary, November 7, 1863, WC; Lavinia to R. L. Dabney, May 5, 1862, C. W. Dabney Papers, SHC. On shunning responsibility, see "The Diary of Louisa Brown Pearl,"ed. James Hoobler, *Tennessee Historical Quarterly* 38 (Fall 1979): 308–21, and Octavia to Winston Stephens, October 1, 1862, Bryant-Stephens Papers, UFL.

17.See Welton, *"My Heart Is So Rebellious."*

18.Petty, *Pleasant Hill,* 103; Morgan Callaway to Leila Callaway, August 28, December 20, 1863, Morgan Callaway Papers, EU.

19.John Davidson to Julia Davidson, August 12, 1863, Davidson Family Paper, AHC.

20.Mary Bell to Alfred Bell, July 27, September 21, 1862, Bell Papers, DU.

21.Octavia to Winston Stephens, October 31, 1862, Bryant-Stephens Papers, UFL; Robert Bullock to Amanda Bullock, November 8, 1863, Robert Bullock Papers, GDAH; James Reed, *The Birth Control Movement and American Society: From Private Vice to Public Virtue* (New York: Basic Books, 1978).

22.Lizzie Neblett to Will Neblett, August 13, December 6, 1863, July 3, May 17, 1864, Neblett Papers, UTA. See also Ellen to Samuel Moore, December 5, 7, 1861, Moore Papers, SHC, and James Turner to Ann Turner, February 8, 1864, Anne Marie Stewart Turner Papers, RU. When Turner comes home, He promises he will "love and admire but keep at a distance" to soothe her fears of pregnancy.

23.John Davidson to Julia Davidson, January 20, 1861, Davidson Family Papers, AHC. See Octavia Stephens's discussion of Winston's sexual frustration, Octavia to Winston Stephens, May 26, 1863, Bryant-Stephens papers, UFL.

24.John Davidson to Julia Davidson, March 5, 1864; see also March 22,1864, Davidson Family Papers, AHC. See Octavia Stephens's concerns about brothels and her husband's fidelity and his reassurances, Octavia to Winston Stephens, July 27, November 21, 1862, June 19, 1863, January 18, 1864, Bryant-Stephens Papers,

UFL.

25. Lizzie Neblett to Will Neblett, July 3, 1864, Neblett Papers, UTA.
26. Cuttino, *Saddle Bag,* 20; Julia Davidson to John Davidson, May 1, 1864, Davidson Family Papers, AHC; Will Neblett to Lizzie Neblett, November 22, 1863, and Lizzie Neblett to Will Neblett, November 29, 1863, Neblett Papers, UTA.
27. Martha Hodes, "Wartime Dialogues on Illicit Sex: White Women and Black Men,"in *Divided Houses: Gender and the Civil War,* ed. Catherine Clinton and Nica Silber (New York: Oxford University Press, 1992), 235.
28. Lizzie Neblett to Will Neblett, March 28, 1864, and Will Neblett to Lizzie Neblett, November 23, 1863, Neblett Papers, UTA. See similar tale in Ellen to Samuel Moore, April 10, 1864, Moore Papers, SHC.
29. John Davidson to Julia, March 5, April 1, 1864, and Julia Davidson to John Davidson, April 17, February 25, 1864, Davidson Family Papers, AHC.
30. Lila Chunn to Willie Chunn, March 18, 1863, Willie Chunn Papers, DU; Cuttino, *Saddle Bag,* 255.
31. Lila Chunn to Willie Chunn, May 10, 1863, Chunn Papers, DU; Lizzie Ozburn to Jimmie Ozburn, September 11, 1861, Ozburn Papers, GDAH; Judith Walzer Leavitt, *Brought to Bed: Childbearing in America, 1750–1950* (New York: Oxford University Press, 1986); Richard W. Wertz and Doroghy C. Wertz, *Lying In: A History of Childbirth in America* (New York: Free Press, 1977); Sally G. McMillen, *Motherhood in the Old South: Pregnancy, Childbirth, and Infant Rearing* (Baton Rouge: Louisiana State University Press, 1990); Carroll Smith-Rosenberg, "The Female World of Love and Ritual," *Signs* 1 (Autumn 1975):1–29.
32. Morgan Callaway to Leila Callaway, May 7, 1862; Leila Callaway to Morgan Callaway, September 30, October 6, 1862; Morgan Callaway to Leila Callaway, October 16, 1862; and Leila Callaway to Morgan Callaway, October 27, November 7, 1862, Callaway Papers, EU.
33. Anais Eustis to Celestine Favrot, March 8, 1865, Henry Favort Papers, TU; Emma Crutcher to Will Crutcher, December 28, 1861, Crutcher-Shannon Papers, UTA (subheading quoted from this letter). See also Margaret Gillis Diary, May 5, 1861, ADAH, begging to be spared the burden of children an ironic statement given that she would die in childbirth after the war.

34. Thomas, *Secret Eye,* 187; Allan, *Life and Letters of Margaret Junkin Preston,* 158; Mrs. Thomas Taylor, Mrs. A. T. Smythe, Mrs. August Kohn, Miss M. B. Poppenheim, and Miss Martha Washington, eds., *South Carolina Women in the Confederacy,* 2 vols. (Columbia, S.C.: State Co., 1903), 2:145; Ellen Moore to Samuel Moore, August 12, 1861, Moore Papers, SHC; Kennedy Diary, October 5, 1863, September 10, 1863, TSL.
35. Carrie Berry Diary, August 3, 9, September 10, 4, 1864. AHC.
36. Mary Bell to Alfred bell, May 22, 1862, Bell Papers, DU; Mary W. M. Bell to her husband, September 1, 1863, Mary Walker Meriwether Bell Papers, TSL; Noble Diary, May 18, 1863, UTA; Ellen Moore to Samuel Moore, July 23, May 1, 1863, Moore Papers, SHC.
37. Susan Caldwell, in Welton, *"My Heart Is So Rebellious,"* 54, 247; Leila Callaway to Morgan Callaway, April 24, 1862, and Morgan Callaway to Leila Callaway, April 24, 1862, Callaway Papers, EU; Mary W. M. Bell to her Husband, n.d. [1863], bell Papers, TSL. See "To Mothers," *Edgefield Advertiser,* March 18, 1863.
38. Lizie Neblett to Will Neblett, August 13, December 13, October 28, 1863, May 17, March 12, 1864, Neblett Papers, UTA. See also Ellen Moore to Samuel Moore, August 2, 1863, Moore Papers, SHC. 가정폭력을 연구하는 현대의 학자들은 처벌과 학대를 구별하는 것이 중요하다고 강조한다. 그 중에서도 린다 고든(Linada Gordon)은 그런 차이를 만든 문화적, 역사적 상관관계의 중요성을 강조한다. 나는 리지의 숙모가 못마땅해 하고 윌이 비난할 것이라 예상했다는 점에서 10개월 된 아이를 때리는 것이 19세기 백인 가정에서 적절한 육아법으로 여겨지지 않은 것으로 간주한다. See Gordon, *Heroes of Their Own Lives: The Politics and History of Family Violence* (New York: Viking Penguin, 1988), 5, 180. See also Bertram Wyatt-Brown, "Child Abuse, Public Policy, and Childrearing: An Historical Approach," in *Governing the Young: Work Papers #2,* ed. Barbara Finkelstein (College Park: University of Maryland School of Education, 1981), 1-34. Historian Philip Greven makes the case for regarding all physical punishment as abuse in *Spare the Child: The Religious Roots of Punishment and the Psychological Impact of Physical Abuse* (New York: Knopf, 1991). For a view of the repercussions of the violence of slavery within the black family, see Brenda Stevenson, "Distress and Discord in Virginia Slave Families, 1830-1860," in *In Joy and in Sorrow: Women, Family, and Marriage in the Victorian South, 1830-1900,* ed. Carol Bleser (New York: Oxford University Press,

1991).
39.Bertram Wyatt-Brown, *Sothern Honor: Ehtics and behavior in the Old South* (New York: Oxford University Press, 1982), 169. See Kate Rowland's ambivalence about physical punishment of her young son, Kate Rowland Diary, November 19, 1864, EU.
40.Grace Elmore Diary, February 11, 1865, SCL. Subheading quoted from this letter.
41.L. Virginia French Diary, September 25, 1864, TSL. See also Herschel Gower, "Beersheba Springs and L. Virginia French: The Novelist as Historian," *Tennessee Historical Quarterly* 42 (Summer 1983): 115-37; and Virginia Lewis Peck, "The Life and Works of L. Virginia French" (Ph.D. dissertation, Vanderbilt University, 1939).
42.French Diary, February 8, 1865, TSL.
43.Ibid., September 25, 1864.
44.Ibid., February 14, May 14, 1865. On Russell Aubrey and *Macaria,* see below, Chapter 7.
45.French Diary, March 27, 1865, May 8, 1864, May 11, 1863, TSL.
46.Julia Davidson to John Davidson, July 21, 1864, Davidson Family Papers, AHC.
47.Catherine Edmondston, *Journal of a Secesh Lady: The Diary of Catherine Ann Devereux Edmondston, 1860-1866,* ed. Beth G. Crabtree and James W. Patton (Raleigh: North Carolina Department of Archives and History, 1979), 166.
48.French Diary, August 20, 1865, TSL; Martha Fort to George Fort, January 29, 1862, Tomlinson Fort Papers, EU.

CHAPTER SIX

1.H.R., letter, *Southern Literary Messenger* 38 (February 1864), 125. Title is quoted from Sara Agnes (Mrs. Roger) Pryor, *Reminiscences of Peace and War* (New York: Macmillan, 1904), 25.
2.Lizzie Neblett Diary, May 3, 1852, Lizzie Neblett Papers, UTA; Kate Foster Diary, December 7, 1871, DU. On single women in the early nineteenth century, see Lee Virginia Chambers-Schiller, *Liberty, a Better Husband: Single Women in America: The Generations of 1780-1840* (New Haven: Yale University Press, 1984).
3.Rebecca[?] to Nettie Fondren, May 21, 1863, Mitchell-Fondren Papers, GDAH; Anna Kirtland to Hattie Palmer, May 14, 1862, Palmer Family Papers, SCL; J. J. Delchamps, *Love's Ambuscade* (Mobile: A. G. Horn, 1863), 54; C. Vann Woodward, ed., *Mary*

Chesnut's Civil War (New Heaven: Yale University Press, 1981), 588, 589.

4.Emma Walton to Abby Slocomb, October 5, 1863, Walton-Glenny Papers, THNOC; Pryor, *Reminiscences,* 259.

5.Sarah Morgan, July 24, 1862, in *The Civil War Diary of Sarah Morgan,* ed. Charles East (Athens: University of Georgia Press, 1991), 175; Ellen Roberts to Ellora Reese, December 4, 1864, Confederate Diaries, 8:209-10, GDAH; Lucy Rebecca Buck, *Sad Earth, sweet Heaven: The Diary of Lucy Rebcca Buck,* ed. William Pettus Buck (Birmingham, Ala.: Cornerstone, 1973), 34; Margaret Gillis Diary, January 23, 1861, ADAH.

6.Bettie A. Lyell, Valedictory Address, Southern Female College, Petersburg, Va., July 6, 1863, 16, VSL.

7.Rebecca to Nettie Fondren, May 21, April 23, 1863, Mitchell-Fondren Papers, GDAH. On crushes, see Nancy Sahli, "Smashing: Women's Relationships before the Fall," *Chrysalis* 8 (1979): 17-27; Martha Vicinus, "Distance and Desire: English Boarding School Friendships," *Signs* 9 (Summer 1984): 600-622; Carroll Smith-Rosenberg, "The Female World of Love and Ritual: Relationships between Women in Nineteenth Century America," *Signs* 1 (Autumn 1975): 1-29. For a discussionof romantic friendships in antebellum southern boarding schools, see Christie Anne Farnham, *The Education of the Southern Belle: Higher Education and Student Socialization in the Antebellum South* (New York: New York University Press, 1994), 155-67.

8.Clara Solomon Diary, March 29, 1862, LSU.

9.Ibid., November 21, 1861, April 5, March 25, 1862; Mary Greenhow Lee Diary, October 4, 1862, HL. For a discussion of the emergence of the category of "homosexual" in the late nineteenth century, see Jeffrey Weeks, "The Construction of Homosexuality," in *Sex, Politics, and Society: The Regulation of Sexuality since 1800* (London: Longman, 1981), 96-121; Jonathan Katz, "The Invention of the Homosexual, 1880-1950," in *Gay/Lesbian Almanac: A New Documentary* (New York: Harper and Row, 1983), 137-74; and John D'Emilio and Estelle Freedman, "Toward a New Sexual Order, 1880-1930," in *Intimate Matters: A Social History of Sexuality in America* (New York: Harper and Row, 1988), 171-235.

10.Louise M. Nichols Diary, May 21, 22, 17, 22, September 9, 1863, UTA.

11.Sarah Lois Wadley Diary, December 10, 1863, SHC; see also August

13, December 11, February 26, 1864; Nannie Haskins Diary, May 3, 1863, TSL.

12. Haskins Diary, March 23, 1863, TSL; Lizzie Sawyer to My dear Aunt, December17, 1861, Sawyer Papers, NCDAH. On southern courtship, see H. E. Sterkx, *Partners in Rebellion: Alabama Women in the Civil War* (Rutherford, N. J.: Fairleigh Dickinson University Press, 1970), 148-67; George C. Rable, *Civil Wars: Women and the Crisis of Southern Nationalism* (Urbana: University of Illinois Press, 1989), 51-54, 194-94; Steven M. Stowe, "The *Thing* Not Its Vision': A Woman's Courtship and Her Sphere in the Southern Planter Class," *Feminist Studies* 9 (Spring 1983): 113-30; and generally, Karen Lystra, *Searching the Heart: Women, Men, and Romantic Love in Nineteenth-Century America* (New York: Oxford University Press, 1989).

13. Judith McGuire, *Diary of a Southern Refugee during the War* (1876; rpt. New York: Arno Press, 1974), 329; Amanda Chappelear Diary, September 9, 1862, VHS; Alice Ready Diary, February 13, 1862, SHC; Malvina Waring, March 15, 12, 1865, in *South Carolina Women in the Confederacy,* ed. Mrs. Thomas Taylor, Mrs. A.T. Smythe, Mrs. August Kohn, Miss M. B. Poppenheim, and Miss Martha Washington, 2 vols. (Columbia, S.C.: State Co., 1903), 1:282, 281; Phoebe Pember to Lou Gilmer, February 19, 1864, in Phoebe Yates Pember, *A Southern Woman's Story,* ed. Bell Irvin Wiley (1959; rpt., Saint Simons Island, Ga.: Mockingbird Books, 1990), 137.

14. Amanda Worthington Diary, January 9, February 5, 1862, September 24, 1863, January 19, 1865, MDAH; Kate Cumming, *Kate: The Journal of a Confederate Nurse,* ed. Richard Barksdale Harwell (Baton Rouge: Louisiana state University Press, 1959), 46.

15. Emma Holmes, January 21, June 11, 1863, in *The Diary of Miss Emma Holmes,* 1861-1866, ed. John Marszalek (Baton Rouge: Louisiana State University Press, 1979), 225, 266; Ada Bacot Diary, January 31, 1862, SCL; Thomas B. Hall to Bolling Hall, Jr., June 15, 1863, Bolling Hall Papers, ADAH; Woodward, *Mary Chesnut's Civil War,* 472, 489-90.

16. Alden quoted in Francis Butler Simkins and James Welch Patton, *The Women of the Confederacy* (Richmond: Garrett and Massie, 1936), 188; Gills Diary, February 7, 1863, ADAH; Jack to C. D. MacLean, August 13, 1863, Clara Dargan MacLean Papers, DU; Louisa Walton to Isabella Woodruff, January 3, 1862, Isabella Ann

Woodruff Papers, DU; Isabella Woodruff, "Private Thoughts," December 18, 1864, Woodruff Papers, DU; clipping, "Chance Acquaintances," Mary Early Scrapbook, 7, VHS.

17. Sarah Kennedy to her husband, March 19, 1864, Sarah Kennedy Papers, TSL; Mary W. M. Bell to her husband, September 1, 1863, Mary Walker Meriwether Bell Papers, TSL; Naomi Hayes to Lucy Polk, July 26, 1863, Lucy Williams Polk Papers, NCDAH.
18. *Richmond Enquirer,* December 30, 1862, January 1, 1864.
19. Harriette Cary Diary, May 31, 1862, WM.

CHAPTER SEVEN

1. Alice Ready Diary, April 23, SHC. Title is quoted from Lucy Rebecca Buck, *Sad Earth, Sweet Heaven: The Diary of Lucy Rebecca Buck,* ed. William Pettus Buck (Birmingham, Ala.: Cornerstone, 1973), 41.
2. *Southern Literary Messenger,* quoted in Nina Baym, *Novels, Readers, and Reviewers: Responses to Fiction in Antebellum America* (Ithaca: Cornell University Press, 1984), 36.
3. Mary Kelley, *Private Woman, Public State: Literary Domesticity in Nineteenth Century America* (New York: Oxford University Pres, 1984), 7.
4. On women as writers and readers and on the literary marketplace more generally, see Kelley, *Private Woman*; Linda K. Kerber, "'We Own That Ladies Sometimes Read': Womenn's Reading in the Early Requblic," in *Women of the Republic: Intellect and Ideology in Revolutionary America* (Chapel Hill: University of North Carolina Press, 1980), 233-64; Nina Baym, *Woman's Fiction: A Guide to Novels by and about Women in America, 1820-1870* (Ithaca: Cornell University Press, 1978); Baym, *Novels, Readers, and Reviewers;* Jane Tompkins, *Sensational Designs: The Cultural Work of American Fiction, 1790-1860* (New York: Oxford University Press, 1984); Elizabeth Moss, *Domestic Novelists in the Old South: Defenders of Southern Culture* (Baton Rouge: Louisiana State University Press, 1992); Susan Coultrap-McQuin, *Doing Literary Business: American Women Writers in the Nineteenth Century* (Chapel Hill: University of North Carolina Press, 1990); Michael Warner, *The Letters of the Republic: Publication and the Public Sphere in Eighteenth Century America* (Cambridge, Mass.: Harvard University Press, 1990); and Anne Goodwyn Jones, *Tomorrow Is Another Day: The Woman Writer in the South, 1859-1936* (Baton

Rouge: Louisiana State University Press, 1980). On reading in particular, see Cathy N. Davidson, ed., *Reading in America: Literature and Social History* (Baltimore: Johns Hopkins University Press, 1989), and Elizabeth Flynn and Patrocinio P. Schweikart, *Gender and Reading: Essays on Readers, Texts, and Contexts* (Baltimore: Johns Hopkins University Press, 1986). During the antebellum years 40 percent of novels reviewed in journals and newspapers were by women; by 1872 women wrote 75 percent of novels published in America. See Coultrap-McQuin, *Doing Literary Business,* 2.

5.L. Virginia French Diary, January 1, 1865, TSL;; Emma LeConte Diary, January 28, 1865, SHC. See also Abbie Brooks Diary, January 28, 1865, AHC, and Harriette Cary Diary, June 18, 1862, WM. For a similar characterization of reading as drug and as fantasy, see Elizabeth Fox-Genovese, *Within the Plantation Household: Black and White Women of the Old South* (Chapel Hill: University of North Carolina Press, 1988), 261. Fox-Genovese does not deal explicitly with the war years when, I argue, the psychological importance of books to southern women became even more pronounced.

6.Ella Gertrude Clanton Thomas Diary,march 29, 1865, DU; Emma Crutcher to Will Crutcher, January 24, 1862, Crutcher-Shannon Papers, UTA; Caroline Kean Hill Davis Diary, July 21, 1863, VHS; LeConte Diary, February 5, 1865, SHC.

7.Buck, *Sad Earth, Sweet Heaven,* 41.

8.Mary Greenhow Lee Diary, October 11, April 19, 1863, HL; Davis Diary, February 1, 1865, VHS; Buck, *Sad Earth, Sweet Heaven,* 185.

9.Louisa McCord Smythe Recollections, SCL, 50; Anne Shannon Martin Diary, March 11, 1864, MDAH; see also Lizzie Simons Diary, September 12, 1862, UTA; Emma Holmes, *The Diary of Miss Emma Holmes, 1861-1866,* ed. John Marszalek (Baton Rouge: Louisiana State University Press, 1979), 461-62; Emma Mordecai Diary, May 14, 1864, Mordecai Family Papers, SHC; Mrs. Thomas Taylor, Mrs. A. T. Smythe, Mrs. August Kohn, Miss M. B. Poppenheim, and Miss Martha Washington, eds., *South Carolina Women in the Confederacy,* 2 vols. (Columbia, S.C.: State Co., 1903), 1:80; and Margaret Beckwith Reminiscences, 2:8, VHS.

10.Holmes, *Diary,* 202.

11.Sidney Harding Diary, September 29, 1863, LSU; Homes, *Diary,* 177; C. Vann Woodward, ed., *Mary Chesnut's Civil War* (New

Haven: Yale University Press, 1981), 242; *Richmond Enquirer,* February 20, 1863; Kate Stone quoted in Edmund Wilson, *Patriotic Gore* (New York: Farrar, Straus and Giroux, 1962), 260–61; Stone, *Brokenburn: The Journal of Kate Stone, 1861–1868,* ed. John Q. Anderson (Baton Rouge: Louisiana State University Press, 1955), 233; Cary Diary, June 10, 1862, WM; Emily Andrews to Alice Niles Andrews, June 19, 1864, Alice E. Niles Papers DU. See Ella Gertrude Clanton Thomas, *The Secret Eye: The Journal of Ella Gerrtrude Clanton Thomas, 1848–1889,* ed. Virginia Ingraham Burr (Chapel Hill: University of North Carolina Press, 1990), 188–89, on the effect of the blockade on the availability of books.

12. Anna Maria Cook, *The Journal of a Milledgeville Girl, 1861–1867,* ed. James C. Bonner (Athens: University of Georgia Press, 1964), 37; Amanda Worthington Diary, February 17, 1862, MDAH; Amanda Chappelear Diary, October 25, 1862, VHS; Holmes, *Diary,* 200–201. See Worthington Diary, January 9, 1865, MDAH; she thinks she ought not to read novels but cannot help it. On a similar sort of attraction to a similar but twentieth-century style of romantic hero, see Janice A. Radway, *Reading the Romance: Women, Patriarchy, and Popular Litterature* (Chapel Hill: University of North Carolina Press, 1984).
13. Woodward, *Mary Chesnut's Civil War,* 326.
14. Ibid., 296, 301; Ellen Moore to Samuel Moore, February 7, 1864, Samuel J. C. Moore Papers, SHC; Elizabeth Pringle Diary, August 27, March 10, 1861, SCHS. See also Sophia Partridge Diary, January 14, 1864, NCDAH, and Catherine Edmondston, *Journal of a Secesh Lady: The Diary of Catherine Ann Devereux Edmondston, 1860–1866,* ed. Beth G. Crabtree and James W. Patton (Raleigh: Division of Archives and History, 1979), 654.
15. Ready Diary, April 8, 1862, SHC; Lise Mitchell Diary, March 1, 1862, TU; Constance Cary Harrison, *Recollections Grave and Gay* (New York: Scribners, 1911), 123; Edmondston, *Journal of a Secesh Lady,* 655.
16. "The Education of Sothern Women," *De Bow's Review* 31 (October/November 1861):390.
17. Subheading paraphrased from Mrs. Thomas Womack to Zebulon Vance, July 23, 1863, Zebulon Vance Papers, NCDAH. There is an important and growing literature on women's autobiographical writings and their significance in the definition of the female self. See Shari Benstock, ed., *The Private Self: Theory and Practice of*

Women's Autobiographical Writings (Chapel Hill: University of North Carolina Press, 1988); Judith Gardiner, "On Female Identity: Writing by Women," *Critical Inquiry* 8 (Winter 1981): 347-61; Elizabeth Bruss, *Autobiographical Acts: The Changing Situation of a Literary Genre* (Baltimore: Johns Hopkins university Press, 1976); Estelle C. Jelinek, *The Tradition of Women's Autobiography: From Antiquity to the Present* (Boston: Twayne, 1986); Jelinek, ed., *Women's Autobiography* (Bloomington: Indiana University Press, 1980); Patricia Spacks, *Imaging a Self* (Cambridge, Mass.: Harvard University Press, 1976); and Carolyn Heilbrun, *Writing a Woman's Life* (New York: Norton, 1988); on autobiography more generally, see James Olney, ed., *Autobiography: Essays Theoretical and Critical* (Princeton: Princeton university press, 1980); Albert E. Stone, *Autobiographical Occasions and Original Acts* (Philadelphia: University of Pennsylvania Press, 1982); and Janet Varner Gunn, *Autobiography: Toward a Poetics of Experience* (Philadelphia: University of Pennsylvania Press, 1982). On women's writing North and South during the war, see Mary Elizabeth Massey, *Women in the Civil War* (Lincoln: University of Nebraska Press, 1994), 175-96 (originally published as *Bonnet Brigades: American Women and the Civil War* [New York: Knopf 1966]).

18. Susan Cornwall Diary, March 18, 1857, SHC.

19. Julia Davidson to John Davidson, June 29, 1863, Davidson Family Papers, AHC; Karen Lystra, *Searching the Heart: Women, Men, and Romantic Love in Nineteenth-Century America* (New York: Oxford University Press, 1989), 26-27. See also, on letters, Steven M. Stowe, *Intimacy and Power in the Old South: Ritual in the Lives of the Planter* (Baltimore: Johns Hopkins University Press, 1987).

20. Adelia Etheridge to Jefferson Davis, December 22, 1863, LRCSW, RG 109, reel 126, M437, E4, NA; Lucy White to Jefferson Davis, August 6, 1864, Samuel Richey Papers, MUO; Mrs. Thomas Womack to Zebulon Vance, July 23, 1863, and Mahala Hundley to Zebulon Vance, July 16, 1863, Vance Papers, NCDAH.

21. Sarah Morgan quoted in *Heroines of Dixie: Winter of Desperation,* ed. Katharine M. Jones, 2 vols. (1955; rpt., Saint Simons Island, Ga.: Mockingbird Books, 1975), 1:128; Judith McGuire quoted in ibid., 2:220; Sarah Morgan, *The Civil War Diary of Sarah Morgan,* ed. Charles East (Athens: University of Georgia Press, 1991), 121; Clara Solomon Diary, May 26, 1862, LSU.

22. Mary Greenhow Lee Diary, October 9, February 18, 28, 1863, HL;

Edmondston, *Journal of a Secesh Lady,* 272; Holmes, *Diary,* 53.

23. Lise Mitchell Diary, August 1, 1862, TU; Mary Chesnut, in Woodward, *Mary Chesnut's Civil War,* xxii; Elisabeth Muhlenfeld, *Mary Boykin Chesnut: A Birgraphy* (Baton Rouge: Louisiana State University Press, 1981).

24. Rebecca to Nettie Fondren, April 23, 1863, Mitchell-Fondren Papers, GDAH; Virginia Cowdin to Jefferson Davis, March 17, 1861, Jefferson Davis Papers, YU. Coultrap-McQuin finds that writing was a good economic choice for nineteenth-century women; see *Doing Literary Business,* 23. Anne Goodwyn Jones describes writing as "for many years…almost the only profession that a Southern lady of good family... might pursue without being thought by her society to have in effect 'desexed' herself." See *Tomorrow Is Another Day,* 5.

25. Nannie Haskins Diary, September 24, 1864, TSL.

26. Brooks Diary, October 3, 1865, AHC. Brooks did in fact publish after the war.

27. Holmes, *Diary,* 465; French Diary, February 14, 1864, January 8, 1865, TSL.

28. Edmondston, *Journal of a Secesh Lady,* 282.

29. Mary Greenhow Lee Diary, April 22, 1862, HL; Caroline Gilman quoted in Kelley, *Private Woman,* 180.

30. West and Johnston to Constance Cary, December 26, 1863, Burton Harrison Papers, LC; Harrison, *Recollections,* 213-14; Henry Timrod to Clara Dargan, August 20, 1864, Clara Dargan MacLean Papers, DU.

31. Mary B. Clarke to Macfarlane and Fergusson, September 21, [1861], Macfarlane and Fergusson Papers, VHS.

32. *Augusta Weekly Constitutionalist,* October 16, 1861.

33. Augusta Jane Evans, *Macaria; or, Altars of Sacrifice,* ed. Drew Gilpin Faust (1864; rpt., Baton Rouge: Louisiana State University Press, 1992). Page numbers cited from this edition, Augusta Jane Evans to P. G. T. Beauregard, August 4, 1862, quoted in William Perry Fidler, *Augusta Evans Wilson, 1835-1909: A Biography* (University: University of Alabama Press, 1951), 95.

34. Heilbrun, *Writing a Woman's Life,* 48; Anne Goodwyn Jones, *Tomorrow Is Another Day,* 353. See also Sandra Gilbert and Susan Gubar, *The Madwoman in the Attic: A Study of Women and the Literary Imagination in the Nineteenth Century* (New Haven: Yale University Press, 1978).

35.On single women, see Lee Virginia Chambers-Schiller, *Liberty, a Better Husband: Single Women in America: The Generations of 1780-1840* (New Haven: Yale University Press, 1984).

36.Mary Legg to Harriet Palmer, December 10, 1863, Palmer Family Papers, SCL.

37.Haskins Diary, October 15, 1864, TSL; Mary Greenhow Lee Diary, June 9, 14, 1864, HL; Thomas Diary, June 29, 1864, DU. For other examples, see Anna Maria Green, July 30, 1864, in Cook, *Journal of a Milledgeville Girl,* 52; Holmes, *Diary,* 369; Mary to W. W. Stringfield, March 27, 1864, W. W. Stringfield Papers, NCDAH; Emily Andrews to Alice Niles, June 19, 1864, Niles Papers, DU; French Diary, July 10, 1864, TSL; Willie to Amanda Worthington, July 25, 1864, Amanda Worthington Papers, MDAH; and Belle Edmondson, A *Lost Heroine of the Confederacy: The Diaries and Letters of Belle Edmondson,* ed. William Galbraith and Loretta Galbraith (Jackson: University Press of Mississippi, 1990), 126.

38.D. K. W., in *Richmond Age* 1 (January 1865): 388, 390, 391, 392; Belle Edmondson Diary, June 17, 20, 1864, SHC.

39.Fidelia in *Mobile Evening News,* August 1, 1864.

40.Augusta Jane Evans to P. G. T. Beauregard, November 20, 1867, Augusta Jane Evans Papers, BU. On her intentions, see Evans to J. L. M. Curry, October 7, 1865 in Curry Papers, DU, and Evans to Alexander Stephens, November 29, 1865, Alexander Stephens Papers, EU.

CHAPTER EIGHT

1.Title quoted from Annie Darden Diary, July 20, 1861, NCDAH; Emma Homes, *The Diary of Miss Emma Holes, 1861-1866,* ed. John Marszalek (Baton Rouge: Louisiana State University Press, 1979), 25-26.

2.Stephen Elliott, *Ezra's Dilemna [sic]. A Sermon* (Savannah: George N. Nichols, 1863), 17; Drew Gilpin Faust, *The Creation of Confederate Nationalism: Ideology and Identity in the Civil War South* (Baton Rouge: Louisiana State University Press, 1988), 26-28; see Emma Crutcher to Will Crutcher, January 4, 1862, Crutcher-Shannon Papers, MDAH. See also James Silver, *Confederate Morale and Church Propaganda* (Tuscaloosa, Ala.: Confederate Publishing, Co., 1957); Richard Beringer, Herman Hattaway, Archer Jones, and William N. Still, Jr., *Why the South*

Lost the Civil War (Athens: University of Georgia Press, 1986), 82–107; and James Moorhead, *American Apocalypse: Yankee Protestants and the Civil War,* 1860–1869 (New Haven: Yale University Press, 1978). Emma Homes read two of Stephen Elliott' s sermons in the *Southern Episcopalian* in the summer of 1861 that showed "how visibly the Hand of God was with us throughout all our struggles for freedom." See Holmes, *Diary,* 90.

3. Subtitle quoted from Laura Nisbet Boykin, *Shinplasters and Homespun: Diary of Laura Nisbet Boykin,* ed. Mary Wright Stock (Rockville, Md.: Printex, 1975), 46. Kate Carney Diary, February 28, 1861, SHC; Keziah Brevard Diary, January 1, 1861, SCL; see also Amanda Worthington Diary, January 5, 1862, MDAH; Lucy Wood Butler to Waddy Butler, November 12, 1861, Lucy Wood Butler Papers, UVA; and Laura A. Haygood, "Every Cloud Has a Silvery Lining," October 24, 1863, Atticus Haygood Papers, EU. See Timrod quoted by Malvina Waring, "A Confederate Girl' s Diary, March 9, 1865," in S*outh Carolina Women in the Confederacy, ed. Mrs.* Thomas Taylor, Mrs. A. T. Smythe, Mrs. August Kohn, Miss M. B. Poppenheim, and Miss Martha Washington, 2 vols. (Columbia, S.C.: State Co. 1903), 1:280.
4. *Christian Observer,* January 23, 1862; Holmes, *Diary,* 57; Faust, *Creation,* 28–29.
5. Nancy Emerson Diary, July 4, 1862, UVA; on Sumter, seec J. H. Elliot, *The Bloodless Victory: A Sermon* (Charleston: A. E. Miller, 1861). See Ellen Moore to Samuel Moore, n.d. [1861], for comments on parallels between Manassas and 2 Chron. 20, Samuel J. C. Moore Papers, SHC.
6. Holmes, *Diary,* 111; Sarah Estes Diary, November, 14, 1862, TSL; Boykin, *Shinplasters and Homespun,* 46. On Job, see, for example, Margaret Gwyn Diary, December 2, 1863, DU.
7. Darden Diary, July 20, 1861, NCDAH.
8. Abby Slocomb to J. B. Walton, September 25, 1863, Walton–Glenny Papers, THNOC; Mattie Seward to Nettie Fondren, March 31, 1863, Mitchell–Fondren Papers, GDAH; Julia Davidson to John Davidson, July 17, 1863, Davidson Family Papers, AHC; Kate Foster Diary, July 28, 1863, DU; see Kate Foster on fall of Vicksburg, July 9, 1863, DU; see Annual Meeting of the Congregation of College Church, Oxford, Miss., January 5, 1863, Maud Brown Papers, 105, MDAH. On perception of social ills, see Amelia Rainey to Kate McClure, October 11, 1861, McClure Papers, SCL; Brevard Diary,

October 24, 1860, SCL; Emma Mordecai Diary, May 17, 1864, Mordecai Family Papers, SHC; and Sarah Dorsey to Leonidas Polk, February 20, 1862, Leonidas Polk Papers, US. Thanks to Bertram Wyatt-Brown for bringing this citation to my attention. For a more extensive discussion of the South's perception of its sins, see Faust, *Creation*, 41-82.

9. Lizzie Ozburn to Jimmie Ozburn, October 20, 1861, Katherine Elizabeth Ozburn Papers, GDAH; Anais to My Dear Husband, April 29, 1863, Warren Ogden Papers, TU; Myra Smith Diary, August 20, 1861, Eunice Stockwell Papers, MDAH; see also Lizzie Simons Diary, November 30, 1862, UTA; A. Grima to Alfred Grima, July 14, 1863. Grima Family Papers, THNOC; Mary Bryan to her daughter, January 24, 1862, John Heritage Bryan Collection, NCDAH; Mary Legg to Hattie Palmer, December 10, 1863, Palmer Family Papers, SCL; and Mary Jane Cook Chadick Diary, November 27, 1863, DU, for similar language; Jane Howison Beale, *The Journal of Jane Howison Beale of Fredericksburg, Virginia, 1850-1862* (Fredericksburg: Historic Fredericksburg Foundation, 1979), 12; Alice Ready Diary, February 11, 1862, SHC.

10. Laura Haygood to My dear friend, n.d., Atticus Haygood Papers, EU; Sarah Espy Diary, November 29, 1862, ADAH; Mary Hort Diary, April 1865, SCL. See also Maggie Allen to Mrs. John Palmer, August 25, 1864, Palmer Family Papers, SCL, and Beale, *Journal*, 43-44.

11. Subheading is quoted from Julia Davidson to John Davidson, June 26, 1862, Davidson Family Papers, AHC; Annie Harper Reminiscences, 13, MDAH; Ready Diary, February 13, 1862, SHC;*Pray, maiden, pray! A ballad for the times, respectfully dedicated to the women of the South* (Richmond: George Dunn, 1864); Laura Comer Diary, January 4, 1862, SHC.

12. Belle Strickland Diary, January 21, 1865, MDAH; Estes Diary, August 17, 1862, TSL; Mary W. M. Bell to her husband, July 22, 1863. Mary Walker Meriwether Bell Papers, TSL. See Mrs. Calvin Brown, "Lafayette Country: 1860-1965: A Narrative," MDAH; Catherine Broun Diary, January 26, 1862, Broun Family Papers, RU; Sarah Lois Wadley Diary November 15, 1861, SHC; Fannie Page Hume Diary, May 11, 1862, UVA; Emma Crutcher to her mother, June 8, 1862, Cruthcer-Shannon Papers, MDAH; Emma Balfour Diary, June 2, 1863, MDAH; Foster Diary, September 20, 1863, DU; Laura Lee Diary, March 17, 1862, December 22, 1864, WM; and

Kate Rowland Diary, June 26, July 10, 1864, EU. Denominational divisions diminished in significance as opportunities for choice disappeared. See Rowland Diary, November 1, 1863, EU.

13. *Biblical Recorder,* June 17, 1863; see also *Southern Christian Advocate,* September 8, 1864; *Army and Navy Messenger,* March 1, 1864; and Nettie Fondren to Robert Mitchell, December 16, 1862, Mitchell-Fondren Papers, GDAH. There were some civilian revivals, but commentators remarked on how few in comparison with the army. See Elizabeth J. Beach to Father and Mother, July 29, 1864, Elizabeth Beach Papers, MDAH, and Alice Niles to Dear Cousin September 19, 1863, Alice E. Niles Papers, DU. On family prayer, see Zillah Brandon Diary, August 7, 1862, ADAH; Sarah Morgan, June 26, 1862, in *The Civil War Diary of Sarah Morgan,* ed. Charles East (Athens: University of Georgia Press, 1991), 137; and Harriette Cary Diary, May 18, 1862, WM. On army revivals see Drew Gilpin Faust, "Christian Soldiers: The Meaning of Revivalism in the Confederate Army," *Journal of Southern History* 53 (February 1987): 63-90.

14. *Richmond Enquirer,* November 14, 1862; Simons Diary, December 31, 1862, UTA; *Southwest Baptist,* January 15, 1863; Mary Greenhow Lee Diary, May 16, 1862, HL; Homes, *Diary,* 170; Rowland Diary, March 3, 1862, MOC. See also Comer Diary, January 26, March 21, 1862, SHC, and Octavia Stephens to Winston Stephens, January 7, 1862, Bryant-Stephens Papers, UFL.

15. *Religious Herald,* March 14, 1861. On the preponderance of women in antebellum southern churches, see Donald Mathews, *Religion in the Old South* (Chicago: University of Chicago Press, 1977), and Jean E. Friedman, *The Eclosed Garden: Women and Community in the Evangelical South, 1830-1900* (Chapel Hill: University of North Carolina Press, 1985).

16. Mrs. Frances Blake Brockenbrough, *A Mother's Parting Words to her Soldier Boy* (Petersburg, Va.: Evangelical Tract Society, 186-), 4. On the phenomenal success of this tract, see *Religious Herald,* October 23, 1862.

17. Julia Davidson to John Davidson, September 19, June 26, July 1862, Davidson Family Papers, AHC; Rachel Craighead Diary, September 14, 1862, TSL; Margaret Houston to Sam Houston, Jr., July 1, 1864, Hearne Collection, UTA; Leila Callaway to Morgan Callaway, June 11, 1862, Morgan Callaway Papers, EU. See also Emma Crutcher to Will Crutcher, March 14, 1862, Crutcher-

Shannon Papers, MDAH, and Ellen Moore to Samuel Moore, July 11, 1861, Moore Papers, SHC.

18.Subheading is quoted from Nannie Haskins Diary, July 14, 1864, TSL; Mrs. C. A. Slocomb to M. Greenwood, October 2, 1864. M. Greenwood Papers, THNOC. On emerging doubt, see Harper Reminiscences, 24, MDAH.

19.Catherine Edmondston, *Journal of a Secesh Lady: The Diary of Catherine Ann Devereux Edmonston, 1860–1866,* ed. Beth G. Crabtree and James W. Patton (Raleigh: Division of Archives and History, 1979), 461; Kate Stone, *Brokenburn: The Journal of Kate Stone, 1861–1868,* ed. John Q. Anderson (Baton Rouge: Louisiana State University Press, 1955), 264.

20.Patricia R. Loughridge and Edward D. C. Campbell, Jr., *Women in Mourning* (Richmond: Museum of the Confederacy, 1985).

21.For a more extensive discussion of the cultural work of the painting, see Drew Gilpin Faust, "Race, Gender, and Confederate Nationalism: William D. Washington's Burial of Latané"in *Southern Stories: Slaveholders in Peace and War* (Columbia: University of Missouri Press, 1992), 148–59.

22.See description of Charleston in Homes, *Diary,* 69–70, and description of similar treatment for one of the first of New Orleans's slain in Clara Solomon Diary, July 16, 1861, LSU; Constance Cary Harrison, *Recollections Grave and Gay* (New York: Scribners, 1911), 188–89; and Brown, "Lafayette County," MDAH.

23.Fannie A. Beers, *Memories: A Record of Personal Experience and Adventure during Four Years of War* (Philadelphia: Lippincott, 1888), 83; Stone, *Brokenburn,* 277; Carrie Fries to J. Shaffner, January 19, 1863, Shaffner Papers, NCDAH; Stone *Brokenburn,* 258; Haskins Diary, July 14, 1864, TSL; Foster Diary, November 15, 1863, DU; Mary Greenhow Lee Diary, July 24, 1863, HL.

24 "It is necessary to resign oneself to the will of God and accept the crosses that he sends us–I must submit and pray and hope." A. Grima to Alfred Grima, October 30, 1863; see also November 27, 1863, Grima Family Papers, THNOC; for invocations of Deut. 33:25, see Sarah Jane Sams to Randolph Sams Sarah J. Sams Papers, SCL; Rhoda Duell to L. J. Duell, November 3, 1864, Point Lookout Letters, NA; Edmonston, *Journal of a Secesh Lady,* 55; Sue Richardson Diary, February 5, 1864, EU; and Comer Diary, January 12, 1862, SHC.

25.Julia Davidson to John Davidson, September 8, 1863, Davidson

Family Papers, AHC; J. Michael Welton, ed., *"My Heart Is So Rebellious": The Caldwell Letters, 1861–1865* (Warrenton, Va.: Fauquier National Bank, 1991), 241–255; Cornelia Noble Diary, November 2, 1862, UTA; Mary Stamps to Jefferson Davis, August 16, 1863, photocopy in Papers of Jefferson Davis, RU; Broun Diary, March 8, 1862, RU; M. E. B., "Lights and Shadows of A Solitary Woman's Thoughts," clipping in M. L. Lawton Scrapbook, 25, AHC.

26. Haskins Diary, February 16, 1863, TSL; Solomon Diary, June 7, 1861, LSU; Ready Diary, March 24, 1862, SHC; Mary Ann Harris Gay, *Life in Dixie during the War* (Atlanta: Constitution Job Office, 1892), 195.
27. Estes Diary, November 14, 1862, TSL; Cornelia Peake McDonald, *A Woman's Civil War: A Diary, with Reminiscences of the War, from March 1862,* edited and whit an introduction by Minrose C. Gwin (Madison: University of Wisconsin Press, 1992), 241; Gay, *Life,* 273.
28. Ida Wilkom to Secretary of War, February 7, 1862, 11167, LRSCW, RG 109, reel 27, M437, NA.
29. M. V. Caho to Jefferson Davis, January 28, 1864, LRSCW, RG 109, reel 123, C177, NA; Annie Craig to Secretary of War, September 17, 1861, 56989, LRSCW, RG 109, reel 10, NA; Anna McConnell to Jefferson Davis, January 21, 1865, Jefferson Davis Papers, DU; Henrietta McDonald to Jefferson Davis, September 15, 1861, 5668, LRCSW, RG 109, reel 10, NA.
30. Elizabeth Collier Diary, July 3, 1862, SHC.
31. Grace Elmore Diary, May 10, 1865; Mary Early Diary, April 10, 1865, VHS; L. Virginia French, Diary, May 31, 1865, TSL; Mary Greenhow Lee Diary, April 15, 1865, HL. On women's reactions to defeat see also Richard M. Weaver, *The Southern Tradition at Bay: A History of Postbellum Thought* (New Rochelle, N.Y.: Arlington House, 1968), 270–73. See also George C. Rable, *Civil Wars: Women and the Crisis of Southern Nationalism* (Urbana: University of Illinois Pres, 1989), 223–25.

CHAPTER NINE

1. *New York World* quoted in *Mobile Evening New,* April 3, 1862; journalist quoted in Francis Butler Simkins and James Welch Patton, *The Women of the Confederacy* (Richmond: Garrett and

Massie, 1936), 42; Laura Lee Diary, June 7, 1862, WM; Reid Mitchell, *The Vacant Chair: The Northern Soldier Leaves Home* (New York: Oxford University Press, 1993), chap 6, "She Devils."

2.See Nina Silber, "Intemperate Men, Spiteful Women, and Jefferson Davis,"in *Divided Houses: Gender and the Civil War, ed. Catherine* Clinton and Nina Silber (New York: Oxford University Press, 1992), 283-305, and George C. Rable, *Civil Wars: Women and the Crisis of Southern Nationalism* (Urbana: University of Illinois Press, 1989), 154-80.

3.Subheading quoted from Mary Greenhow Lee Diary, April 1, 1862, HL; Catherine Cochran Reminiscences, vol. 1, March 1862, VHS; Mary Greenhow Lee Diary, April 21, 1862, HL.

4.Mary Greenhow Lee Diary, March 14, 1862, January 3, March 16, 1863, HL.

5.Alice Ready Diary, March 11, 1862, SHC; George Peddy Cuttino, ed., *Saddle Bag and Spinning Wheel: Being the Civil War Letters of George W. Peddy and Kate Featherston Peddy* (Macon, Ga.: Mercer University Press, 1981), 284; L. Virginia French Diary, April 26, 1863, TSL; Emma LeConte Diary, February 14, 1865, SCL; See also Octavia to Winston Stephens, March 12, 19, 1862, Bryant-Stephens Papers, UFS. See also Belle Edmondson's description of filling her hoops with goods to smuggle through the lines, March 16, 1864, in *A Lost Heroine of the Confederacy: The Diaries and Letters of Belle Edmonston,* ed. William Galbraith and Loretta Galbraith (Jackson: University Press of Mississippi, 1990), 97.

6.On the apparent infrequency of rape of white women, see Simkins and Patton, *Women of the Confederacy,* 48; Mitchell, *Vacant Chair,* 102, 104; Susan Brownmiller, *Against Our Will: Men, Women, and Rape* (1975; rpt,. New York: Bantam, 1990), 89; and Michael Fellman, *Inside War: The Guerilla Conflict in Missouri during the American Civil War* (New York: Oxford University Pres, 1989), 193-230. On black women, see Mitchell, *Vacant Chair*; Fellman, *Inside War*; and Charles Royster, *The Destructive War* (New York: Knopf, 1991), 23, 342. Roumors of violations of white women appear in both private writings and southern newspapers, but it is difficult to assess the reliability of these report,. See, for example, Emma Holmes, *The Diary of Miss Emma Holmes, 1861-1866,* ed. John Marszalek (Baton Rouge: Louisiana State University Press, 1979), 81-82, 434.

7.Fellman, *Inside War,* 205; Thomas Settle to Zebulon Vance,

September 21, 1864, Zebulon Vance Papers, NCDAH.

8. Mary Greenhow Lee Diary, April 1, 1862, HL.; "F.F.V.'s" are "First Families of Virginia" Amanda Chappelear Diary, March 17, 1862, VHS; Missouri woman quoted in Fellman, *Inside War,* 196; Mary Greenhow Lee Diary, March 17, 1862, HL; Kate Carney Diary, July 20, 1862, SHC; Mary Greenhow Lee Diary, April 6, 1863, HL. Some Confederate women behind Union lines, in areas such as Nashville, New Orleans, or Washington, D.C., were arrested by Yankee officials who suspected them of spying. They were sometimes sent beyond the lines and sometimes imprisoned. See, for example, Eugenia Phillips, who was first returned from Washington to the South and later imprisoned in Mississippi, Eugenia Phillips Diary, Philip Phillips Papers, LC.

9. Mary Greenhow Lee Diary, March 22, 1862, HL; Ready Diary, March 22, 1862, SHC; Catherine Broun Diary, November 6, 1862, RU; Munford quoted in Douglas S. Freeman, *The South to Posterity: An Introduction to the Writings of Confederate History* (New York: Scribners, 1939), 107; Cochran Reminiscences, May 15, 1863, vol 1, VHS; Holmes, *Diary,* 402.

10. Harriette Cary Diary, May 11, 1862, WM; Carney Diary, July 16, 1862, SHC; for other examples, see Abby Day Slocomb to J. B. Walton, July 17, 1862, Walton-Glenny Papers, THNOC; Janie Smith to Janie Roberson, April 12, 1865, Mrs. Thomas Webb Collection, NCDAH; Sarah Kennedy Diary, February 9, 1863, TSL; and Chappelear Diary, April 14, 1862, VHS. *The Milledgeville Southern Federal Union* tallied -and encouraged- these triumphs in regular reports under headlines such as "A Good Hit," "A Good Shot," or "A Good One." See, for example, August 6, 12, September 2, 1862.

11. Cochran Reminiscences, March 1862, vol. 1, VHS; Sarah Morgan, *The Civil War Diary of Sarah Morgan,* ed. Charles East (Athens: University of Georgia Press, 1991), 160; Ready Diary, March 19, 1862, SHC; officer quoted in Simkins and Patton, *Women of the Confederacy,* 43.

12. Mary Ann Huff, "The Role of Women in Confederate Georgia" (M.A. thesis, Emory University, 1967), 116; Elizabeth McKamy Recollections, 2, TSL; Clara B. Eno, "Activities of the Women of Arkansas during the War between the States," *Arkansas Historical Quarterly* 3 (Spring 1944): 18,20.

13. Subheading quoted from Annie Samuels, Irene Bell, et al. to James

Seddon, December 2, 1864, LRCSW, RG 109, reel 122 M437, B692, NA; *Charleston Mercury,* January 8, 1863; *Milledgeville Southern Federal Union,* August 19, 1862. On women as soldiers, see Loreta Janeta Velazquez, *The Womanin Battle: A Narrative of the Exploits, Adventures and Travels of Madame Loreta Janeta Velazquez, Otherwise Known as Lieutenant Harry T. Buford,, Confederate States Army* (Hartford, Conn: Belknap, 1876), which has been labeled a gross exaggeration, if no a fabrication; Mary Elizabeth Massey, *Women in the Civil War* (Lincoln: University of Nebraska Press, 1994), 78-86 (originally published as *Bonnet Brigades: American Women and the Civil War* [New York: Knopf, 1966];) Janet E. Kaufman, "'Under the Petticoat Flag': Women Soldiers in the Confederate Army," *Southern Studies* 23 (Winter 1984): 363-75; DeAnne Blanton, "Women Soldiers of the Civil War," *Prologue* (Spring 1993); 27-33; Simkins and Patton, *Women of the Confederacy,* 74, 80; Chappelear Diary, July 18, 1861, VHS; J. M. Fain to E. Fain, December 10, 1861, Huldah Briant Papers, DU; French Diary, April 17, 1864, TSL; and *Charleston Mercury,* April 5, 1862.

14. Huff, "Role of Women," 54; Leila Morris, "Personal Recollections of the War: Girl Confederate Soldiers," Crumley Family Papers, AHC; *Charleston Mercury* on women's home guard, July 18, 1861, M. A. C. to Dear Cousin, November 9, 1861, Neves Papers, SCL; Mrs. Forrest T. Morgan, "'Nancy Harts' of the Confederacy," *Confederate Veteran* 30 (December 1922): 465-66. See discussion of female Regulations in North Carolina in Anonymous to Governor Zebulon Vance, February 18, 1863, Vance Papers, NCDAH.
15. Annie Samuels, Irene Bell, et al. To James Seddon, December 2, 1864, LRCSW, RG 109, reel 122, M437, B692, NA.
16. Subheading is from Kate Curnming, April 3, 1865, in *Kate: The Journal of a Confederate Nurse,* ed. Richard Barksdale Harwell (Baton Rouge: Louisiana State University Press, 1959), 268; Mary Greenhow Lee Diary, March 17, April 23, 3, March 16, 1862, HL; on age as a factor in belligerency, see Alice Ready's parents' effort to restrain her hostility, Ready Diary, March 31, 1862, SHC, and Ida Trotter's description of her cousin who "spent her time doing all she could to aggravate the Yankees and kept the older members of the family in a constant state of uneasiness," Ida Barlow Trotter Memoirs, 6, MDAH.
17. Mary Greenhow Lee Diary, December 14, 1864; see also August 5,

1865, HL.

18.Sarah Morgan, *Civil War Diary*, 122. See Mary Lee's use of the same notion of "Billingsgate style," Mary Greenhow Lee Diary, March 17, 1862, HL.

19.Ready Diary, April 21, 1862, SHC; Amanda Worthington Diary, October 11, 1964, MDAH; Ada Bacot Diary, June 14, 1862, SCL; Mary Greenhow Lee Diary, September 4, 1862, HL; Sarah Morgan, *Civil War Diary*, 122–23.

20.Phebe Levy Pember to Eugenia Phillips, September 13, 1863, Philip Philips Papers, LC.

21.Mary Greenhow Lee Diary, November 9, 1863, January 6, 1865; see also February 8, 1863, HL; Cornelia Peake McDonald, *A Woman's Civil War: A Diary, with Reminiscences of the War, from March 1862*, edited and with an introduction by Minrose C. Gwin (Madison: University of Wisconsin Press, 1992), 123.

22.Mary Brown to John Brown, June 20, 1865, W. Vance Brown Papers, NCDAH; Annie Harper Reminiscences, 28, MDAH; on Natchez, see Michael Wayne, *The Reshaping of Plantation Society: The Natchez District, 1860–1880* (Baton Rouge: Louisiana State University Press, 1983); D. Clayton James, *Antebellum Natchez* (Baton Rouge: Louisiana State University Press, 1968); and William K. Scarborough, "Lords of Capitalists? The Natchez Nabobs in Comparative Perspective," *Journal of Mississippi History* 54 (August 1992): 239–67.

23.Kate Foster Diary, September 20, 1863, DU; Harper Reminiscences, 29, MDAH; on fraternization with the enemy, see, for example, Mary Jane Cook Chadick Diary, January 1864, March 1, 1865, DU. The files of the Southern Claims Commission in the National Archives are replete with reports of southern civilians aiding the enemy.

24.Benjamin F. Butler, *Autobiography and Personal Reminiscences of Major-General Benjamin F. Bulter: Bulter's Book* (Boston: Thayer, 1892), 378; subheading is quoted from 418. On Butler and the women of New Orleans, see Mary Ryan, *Women in Public: Between Banners and Ballots, 1825–1880* (Baltimore: Johns Hopkins University Press, 1990), 130–71; George C. Rable, "'Missing in Action': Women of the Confederacy," in Clinton and Silber, *Divided Houses*, 134–46; Hans L. Trefousse, *Ben Butler: The South Called Him Beast!* (New York:Twayne, 1957), 107–21; Gerald M. Capers, *Occupied City: New Orleans under the Federals, 1862–1865*

(Lexington: University of Kentucky Pres, 1965); and Simkins and Patton, *Women of the Confederacy,* 56–58.

25. Butler, Autobiography, 417.

26. Ibid., 418.

27. Ibid., 421, 418.

28. Ibid., 419; Marion Southwood, *"Beauty and Booty": The Watchword of New Orleans* (New York: M. Doolady, 1867), 133–36; *Richmond Enquirer,* October 7, 1862.

29. Southwood, *"Beauty and Booty,"* 136; Missouri woman quoted in Fellman, *Inside War,* 196; C. Vann Woodward, ed., *Mary Chesnut's Civil War* (New Heaven: Yale University Pres, 1981); 343; Trefousse, *Ben Butler,* 113; *Mobile Advertiser and Register,* June 26, 1862; Trefousse, *Ben Butler,* 112. For other women's reactions, see Sarah Morgan, *Civil War Diary,* 76–77; Holmes, *Diary,* 165; Ella Gertrude Clanton Thomas, *The Secret Eye: The Journal of Ella Gertrude Clanton Thomas, 1848–1889,* ed. Virginia Ingraham Burr (Chapel Hill: University of North Carolina Press, 1990), 206; Clara Solomon Diary, May 17, 1862, LSU; Barbara Love to Dear Sister, June 5, 1862 and to Dear Brother, June 18, 1862 Curry Hill Plantation Papers, GDAH; and Kate Stone, *Borkenburn: The Journal of Kate Stone, 1861–1868,* ed. John Q. Anderson (Baton Rouge: Louisiana State University Press, 1955), 111.

30. On public and private spheres, see Dorothy O. Helly and Susan M. Reverby, eds., *Gendered Domains: Rethinking Public and Private in Women's History* (New York: Cornell University Press, 1992).

31. Southwood, *"Beauty and Booty,"* 279; Adelaide Stuart Dimitry, "The Battle of the Handkerchiefs," *Confederate Veteran* 31 (May 1923): 182–83.

32. Mary Grreenhow Lee Diary, May 5, 1865, HL.

33. Subheading quoted from Belle Boyd, *Belle Boyd in Camp and Prison* (New York: Blelock, 1865), 86. See *Charleston Mercury,* February 27, 1864; Simkins and Patton, *Women of the Confederacy,* 53, 77–80; Louis A. Sigaud, *Belle Boyd: Confederate Spy* (Richmond: Dietz, 1944); Oscar A. Kinchen, *Women Who Spied for the Blue and the Gray* (Philadelphia: Dorrance, 1972); and Ruth Scarborough, *Belle Boyd: Siren of the South* (Macon, Ga.: Mercer University Press, 1983). Boyd was the most notorious but hardly the only female Confederate spy. See, for example, Edmondson, *Lost Heroine,* and Rose O'Neal Greenhow, *My Imprisonment and the First Year of Abolition Rule at Washington* (Loudon: R.

Bentley, 1863).
34. Boyd, Belle Boyd, 73.
35. Ibid., 86.
36. Ibid., 110–11.
37. Ibid., 227, 118.
38. Ibid., 461.

CHAPTER TEN

1. Chapter title is a quote from Emma Crutcher in a letter to Will Crutcher, December 20, 1861, Crutcher-Shannon Papers, UTA; Sarah Morgan, *The Civil War Diary of Sarah Morgan,* ed. Charles East (Athens: University of Georgia Press, 1991), 167. For another discussion of Sarah Morgan's "fantasies of cross-dressing," see Clara Juncker, "Behind Confederate Lines: Sarah Morgan Dawson," *Southern Quarterly* 30 (Fall 1991): 13. Special thanks for help with this chapter to Joan Severa, costume historian, and to the Seminar on War and Peace at the Rutgers Center for Historical Studies, particularly John W. Chambers and Rebecca Brittenham.
2. On the cultural meaning of clothes, especially as related to gender identity, see Marjorie Garber, *Vested Interests: Cross-Dressing and Cultural Anxiety* (New York: Routledge, 1992); Sandra M. Gilbert and Susan Gubar, "CrossDressing and ReDressing: Transvestism as Metaphor," in *No Man's Land: The Place of thewomen Writer in the Twentieth* Century, vol. 2, *Sexchanges* (New Haven: Yale University Press, 1989), 324–76; Julia Epstein and Kristina Straub, eds., *Body Guards: The Cultural Politics of Gender Ambiguity* (New York: Routledge, 1991); Jane Gaines and Charlotte Herzog, eds., *Fabrications: Costume and the Female Body* (New York: Routledge, 1990); Alison Lurie, *The Lanquage of Clothes* (New York: Random House, 1981); Juliet Ash and Elizabeth Wilson, eds., *Chic Thrills: A Fashion Reader* (Berkeley: University of California Press, 1992); and Justine M. Cordwell and Ronald A. Schwarz, *The Fabrics of Culture: The Anthropology of Clothing and Adornment* (New York: Mouton, 1979). On women's clothing in the Confederacy, see George C. Rable, *Civil Wars: Women and the Crisis of Southern Nationalism* (Urbana: University of Illinois Press, 1989), 92–95, and Francis Butler Simkins and James Welch Patton, *The Women of the Confederacy* (Richmond: Garrett and Massie, 1936), 147–52. On fashion in the prewar South, see Elizabeth Fox-Genovese, *Within*

the Plantation Household: Black and White Women of the Old South (Chapel Hill: University of North Carolina Press, 1988), 214–24.

3. Sarah Morgan, *Civil War Diary,* 77.

4. Subheading quoted from Mary Greenhow Lee Diary, October 19, 1863, HL; Parthenia Antoinette Hague, *A Blockaded Family: Life's in Southern Alabama during the Civil War* (1888; rpt, Lincoln: University of Nebraska Press, 1991), 39; Emma LeConte Diary, January 23, 1865, SHC. Residents of Mobile were exuberant at procuring European cloth from blockade-runners in August 1862. See Harriet Amos, "All-Absorbing Topics: Food and Clothing in Confederate Mobile," *Atlanta Historical Society Journal* 22 (Fall-Winter 1978): 22. Recent underwater archaeology has discovered that blockade-runners carried an "enormous quantity of luxury goods," including hoopskirts. "The implication is that even under duress people in the South were not always willing to sacrifice standards of living that they appreciated. In truth, the Confederate government was hard-pressed to secure space for military supplies on many of the blockade runners." Gordon P. Watts, "Runners of the Union Blockade," *Archaeology* 42 (September/October 1989): 38. My thanks to Amber Moncure for drawing this work to my attention.

5. Mary Greenhow Lee Diary, October 19,September 23, 1863, HL; Hague, *Blockaded Family,* 67; Kate Stone, *Brokenburn: The Journal of Kate Stone, 1861–1868,* ed. John Q. Anderson (Baton Rouge: Louisiana State University Press, 1955), 207, Margaret Junkin Preston, April 3, 1862, *in The Life and Letters of Margaret Junkin Preston,* ed. Elizabeth Randolph Allan (Boston: Houghotn, Mifflin, 1903), 134; Margaret Gillis Diary, February 24, 1867, ADAH; Lizzie Neblett to Will Neblett, May 17, 1864, Lizzie Neblett Papers, UTA; see also Ellen Moore to Samuel Moore, August 21, 1863, Samuel J. C. Moore Papers, SHC, and Rutherford County women to Zebulon Vance, June 15, 1863, Zebulon Vance Papers, NCDAH.

6. Lizzie Neblett to Will January 9, 1864; see also March 28, 1864, Neblett Papers, UTA. On sarah Morgan's reaction to slave women being given her clothes by the Yankees, see *Civil War Diary,* 213, 215: "Fancy my magenta organdie on a dark beauty! Bah! I think the sight would enrage me!" (215), C. Vann Woodward, ed., *Mary Chesnut's Civil War* (New Haven: Yale University Press, 1981), 588. "Ci-devant" might be translated as "formerly." Stone, *Brokenburn,* 209; see also 175.

7. Subheading from Morgan Callaway to Leila Callaway, May 7, 1862, Morgan Callaway Papers, EU; James Laver, *Costume and Fashion: A Concise History* (New York: Oxford University Press, 1983), 179; see also 170–72 on the cultural meaning of hoops, and see Doreen Yarwood, *The Encyclopedia of World Costume* (New York: Scribners, 1978), who described the style as "the feminine status symbol of the 1850s" (125); Douglas Russell, *Costume History and Style* (Englewood Cliffs, N.J.: Prentice Hall, 1983); and Nora Waugh, *Corsets and Crinolines* (New York: Theatre Arts Books, 1954). Costume historian Joan Severa has kindly shared her insights with me, dating the era of the hoop in American fashion from its first appearance in advertisements circa 1855 to its demise about 1867. Her book *Dressed for the Photographer: Ordinary Americans and Fashion* is forthcoming.
8. Morgan Callaway to Leila Callaway, May 7, 1862; see also May 26, 1862, Callaway Papers, EU. Emma Crutcher to Will Crutcher, February 1, 1862, Crutcher-Shannon Papers, UTA; Stone, *Brokeburn*, 225; for examples of rising costs of cloth, see Rable, *Civil Wars*, 93–94. On hoops and Confederate fashion, see also "Revolution in Ladies' Fashions," October 19, 1863; "The Latest Fashions," December 7, 1863; and "A Badge of Female Disloyalty," November 24, 1863, all in *Charleston Mercury*.
9. Amanda Worthington Diary, May 11, 1862, MDAH.
10. Hague, *Blockaded Family*, 113–14; Anne Shannon Martin Diary, February 23, 1864, MDAH; Elizabeth P. Hardin, *The Private War of Lizzie Hardin: A Kentucky Confederate Girl's Diary of the Civil War in Kentucky, Virginia, Tennessee, Alabama, and Georgia*, ed. G. Glenn Clift (Frankfort : Kentucky Historical Society, 1963), 205; Ellen Moore to Samuel Moore, January 3, 1863, Moore Papers, SHC; Catherine Cochran Reminiscences, vol. 1, VHS. Stays for corsets were another manufactured item scarce in the wartime South. Sara Pryor entreated a Confederate captain to have replacements made for her by the company gunsmith. See Sara Agnes (Mrs. Roger) Pryor, *Reminiscences of Peace and War* (New York: Macmillan, 1904).
11. Clara Solomon Diary, June 10, 1862, LSU.
12. Ibid., June 22, 25, 1862, September 28, 1861; subheading quoted from June 25, 1862; Ruth McLaurin, "Some War-Time Incidents of Sumter County, S.C.," in *South Carolina Women in the Confederacy*, ed. Mrs. Thomas Taylor, Mrs. A. T. Smythe, Mrs.

August Kohn, Miss M. B. Poppenheim, and Miss Martha Washington, 2 vols. (Columbia, S.C.: State Co., 19903), 2:173; Nannie Haskins Diary, July 24, 1864, TSL; on shingling, also see, for example, Leila Callaway to Morgan Callaway, October 7, 1862, December 22, 1863, Callaway Papers, EU, and Sidney Harding Diary, July 26, August 1, 1863, LSU. 복식의 역사를 연구하는 한 학자는 19세기의 싱글컷을 다음과 같이 설명했다. "턱선에 맞춰 자른 머리로 머리 끝이 매우 두껍고 일직선이며, 단순히 가운데서 가르마를 탄다. 그렇지만 젊은 여성들 대부분은 머리를 부풀게 하고 통제가 쉽도록 고데기로 컬을 만들었다." Joan Severa, personal communication, August 28, 1993. For another instance of war-induced haircutting by women, see Mary Louise Roberts, *Civilization without Sexes: Reconstructing Gender in Postwar* France, 1917-1927 (Chicago: University of Chicago Press, 1994), 63-87.

13. Worthington Diary, June 1, 1863, MDAH; Cordelia Scales, in *Heroines of Dixie: Winter of Desperation,* ed. Katharine M. Jones, 2 vols. (1955; rpt., Saint Simons Island, Ga.: Mockingbird Books, 1975), 1:191; Edward Edgeville, *Castine: A Charming Romance* (Raleigh: William B. Smith, 1865). On cross-dressing, see also Victoria E. Bynum, *Unruly Women: The Politics of Social and Sexual Control in the Old South* (Chapel Hill: University of North Carolina Press, 1992), 132.
14. Emma Crutcher to Will Crutcehr, December 20, 1861, Crutcher-Shannon Papers, UTA.
15. "Courtship Extraordinary," *Richmond Enquirer,* April 26, 1864.
16. Subheading quoted from Rowena Webster, n.d., Garrett Papers, TSL; Nina Silber, "Intemperate Men, Spiteful Women, and Jefferson Davis," in *Divided Houses: Gender and the Civil War,* ed. Catherine Clinton and Nina Silber (New York: Oxford University Press, 1992), 283-306. See also Mark E. Neely, Jr., Harold Holzer, and Gabor S. Boritt, "The Belle of Richmond," in *The Confederate Image: Prints of the Lost Cause* (Chapel Hill: University of North Carolina Press, 1987), 79-96, which includes fine examples of cartoons and engravings, and Chester D. Bradley, "Was Jefferson Davis Disguised as a Woman When Captured?," *Journal of Mississippi History* 36 (August 1974): 246. Mary Lee, for example, did not question the tale; see Mary Greenhow Lee Diary, May 20, 1865, HL.
17. Rowena Webster, n.d., Garrett Papers, TSL; Helen Garner quoted in United Daughters of the Confederacy, Mississippi Division,

Stephen Lee Chapter, *War Reminiscences of Columbus, Mississippi* (West Point, Miss.: Sullivan's, 1961), 15; see memoir of Eliza Ann Lanier in Alanda Timberlake Papers, MDAH, and *Richmond Enquirer,* September 10, 1862.

18. Meta Morris Grimball Diary, January 1, 1863, SHC.

19. Florence Percy, *Rock Me to Sleep, Mother* (Columbia, S.C.: Julian Selby, 1862); Drew Gilpin Faust, *The Creation of Confederate Nationalism: Ideology and Identity in the Civil War South* (Baton Rouge: Louisiana State University Pres, 1988), 18–19.

20. Subheading quoted from Sarah Morgan, *Civil War Diary,* 183; Lizzie Neblett to Will Neblett, March 20, 1864, Neblett Papers, UTA; Sarah Morgan, *Civil War Diary,* 182–83; see also Sarah Anne Grover Strickler Diary, May 9, 1865, UVA.

21. Sarah Morgan, *Civil War Diary,* 65; Belle Edmondson, March 5, 1864, in *A Lost Heroine of the Confederacy*: The Diaries and *Letters of Belle Edmondson,* ed. William Galbraith and Loretta Galbraith (Jackson: University Press of Mississippi, 1990), 91; Elizabeth Collier Diary, April 11, 1862, SHC; Emma Walton to J. B. Walton, May 12, 1863, Walton-Glenny Papers, THNOC; Sallie Munford quoted in Douglas S. Freeman, *The South to Posterity: An Introduction to the Writings of Confederate History* (New York: Scribners, 1939), 109. See also Octavia Stephens to Winston Stephens, December 11, 1863, Bryant-Stephens Papers, UFL; Worthington Diary, February 11, 25, 1862, MDAH; Lizzie Neblett to Will Neblett, April 27, 1864, Neblett Papers,UTA; Abby Slocomb to J. B. Walton, October 23, 1862, Walton-Glenny Papers, THNOC; Bragg quoted in Rable, *Civil Wars,* 150; Mary Ann Loughborough quoted in Katharine M. Jones, *Heroines of Dixie,* 2:7; *Richmond Enquirer,* October 4, 1864.

22. Sarah Morgan, *Civil War Diary,* 156.

23. *Countryman,* May 3, 1864. For a twentieth-century example of this ideological strategy, see Margaret Randolph Higonnet, Jane Jenson, Sonya Michel, and Margaret Collins Weitz, eds., *Behind the Lines: Gender and the Two World Wars* (New Haven: Yale University Press, 1987), 7.

24. Maria M. Hubard Diary, June 25, 1861, VHS; Clara MacLean Diary, March 3, 1862, DU; Woodward, *Mary Chesnut's Civil War,* 677.

25. Ella Gertrude Clanton Thomas, *The Secret Eye: The Journal of Ella Gertrude Clanton Thomas,* 1848–1889, ed. Virginia Ingraham Burr (Chapel Hill: University of North Carolina Press, 1990), 204;

Catherine Edmondston, *Journal of a Secesh Lady: The Diary of Catherine Ann Devereux Edmonston, 1860–1866,* ed. Beth G. Crabtree and James W. Patton (Raleigh : Division of Archives and History, 1979), 64.

CHAPTER ELEVEN

1.Title is quoted from Mary Bryan to My dear Daughter, My 20, 1863, John Heritage Bryan Collection, NCDAH.
2.See my discussion of combat stress in Civil War soldiers in Faust, "Christian Soldiers: The Meaning of Revivalism in the Confederate Army," in *Southern Stories: Slaveholders in Peace and War* (Columbia: University of Missouri Press, 1992), 88–109. See also Herbert Hendin and Ann Pollinger Haas, *Wounds of War: The Psychological Aftermath of Combat* (New York: Basic Books, 1984); Robert Jay Lifton, *Home from the War* (New York: Simson and Schuster, 1973); and Richard Severo and Lewis Milford, *The Wages of War: When America's Soldiers Came Home: From Valley Forge to Vietnam* (New York: Simon and Schuster, 1989).
3.Mary Jane Cook Chadick Diary, January, 1, 1865, DU; L. Virginia French Diary, March 26, 1863, TSL; Emma Dobson to James Seddon, January 3, 1865, LRCSW, RG 109, reel 147, M437, D4, NA; Annie Upshur to Jefferson Davis January 3, 1865, LRCSW, RG 109, reel 114, U2, NA.
4.Mary Greenhow Lee Diary, May 21, June 2, 1865, HL; Catherine Cooper Diary, April 6, 1863, TSL; Emily Harris Diary, February 17, 1865, November 23, 1862, October 9, November 21, 1864, WC.
5.Cornelia Peake McDonald, *A Woman's Civil War: A Diary, with Reminiscences of the War, from March 1862,* edited and with an introduction by Minrose C. Gwin (Madison: University of Wisconsin Press, 1992), 99; Mary Legg to Hattie Palmer, July 3, 1863, Palmer Family Papers, SCL. For an almost identical remark, see Ella Gertrude Clanton Thomas, *The Secret Eye: The Journal of Ella Gertrude Clanton Thomas, 1848–1889,* ed. Virginia Ingraham Burr (Chapel Hill: University of North Carolina Press, 1990), 257.
6.Abbie Brooks Diary, April 4, 1865, AHC; Myrta Lockett Avary, ed., *A Virgina Girl in the Civil War,* 1861–1865 (New York: Appleton, 1903), 41; Sara Agnes (Mrs. Roger) Pryor, *Reminiscences of Peace and War* (New York: Macmillan, 1904), 372; Lizzie Neblett to Will Neblett, August 11, 1863, Lizzie Neblett Papers, UTA. For uses of the term

callous, see Amelia Pinkind to Isabella Woodruff, September 15, 1861, Isabella Woodruff, Papers, DU; Mary Greenhow Lee Diary, August 9, 1862, HL; and Emma LeConte Diary, January 18, 1865, SCL.

7.Belle Emondson Diary, April 17, 1864, SHC; M. A. Parkman to Jefferson Davis, March 25, 1863, LRSCW, RG 109, reel 106, M437, P130, NA; French Diary, August 9, 1863, TSL; Emily Harris Diary, November 18, 1864, WC.

8.Julia Davidson to John Davidson, August 1863, Davidson Family Papers, AHC; Thomas, *Secret Eye,* 250; A. Grima to Alfred Grima, November 27, 1863, January 4, 1864, Grima Family Papers, THNOC; Constance Cary Harrison, *Recollections Grave and Gay* (New York: Scibners, 1911), 83; Elizabeth Randolph Allan, ed., *The Life and Letters of Margaret Junkin Preston* (Boston: Houghton, Mifflin, 1903), 148; Sarah Jane Sams to Randolph Sams, February 10, 1865, Sams Family Papers, SCL; Julia Le Grand, *The Journal of Julia Le Grand, New Orleans, 1862–1863,* ed. Kate Mason Rowland and Mrs. Morris L. Croxall (Richmond: Everett Waddey, 1911), 44–45. "I see only sacrifices, victims, ruin, misery, nothing to gain … massacres without result." French Translated by the author.

9.Marinda Branson Moore, *The Dixie Speller* (Raleigh: Branson and Farrar, 1964), 23. On World War 1 as the birth of the modern, see Paul Fussell, *The Great War and Modern Memory* (New York: Oxford University Press, 1975).

10.Betty Herndon Maury, *The Confederate Diary of Betty Herndon Maury, 1861–1863,* ed. Alice Maury Parmalee (Washington, D.C.: privately printed, 1938), 60; Sal to Robert Mabry, October 25, 1864, Robert C. Mabry Papers, NCDAH; Margaret Crawford, "Tables of a Grandmother," in *South Carolina Women in the Confederacy,* ed. Mrs. Thomas Taylor, Mrs. A. T. Smythe, Mrs. August Kohn,, Miss M. B. Poppenheim, and Miss Martha Washington, 2 vols. (Columbia, S.C.: State Co., 1903), 1:210.

11,On extortion in the Confederacy, see Drew Gilpin Faust, " Sliding into the World": *The Sin of Extortion and the Dynamic of Confederate Identity,"in The Creation of Confederate Nationalism: Ideology and Identity in the Civil War South* (Baton Rouge: Louisiana State University Press, 1988), 41–57.

12.Mary Bell to Alfred Bell, July 20, 1862, Alfred W. Bell Papers, DU; Louisa Rice to Zachariah Rice, December 29, 1862, Zachariah Rice Papers, AHC; Mary Pugh to Richard Pugh, November 9, 1862,

Richard Pugh Papers, LSU; Octavia Stephens to Winston Stephens, March 19, 1862, Bryant–Stephens Papers, UFL.

13.Avary, *Virginia Girl,* 302; Harris Diary, March 31, 1864, WC; Margaret Easterling to Jefferson Davis, December 3, 1862, LRCSW, RG 109, reel 45, M437, E227, NA; Mary L. Scales to the Confederate Secretary of War, September 8, 1862, LRCSW, RG 109, reel 72, S890, NA.

14.Mary Chichester to Arthur Chichester, May 2, 1864, Point Lookout Letters, NA; Thomas, *Secret Eye,* 240.

15.See C. B. Macpherson, *The Political Theory of Possessive Individualism: Hobbes to Locke* (New York: Oxford University Press, 1962), for a discussion of this transformation, and see Carole Pateman, *The Sexual Contract* (Stanford: Stanford University Press, 1988), for a perspective on these issues that includes gender.

16.On the shift from republicanism to liberalism, see, for example, Steven Watts, *The Republic Reborn: War and the Marking of Liberal America, 1790–1820* (Baltimore: Johns Hopkins University Press, 1987); Joyce Appleby, *Capitalism and a New Social Order: The Republican Vision of the 1790s* (New York: New York University Pres, 1983); Gordon Wood, *The Creation of the American Republic, 1776–1787* (Chapel Hill: University of North Carolina Press, 1969); Drew R. McCoy, *The Elusive Republic: Political Economy in Jeffersonian America* (Chapel Hill University of North Carolina Press, 1980); and Gordon Wood, *The Radicalism of the American Revolution* (New York: Knopf, 1992), The literature on republicanism is voluminous. See, for overview, Daniel T. Rodgers, "Republicanism: The Career of a Concepts," *Journal of American History* 79 (June 1992): 11–38, and Robert E. Shalhope, "Republicanism and Early American Historiography," *William and Mary Quarterly* 39 (April 1982):334–56.

17.For a classic statement of the liberation of women by war, see William Chafe, *The American Women: Her Changing Social, Economic,and Political Roles, 1920–1970* (New York: Oxford University Press, 1972). For examples of Confederate women speaking of necessity as the mother of invention, see Clara Solomon Diary, May 18, 1862, LSU, and Amelia Pinkind to Isabella Woodruff, August 4, 1862, Woodruff Papers, DU. Julia Davidson to John Davidson, September 8, 1863, Davidson Family Papers, AHC.

18.On women encouraging men to desert, see, for example, remarks of Kate Cumming in *Kate: The Journal of a Confederate Nurse,* ed. Richard Barksdale Harwell (Baton Rouge: Louisiana State University Press, 1959), 296, and R. E. Lee to Zebulon Vance, February 24, 1865, and J. Johnston Pettigrew to Vance, May 22, 1863, Vance Papers, NCDAH. Quotations are from B. M. Edney to James Seddon, August 18, 1863, LRCSW, RG 109, reel 90, M437, E106, NA, and Charles Fenton James to Dear Sister, February 13, 1864, Charles Fenton James Papers, SHC. See Ella Lonn, *Desertion during the Civil War* (New York: Century, 1928), and Richard Bardolph, "'Inconstant Rebels': Desertion of North Carolina Troops in the Civil War," *North Carolina Historical Review* 41 (Spring 1964): 163–89. Those women who clung to their patriotism demonstrated their exceptionality in their complaints about the contrasting sentiments around them. See Kate Stone, *Brokeburn: The Journal of Kate Stone, 1861–1868,* ed. John Q. Anderson (Baton Rouge: Louisiana State University Press, 1955), 344, and Mary Greenhow Lee Diary, April 19, 1865, HL.

19. *Montgomery Diary Advertiser,* June 15, 1864.
20. Augusta Jane Evans, "Women of the Confederacy," clipping in M. L. Lawton Scrapbook, 66, AHC.
21. Tombeckbee Presbytery of Alabama, Minutes, April 8, 1865, HFPC; Pryor, *Reminiscences,* 326; Grace Elmore Diary, February 7, 1865, SCL; Thomas, *Secret Eye,* 220; C. Vann Woodward, ed., *Mary Chesnut's Civil War* (New Haven :Yale University Press, 1981), 430; Mary Early Diary, January 19, 1865, VHS; George C. Rable, *Civil Wars: Women and the Crisis of Southern Nationalism* (Urbana: University of Illinois Press, 1989), 200. See also Phoebe Yates Pember, *A Southern Woman's Story: Life in confederate Richmond,* ed. Bell Irvin Wiley (1959: rpt, Saint Simons Island, Ga.: Mockingbird Books, 1974), 127, and Judith McGuire, *Diary of A Southern Refugee, during the War* (New York: E. J. Hale,1867), 328, 29.
22. *Richmond Enquirer,* February 12, 1864; Will Neblett to Lizzie Neblett, March 12, 1864, Neblett Papers, UTA.
23. On bread riots and female violence, see Michael Chesson, "Harlots or Heroines? A New Look at the Richmond Bread Riot," *Virginia Magazine of History and Biography* 92 (April 1984): 131–75; Victoria E. Bynum, *Unruly Women: The Politics of Social and Sexual Control in the Old South* (Chapel Hill: University of North Carolina Press, 1992); Paul Escott, *Many Excellent People: Power*

and Privilege in North Carolina, 1850–1900 (Chapel Hill: University of North Carolina Press, 1986), 23, 67; J. A. Richardson to Zebulon Vance, April 18, 1864, in U.S. War Department, *The War of the Rebellion: A Compilation of the Official Records of the Union and Confederate Armies, 127* vols. And index (Washington, D.C.: Government Printing Office, 1880–1901), series 1, 52(2): 667–68.

24. Elizabeth Fix to Jefferson Davis, February 21, 1865, RG 109, Citizens Files, NA; Thomas, *Secret Eye,* 252; Almira Acors to Jefferson Davis, March 23, 1862, LRCSW, RG 109, reel 29, M437, A62, NA.

25. McDonald, *Woman's Civil War,* 224.

26. Gaines M. Foster, *Ghosts of the Confederacy: Defeat, the Lost Cause, and the Emergence of the New South* (New York: Oxford University Press, 1987).

EPILOGUE

1. Mary Greenhow Lee Diary, September 13, 1865, HL.; Garland R. Quarles, *Occupied Winchester, 1861–1865* (Winchester, Va.: Winchester–Frederick County Historical Society, 1991), 16. Title is quoted from Lucy Rebecca Buck, Sad Earth, Sweet Heaven: The Diary of Lucy Rebecca Buck, ed. William Pettus Buck (Brimingham, Ala.: Cotnerstone, 1973), 50.

2. Ninth Census of the United states, Population Schedules and Agricultural Schedules, Grimes Country, Tex., NA; Lizzie Neblett Reminiscence, May 25, 1912, UTA.

3. Margaret Gillis Diary, June 6, 1866, ADAH.

4. See Nell Irvin Painter, "Introduction: The Journal of Ella Gertrude Clanton Thomas: An Educated White Woman in the Eras of Slavery, War, and Reconstruction." In *The Sercet Eye: The Journal of Ella Gertrude Clanton Thomas, 1848–1889,* ed. Virginia Ingraham Burr (Chapel Hill: University of North Carolina Press, 1990), 1–67; Mary Elizabeth Massey, "The Making of a Feminist," *Journal of Southern History* 39 (February 1973): 3–22; Virginia Ingraham Burr, "A Woman Made to Suffer and Be Strong: Ella Gertrude Clanton Thomas, 1834–1907," in In *Joy and in Sorrow: Women' Family, and Marriage in the Victorian South, 1830–1900,* ed. Carol Bleser (New York: Oxford University Pres, 1991), 215–32.

5. Lucy Rebecca Buck, April 18, 1862, in *Sad Earth, Sweet Heaven,* 50; Emma Mordecai Diary, May 20, 1865, SHC; Wilbur Fisk Tillett, "Southern Womandhood as Affected by the War," *Century* 43

(November 1891):12, 13.

6. Marjorie Stratford Mendenhall, "Southern Women of a 'Lost Generation,'" *South Atlantic Quarterly* 33 (October 1934): 345; Tillett, "Southern Womanhood," 15. On women's education in the postwar era, see also Anne Firor Scott, *The Southern Lady: From Pedestal to Politics, 1830–1930* (Chicago: University of Chicago Press, 1970), 114–15.

7. See Kathleen Berkeley, "Elizabeth Avery Meriwether, 'An Advocate for Her Sex': Feminism and Conservatism in the Post Civil War South," *Tennesee Historical Quarterly* 43 (Winter 1984): 390–407; Marjorie Spruill Wheeler, *New Women of the New South: The Leaders of the Woman Suffrage Movement in the Southern States* (New York: Oxford University Pres, 1993), 80–81; and Suzanne Lebsock, "Radical Reconstruction and the Property Rights of Southern Women," *Journal of Southern History* 43 (May 1977): 195–216.

8. Lebsock, "Radical Reconstruction," 215.

9. Amanda Sims to Harriet Palmer, February 9, 1867, Palmer Family Papers, SCL; Kate Stone, *Brokenburn: The Journal of Kate Stone, 1861–1868,* ed. John Q. Anderson (Baton Rouge: Louisiana State University Press, 1955), 363, 364. On posttraumatic stress in Confederate soldiers, see Drew Gilpin Faust, "Christian Soldiers: The Meaning of Revivalism in the Confederate Army," in *Southern Stories: Slaveholders in Peace and War* (Columbia: University of Missouri Press, 1992), 88–109.

10. See Gaines M. Foster, *Ghosts of the Confederacy: Defeat, the Lost* Cause, and the Emergence of the New South (New York: Oxford University Press, 1987), and Charles Reagan Wilson, *Baptized in Blood: The Religion of the Lost Cause, 1865–1920* (Athens: University of Georgia Press, 1980).

11. Emily Harris Diary, November 7, 1863, WC; Drew Gilpin Faust, "Trying to Do a Man's Business': Gender, Violence, and Slave Management in Civil War Texas," in Faust, *Southern Stories,* 174–92. For examples of other women who shared Thomas's configuration of postwar commitments, see Berkeley, "Elizabeth Avery Meriwether," and Carol Bleser and Frederick Heath, "The Clays of Alabama: The Impact of the Civil War on a Southern Marriage," in Bleser, *In Joy and in Sorrow,* 135–53.

12. Wheeler, *New Women of the New South,* 18; Scott, *Southern Lady,* 163. See also Cita Cook, "Public Daughters of the New South:

Young White Women in Civic Ceremonies, 1877–1917" (paper delivered at the Organization of American Historians Annual Meeting, Atlanta, 1994).

13.Lizzie Neblett to Will Neblett, undated letter fragment [1864], Lizzie Neblett Papers, UTA; Wheeler, *New Women of the New South,* 112, 118. Many scholars before me have remarked on how divisions of race undermined feminism in the postwar South. For an elegantly stated example, see Suzanne Lebsock, *The Free Women of Petersburg: Status and Culture in a Southern Town, 1784–1860* (New York: Norton, 1984), 237–49. See also Jacquelyn Dowd Hall, *Revolt against Chivalry: Jessie Daniel Ames and the Women's Campaign against Lynching* (New York: Columbia University Press, 1979), and Grace Elizabeth Hale, "'Some Women Have Never Been Reconstructed': Mildred Lewis Rutherford, Lucy M. Stanton, and the Racial Politics of White Southern Womanhood, 1900–1930"(unpublished paper kindly lent by the author).

AFTERWORD

1.C. Vann Woodward, *The Burden of Southern History* (Baton rouge: Louisiana State University Press, 1960); revised editions published in 1968 and 1993. Quotation is from the 1968 edition, p. 19.

2.See William Faulkner, *Requiem for a Nun* (New York: Random House, 1950), 92, and Faulkner, *Intruder in the Dust* (New York: Random House, 1948).

3.For an overview of the historical literature, see Darlene Clark Hine, ed., *The State of Afro-American History: Past, Present, and Fulture* (Baton Rouge: Louisiana State University Press, 1986); for a literary example, see Toni Morrison, *Beloved* (New York: Knopf, 1987).

4.On disdain, see Marjorie Spruill Wheeler, *New Women of the New South: The Leaders of the Woman Suffrage Movement in the Southern States* (New York: Oxford University Press, 1993), 40. Susan B. Anthony quoted in Elaine Partnow, *The Quotable Woman* (New York: Meridian, 1993), 189.

■ 참고문헌에 관한 설명

1차 자료

필사본, 인쇄된 자료와 시각 자료

이 책을 위한 자료의 가장 중요한 출처는 각주 첫 페이지에 언급한 이십여 개의 박물관과 자료 보관소에 있는 남부 연합 여성들과 그 가족들의 편지와 일기 원본이다. 처음부터 특정 독자를 염두에 두고 쓴 편지에 비해 일기는 글쓴이의 내면의 시선이 드러나는 경우가 많았다. 그러나 남북전쟁 시대에 일기를 쓴 여성들은 언젠가는 출판되리라는 기대로 일기를 쓰거나 후세의 눈을 의식해서 썼기 때문에 학자들은 이들 저술을 평가하기에 앞서 글쓴이의 전반적인 의도를 신중하게 규정해야 한다. 나는 전쟁으로 황폐해진 남부에서는 개인적인 삶을 살 여유가 거의 없었다고 말했다. 그렇기 때문에 이들 기록 중 몇 개는 진짜 "사적인" 문서로 분류되어야 한다고 생각한다. 남부 연합 여성들은 자신들이 중요한 역사적 순간에 살고 있다는 것을 알고 있었고, 그들은 역사에 영향을 미치기 위해 글을 썼다. 전후의 회상은 더욱 중요한 문제를 초래한다. 왜냐하면 학자는 19세기 말의 정황과 당시의 관심사가 미쳤을 영향의 역할도 평가해야 하기 때문이다. 그런 회상은 사본과 출판된 형태 두 가지 모두에 넘칠 정도로 많지만 나는 그 기록들을 이용하는 데 있어 조심스럽고도 신중했다. 나에게 훨씬 더 가치가 있었던 것은 남부 연합 정부와 주 정부 기록에 남아 있는 여성들의 편지였다. 나는 미시시피 주, 조지아 주와 노스캐롤라이나 주의 주지사에게 보낸 편지 묶음을 발견했는데, 이것은 각 주의 문서보관소에 있으며 특히 유용한 편지 묶음이다. 남부 연합 국방장관에게 보낸 편지와 민간인들이 보낸 그 밖의 서신들은 국가기록보관소의 남부 연합 정부 기록물에 소장되어 있는데, 이 편지들은 부유한 노예소유 여주인들에서부터 좀 더 교육수준이 높은 이웃에게 리치몬드에 보낼 편지를 받아 쓰게 했던 글을 모르는 농부의 아내들에 이르기까지 모든 계급의 백인 여성들의 삶을 들여다 볼 수 있는 기회를 주었다. 민간 시설의 필사본 기록들은 그다지 많은 도움이 되지 못했는데, 전쟁동안 기록물 보관이 제대로 이루어지지 않은 점이 그 이유 중 하나였다. 그렇지만 나는 몇몇 가치 있는 교회자료와 여러종파의 기록을 찾았고, 그들 중 노스캐롤라이나 주 몬트리트_montreat에 위치한 장로교회 역사재단에 있는 자료가 유용하였다. 버지니아 주 로어노크_Roanoke에 위치한 오랜 전통의 홀린스 대학을 제외하고는 여성 교육기관의 문서보관서는 찾기가 쉽지 않았다. 홀린스 대학에 있는 자료는 내가 원하는 바를 알려주지 못했다. 여성들의 자원봉사 단체와 군인원조협회의 의사록은 단편적인 경향이 있지만, 일반적으로 관리자들의 이름과 활동내역, 전방에 보내기 위해 만든 물건들이 열거되어 있었다.

남북전쟁 역사의 인기와 더불어 지난 날 여성들의 경험에 대한 관심이 높아지자 이에 고무된 편집자들과 출판사들이 수많은 전시 일기와 편지들을 거듭 출판했다. 그 결과, 이제는 대다수 1차 자료들을 서점과 공립 도서관에서 손쉽게 접할 수 있다. 이러한 자료는 학자들과 교사에게 더 없이 귀한 자산이며 일반 독자들에게도 이 여성들과 직접 대면할 수 있는 기회를 주었다. 12개도 넘는 그런 종류의 출판본이 내가 쓴 각주에 열거되어 있다. 이 책들 중에서 가장 유명한 것은 아마 우드워드의 퓰리처상 수상작품 *Mary Chesnut's Civil War* (New Haven: Yale University Press, 1981)이지만 관심이 있는 독자들은 최근 새로 발간된 코넬리아 피크 맥도날드

_Cornelia Peake McDonald와 엘라 게르트루드 크랜톤 토마스_Ella Gertrude Clanton Thomas, 케이트 스톤_Kate Stone, 사라 모건_Sarah Morgan, 엠마 홈스_Emma Holmes, 에이다 바콧_Ada Bacot, 케지아 브레바드_Keziah Brevard의 일기와 수많은 가족들의 편지 출판본도 볼 수있다. 고전으로 꼽는 것은 로버트 메이슨 마이어스_Robert Manson Myers의 *The Children of Pride: A True Story of Georgia and the Civil War* (New Haven: Yale University Press, 1972)로, 이것은 독실한 장교교회 신자인 존스 가족의 편지를 엮은 것이다.

전쟁 기간 동안 출판된 책들은 남부 연합 여성들이 활동하였던 그 시대 문화적, 사회적 배경과 담론을 엿볼 수 있는 기회를 제공했다는 점에서 내 연구에 없어서는 안 될 귀한 자료들이다. 종이와 인쇄기의 부족이 남부 연합 출판계의 걸림돌이었지만, 그럼에도 유수의 신문과 정기간행물들은 전쟁의 마지막 날까지 살아남았다. 책 뒤의 주석에도 나타나듯이 지역 신문과 종교교파 신문에서 나는 유용한 것들을 많이 찾았다. 왜냐하면 신문의 문화 비평의 주요 소재가 여성의 역할과 의무에 관한 논의였기 때문이다. 정기간행물에 실린 장문의 논문이 간호, 여성의 교육, 여류작가 같은 주제에 대해 더 많은 정보를 제공하기도 한다. 이 문화적 목소리와 여성들의 경험 사이의 상호작용은 전쟁 기간 여성들이 자기 자신에 대한 정의를 다시 내리는데 결정적인 역할을 했다.

완벽성을 기하기 위해 마이크로필름으로 만들기도 한 남부 연합 출판물에 대한 다음 두 권의 참고 목록 덕분에 연구자들은 출판된 엄청난 양의 남부 연합 작품을 손쉽게 얻을 수 있게 되었다. 마조리 라일 크랜달_Marjorie Lyle Crandall의 *Confederate Imprints: A Check List* (Boston: Boston Athenaeum, 1955) 1, 2권, 리차드 하웰_Richand Harwell의 *More Confederate Imprints*

(Richmond: Virginia State Library, 1957) 1, 2권. 나는 여기서 출판된 노래와, 설교, 소설, 시를 찾았고, 이 자료는 내가 남부 연합 대중문화와 그 안에서 여성들의 위치를 이해하는데 필수적이었다. 출판된 주 정부와 연방정부의 법률과 기록도 이 참고목록에 포함되었으며, 관련 법률 특히, 간호와 강제징병을 분석하는데 중요한 역할을 했다.

사진 자료를 구하려면 각별한 노력이 필요했다. 과거 역사학자들이 다른 종류의 증거들만큼 진지하고 꼼꼼하게 다루지 않았던 것이 그 원인 중 하나이다. 사진 확인과 분류가 대충 진행되었고, 역사학자들이 문서기록을 다룰 때와 같은 세심함이 결여되는 일도 자주 있었다. 이 책에 실을 삽화를 찾는 동안 사진에 작가나 발행인 이름이 무작위로 붙어있는 것을 보고 놀란 적이 한두 번이 아니다. 마치 사진에 첨부된 설명과 제목의 정확성 따위는 문제가 되지 않는 듯했다. 예를 하나 들자면, '남부 여성들과 노예들' 이라는 제목으로 이미 수차례 인쇄된 한 사진은 사실 북부의 노예폐지론자 교사들과 이제 막 자유의 몸이 된 학생들이다.

남부 백인여성들 관련 시각자료를 이용하고 싶은 학자적 소망에 또 다른 걸림돌이 된 것은 그런 자료가 희귀하다는 것이다. 나는 여성의 경우에는 흑인이든 백인이든, 북부사람이든 남부사람이든지 가장 사진을 적게 찍었고, 역사적으로 주목받지 못한 사람들이라고 생각한다. 사진작가와 조판공들이 절대적으로 관심을 보이는 대상은 군인들이며, 남북전쟁 예술가들과 사진작가들에게 상당한 관심거리인 노예들과 이제 막 자유를 찾은 사람들 또한 이 시각자료에 가끔 등장한다. 확실히 흑인여자들보다는 흑인남자들이 더 자주 나타나기는 하지만 말이다. 북부에서는 사진촬영이 일반적이었기 때문에 사진사의 수가 많지 않고 인화기술도 발달하지 않았던 남부와는 비교가 되지 않을 정도로 북부 백인여성들의 사진은 구하기가 수월하다. 결과적으로 남부 백인여성들의 모습은 상당히 접하기 힘들었고 우리가 접할 수 있는 자료 대부분은 여러 번 이용된 『하퍼스 위클리』지에 실린 사진과 프랭크 레슬리가 그린 신문 삽화와 같은 북부 자료들이다. 나는 역사학자들이 사진 자료에 좀 더 세심한 관심을 기울이기를 바란다. 또한 우리는 전쟁시기의 남부여성들에 대한 물질적인 기록인 머리 장식, 양말, 홈스펀 옷, 그 밖의 다른 물건 등도 연구에 포함시켜야 한다고 생각한다.

남부 연합 여성에 관한 2차자료

남북전쟁에 관한 문헌이 엄청나기 때문에 -미국사에서 가장 많이 쓰이는 주제이다- 여기서 언급하는 작품은 남부 백인여성에 관한 것으로 제한하기로 하겠다. 전통적인 남북전쟁 역사문헌들이 남부 백인여성들의 경험을 완전히 무시한 것은 아니지만 남자들의 군사적 노력에 대한 여성들의 기여에 초점을 맞추는 경향이 있다. 프랜시스 버틀러 심킨스_Francis Butler Simkins와 제임스 웰치 패튼_James Welch Patton의 *Women of the Confederacy* (Richmond: Garrett and Massie, 1936)는 주로 특권계급 백인여성들의 삶을 전체적으로 조망하는데 유용하다. 남북전쟁 100주년 때 쓰인 메리 엘리자베스 매시_Mary Elizabeth Massey의 *Bonnet Brigades: American Women and the Civil War* (New York; Knopf, 1966)는 남부와 북부 여성들에 대한 학문적인 연구로 최근 *Women in Civil War* (Rutherford. N.J.: Fairleigh Dickinson University Press, 1970)이란 제목으로 다시 출판되었는데 첫 번째 제목만큼 시대를 잘 나타내지는 못하는 것 같다. 스턱스_H. E. Sterkx는 주

역사서라고 할 수 있는 *Partners in Rebellion: Alabama Women in the Civil War* (Rutherford, N.J.: Fairleigh Dickinson University Press, 1970)를 썼는데, 지역 역사에 관한 내용을 담고 있다. 벨 어빙 와일리_Bell Irvin Wiley가 쓴 *Confederate Women* (Westport, Conn.: Greenwood Press, 1975)는 전기적 접근을 한 것이라서 크게 도움이 되지는 않는다. 오늘날 독자들에게 무엇보다 가장 큰 도움이 될 만한 책은 조지 레이블_George Rable의 *Civil Wars: Women and the Crisis of Southern Nationalism* (Urbana: University of Illinois Press, 1989)이며 이 저서가 나오기 전 15년 동안 여성사 저서들이 쏟아져 나온 덕분에 이 작품의 내용이 풍부할 수 있었다. 레이블의 광범위한 연구와 사려 깊은 통찰력은 나에게 매우 값진 것이었지만 나는 내 연구의 틀을 형성하는 데 계급과 성별에 관한 개념을, 나의 분석에 대한 상황 설명을 하기 위해서는 문화적 자료에 더 중점을 두었다. 레이블은 당연히 그의 전문영역이라고 여길만한 곳에서 내가 어슬렁거리는 동안 변함없이 관대한 태도를 보여주었다.

여성의 역사에 관한 연구가 더 넓은 범위의 젠더에 관한 연구로 발전됨에 따라 남북전쟁 시대 여성 관련 연구도 중요한 영향을 받게 된다. 이런 연구의 변화를 보여주는 초기의 책은 캐서린 클린턴_Catherine Clinton과 니나 실버_Nina Silver가 발행한 *Divided Houses: Gender and the Civil War* (New York: Oxford University Press, 1992)이다. 이 책은 수많은 학자들의 논문이 실려 있기 때문에 특히 유용하다. 이들 학자들은 보다 광범위한 영역의 연구를 진행하고 있으며, 이 중 많은 저서가 가까운 미래에 나올 것이다.

나의 방대한 주석을 눈여겨본다면 1차자료와 2차자료에 관한 더 자세한 정보를 원하는 독자들에게 큰 도움이 될 것이다.

▣ 찾아보기

ㅇ

옮긴이의 글

드루 길핀 파우스트 교수는 500명의 남부 연합 여성들의 일기, 편지, 수필, 회고록 뿐만 아니라 연극, 소설, 노래, 그림과 같은 남부 연합의 대중 문화를 보여주는 매개체와 정부 문서, 신문 기사 등 광범위한 자료를 섭렵하여 남북전쟁 시기 여성들 특히 상류계급 여성들의 삶을 다양한 각도에서 치밀하게 분석하였다. 파우스트 교수는 결혼, 독서와 글쓰기, 종교, 노예와 집안 관리, 부부간의 문제, 양키들의 점령 상황 등 주제를 세분화하여 각 주제별로 여성들이 겪는 어려움과 심적 변화 과정을 깊이 있게 다루고 있다. 즉 전쟁 초반에 여성들이 보여준 열의와 애국심이 전쟁이 진행되면서 어떻게 바뀌어가는지, 남북전쟁으로 가부장적 구조가 심각하게 도전을 받게 되고, 전통적으로 남자의 일로 알려진 일을 하면서 여성들이 갈등하고 고민하는 모습, 자신의 무기력함과 무능력함을 한탄하면서도 여성적인 영역에서 벗어나기를 거부하는 상층계급 여성들의 모습, 남편의 부재로 겪게 되는 물리적 어려움 뿐만 아니라 부부간의 사적이며 은밀한 문제, 인간의 애국심과 이기심이 상충되는 지점을 섬세한 필치로 그려내고 있다.

그러나 파우스트 교수의 탁월한 분석력과 묘사보다 더 높이 평가할 만한 것은 남부 연합 여성들의 모습을 미화하거나 과장하지 않고 있는 그대로 가감없이 그리려고 노력한 점일 것이다. 파우스트 교수는 광범위한 자료를 직접 인용함으로써 당시의 상황을 생동감 있게 그려냈을 뿐만 아니라 상황을 객관적으로 전달하고자 노력하였다. 또한 한 가지 사건을 다양한 측면에서 조명함으로써 독자로하여금 상황에 대해 객관적으로 판단하고 이해하도록 하였다. 예를 들어 남부연합 상류층 여성이 간호일을 기피하는 이유를 단순히 숙녀의 일과 동떨어진 일이라는 점, 일에 대한 두려움 때문에 본인이 기피하는 측면도 있지만 간호일이 품위를 떨어뜨린다는 이유로 남편이나 집안의 반대로 할 수 없는 경우도 있었음을 보여줌으로써 가부장적이며 계급 고정적인 남부 사회의 모습을 보여주려고 하였다.

마지막으로 이 책의 장점은 이 책이 특수한 계층의 이야기 그리고 남북전쟁이라는 특수한 사건을 다루고 있음에도 불구하고 전쟁이 여성에게, 한 사회에 그리고 가정에 미치는 영향이라는 보편적인 문제를 되짚어 볼 수 있도록 한다는 점을 들 수 있을 것이다. 또한 미국사 전공자에게는 남북전쟁 시기 여성의 문제를 깊이 있게 다룬 책이라는 점에서 도움이 되리라 생각한다. 그럼에도 불구하고 파우스트 교수가 서두에서 말한 바와 같이 여성들의 일기와 편지를 인용한 내용이 많이 수록되어 있어서 비전공자들도 흥미있게 읽을 수 있을 것이라고 생각한다.

2008년 12월 22일
박현숙

미국 남북전쟁 시대 남부의 특권계급 여성들의 이야기
시련에 맞선 여성들 Mothers of Invention

초판 인쇄 | 2008년 12월 17일
초판 발행 | 2008년 12월 19일

지은이 | 드루 길핀 파우스트
역 자 | 박현숙 · 안혜원
펴낸이 | 김재광
펴낸곳 | 솔과학
주소 | 서울시 마포구 염리동 164-4 삼부 골든 타워 302호
전화 | 82-2(02)714-8655
팩스 | 82-2(02)711-4656
E-mail | solkwahak@hanmail.net
출판등록 | 1997년 2월 22일 (제10-104호)

ISBN 978-89-87749-95-20-7

* 책값은 뒷표지에 있습니다.
* 잘못된 책은 구입하신 서점에서 바꾸어 드립니다.
* 저자와의 협의에 의해 인지를 생략합니다.